INITIATION
À LA PSYCHOLOGIE
5ᵉ ÉDITION

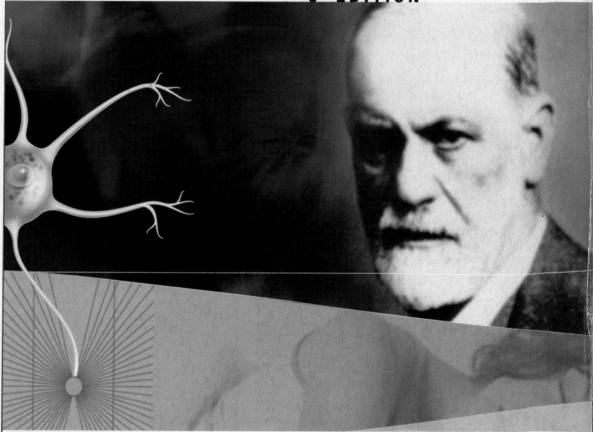

SPENCER A. RATHUS

ADAPTATION SOUS LA DIRECTION DE PIERRE CLOUTIER ET GUY PARENT
ALAIN HUOT
LUCE MARINIER
JOSÉE PARADIS

D1310791

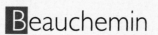

Beauchemin

INITIATION À LA PSYCHOLOGIE

5ᵉ ÉDITION

SPENCER A. RATHUS

ADAPTATION SOUS LA DIRECTION DE PIERRE CLOUTIER ET GUY PARENT

ALAIN HUOT
LUCE MARINIER
JOSÉE PARADIS

Version française de *Essentials of Psychology*, 6th edition, by Spencer A. Rathus. © 2001 Wadsworth, a division of Thomson Learning, Inc. Thomson Learning™ is a trademark used herein under license.

© 2005 **Groupe Beauchemin, éditeur ltée**

3281, avenue Jean-Béraud
Laval (Québec) H7T 2L2
Téléphone :   (514) 334-5912
                      1 800 361-4504
Télécopieur : (450) 688-6269
www.beaucheminediteur.com

Éditeur : Jean-François Bojanowski
Chargée de projet : Karine Méthot
Coordonnatrice à la production : Josée Desjardins
Réviseure linguistique : Nathalie Larose
Correctrices d'épreuves : Johanne Summerside, Céline Bouchard et Nathalie Larose
Recherche iconographique : Claudine Bourgès
Mise en pages : Pénéga communication inc.
Maquette intérieure : Pénéga communication inc.
Réalisation de la page couverture : Pénéga communication inc.
Photos de la page couverture : Freud : © Bettmann/Corbis
                                               Femme endormie : Photos.com
                                               Neurone : Curtis, Jacobson, Marcus/AnIntro. To the neurosciences (Film Fixe), W.B
                                                         Saunders and Co., Philadelphie.
Impression : Imprimeries Transcontinental inc.

Tous les droits de traduction, d'adaptation et de reproduction, sous quelque forme que ce soit, en partie ou en totalité, sont réservés pour tous les pays. Entre autres, la reproduction d'un extrait quelconque de ce livre, par quelque procédé que ce soit, tant électronique que mécanique, en particulier par photocopie, par numérisation et par microfilm, est interdite sans l'autorisation écrite de l'éditeur.

Le photocopillage entraîne une baisse des achats de livres, à tel point que la possibilité pour les auteurs de créer des œuvres nouvelles et de les faire éditer par des professionnels est menacée.

Nous reconnaissons l'aide financière du gouvernement du Canada par l'entremise du Programme d'aide au développement de l'industrie de l'édition (PADIÉ) pour nos activités d'édition.

L'éditeur a fait tout ce qui était en son pouvoir pour trouver les sources des documents reproduits dans le présent ouvrage. On peut lui signaler tout renseignement susceptible de contribuer à la correction d'erreurs ou d'omissions.

ISBN : 2-7616-1983-8

Dépôt légal : 2ᵉ trimestre 2005
Bibliothèque nationale du Québec
Bibliothèque et Archives Canada

Imprimé au Canada
1 2 3 4 5   09 08 07 06 05

Avant-propos

Initiation à la psychologie, de Spencer A. Rathus, est la cinquième édition du manuel connu précédemment sous le titre de *Psychologie générale*. Il constitue le livre de base du cours obligatoire de psychologie au collégial, qui porte le même nom.

Le manuel aborde essentiellement les principales notions et les principaux concepts de psychologie conformément au programme du ministère de l'Éducation du Québec. L'approche retenue dans cette nouvelle édition se caractérise par le souci de faciliter à l'étudiant la compréhension des différents thèmes à l'étude. C'est ainsi que les modifications apportées dans le présent ouvrage ont été faites avec la même préoccupation que celle qui a prévalu dans les éditions précédentes : préserver le langage clair et concis qui a toujours caractérisé l'ouvrage. À cette fin, les différents éléments de la table des matières ont été numérotés afin de mieux faire ressortir les éléments principaux et les éléments secondaires. Le chapitre traitant des motivations et des émotions a été scindé en deux chapitres, tel que les utilisateurs le souhaitaient. Les encadrés sont maintenant présentés selon quatre thèmes précis. À cela s'ajoute une mise en pages plus aérée, appuyée par une iconographie recherchée qui rend la lecture plus agréable.

D'autres nouveautés mettent la qualité pédagogique de l'ouvrage en valeur. Par exemple, chacun des chapitres comporte une rubrique intitulée *Pour aller plus loin*. On y dresse une liste d'ouvrages de référence, de périodiques, de films, de cédéroms et de sites Internet, brièvement décrits et commentés, qui permettent à ceux qui le désirent d'approfondir davantage un aspect de la matière traitée dans le chapitre.

Et ce n'est pas tout. Une nouvelle version améliorée du diaporama électronique du cours appuie l'enseignant dans sa tâche, et un site Internet novateur, nommé Odilon, accompagne l'élève dans son travail en lui proposant une gamme d'exercices interactifs en lien avec chaque chapitre. Ce site est plus amplement décrit à la page suivante.

Il ne vous reste plus qu'à découvrir les multiples avantages d'utiliser un manuel conçu dans un esprit d'efficacité et capable de répondre aux besoins des étudiants d'aujourd'hui.

Remerciements

Les changements apportés à la présente édition tiennent compte des commentaires, critiques et recommandations d'enseignants de différents collèges de la province de Québec, qui ont volontiers accepté de participer à la consultation. Nous tenons à remercier les personnes suivantes pour leur aimable collaboration :

Cégep Marie-Victorin : Ann Comtois

Cégep de Valleyfield : Gilles Poirier

Cégep Montmorency : Denise Pariseau

Le virage vers les nouvelles technologies

Cette dernière édition de *Initiation à la psychologie* nous fait entrer dans une ère nouvelle de l'utilisation d'outils informatiques accompagnant les manuels scolaires. Depuis quelques années, le matériel complémentaire se trouvant sur les sites Internet consistait principalement en documents écrits et «figés», en format Word ou PDF, par exemple. L'étudiant ou le professeur devait alors les télécharger pour ensuite les imprimer sur du papier... Aucune interactivité dans ce type de matériel! Ce temps est maintenant révolu. Aujourd'hui, les possibilités offertes par l'application des nouvelles technologies en éducation amènent d'importants changements dans l'enseignement. Concrètement, ce sont les étudiants et leurs professeurs qui y gagnent. L'utilisation de l'ouvrage *Initiation à la psychologie* leur permet dorénavant d'accéder tout à fait gratuitement à un site Internet qui enrichit, diversifie, dynamise et personnalise leur cours.

www.odilon.ca

Ce site Internet constitue réellement un outil pédagogique innovateur. La pertinence de ce nouvel outil informatique, sans précédent dans l'enseignement du cours d'initiation à la psychologie, réside dans le fait qu'il contribue largement à la mission éducative en offrant un environnement stimulant favorable à l'apprentissage et à la réussite scolaire. Odilon propose des questions, des exercices et des tests interactifs complémentaires à chacun des chapitres qui permettent d'appliquer les éléments de compétence liés au cours. Il est doté d'un outil de correction qui donne instantanément une rétroaction appropriée à l'étudiant après l'exécution d'une activité. Avec ses résultats en main, ainsi qu'un relevé de ses bonnes et mauvaises réponses, celui-ci peut reprendre les exercices jusqu'à ce que les notions soient parfaitement maîtrisées. L'enseignant peut ainsi gagner un temps de correction considérable dans le cadre de ses évaluations formatives, puisqu'il peut accéder en tout temps au dossier de ses étudiants et choisir ensuite de retenir ou non les notes obtenues. Notez que toutes les activités peuvent être réalisées en laboratoire ou à la maison très facilement.

Remerciements

Nous tenons à souligner l'inestimable collaboration de MM. Pierre Cloutier et Guy Parent, du Cégep de Sainte-Foy, qui ont assuré la direction de cette nouvelle édition. La mise à profit de leur expérience d'enseignement, leur grand sens critique ainsi que toutes les heures passées sur les manuscrits ont assuré la publication d'un manuel d'une grande qualité, parfaitement adapté au curriculum québécois et à partir duquel on a pu aisément construire le projet Odilon.

C'est à la créativité débordante et à l'énergie contagieuse de Gilles Laporte, enseignant en histoire au Cégep du Vieux-Montréal et concepteur du site, que nous devons la réussite du projet Odilon.

Gilles Laporte

Alain Huot

Enfin, nous tenons à remercier tout particulièrement les adaptateurs pour leur précieuse collaboration dans l'élaboration de cet ouvrage. Ils ont mené avec brio la rédaction des différents chapitres qui le composent.

Alain Huot, Cégep Lionel Groulx

Luce Marinier, Collège André-Grasset

Josée Paradis, Cégep Saint-Jean-sur-Richelieu

Jean-François Bojanowski
Éditeur

Luce Marinier

Josée Paradis

Les caractéristiques de l'ouvrage

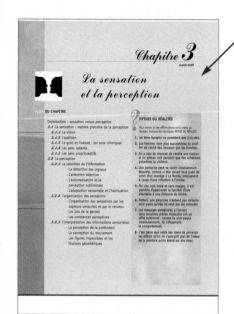

L'ouverture du chapitre

Chacun des chapitres s'ouvre sur un *plan du chapitre,* qui donne à l'étudiant une vue d'ensemble des notions qui y sont abordées en vue de l'aider à structurer sa lecture et son étude, et de faciliter ses résumés de lecture. Viennent ensuite les capsules *Mythes ou réalités ?* qui visent à susciter l'intérêt de l'étudiant en soulevant des questions dont les réponses sont dévoilées au fil des pages. Encadrées et accompagnées d'un point d'interrogation, ces capsules sont faciles à repérer et ponctuent agréablement le texte.

Les cibles d'apprentissage

La deuxième page d'ouverture de chacun des chapitres dresse une liste des *cibles d'apprentissage,* à savoir les connaissances à acquérir et les habiletés à maîtriser après la lecture du chapitre. Les *cibles d'apprentissage* orientent en effet la lecture et le travail de l'étudiant, et le soutiennent lorsqu'il élabore ses résumés de lecture.

L'amorce

Chaque chapitre débute par une *amorce* qui présente une situation concrète et parfois même sociohistorique qui illustre le thème principal abordé dans le chapitre. Par exemple, le chapitre 10, qui porte sur le stress, commence par une présentation de Marie-Pier, une élève aux prises avec plusieurs situations stressantes. Au fil de la lecture, on approfondit le cas et on en propose des explications en faisant des liens avec des notions théoriques à maîtriser dans le chapitre.

Pour aller plus loin... ────────────────►

Cette section propose différentes ressources à ceux qui veulent approfondir leurs connaissances sur un sujet en particulier : ouvrages, périodiques, articles choisis, sites Internet (dont certains sont interactifs) et documents multimédias (films, bandes vidéo et cédéroms). Un bref commentaire décrit les particularités et l'intérêt de chacune de ces ressources.

Le glossaire ◄────

Au fil de la lecture, les termes plus complexes sont présentés en caractère gras et en couleur, ce qui indique que l'on peut trouver immédiatement leurs définitions dans la marge. Toutes ces définitions se trouvent également dans le glossaire présenté à la fin du manuel.

Les encadrés : *Approfondissement, Application, Recherche classique et Spécialiste québécois*

Les quatre types d'encadré traitent de façon plus approfondie une série de problématiques actuelles en psychologie. Il s'agit de compléments d'information pertinents qui abordent divers aspects de l'univers de la psychologie.

Les tableaux et les figures

Plusieurs tableaux et figures agrémentent et dynamisent le texte. Ces éléments visuels précisent une explication donnée ou l'illustrent au moyen d'exemples. Ils simplifient les notions les plus complexes, favorisant ainsi la compréhension.

Les réseaux de concepts

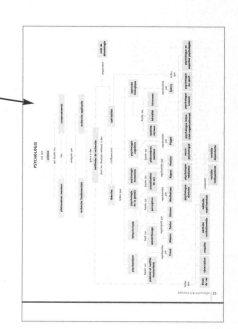

Les réseaux de concepts constituent d'excellents outils pour la révision du chapitre. Ils reprennent les notions importantes du chapitre en faisant ressortir la nature des liens qui existent entre eux. Les concepts plus généraux figurent au haut de la hiérarchie et sont suivis progressivement par les concepts plus spécifiques.

Les questions de révision

À la fin de chaque chapitre, on trouve des questions qui se présentent sous différentes formes : des « vrai ou faux », des choix multiples et des phrases à compléter. Elles permettent à l'étudiant d'évaluer sa compréhension des principaux concepts liés aux cibles d'apprentissage.

Table des matières

Chapitre 1

Chapitre 2

Chapitre 3

Chapitre 4

Les états altérés de conscience

Chapitre 5

L'apprentissage

Chapitre 6

La mémoire

Chapitre 7

L'intelligence

Chapitre 8

L'émotion

Chapitre 9

Motivation

Chapitre 10

Le stress et la santé

Chapitre 11

Les théories de la personnalité

Chapitre 12

Psychopathologie et psychothérapies

Chapitre 1

LUCE MARINIER

Qu'est-ce que la psychologie ?

PLAN DU CHAPITRE

MYTHES OU RÉALITÉS

Pour savoir si ces affirmations sont vraies ou fausses, trouvez les rubriques *MYTHE OU RÉALITÉ*.

1. Les psychologues peuvent prescrire des médicaments à leurs clients.

2. Vous pouvez devenir psychothérapeute dès maintenant.

3. Les psychologues tentent de contrôler le comportement.

4. Un médiateur familial qui aide un couple à s'entendre lors de sa séparation, un spécialiste soutenant le bon fonctionnement d'une entreprise et un autre, contribuant à l'amélioration des performances d'un athlète peuvent tous être des psychologues.

5. Freud croyait que nos rêves et nos lapsus étaient liés à nos désirs inconscients.

6. Un grand psychologue a déjà dit : «Amenez-moi un enfant et je ferai de lui ce que vous voulez que j'en fasse, par exemple, un médecin, un musicien, un grand physicien, un criminel ou un mendiant... peu importe ses dons, ses habiletés, sa vocation ou la race de ses ancêtres. »

7. Il existe une approche théorique en psychologie qui a été influencée par les mouvements *peace and love*, et *hippie*.

8. Certains psychologues considèrent les stratégies de résolution de problèmes comme des «programmes mentaux» gérés par un «ordinateur très personnel», le cerveau.

9. Une recherche scientifique peut conclure qu'il existe un lien entre deux facteurs, sans pouvoir affirmer lequel cause l'autre.

CIBLES D'APPRENTISSAGE

Après avoir lu ce chapitre, vous devriez être en mesure :

- de définir ce qu'est la psychologie et de décrire ses buts ;

- d'expliquer et d'illustrer, à l'aide d'exemples, les fonctions des spécialistes des principaux domaines de la psychologie ;

- de décrire et de comparer, à l'aide de leurs concepts fondamentaux, les six grandes approches encore influentes en psychologie ;

- de nommer les principaux représentants des différentes approches en psychologie ;

- d'exposer les caractéristiques des cinq principales méthodes de recherche des psychologues ;

- d'identifier et de décrire, en ordre, les étapes de la méthode scientifique.

AMORCE

Un de vos bons amis, Mathieu, vient vous raconter ses problèmes de consommation de drogue. Il pense aller consulter un «psy» pour obtenir de l'aide. Il sait qu'il y en a plusieurs types qui travaillent en fonction de différentes approches théoriques. Il a entendu parler d'un psychiatre, d'un psychanalyste, et aussi d'un psychothérapeute humaniste, qui offrent leurs services à de jeunes toxicomanes. Sachant que vous lisez actuellement un livre d'introduction à la psychologie, il vous demande laquelle de ces personnes (ou quelle autre) il devrait rencontrer. Qu'allez-vous lui suggérer ? En lisant et en comprenant ce qui suit, vous serez en mesure d'éclairer Mathieu.

1.1 LA PLACE DES PSYCHOLOGUES PARMI CELLES D'AUTRES TYPES D'INTERVENANTS

Psychologie
Science qui étudie le comportement et les phénomènes mentaux.

Comportement
Action ou réaction observable chez les humains et les animaux.

Psychologue
Personne détenant une formation universitaire de deuxième cycle (maîtrise) en psychologie et membre de l'Ordre des psychologues du Québec.

La **psychologie** est l'étude scientifique du **comportement** et des phénomènes mentaux. Certains **psychologues** considèrent les phénomènes mentaux (la mémoire, les rêves ou la créativité) comme un type de comportement, alors que d'autres affirment que le comportement se limite aux actions observables (marcher, rougir, parler, etc.). C'est en voulant se rapprocher des sciences de la nature que certains psychologues limitent leur domaine d'études à des comportements observables et mesurables. Par contre, d'autres croient que les phénomènes mentaux se manifestent à travers les conduites de la personne, et qu'ils peuvent être vérifiés indirectement à l'aide d'instruments ou de tests. Tout comme c'est le cas dans d'autres disciplines par rapport à leur objet d'étude, les psychologues, selon leur approche théorique, n'ont donc pas tous la même conception de l'humain. Ils orientent alors leurs études du comportement différemment. Ces distinctions seront abordées dans les sections qui suivent. Parmi les sujets qui intéressent les psychologues et qui sont traités dans ce livre, on trouve le système nerveux, les sensations et la perception, la conscience, l'apprentissage, l'intelligence, la mémoire, la motivation et les émotions, le stress et la santé, la personnalité, les troubles psychologiques et les façons de les traiter.

Les psychologues ne possèdent de «sixième sens» leur permettant de deviner notre personnalité et nos problèmes simplement en nous regardant dans les yeux. Ils reçoivent une formation scientifique précise qui comprend des bases universitaires théoriques et pratiques. Au Québec, pour prétendre au titre de psychologue, un titre protégé par la loi, il faut être membre de l'Ordre des psychologues du Québec (OPQ), qui regroupe plus de 7 000 psychologues (www.ordrepsy.qc.ca, 2004). S'il y a lieu, c'est cet organisme qui exerce, après étude d'un dossier, des sanctions contre ses membres, dans le cas d'une plainte pour non-respect du code de **déontologie** en ce qui a trait au secret professionnel ou à une relation sexuelle avec une cliente, par exemple (voir l'encadré 1.1). Même si l'Ordre a fait une demande officielle à l'Office des professions du Québec pour rendre le doctorat obligatoire afin d'obtenir le droit de pratique en psychologie, au moment de mettre sous presse, la maîtrise demeure l'exigence requise. En effet, la demande n'a pas encore reçu l'approbation nécessaire à ce changement, bien que plusieurs universités offrent désormais un passage direct vers le doctorat après le baccalauréat, sans exiger que l'on complète une maîtrise. Pour connaître quelques règles à respecter dans le choix d'un psychologue, lisez l'encadré 1.2.

Déontologie
Ensemble des devoirs qu'impose à des professionnels l'exercice de leur métier.

Par ailleurs, il faut savoir que plusieurs personnes sont diplômées en psychologie sans faire partie de l'Ordre. Elles travaillent souvent dans le domaine de la recherche ou de l'enseignement en tant que spécialistes de la compréhension du comportement et des phénomènes mentaux.

Il existe plusieurs autres professions dont le titre comporte le préfixe «psy». Certaines sont connexes à la psychologie, mais toutes ont leurs particularités. Voici un aperçu des professions «psy» autres que celle de psychologue.

Psychiatre
Médecin spécialisé dans le traitement des maladies mentales. Titre protégé par la loi.

Le **psychiatre** est un médecin spécialisé dans le traitement des maladies mentales. Il utilise des techniques d'entrevue semblables à celles du psychologue et il peut se rattacher à une approche théorique, comme la psychanalyse ou le behaviorisme (approches théoriques qui seront expliquées plus loin). En raison de sa formation médicale, il est le seul professionnel à prescrire

APPROFONDISSEMENT

ENCADRÉ 1.1
Pour avoir à l'œil les psychologues fautifs :
le Code de déontologie des psychologues du Québec

Les psychologues peuvent-ils faire ce qu'ils veulent au nom de la recherche scientifique ? Au cours des années cinquante, des étudiants de l'Université McGill ont participé à une expérience de privation sensorielle menée par des psychologues (Bexton, Heron et Scott, 1954). Les étudiants étaient privés de stimulations sensorielles visuelles, auditives et cutanées pendant des heures, voire des jours. Plusieurs d'entre eux ont trouvé l'expérience extrêmement désagréable. En 1973, Philip Zimbardo et ses collègues ont effectué des travaux pour savoir comment des gens normaux réagiraient au contexte d'une prison. Au hasard, des volontaires devaient adopter le rôle de prisonnier ou de gardien dans une prison fictive construite dans le sous-sol de l'Université Stanford. Même si personne n'a subi de blessures physiques, la majorité des prisonniers ont éprouvé des réactions émotives extrêmement négatives. En fait, Zimbardo a dû cesser l'expérience au bout de 6 jours alors qu'elle devait en durer 14. Plusieurs gardiens ont développé des attitudes cruelles et injustes à l'égard des prisonniers, alors que tout ce qu'on leur avait dit c'était de « maintenir un niveau raisonnable d'ordre nécessaire au bon fonctionnement de la prison ». Ils ont abusé de leur pouvoir en interdisant aux prisonniers de se laver, de se nourrir, de s'habiller ; ils leur ont retiré leur lit, les ont obligés à nettoyer les cuvettes des toilettes les mains nues, etc. Plusieurs entretiens de groupe et individuels ont été effectués après l'expérience afin de diminuer le plus possible les torts psychologiques subis (humiliation, perte de l'identité personnelle, honte de soi, sentiment de culpabilité, baisse de l'estime personnelle, etc.).

Ces deux expériences soulèvent des questions quant à la façon dont les participants ont été traités par les psychologues. Le Code de déontologie des psychologues du Québec (www.ordrepsy.qc.ca, 2004) soumet la pratique et la recherche à un ensemble de règles et d'obligations. Les règles déontologiques relèvent de l'éthique, c'est-à-dire un cadre moral qui détermine ce qui est acceptable et ce qui ne l'est pas. Ce code précise que le psychologue doit, dans l'exercice de sa profession, avoir une conduite irréprochable envers un client (ou un participant à une recherche), que ce soit sur le plan physique, mental ou affectif.

De façon générale, le psychologue doit faire preuve d'honnêteté et de franchise dans ses relations avec les participants et ses clients. En aucun cas il ne doit forcer des individus à prendre part à une recherche ou à continuer d'y contribuer. Le chercheur doit leur fournir un aperçu général de la recherche et faire en sorte qu'ils se sentent libres d'y participer. Ainsi, les participants peuvent donner un consentement éclairé avant de s'y engager. Par ailleurs, un psychologue ne peut pas inciter quelqu'un de façon pressante et répétée à recourir à ses services professionnels.

Les psychologues traitent les dossiers des participants et des clients de manière confidentielle. Ils ne divulguent pas le nom des participants à une recherche ou à une thérapie, sauf à la demande formelle des participants ou sur ordre d'un tribunal (comme l'exige la Loi sur la protection de la jeunesse dans les cas de mauvais traitements envers des enfants). C'est ce qu'on appelle la règle du « secret professionnel ».

Une des règles fondamentales de déontologie est que les psychologues ne doivent pas infliger de douleur physique ou morale aux participants de leurs recherches, ou à leurs clients. Il est inadmissible, aux fins d'une expérimentation, de soumettre une personne à un choc électrique ou de l'humilier.

En effet, le code stipule que « dans tous les cas où une expérience risque d'entraîner des effets nocifs permanents ou sérieux chez un participant, elle ne doit pas être entreprise ». Les recherches de Zimbardo, de même que celles de Bexton, Heron et Scott, sont donc condamnables puisqu'il semble bien qu'elles aient toutes deux causé de sérieux torts aux participants. Dans le même esprit, des relations sexuelles entre psychologue et client risquent d'engendrer une souffrance morale importante chez ce dernier ; elles sont donc prohibées.

Enfin, en recherche, la tromperie doit être utilisée seulement lorsque les buts visés le requièrent absolument. Le psychologue peut décider de taire le but de sa recherche afin d'éviter que les participants ne changent leur comportement. Par contre, le Code de déontologie des psychologues du Québec exige que les participants qui ont été trompés en soient informés le plus tôt possible après l'expérience. Il s'agit d'expliquer clairement le déroulement de l'étude afin que les individus se sentent respectés et qu'ils accordent une crédibilité à la profession de psychologue.

SELON VOUS, PARMI LES RÈGLES ET OBLIGATIONS DES PSYCHOLOGUES, LESQUELLES SONT LES PLUS DIFFICILES À RESPECTER ? POURQUOI ?

---

des médicaments afin de soulager ou d'éliminer les symptômes de patients souffrant de problèmes de santé mentale. Le titre de « psychiatre » est réservé aux membres de l'Ordre des médecins du Québec (OMQ), qui exerce un rôle semblable à celui de l'Ordre des psychologues.

MYTHE OU RÉALITÉ 1

Les psychologues n'ont pas le droit de prescrire des médicaments à leurs clients. Seuls les médecins, dont les psychiatres, peuvent le faire.

Le plus souvent, un **psychanalyste** est d'abord un médecin ou un psychologue (ou tout au moins un bachelier) qui ajoute à ses compétences une formation spécialisée en psychanalyse (approche théorique fondée par Sigmund Freud). Il s'agit, au Québec, d'une formation privée acquise en dehors des universités. Cette formation comporte des aspects théoriques, mais, surtout, elle exige que la personne s'engage elle-même à compléter sa propre psychanalyse

Psychanalyste

Personne ayant été elle-même psychanalysée et qui intervient auprès de ses clients en appliquant les concepts théoriques de la psychanalyse fondée par Freud. Titre non protégé par la loi.

APPLICATION

ENCADRÉ 1.2

Comment choisir un psychologue ?

N'importe qui, à un moment de sa vie, peut être amené à consulter un psychologue. Rappelons que celui-ci n'intervient pas uniquement auprès de gens qui ont de graves difficultés, mais aussi pour tout problème ponctuel auquel est confronté un individu. Les motifs de consultation sont très variés et toujours personnels : ce qui pour une personne constitue une difficulté importante ne l'est pas nécessairement pour une autre. Ce qui compte, c'est de trouver en soi, dans son entourage ou auprès d'un professionnel, les ressources nécessaires pour y faire face. Certains consultent un psychologue dans le but d'enrichir leur existence, sans qu'une crise soit au cœur de leur démarche. Donc, il n'y a pas de bonnes ou de mauvaises raisons de consulter un psychologue. Cependant, l'idéal est de le faire pour soi et non pour répondre aux attentes de quelqu'un d'autre.

Malheureusement, comme dans toutes les professions, il y a des psychologues plus dignes de confiance que d'autres. Ceux qui offrent leurs services à un large éventail de la population (enfants, adolescents, adultes, personnes âgées) pour traiter plusieurs types de problèmes (dépression, difficultés scolaires ou professionnelles, toxicomanie, vie conjugale, orientation sexuelle, problèmes neurologiques, etc.) sèment le doute quant à leurs véritables compétences. En effet, il est rare qu'un professionnel puisse demeurer à la fine pointe des connaissances dans des domaines aussi larges et aussi variés. Les

psychologues plus réalistes se spécialisent souvent et reconnaissent leurs limites. De plus, les méthodes miracles sont rarement un gage de qualité. La nouveauté d'une approche et la promesse de la rapidité des résultats ne sont pas des garanties de la qualité du travail effectué. Méfiez-vous aussi des demandes qui vous amènent à couper les liens avec votre entourage familial, social et professionnel pour tout centrer sur le thérapeute (ce qui peut laisser croire à une secte).

Il est important de rencontrer quelques psychologues avant de faire un choix. La première rencontre vous permet de poser des questions et vise à fixer le déroulement des éventuels rendez-vous. Il faut être critique et poser des questions sur différents aspects de la thérapie : la formation exacte du psychologue, son approche théorique, la fréquence et la durée des séances, leur coût et les modalités de paiement, la durée usuelle de la thérapie, la façon de procéder si on ne peut pas se présenter au rendez-vous, le contenu du dossier, son accessibilité, etc. Optez pour la personne avec laquelle vous vous sentez le plus à l'aise pour vous exprimer franchement et en toute confiance. Vous ne devez pas sentir que le professionnel vous pousse à entreprendre une démarche avec lui. Vous devez vous sentir libre et informé avant de vous engager. C'est important afin de pouvoir bien amorcer le processus thérapeutique. Le psychologue est un professionnel, un allié, un confident, une

ressource sur qui s'appuyer. Si ce n'est pas l'impression qu'il vous donne, la psychothérapie risque de ne pas être profitable. Vous pouvez communiquer avec l'Ordre des psychologues du Québec (OPQ) au (514) 738-1223 ou au 1 800 561-1223 afin de vous assurer du droit de pratique du psychologue retenu.

Les psychologues ont le droit de déterminer eux-mêmes le coût d'une séance de psychothérapie. Ce coût dépend souvent de l'expérience du thérapeute, de la région de pratique et du type d'intervention effectuée. Selon l'Ordre des psychologues du Québec (www.ordrepsy.qc.ca, 2004), en bureau privé, on doit généralement s'attendre à débourser de 65 $ à 100 $ pour une séance de 50 minutes de psychothérapie. Certaines personnes peuvent obtenir un remboursement, au moins partiel, des frais de consultation psychologique auprès de leur compagnie d'assurances (ou de celle de leurs parents).

Le site de l'OPQ (www.ordrepsy.qc.ca) offre plusieurs conseils utiles dans le choix d'un psychologue. En comprenant les approches théoriques actuelles et le Code de déontologie des psychologues (voir l'encadré 1.1), vous aurez de bons outils pour vous aider à orienter votre choix vers un psychologue de qualité correspondant à vos besoins. Vous pourrez peut-être aussi conseiller des gens de votre entourage !

(voir plus loin la section portant sur la psychanalyse). C'est un titre non protégé par la loi, mais plusieurs organismes, dont les compagnies d'assurances, reconnaissent la Société canadienne de psychanalyse comme l'institution garantissant les compétences des psychanalystes. Notons que certains d'entre eux sont membres de l'Ordre des psychologues du Québec ou de l'Ordre des médecins du Québec.

Psychoéducateur

Personne détenant une formation universitaire en psychoéducation et qui travaille auprès de gens en difficulté d'adapatation. Titre protégé par la loi.

Au Québec, depuis septembre 2000, le titre de **psychoéducateur** est protégé par la loi grâce à l'Ordre des conseillers et conseillères d'orientation et des psychoéducateurs et psychoéducatrices du Québec (l'OCCOPPQ). Depuis cette date, une maîtrise est exigée pour accéder à ce titre. Selon le site de l'OCCOPPQ (www.orientation.qc.ca, 2004) : « Le psychoéducateur intervient auprès de personnes qui ont des difficultés d'adaptation variées : délinquance, troubles de comportement, agressivité, perte d'autonomie, etc. Bien qu'il travaille avec des adultes et des personnes âgées, le psychoéducateur œuvre surtout avec des enfants et des adolescents. » Le travail du psychoéducateur est concentré sur la vie quotidienne et sur les besoins concrets de son client. Ce professionnel travaille souvent dans les écoles, les centres jeunesse, les hôpitaux, les CLSC, les centres de réadaptation, en pratique privée, etc.

Psychothérapeute

Personne qui pratique la psychothérapie. Titre non protégé par la loi.

Le titre de **psychothérapeute** est actuellement non protégé par la loi et ne correspond à aucun programme universitaire spécifique. Cela veut dire que n'importe qui peut prétendre être psychothérapeute et intervenir auprès de clients sans être soumis à des contrôles garantissant ses compétences. C'est pourquoi il y a en ce moment des démarches effectuées pour que ce titre soit réservé à des personnes possédant un minimum de connaissances dans le domaine de la **psychothérapie** et ayant reçu une formation en intervention. Le public serait ainsi protégé, et des recours légaux pourraient alors être possibles, si la situation l'exigeait. En plus des professionnels mentionnés ci-haut, les travailleurs sociaux, les sexologues, les criminologues et les éducateurs spécialisés, les conseillers en orientation, sans avoir de formation en psychologie comme telle, ont souvent des interventions psycho-thérapeutiques à effectuer dans le cadre de leurs fonctions professionnelles.

MYTHE OU RÉALITÉ 2

Parce que le titre de psychothérapeute n'est pas contrôlé par la loi, vous pouvez effectivement, comme n'importe qui, dire que vous êtes psychothérapeute !

Vous pourriez dire à votre ami Mathieu, qui cherche de l'aide pour ses problèmes de consommation, que consulter un psychologue est une bonne idée et que téléphoner à l'Ordre des psychologues du Québec lui permettrait de savoir si un psychologue rencontré a bien un permis de pratique garantissant la qualité de sa formation. S'il désire avoir les conseils d'un médecin spécialisé en santé mentale qui pourra lui prescrire des médicaments, votre ami devrait s'orienter vers un psychiatre. Un psychanalyste pourrait l'aider, mais il doit savoir ce qu'est la psychanalyse (voir plus loin) et tenter de vérifier la compétence de celui qu'il a choisi en lui demandant s'il appartient à une association ou, mieux encore, à un ordre professionnel reconnu. Un psychoéducateur n'est probablement pas le spécialiste le plus accessible dans ce cas-ci, bien qu'en centre jeunesse, ce thérapeute soit souvent amené à traiter des problèmes de toxicomanie. Enfin, Mathieu pourrait rencontrer un psychothérapeute, mais il doit savoir que ce titre n'est pas protégé par la loi, ce qui signifie qu'il n'y a pas d'organisme de contrôle qui le supervise. Il faudrait lui poser des questions détaillées sur sa formation et lui demander (comme dans le cas du psychanalyste) s'il appartient à une association ou à un ordre professionnel reconnu. C'est sans doute le « psy » face auquel il faut être le plus prudent.

1.2 LA PSYCHOLOGIE EN TANT QUE SCIENCE

La psychologie, tout comme les autres sciences, a quatre buts : explorer, décrire, expliquer et contrôler les faits qu'elle étudie (Lamoureux, 1995). Les trois premiers buts visent à comprendre et à acquérir des connaissances. Idéalement, en expliquant la réalité, on peut la prédire, car on en connaît les causes, c'est-à-dire les facteurs qui influent sur le comportement ou le phénomène mental étudié. Ainsi, on arrive à contrôler la réalité, on agit sur ce qui se passe.

La notion de contrôle du comportement et des phénomènes mentaux est très controversée. Certains pensent que les psychologues cherchent des moyens de commander les gens, comme s'il s'agissait de marionnettes suspendues à des fils. Rien n'est plus faux. Les psychologues sont généralement attentifs à la dignité humaine, et la dignité humaine exige que les gens soient libres de prendre leurs décisions et de déterminer leur comportement. Les psychologues acquièrent sans cesse de nouvelles connaissances concernant les diverses influences sur le comportement humain, mais ils n'appliquent ces connaissances que sur demande et de la façon qu'ils croient utile à l'individu ou à l'organisation.

MYTHE OU RÉALITÉ 3

Il est vrai que les psychologues tentent de contrôler le comportement. En fait, ils essaient d'aider leurs clients à adopter des comportements qui leur permettront d'atteindre leurs objectifs personnels. Les clients sont libres d'accepter cette démarche.

Si la plupart des psychologues s'intéressent principalement au comportement humain, d'autres se penchent sur le comportement animal. En effet, plusieurs découvertes ont été faites

Psychothérapie
Processus interactionnel structuré qui, fondé sur un diagnostic, vise le traitement d'un trouble de santé mentale à l'aide de méthodes psychologiques reconnues par la communauté scientifique. (Définition retenue par l'Ordre des psychologues du Québec.)

ÉCLAIRCISSEMENT DE L'AMORCE

(dans les domaines de l'apprentissage, de la motivation et du stress, entre autres) à partir de travaux effectués sur des rats, des singes ou des chats. Ces psychologues manipulent et contrôlent plus facilement le comportement de ces animaux, et tentent ensuite de **généraliser** avec prudence leurs observations aux comportements humains. Il faut en effet reconnaître que ce n'est pas l'ensemble du comportement animal qui est applicable au comportement humain. Par exemple, il est effectivement difficile de comprendre les émotions en travaillant avec des animaux.

Généraliser
Étendre, appliquer à l'ensemble; universaliser.

La psychologie est une science **empirique**. Cela signifie que ses recherches sont confrontées à l'étude des faits, et non seulement à la réflexion. Les connaissances sont appuyées sur des preuves accumulées au fil des années. Lorsque c'est possible, les concepts, lois et faits sont rassemblés en **théories**. Les théories permettent de trouver des explications et de faire des prédictions. En psychologie, de nombreuses théories se sont révélées inadéquates pour expliquer ou prédire de nouvelles observations. C'est pourquoi elles ont été révisées en profondeur. Par exemple, la théorie selon laquelle la faim proviendrait des contractions de l'estomac peut être en partie vraie chez des individus ayant un poids normal, mais elle ne peut pas expliquer les sensations de faim chez les personnes obèses. Nous constatons que les contractions de l'estomac ne sont qu'un des nombreux facteurs qui interviennent dans le phénomène de la faim. Les théories contemporaines s'attardent également aux facteurs biologiques, comme le pourcentage de muscle et de graisse du corps, et aux facteurs situationnels, comme la présence d'autres personnes qui mangent et le moment de la journée. Sur la base de nouvelles connaissances, des mises à jour de certaines théories sont donc effectuées.

Empirique
Terme qualifiant une conception de la connaissance selon laquelle celle-ci ne peut venir que de l'observation des faits et de l'expérience.

Théorie
Formulation de relations entre des lois, des concepts et des faits scientifiques.

1.3 QUE FONT LES PSYCHOLOGUES ?

Les psychologues partagent un vif intérêt pour tout ce qui touche l'humain, mais leurs façons de l'aborder peuvent différer considérablement. Certains psychologues se consacrent principalement à la **recherche fondamentale**, c'est-à-dire à des travaux qui n'offrent pas de solutions immédiates à des problèmes personnels ou sociaux. Il s'agit de recherches visant à accroître le volume de nos connaissances dans différents domaines de la psychologie. Elles sont souvent effectuées dans des laboratoires universitaires et sont transmises par le biais de publications scientifiques. Stimulée par la curiosité, et par le désir de savoir et de comprendre, la recherche fondamentale finit souvent par influencer nos habitudes de vie. Par exemple, au début du siècle, la recherche fondamentale sur l'apprentissage et la motivation chez les espèces animales a proposé de nombreuses applications utilisées dans les systèmes d'éducation actuels tels que les récompenses et les punitions. On donne une récompense lorsque la personne adopte le comportement désiré. Voici un autre exemple : la recherche fondamentale sur le fonctionnement du système nerveux a accru nos connaissances sur des maladies telles que l'épilepsie, la maladie de Parkinson et la maladie d'Alzheimer (voir Chapitre 2).

Recherche fondamentale
Recherche visant à accroître les connaissances sans égard aux applications immédiates.

D'autres psychologues s'engagent dans la **recherche appliquée**, conçue pour trouver des solutions à des problèmes personnels ou sociaux déterminés. Les psychologues qui évaluent et comparent l'efficacité des différents types de thérapies dans le traitement de dysfonctions sexuelles, ou ceux qui enquêtent sur la prévention du suicide, s'orientent davantage vers la recherche appliquée.

Recherche appliquée
Recherche visant à trouver des solutions à des problèmes déterminés.

De nombreux psychologues ne font aucune recherche. Ils utilisent plutôt les connaissances en psychologie pour aider les gens à comprendre et, éventuellement, à modifier leur comportement et leurs phénomènes mentaux. Aussi, bon nombre de psychologues se dirigent principalement vers l'enseignement. Ils exposent les notions de psychologie dans des salles de cours, lors de séminaires et d'ateliers. La figure 1.1 illustre la répartition des secteurs de travail des psychologues membres de l'Ordre selon les régions du Québec. Par ailleurs, l'encadré 1.3 présente Noël Mailloux, à qui l'on doit l'introduction de l'enseignement de la psychologie au Québec.

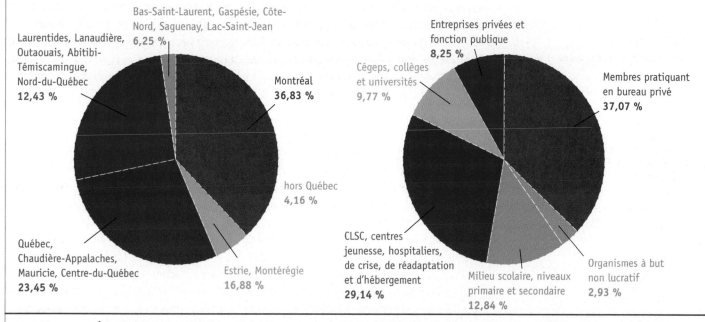

Bas-Saint-Laurent, Gaspésie, Côte-Nord, Saguenay, Lac-Saint-Jean
6,25 %

Laurentides, Lanaudière, Outaouais, Abitibi-Témiscamingue, Nord-du-Québec
12,43 %

Montréal
36,83 %

Québec, Chaudière-Appalaches, Mauricie, Centre-du-Québec
23,45 %

hors Québec
4,16 %

Estrie, Montérégie
16,88 %

Entreprises privées et fonction publique
8,25 %

Cégeps, collèges et universités
9,77 %

Membres pratiquant en bureau privé
37,07 %

CLSC, centres jeunesse, hospitaliers, de crise, de réadaptation et d'hébergement
29,14 %

Milieu scolaire, niveaux primaire et secondaire
12,84 %

Organismes à but non lucratif
2,93 %

FIGURE 1.1   **RÉPARTITION AU 31 MARS 2004 DES 7 583 MEMBRES DE L'ORDRE DES PSYCHOLOGUES DU QUÉBEC SELON LES RÉGIONS ADMINISTRATIVES ET LEUR SECTEUR D'EMPLOI (RAPPORT ANNUEL 2003-2004, PAGE 24)**

ENCADRÉ 1.3
Noël Mailloux (1909-1997)

SPÉCIALISTE QUÉBÉCOIS

Père de la psychologie au Québec, le père Mailloux est le premier à introduire son étude scientifique dans les universités. Affecté à cette tâche par ses supérieurs dominicains, Noël Mailloux fonde l'Institut de psychologie de Montréal en 1942. Il en est le directeur pendant près de 20 ans et y demeure professeur pendant plus de 40 ans. Cette institution répond à un besoin urgent de la société québécoise et, sous la gouverne du père Mailloux, elle connaît une croissance très rapide. Depuis, l'Institut de psychologie de Montréal est devenu le Département de psychologie de l'Université de Montréal. Le père Mailloux contribue aussi à l'évolution de la psychoéducation et de la criminologie.

Homme de confiance de l'Église, Noël Mailloux diffuse des approches théoriques jusqu'alors inconnues ou craintes. Véritable bourreau de travail doté d'un excellent esprit de synthèse, il découvre les textes de Freud et réussit à les faire inscrire pour la première fois au programme de lectures de ses étudiants. Ce fait est remarquable car, à cette époque, l'œuvre de Freud est interdite par l'Église catholique. De plus, le père Mailloux est le cofondateur du Club

psychanalytique de Montréal devenu, 22 ans plus tard, l'actuelle Société canadienne de psychanalyse.

Profondément humaniste, le père Mailloux se consacre à l'intervention clinique auprès des jeunes délinquants en participant à la mise sur pied du Centre Boscoville. Il cherche à changer les mentalités au sein des établissements de réhabilitation en affirmant qu'il faut prendre en considération les besoins des délinquants, qu'il respecte malgré leurs déviations. Par sa grande capacité d'accueil et d'écoute, il souhaite rétablir leur dignité. De plus, par le biais de stages, il offre aux futurs psychologues l'occasion d'acquérir une expérience pratique. Sa méthode psychothérapeutique pour la réhabilitation des jeunes délinquants sera mondialement connue.

Par ailleurs, sa carrière sera marquée d'une réelle préoccupation pour les relations entre la foi et la psychopathologie. À cet égard, en 1984, le père Mailloux reçoit le prix William James de l'American Psychological Association soulignant son apport exceptionnel au rapprochement de la psychologie et des sciences religieuses.

Au total, l'œuvre écrite de Noël Mailloux compte une quinzaine de livres, qu'il rédige seul ou en collaboration, et près de 150 articles publiés dans diverses revues scientifiques (site des Prix du Québec, www.prixduquebec.gouv.qc.ca, 2004).

NOËL MAILLOUX (1909-1997)
Le père de la psychologie au Québec

TABLEAU 1.1 QUELQUES SPÉCIALITÉS DE LA PSYCHOLOGIE   INTERVENTION

SPÉCIALITÉS	TÂCHES	GROUPES CIBLES ET LIEUX DE TRAVAIL
Le psychologue clinicien	Il applique les connaissances et habiletés scientifiques propres à la psychologie à sa pratique professionnelle de psychothérapeute. Le style de psychothérapie que le psychologue clinicien utilise dépend de l'approche théorique qu'il privilégie (voir plus loin dans ce chapitre). Son travail va de la prévention au suivi à long terme, en passant par l'intervention de crise. Il utilise un vaste éventail de méthodes d'évaluation et d'intervention destinées à promouvoir la santé mentale et à diminuer l'inconfort. Cette spécialisation constitue le plus important sous-groupe de psychologues. D'ailleurs, la plupart des gens pensent à un psychologue clinicien lorsqu'ils entendent le terme « psychologue ».	Il offre des rencontres individuelles (avec des enfants, des adolescents, des adultes ou des personnes âgées) ou de groupes (familles, patients souffrant de troubles similaires). Il travaille souvent en bureau privé, mais aussi dans les centres hospitaliers, les CLSC, les centres d'accueil et les ressources parallèles, ou dans des entreprises par le truchement de programmes d'aide aux employés (PAE).
Le psychologue médiateur	Le médiateur accrédité connaît les aspects économiques, légaux et affectifs rattachés à la séparation. Il n'a pas pour objectif de réconcilier le couple, mais plutôt de faire comprendre à ses clients l'avantage pour la famille, et notamment pour les enfants, d'un comportement conciliant, par opposition aux affrontements, pour résoudre les désaccords.	Au Québec, tous les couples qui désirent se séparer ou divorcer et qui ont des enfants à charge doivent rencontrer un médiateur familial avant d'obtenir un jugement de la cour. La plupart des psychologues médiateurs travaillent dans des bureaux privés.
Le psychologue scolaire	Sa tâche consiste à élaborer des mesures de prévention des difficultés scolaires, et surtout d'identifier et d'aider les élèves qui y sont confrontés. Le psychologue en milieu scolaire diagnostique les problèmes au moyen d'entrevues avec les éducateurs, les autorités scolaires, les parents et les élèves eux-mêmes. Il utilise aussi des tests psychologiques, comme les tests d'intelligence et de personnalité, ainsi que l'observation directe du comportement en classe. Il travaille souvent en étroite collaboration avec d'autres professionnels pour aider les élèves à surmonter leurs difficultés. Le psychologue scolaire participe également aux décisions concernant le placement d'élèves dans des programmes d'aide à l'apprentissage ou d'enrichissement.	Il peut s'agir d'élèves du primaire ou du secondaire confrontés à des problèmes familiaux (séparation, deuil, abus, etc.); des difficultés d'interaction avec les autres enfants (isolement, agressivité, etc.); des manifestations intenses de stress, des problèmes de santé, des troubles de l'attention avec ou sans hyperactivité; un manque de confiance en soi, d'autonomie ou de motivation, etc.
Le neuro-psychologue + recherche	Le neuropsychologue s'intéresse à la compréhension du système nerveux dans l'explication du comportement et des phénomènes mentaux. Il effectue des évaluations afin d'établir des liens entre un dommage au cerveau (confirmé ou soupçonné) et des troubles du comportement (absence de motivation, égarements, difficultés de coordination motrice, etc.) ou de la pensée (confusion, pertes de mémoire, troubles du langage, sautes d'humeur, etc.). Actuellement, au Québec, la neuropsychologie est un domaine en pleine expansion.	Sa clientèle est large et est définie par les problèmes : commotions cérébrales, accidents vasculaires cérébraux, tumeurs cérébrales, maladies d'Alzheimer ou de Parkinson, épilepsie, etc. Le neuropsychologue est souvent associé à des centres hospitaliers, à des universités ou à des bureaux privés.
Le psychologue industriel et organisationnel	Le psychologue industriel et organisationnel a pour rôle d'améliorer les conditions de travail et de stimuler la productivité. Voici quelques exemples des tâches qu'il peut exécuter : identification et modification des agents stressants au travail, sélection de personnel, évaluation du rendement, intervention auprès d'employés en difficulté. Au Québec, les psychologues industriels-organisationnels sont très recherchés, et ils obtiennent facilement un emploi bien rémunéré.	Il oriente ses interventions vers les employés d'entreprises, d'industries et de diverses organisations. Il peut aussi bien travailler avec les cadres qu'avec les ouvriers ou les candidats à un poste. Il est employé d'une entreprise ou est rattaché à un bureau privé.
Le psychologue en expertise psycholégale	Il applique le savoir de la psychologie au système judiciaire. C'est un expert qui émet, auprès d'un tribunal, une opinion sur les comportements, les motivations et la dynamique des personnes mises en cause. Ce psychologue peut être appelé à témoigner dans les cas d'adoption, de protection de la jeunesse, de délinquance et de criminalité (libérations conditionnelle et sous caution), de troubles de la santé causant des incapacités ou encore dans des cas d'enfants victimes de violence. Aussi, il est parfois consulté lorsqu'on doit établir quel parent aura la garde des enfants à la suite d'une séparation ou d'un divorce.	Ce sont des avocats qui les sollicitent (au nom de leurs clients) dans différentes causes pour lesquelles les connaissances d'un psychologue apportent un éclairage spécifique. Il travaille donc avec un large éventail de personnes, de tout âge, confrontées à différentes situations. Il témoigne auprès de différentes cours de justice, mais a souvent un bureau privé.
Le psychologue du sport + recherche	Il étudie et modifie le comportement et les phénomènes mentaux des athlètes. Il décompose les performances sportives selon leurs éléments constitutifs dans le but d'améliorer la réussite, et assiste les entraîneurs dans la gestion des dynamiques de groupes afin d'augmenter la cohésion et de diminuer les conflits. Souvent le psychologue a lui-même pratiqué le sport pour lequel il offre ses services. Bien qu'ils ne soient pas très nombreux, ces professionnels sont bien rémunérés.	Il est souvent amené à travailler directement sur les lieux d'entraînement et de compétition des athlètes, mais peut aussi avoir son bureau privé.

Au cours de leur formation, particulièrement à la maîtrise ou au doctorat, les psychologues doivent se spécialiser dans un domaine. Il en existe plusieurs. En effet, chacun des chapitres de ce livre correspond à une spécialisation. Au tableau 1.1, vous en trouverez d'autres, dont les plus usuelles. Qui sait, peut-être y trouverez-vous votre future carrière ! (Rappelons qu'un psychologue ne limite pas nécessairement ses activités à un seul de ces domaines.)

MYTHE OU RÉALITÉ 4

C'est un psychologue médiateur qui aide un couple à s'entendre lors de sa séparation, un psychologue industriel et organisationnel qui soutient le bon fonctionnement d'une entreprise, et un psychologue du sport qui contribue à l'amélioration des performances d'un athlète. Ils sont donc tous des psychologues spécialisés dans différents domaines.

1.4 QUELLES SONT LES APPROCHES THÉORIQUES DE LA PSYCHOLOGIE ?

La plupart des historiens fixent la naissance de la psychologie, en tant que science, à l'année 1879, lorsque Wilhelm Wundt (1832-1920) met sur pied le premier laboratoire universitaire de psychologie à Leipzig, en Allemagne. Depuis, plusieurs approches théoriques ont marqué le développement de la psychologie. Elles cherchent toutes à mieux comprendre l'humain, mais chacune propose un regard différent et aborde chaque thème à sa manière. Voici six grandes approches encore influentes en psychologie : la psychanalyse, le behaviorisme, la psychologie de la gestalt, la psychologie humaniste, la psychologie cognitive et l'approche biologique. Dans l'encadré 1.4, vous trouverez une application de ces différentes approches à l'explication de l'agressivité.

1.4.1 LA PSYCHANALYSE

Tant par ses antécédents que par ses concepts, la **psychanalyse**, approche fondée par le neurologue autrichien Sigmund Freud (voir la figure 1.2), est très différente des autres théories. La terminologie freudienne, plus que les autres, a envahi la culture populaire ; plusieurs de ses concepts vous sont peut-être déjà familiers.

Le contexte sociohistorique entourant la naissance de la psychanalyse donne un éclairage intéressant quant à la source des positions freudiennes. Ce contexte est répressif, puisqu'au début du siècle, en Europe, l'ère victorienne domine. Les mœurs y sont extrêmement pudiques et la sexualité, taboue, particulièrement chez les femmes. De plus, c'est une période de guerres et de conflits meurtriers (pensons aux deux guerres mondiales). Ainsi, la sexualité, l'agressivité et les normes sociales sont au cœur des observations freudiennes.

Contrairement aux psychologues des milieux académiques, qui effectuent principalement des recherches en laboratoire, Freud acquiert sa compréhension de l'humain en menant des entrevues cliniques avec des patients. Il est étonné du manque de perspicacité dont ses patients semblent faire preuve quant à leurs vraies intentions. Aussi, il constate que les troubles physiques sont souvent causés non pas par une dysfonction biologique comme telle, mais plutôt par des blocages psychologiques. Freud finit par croire que les pensées conscientes ont peu d'influence réelle sur les actions humaines. À ses yeux, l'essentiel de la personnalité est **inconscient**. Il croit que l'humain est déterminé par ses **pulsion de mort** et **pulsion de vie** inconscientes, de même que par ses expériences infantiles.

Ces **pulsions** résultent d'instincts propres à l'espèce humaine, mais aussi de désirs refoulés (désirs dont la satisfaction a été empêchée au niveau conscient et qui ont été repoussés dans l'inconscient). Cependant, ces désirs et pulsions continuent toujours à s'exprimer à travers nos rêves, **actes manqués, lapsus,** de même que par le biais de nos symptômes physiques et psychologiques.

FIGURE 1.2   SIGMUND FREUD (1856-1939)

Fondateur de la psychanalyse

Psychanalyse
Approche théorique et thérapeutique qui insiste sur l'importance des pulsions et des conflits inconscients comme déterminants du fonctionnement humain.

Inconscient
Dans la théorie psychanalytique, force déterminante qui ne peut jamais devenir parfaitement consciente parce que les mots n'arrivent pas à l'exprimer. L'inconscient est constitué de contenus refoulés et de pulsions qui cherchent néanmoins à s'exprimer sous des formes codées telles que les rêves, les lapsus et les actes manqués.

Pulsion de mort
Dans la théorie psychanalytique, pulsion qui s'oppose à la pulsion de vie et qui tend à la réduction complète des tensions, c'est-à-dire à ramener l'être vivant à l'état inorganique. D'abord tournée vers l'intérieur, elle tend à l'autodestruction et ensuite, tournée vers l'extérieur, elle se manifeste sous forme d'agression.

Pulsion de vie
Dans la théorie psychanalytique, pulsion qui s'oppose à la pulsion de mort et qui vise la survie de l'espèce (pulsion sexuelle) et de l'individu.

Pulsion
Dans la théorie psychanalytique, poussée d'énergie orientant la personne vers un but et qui se trouve à la base du fonctionnement psychique inconscient.

Acte manqué
Dans la théorie psychanalytique, action où le résultat consciemment visé n'est pas atteint et se trouve plutôt remplacé par un autre qui semble être le fruit du hasard ou de l'inattention.

Lapsus
Faute consistant à substituer par inadvertance un mot à un autre, que ce soit en parlant ou en écrivant.

Pourquoi sommes-nous agressifs ? Une réponse en six points de vue

Comment les six approches théoriques expliquent-elles un phénomène tel que l'agressivité ? En comparant les différentes pistes qu'offre chacune d'elles, vous pourrez approfondir votre compréhension de la psychologie.

La psychanalyse

Freud croit que les pulsions agressives sont innées et qu'elles constituent le résultat inévitable des frustrations de la vie quotidienne. Les enfants (et les adultes) désirent normalement décharger leurs pulsions agressives sur d'autres, y compris les parents, parce que même les parents les plus attentifs ne peuvent pas satisfaire immédiatement toutes les demandes de leurs enfants. Pourtant, les enfants, craignant également le châtiment et la perte de l'amour des parents, finissent inconsciemment par réprimer ou refouler leurs pulsions les plus agressives. L'approche de Freud, d'une certaine façon, perçoit l'humain comme une marmite à vapeur. En retenant plutôt qu'en déchargeant la pression, l'humain se prépare à de futures explosions. C'est pourquoi les pulsions agressives accumulées cherchent des issues. Elles seront peut-être exprimées contre les parents de différentes façons ou contre des étrangers, à l'avenir.

Selon la théorie psychanalytique, la meilleure façon d'empêcher l'agression à grande échelle est peut-être de l'encourager à petite échelle. Pour revenir à l'analogie de la marmite à vapeur, l'agressivité verbale (par des moyens comme l'esprit, le sarcasme ou l'expression de sentiments négatifs) peut décharger une partie de la pression agressive de l'inconscient. Acclamer son équipe de hockey, regarder des scènes violentes dans un film ou encore participer à un combat fictif dans un jeu vidéo sont autant d'activités susceptibles d'avoir le même effet. La décharge d'une partie des pulsions agressives est appelée par les psychanalystes « catharsis ». L'hypothèse est que la catharsis fonctionne comme une sorte de soupape de sûreté.

Le behaviorisme

Selon l'approche behavioriste, tout comportement est appris par conditionnement. L'organisme dont on renforce le comportement agressif dans une situation donnée est plus enclin à se comporter agressivement dans d'autres situations semblables. Par exemple, si deux jeunes se battent, et que leurs amis les encouragent et les applaudissent, ils reçoivent des renforcements. Cela augmente la probabilité qu'ils se battent de nouveau si cette situation se représente.

Selon l'approche de l'apprentissage social, les comportements agressifs sont acquis principalement par l'observation des autres. Toutefois, les néobehavioristes attribuent un rôle à la conscience et au choix. Ils croient qu'une personne ne sera pas portée à agir agressivement à moins qu'elle pense que l'agressivité est un moyen approprié, compte tenu des circonstances. Ainsi, une femme ayant vu à la télévision une autre femme se battre pour se défendre face à un agresseur pourrait décider de faire la même chose si elle était attaquée.

La psychologie de la gestalt

Pour les gestaltistes, l'agressivité est le résultat de rancœurs non exprimées. Ces « affaires » non liquidées (*unfinished business*) s'incrustent dans l'expérience de la personne, et nuisent au contact avec elle-même et les autres. Ces parties d'elle-même mal intégrées l'empêchent d'être pleinement consciente et de se sentir complète dans le moment présent. L'agressivité est le résultat de cet inconfort, car la personne a une perception incomplète d'elle-même. Par exemple, un homme est déçu que sa partenaire ne l'ait pas félicité pour sa récente promotion, mais il ne dit rien. Cette rancœur ne disparaît pas, même si l'homme tente de l'ignorer. Il perd contact avec l'ensemble de ses émotions et pensées, ce qui lui est désagréable, sa perception de lui-même n'englobant pas toutes les parties qui le composent. Il devient alors agressif et de mauvaise humeur.

La psychologie humaniste

Les psychologues humanistes sont généralement optimistes au sujet de la nature humaine. Ils ne perçoivent pas l'agressivité comme une situation inévitable, mais plutôt comme une réaction négative à des frustrations imposées par des gens qui ne veulent pas qu'une personne développe tout son potentiel. Les psychologues humanistes cherchent à aider leurs clients à « se mettre en contact » avec leurs véritables motifs et potentiels, en les incitant à exprimer leurs sentiments sincères. Selon cette approche, quand les gens sont vraiment libres de choisir leur chemin dans la vie et d'exprimer leurs émotions, ils ne choisissent pas la violence.

La psychologie cognitive

Les cognitivistes affirment que le comportement de l'individu est influencé par ses valeurs, par la façon dont il interprète les situations et par ses choix. Par exemple, les personnes qui croient que l'agressivité est nécessaire et justifiée en temps de guerre seront plus portées à agir agressivement dans une telle situation, ou à endosser des comportements violents d'autres personnes. Les individus qui pensent qu'une guerre ou un acte d'agression particulier est injuste, ou qui s'opposent universellement à l'agression, seront moins portés à se comporter d'une manière agressive. Les psychologues cognitivistes soulignent que l'individu est plus susceptible de réagir agressivement à la provocation quand ses pensées amplifient l'impression d'injustice.

L'approche biologique

De nombreuses structures biologiques semblent intervenir dans l'agressivité. L'une d'elles est une structure du cerveau appelée « hypothalamus ». En réponse à certains stimuli environnementaux qualifiés de « déclencheurs », plusieurs espèces animales montrent des réactions agressives innées. Les êtres humains, dont le cerveau est plus complexe, possèdent d'autres structures cérébrales (dont le cortex préfrontal) qui agissent pour inhiber, ou pour modérer, les modèles de réaction innées possibles. Par ailleurs, certains chercheurs s'intéressent au rôle des hormones sexuelles masculines dans le déclenchement de l'agressivité. Ainsi, la prise de stéroïdes anabolisants, qui sont des dérivés synthétiques de la testostérone, semble liée à une augmentation des conduites agressives.

Les neuropsychologues et les psychophysiologistes offrent des explications du comportement agressif basées sur le fonctionnement biologique. La plupart s'entendent néanmoins pour affirmer que les facteurs biologiques interagissent avec des éléments de nature plus psychologique.

SI ON VOUS DEMANDAIT D'EXPLIQUER L'AGRESSIVITÉ, LAQUELLE DE CES APPROCHES CHOISIRIEZ-VOUS ? POURQUOI ?

APPLICATION

MYTHE OU RÉALITÉ 5

● *Freud croyait en effet que pour découvrir les véritables motivations d'une personne, il fallait tenter de déchiffrer ses rêves et ses lapsus, de même que ses actes manqués et ses symptômes physiques et psychologiques, qui donnent accès à l'inconscient, noyau de l'identité humaine.*

La pulsion sexuelle est une pulsion de vie (éros), et son énergie, son moteur, est la libido. (Dans le chapitre 11, la théorie du développement psychosexuel est expliquée. Cette théorie de Freud fut et est encore contestée à cause de l'importance qu'il accorde à la sexualité dans le développement de la personne.) Par la suite, Freud met en lumière les pulsions agressives, des pulsions de destruction et de mort (thanatos) qui cherchent à faire disparaître les conflits en retournant la personne à l'inorganique.

Au contact de la réalité et de la répression sociale, les pulsions ne peuvent pas être complètement satisfaites. Il y a donc conflit entre les désirs de la personne et son environnement, mais aussi à l'intérieur de la personne elle-même, d'où l'émergence de conflits psychiques. Afin de résoudre ces derniers, et de tenter de maintenir un certain équilibre entre les forces en jeu, l'individu se construit des **mécanismes de défense**.

L'approche psychanalytique conçue par Freud cherche à rendre conscients les déterminants inconscients de l'individu. À cet effet, l'analyse des rêves et l'association libre sont mises de l'avant. La personne est invitée à exprimer librement toutes les pensées qui lui viennent à l'esprit. Elle est étendue sur un divan, et le psychanalyste est assis derrière elle. Ces deux positions visent à éliminer les processus de **censure** souvent engendrés par le face-à-face.

Pendant les années quarante et cinquante, la plupart des psychothérapeutes s'appuient sur la psychanalyse, et de nombreux artistes et écrivains célèbres sont à la recherche de moyens libérant l'expression de leurs pensées inconscientes. En Europe, sous l'influence d'André Breton et de Salvador Dali, le mouvement surréaliste est la source de nombreuses expériences d'écriture et de peinture automatique sans censure. Au Québec, le mouvement automatiste, qui culmine grâce à la publication du *Refus global,* exerce une grande influence sur les arts.

À l'heure actuelle, l'approche psychanalytique a toujours une influence. Elle a d'ailleurs fourni une grande partie du vocabulaire utilisé en psychologie. Cependant, elle ne domine plus la psychologie, et son influence s'est, semble-t-il, atténuée dans les sciences humaines, particulièrement en Amérique du Nord, mais moins en France. Les psychologues qui aujourd'hui succèdent à Freud sont considérés comme des néofreudiens. Erik Erikson a tendance à délaisser le rôle des pulsions sexuelles et agressives inconscientes dans le comportement humain, et à insister davantage sur le choix délibéré et l'autonomie. De son côté, Françoise Dolto élabore une œuvre riche en découvertes sur le développement du poupon, de l'enfant et de l'adolescent. Le chapitre 11 permet d'en savoir davantage sur ces deux auteurs. Quant à Jacques Lacan, ses théories mettent l'accent sur l'importance du langage, clé essentielle à la compréhension du psychisme humain.

1.4.2 LE BEHAVIORISME

En 1913, John Broadus Watson (voir la figure 1.3) fonde le **behaviorisme**. Il affirme que si la psychologie veut être perçue comme une science naturelle, au même titre que la physique ou la chimie, elle doit se limiter aux événements observables et mesurables. Il croit à l'importance de l'apprentissage, qu'il conçoit en tant que **réponses** mesurables à des **stimuli** de l'environnement. Watson est convaincu que les gens agissent en fonction de leurs apprentissages passés, des influences situationnelles et des récompenses en cause, plutôt qu'en raison d'un choix conscient ou de leur hérédité. Par exemple, selon le behaviorisme, une enseignante a choisi cette carrière parce qu'elle a été encouragée à suivre cette voie, parce que ce travail a été associé au plaisir, à la valorisation et à un bon salaire, alors que d'autres professions ont été associées à de grands stress et à un sentiment d'inutilité.

FIGURE 1.3   JOHN BROADUS WATSON (1878-1958)

Fondateur du behaviorisme

Mécanisme de défense
Dans la théorie psychanalytique, opération inconsciente qui empêche la personne de prendre conscience d'idées ou d'émotions dérangeantes.

Censure
Dans la théorie psychanalytique, processus psychique qui empêche l'expression de désirs inconscients dans la conscience autrement que sous forme déguisée.

Behaviorisme
Approche théorique qui définit la psychologie comme l'étude des comportements observables et qui examine les relations entre les stimuli et les réponses dans l'apprentissage.

Réponse
Comportement observable émis relativement à un stimulus.

Stimulus (au pluriel, stimuli)
Condition dans l'environnement interne ou externe de l'organisme qui conduit à un changement dans son comportement (réponse).

Watson propose comme modèle les expériences de laboratoire du physiologiste et médecin russe Ivan Pavlov. Pavlov avait découvert que les chiens apprenaient à saliver lorsqu'ils entendaient une cloche sonner si, auparavant, le son de la cloche avait été associé à plusieurs reprises à une ration de nourriture. Pavlov expliquait la salivation des chiens, qui est au départ un réflexe, comme une réaction apprise en fonction des conditions de laboratoire auxquelles ils étaient soumis, d'où le terme de **conditionnement**. Pavlov était convaincu que c'était de nouvelles voies nerveuses qui expliquaient l'apprentissage observé, et non les phénomènes mentaux des chiens. En outre, la réponse que Pavlov a choisi d'étudier, la salivation, était un événement observable qui pouvait être mesuré au moyen d'instruments de laboratoire. Watson, en travaillant davantage au conditionnement des humains (sur le plan thérapeutique, entre autres – voir le chapitre 12), oriente toujours ses études vers des stimuli et des comportements observables et mesurables en excluant systématiquement les phénomènes mentaux du cerveau, organe qu'il qualifie d'ailleurs de « boîte noire ».

On voit que Watson se pose en empiriste convaincu et qu'il croit que l'on peut apprendre n'importe quoi à n'importe qui, le tout n'étant qu'une question de conditionnement adéquat. Autour des années trente et quarante, Watson séduit une grande partie de la population américaine, qui veut croire au « rêve américain » selon lequel tout est possible si on sait comment s'y prendre. La position de Watson est d'autant plus attrayante qu'elle va à l'encontre des explications **innéistes** et de l'**eugénisme** mis de l'avant par Hitler, qui cherche à créer une race supérieure parfaite. Au sein d'une communauté composée d'une multitude d'immigrants, il est rassurant de croire que rien n'est inscrit dans les gènes et que c'est l'environnement dans lequel on évolue qui compte.

MYTHE OU RÉALITÉ 6

C'est Watson qui croyait au rôle presque exclusif du milieu et de l'éducation.
Il prétendait pouvoir faire ce qu'il voulait avec n'importe quel enfant : un médecin, un musicien, un grand physicien, un criminel ou un mendiant.

Le psychologue Burrhus Frederic Skinner reprend les idées de Watson et y introduit les concepts de renforcement et de punition. Selon Skinner, l'organisme apprend à répéter un comportement particulier parce qu'il est renforcé ou, au contraire, à ne plus l'adopter parce qu'il est puni ou qu'il n'est plus renforcé. Skinner démontre que les animaux de laboratoire parviennent à avoir divers comportements simples et complexes à la suite de séquences de renforcements et de punitions.

Les travaux de Pavlov et de Skinner, qui sont abordés au chapitre 5, expliquent une foule de comportements humains. Par contre, aujourd'hui, peu de psychologues prétendent être des behavioristes purs et durs de la lignée de Watson. Tout de même, plusieurs s'inspirent des concepts behavioristes pour bâtir de nouvelles théories dites **néobehavioristes**, telle l'approche de l'apprentissage social.

Depuis le début des années soixante, surtout en Amérique du Nord, les théoriciens de l'apprentissage social deviennent très influents dans le domaine du développement de la personnalité, du comportement anormal et des méthodes de thérapie. Certains théoriciens de l'apprentissage social, Albert Bandura (voir la figure 1.4) en tête, se considèrent issus du courant behavioriste en raison de la grande importance qu'ils accordent au rôle de l'apprentissage dans le comportement humain.

Les behavioristes expliquent l'apprentissage par l'association répétitive, soit de stimulations provenant de l'environnement (le son d'une cloche et de la nourriture, par exemple), soit d'une action et de ses conséquences (renforcement ou punition). Les théoriciens de l'apprentissage social, au contraire, prétendent que les gens sont capables de modifier ou de créer leur environnement, et ils insistent sur l'importance de l'apprentissage intentionnel résultant de l'observation des autres. L'hypothèse émise est que, grâce à l'apprentissage par observation, l'individu acquiert une foule de réponses possibles aux situations de la vie. Les théoriciens de

---

Conditionnement
Forme simple d'apprentissage par laquelle des stimuli finissent par déclencher des réponses au moyen de l'association.

Innéiste
Approche qui met l'accent sur l'inné, c'est-à-dire ce qui n'est pas le résultat d'un apprentissage et qui est transmis de façon génétique.

Eugénisme
Étude et application de procédés visant à améliorer la structure génétique d'une population par la reproduction sélective de certains individus.

Néobehavioriste
Tenant contemporain du courant behavioriste qui élargit son champ d'études et d'intervention aux cognitions. Ces cognitions interviennent entre les stimuli et les réponses.

FIGURE 1.4   ALBERT BANDURA (1925-)

Néobehavioriste, figure de proue de l'apprentissage social

l'apprentissage social sont également en partie cognitivistes (voir plus loin) parce qu'ils croient que les attentes et les valeurs jouent un rôle dans la détermination du choix d'effectuer ce que l'individu a appris à faire. Ils centrent leur travail sur le comportement tout en considérant les pensées de l'individu. Ces psychologues sont cependant convaincus, comme le stipulait Watson, de la nécessité de respecter les qualités de la rigueur scientifique telles que la mesure et le contrôle des observations. En thérapie, leurs objectifs sont très clairement définis et orientés vers l'acquisition de nouveaux modes d'action et de pensée.

1.4.3 LA PSYCHOLOGIE DE LA GESTALT

Dans les années vingt, une autre école de psychologie, la **psychologie de la gestalt**, devient très importante en Allemagne. Dans les années trente, les trois fondateurs de l'école, Max Wertheimer (voir la figure 1.5), Kurt Koffka et Wolfgang Köhler quittent l'Europe pour échapper aux menaces nazies. Ils poursuivent leurs travaux aux États-Unis, donnant ainsi un élan de plus à l'influence américaine en psychologie.

Contrairement aux behavioristes, les gestaltistes affirment qu'on ne peut pas espérer comprendre la nature humaine en s'intéressant uniquement aux comportements observables. Ils soutiennent qu'on ne peut pas expliquer les perceptions humaines, les émotions ou les phénomènes de la pensée en fonction d'unités séparées les unes des autres.

Selon la psychologie de la gestalt, les perceptions sont plus la somme de leurs parties, mais elles sont déterminées par chacune d'elles. Prenons comme exemple une chanson. Ce n'est pas chaque note ni chaque parole que l'on perçoit, mais bien le tout qu'elles forment ensemble. Pourtant, chacune de ces notes et de ces paroles définit l'ensemble de la chanson. En effet, si on retire l'une d'elles, la chanson n'est plus la même.

Les gestaltistes se préoccupent donc de la perception et de son influence sur le comportement. Par exemple, le comportement d'un élève devant un examen ne dépend pas seulement de l'examen, mais aussi d'autres facteurs qui y sont intimement liés; ses performances antérieures, la matière, l'enseignant, le comportement de ses collègues de classe, et la quantité d'évaluations auxquelles cet élève doit faire face durant la semaine et la session sont autant d'éléments de la situation «passer cet examen». Chacun d'eux influe sur l'attitude de l'élève. D'emblée, on pourrait uniquement s'attarder au comportement de l'élève au cours de l'examen. Cependant, pour bien le comprendre, il faudrait considérer la «toile de fond» que constituent ces facteurs qui déterminent la perception globale de l'élève devant son examen.

Dans leurs efforts pour illustrer en quoi une réponse ne dépend pas simplement d'un stimulus, mais tout autant du contexte dans lequel ce dernier est présenté, les gestaltistes mettent en lumière certains principes d'organisation perceptive (tels que les lois de l'organisation perceptive dont il sera question au chapitre 3), ainsi que certains principes de résolution de problème. C'est cependant dans le domaine de la psychothérapie que l'approche gestaltiste est aujourd'hui la plus appliquée. Tel qu'il en est question aux chapitres 11 et 12, la thérapie de la gestalt élaborée par Frederick Perls vise à aider les individus à intégrer les parties conflictuelles de leur personnalité. Enfin, comme la perception est un phénomène mental, la psychologie de la gestalt est aujourd'hui souvent associée à la psychologie cognitive (voir plus loin).

1.4.4 LA PSYCHOLOGIE HUMANISTE

La **psychologie humaniste** est un courant qui prend naissance en Californie au cours des années cinquante. Cette approche est dite «humaniste», car elle est centrée d'abord et avant tout sur la foi en les possibilités d'épanouissement de tout être humain. D'ailleurs, le concept central des humanistes est la tendance à l'**actualisation de soi**. La conscience subjective est considérée comme la force qui unifie la personnalité. On qualifie aussi cette approche d'«existentielle», puisque le sens de la vie est l'un des sujets de prédilection des psychologues humanistes.

Psychologie de la gestalt
Approche théorique qui insiste sur la tendance à organiser les perceptions en ensembles et à intégrer des parties distinctes en un tout significatif.

FIGURE 1.5   MAX WERTHEIMER (1880-1943)

Un des fondateurs de la psychologie de la gestalt

Psychologie humaniste
Approche théorique qui insiste sur l'expérience subjective, la conscience et la liberté. L'humain est considéré comme naturellement bon et dirigé par son besoin d'actualisation.

Actualisation de soi
Selon la perspective humaniste, besoin de s'accomplir et de développer ses potentiels uniques de façon optimale.

FIGURE 1.6   CARL ROGERS (1902-1987)

Un des fondateurs de la psychologie humaniste

Comme les autres approches théoriques, la psychologie humaniste est marquée par son contexte sociohistorique : les États-Unis de l'après-guerre. C'est une époque où la richesse économique donne un sentiment de liberté et de possibilités immenses. Tout cela culmine dans les années soixante avec les mouvements *peace and love* et *hippie*. En 1964, la psychologie humaniste est qualifiée de « troisième force » (après la psychanalyse et le behaviorisme).

MYTHE OU RÉALITÉ 7

C'est la psychologie humaniste qui a été marquée par les valeurs des mouvements peace and love *et* hippie. *En effet, la liberté, la créativité, la capacité de changer, la confiance et l'acceptation sont des valeurs appartenant autant au mouvement* hippie *qu'à la psychologie humaniste.*

Les grands représentants de la psychologie humaniste, Carl Rogers (voir la figure 1.6) et Abraham Maslow, soutiennent que l'humain est fondamentalement libre de ses actes. Pour eux, la liberté est une source de fierté et de grande responsabilité. Cette position est opposée à celle des behavioristes, tels Watson et Skinner, qui ont une vision nettement **déterministe** de l'humain. Skinner répond d'ailleurs aux humanistes au sujet de cette conception de la liberté dans son essai *Par-delà la liberté et la dignité* (1972).

De plus, en mettant l'accent sur la conscience humaine et les émotions, les humanistes s'intéressent précisément au contenu de ce que Watson appelait la « boîte noire ». Cette position les rapproche des psychanalystes. Cependant, les humanistes croient en la possibilité de choisir et d'orienter consciemment sa destinée. Ce point de vue est optimiste, contrairement à celui de la psychanalyse, qui présente une vision plus pessimiste de l'être humain, tiraillé sans cesse entre ses pulsions inconscientes et les exigences sociales.

La psychologie humaniste est l'approche qui s'éloigne le plus de la position scientifique « dure », car elle met l'accent essentiellement sur l'expérience personnelle (importance de la subjectivité). La réalité est souvent différente de la perception que nous en avons. Pourtant, ce qui influence notre comportement, ce n'est pas la réalité comme telle, mais plutôt la perception que nous en avons. On constate ici l'influence de la psychologie de la gestalt, de même qu'un accent mis sur l'**introspection**.

Les buts de la psychologie humaniste relèvent davantage de l'application que de la théorie. Ses représentants participent à l'élaboration de stratégies non directives pour amener les gens à « se mettre en contact » avec leurs émotions et à réaliser leur potentiel. La thérapie humaniste est dite « centrée sur le client ». En effet, les humanistes font confiance à l'humain, en sa capacité de se comprendre et de s'aider lui-même dans la mesure où il est dans un climat de **considération positive inconditionnelle**. Ainsi, l'accueil, le respect, et l'ouverture du psychologue humaniste permettent au sujet d'admettre et de reconnaître ce qu'il ressent, et d'en changer les circonstances s'il le décide. Ces attitudes visent aussi à promouvoir l'estime et la confiance personnelles du client.

Les humanistes mettent aussi beaucoup l'accent sur la capacité de l'humain de se créer. Les humanistes croient que la conscience de soi, l'expérience et le choix permettent à l'individu de « s'inventer », c'est-à-dire de façonner sa croissance et ses façons de se lier au monde, à mesure qu'il progresse dans la vie. Enfin, les psychologues humanistes prétendent que l'individu est engagé dans une recherche dont l'objectif est de découvrir son identité personnelle et le sens de sa vie.

1.4.5 LA PSYCHOLOGIE COGNITIVE

Les théoriciens de la **psychologie cognitive** scrutent les phénomènes mentaux. Ils étudient de quelle façon l'individu perçoit et conçoit mentalement son univers, et résout ses problèmes. Ils utilisent, comme les humanistes, l'introspection pour mieux comprendre la façon de penser des gens. Les behavioristes prétendent que les idées ne sont pas des faits

---

Déterminisme

Conception selon laquelle les actions sont déterminées par la génétique ou des événements antérieurs, et non par le hasard ou le libre choix.

Introspection

Description rigoureuse de ce que la personne perçoit à l'intérieur d'elle-même.

Considération positive inconditionnelle

Dans la théorie humaniste, expression répétée de l'estime pour la valeur d'une personne, mais qui ne signifie pas forcément l'acceptation sans réserve de tous ses comportements.

Psychologie cognitive

Vaste approche théorique qui s'interroge sur le raisonnement, le langage, la mémoire et l'intelligence.

directement observables et que les cognitivistes n'accordent pas suffisamment d'importance aux déterminants situationnels du comportement. À l'opposé, les cognitivistes répliquent que le comportement humain ne peut pas être compris sans qu'on tienne compte des conceptions qui le soutiennent. Selon eux, l'esprit humain agit sur son environnement ; il ne fait pas que le subir.

Le courant cognitiviste est actuellement très fécond. Il semble incorporer en lui d'autres approches telles que la psychologie de la gestalt et le néobehaviorisme. En outre, il tire ses sources de diverses disciplines telles que l'informatique, la linguistique, la philosophie et la biologie. Ainsi, ses ramifications sont multiples.

On distingue, entre autres, trois branches importantes de la psychologie cognitive. L'une d'elles est axée sur la recherche fondamentale des grands phénomènes cognitifs mentionnés plus haut. On la qualifie de « théorie du traitement de l'information ». En raison de leurs travaux portant sur la résolution de problèmes et sur l'intelligence artificielle, Newell et Simon sont considérés comme les grands pionniers de cette branche. Noam Chomsky, linguiste américain politiquement très engagé, est un des autres représentants de cette branche. En 1959, il révise la théorie de l'apprentissage du langage élaborée par Skinner.

L'état des connaissances en informatique influe sur la pensée psychologique. Les ordinateurs traitent l'information pour résoudre des problèmes. L'information est d'abord introduite dans l'ordinateur. Puis, pendant qu'elle est manipulée, elle est placée en mémoire, ou mémoire de travail. Il est également possible d'entreposer l'information de manière plus permanente sur une disquette, sur un cédérom ou sur un autre type de support. On explique au chapitre 6 comment de nombreux psychologues considèrent les gens comme si ceux-ci étaient dotés d'une mémoire de travail (mémoire à court terme) et d'une mémoire d'entreposage (mémoire à long terme). Plusieurs cognitivistes se penchent sur le traitement de l'information chez les êtres humains, c'est-à-dire sur les processus par lesquels l'information est codée (données), entreposée (dans la mémoire à long terme), récupérée (placée dans la mémoire de travail) et manipulée pour résoudre des problèmes (résultat). Les informations et souvenirs placés dans la mémoire à long terme sont parfois appelés notre « bassin de données ». À travers cette métaphore de l'ordinateur, le cerveau est perçu comme la « machine » qui fait fonctionner les programmes mentaux. Les ordinateurs servent à comprendre les processus cognitifs humains, et ceux-ci sont à la base du développement de programmes dits « intelligents », qui relèvent du domaine de l'intelligence artificielle.

MYTHE OU RÉALITÉ 8

Il est vrai que certains psychologues considèrent les stratégies de résolution de problèmes comme des « programmes mentaux » gérés par un « ordinateur très personnel », le cerveau. Il s'agit des psychologues cognitivistes.

Une autre branche de la psychologie cognitive s'intéresse davantage à la recherche appliquée offrant des pistes de traitement psychothérapeutique telles que la thérapie émotivo-rationnelle, mise au point par Albert Ellis. Selon les cognitivistes, notre comportement est influencé par nos valeurs, notre façon d'interpréter les situations et nos choix. Nos pensées amplifient ou minimisent nos émotions. Par exemple, si une adolescente croit qu'une peine d'amour est une épreuve insurmontable lors de laquelle elle doit pleurer et se sentir déprimée pendant au moins deux mois, elle risque fort de se comporter ainsi lors de sa première peine amoureuse. Comme nous le verrons aux chapitres 10, 11 et 12, Albert Ellis met en lumière des croyances irrationnelles qui influent sur nos réactions vis-à-vis différentes situations. Le thérapeute cognitiviste tente, avec son client, de repérer et de corriger ces pensées illogiques.

Enfin, parce que son objet d'étude est l'intelligence, la théorie du développement cognitif mise de l'avant par le Suisse Jean Piaget (voir la figure 1.7) est souvent associée à l'approche cognitive. Les études novatrices de Piaget inspirent des milliers de projets de recherche

FIGURE 1.7   JEAN PIAGET (1896-1980)

Auteur de la théorie sur le développement cognitif

chez les psychologues du développement. Ces recherches visent essentiellement à apprendre de quelles façons les enfants et les adultes se représentent mentalement l'environnement, et à découvrir les types de raisonnement que ceux-ci font à son sujet. Selon Piaget et ses disciples, chez l'enfant, la conception du monde se développe et devient plus raffinée à mesure qu'il grandit (les stades cognitifs sont expliqués au chapitre 7). Même si l'expérience est essentielle aux enfants (stimulation provenant de l'environnement), leur perception et leur compréhension du monde se déploient en fonction de leur **maturation** neurologique. Il y a donc une action, sous forme de cycles perpétuels, de l'environnement sur l'individu et de l'individu sur son environnement.

Maturation
Processus biologique déterminé par les gènes par lequel une structure organique se développe selon une série de changements ordonnés.

1.4.6 L'APPROCHE BIOLOGIQUE

Comme la psychologie cognitive, l'approche biologique est populaire actuellement. On compte plusieurs représentants de cette approche. Citons Karl Spencer Lashley, Aleksandr Romanovitch Luria, Donald Hebb, Roger Sperry (Prix Nobel de médecine en 1981) et Brenda Milner, qui ont tous tenté d'associer des phénomènes particuliers à des régions précises du cerveau.

Les psychologues supposent que nos pensées, nos rêves et nos images mentales sont rendus possibles grâce au système nerveux, et surtout grâce au pivot du système nerveux qu'est le cerveau. Les neuropsychologues cherchent à découvrir les liens entre le cerveau et les phénomènes mentaux. Tel qu'il en est question au chapitre 2, les neuropsychologues utilisent différentes techniques d'observation pour démontrer quelles régions du cerveau interviennent dans les réponses cognitives, émotives et comportementales. L'approche biologique permet de déterminer quelles parties du cerveau sont particulièrement actives pendant l'écoute de la musique, lors de la résolution de problèmes de mathématiques ou quand certains troubles mentaux se manifestent. Ils ont aussi découvert que la production de substances chimiques dans certaines régions cérébrales est essentielle à l'entreposage d'informations ou, autrement dit, à la mémoire.

Psychophysiologiste
Psychologue qui étudie le comportement et les processus mentaux en liaison avec le fonctionnement de systèmes organiques tels que les hormones et le code génétique.

Pour leur part, les **psychophysiologistes** sont, entre autres, préoccupés par l'influence des hormones et des gènes. Par exemple, chez les humains, la prolactine stimule la production de lait ; chez les rates, la même hormone suscite également un comportement maternel. Les gènes sont les unités fondamentales de l'hérédité. Les psychologues sont extrêmement intéressés par l'ampleur de l'influence héréditaire sur les traits humains tels que l'intelligence, les troubles mentaux, les comportements criminels et même la tendance à devenir dépendant de substances comme l'alcool.

ÉCLAIRCISSEMENT DE L'AMORCE

Si Mathieu, votre ami aux prises avec un problème de toxicomanie, rencontrait un psychanalyste, celui-ci travaillerait à partir de l'enfance de Mathieu et de ses rêves, pour tenter de mettre à jour ses pulsions de vie et de mort inconscientes. Il s'intéresserait aussi aux mécanismes de défense utilisés par Mathieu pour diminuer ses conflits inconscients.

Un behavioriste l'aiderait à apprendre de nouveaux comportements qui l'éloigneraient de la consommation. Il tenterait de le conditionner à ne plus relier certains stimuli comme les partys à la prise de drogues. Il pourrait renforcer le comportement de sobriété de Mathieu en félicitant celui-ci chaque fois qu'il ne consomme pas de drogues. Un néobehavioriste lui proposerait en plus des modèles de jeunes attrayants ne faisant pas l'usage de drogues.

Un gestaltiste tenterait de comprendre la perception qu'a Mathieu de sa consommation de drogues. Il adopterait un point de vue global pour analyser ce problème. Il considérerait l'ensemble des éléments y contribuant (ses amis, ses parents, sa façon de gérer son stress, etc.).

Un psychologue humaniste manifesterait de la considération positive inconditionnelle pour Mathieu afin de l'amener à prendre contact avec sa tendance vers l'actualisation de lui-même. Cela le conduirait naturellement à délaisser les drogues, car, selon les humanistes, Mathieu a tout le potentiel pour être heureux, si on le respecte et si on l'accepte pour ce qu'il est.

Un cognitiviste, quant à lui, s'intéresserait aux pensées qui alimentent la toxicomanie de Mathieu. Comment se représente-t-il les drogues et leurs effets? Quelles sont ses attentes lorsqu'il en consomme? La toxicomanie serait traitée comme un problème à résoudre.

Un psychologue d'approche biologique serait convaincu que des facteurs neurologiques, hormonaux ou génétiques expliquent la toxicomanie de Mathieu. Ses travaux seraient donc plus orientés vers la recherche fondamentale ou appliquée que vers l'intervention clinique.

1.5 COMMENT LES PSYCHOLOGUES ÉTUDIENT-ILS LE COMPORTEMENT ET LES PHÉNOMÈNES MENTAUX?

La délinquance est-elle liée à des mauvais traitements subis durant l'enfance? La consommation d'alcool entraîne-t-elle des crimes violents? Quelle est la relation entre la mémoire et la motivation? Plusieurs personnes ont exprimé leur opinion sur des questions de ce genre, et il existe diverses réponses possibles. La psychologie ne se contente pas de ces réponses, car c'est une science empirique, à l'exemple de la biologie, de la chimie et de la physique. Cela veut dire que les réponses retenues s'appuient sur des preuves. Les arguments basés sur des raisonnements purement théoriques ou les simples références aux experts ne sont pas des preuves scientifiques valables. En psychologie, pour obtenir une preuve scientifique, on utilise surtout les cinq méthodes de recherche suivantes.

1.5.1 LES PRINCIPALES MÉTHODES DE RECHERCHE EN PSYCHOLOGIE

Il existe plusieurs méthodes de recherche en sciences humaines, mais celles qui sont le plus souvent utilisées en psychologie sont l'observation, l'étude de cas, l'enquête, la méthode corrélationnelle et la méthode expérimentale. Toutes ces méthodes permettent d'accroître les connaissances, mais chacune comporte des limites. Pour avoir une idée d'une recherche classique effectuée en psychologie, lisez l'encadré 1.5.

• L'ÉTUDE DE CAS

Sigmund Freud a en grande partie développé la théorie psychanalytique en s'appuyant sur des **études de cas**, c'est-à-dire sur des analyses soigneusement élaborées. En effet, il a étudié quelques patients pendant plusieurs années en les rencontrant plusieurs fois par semaine. Contrairement à la plupart des autres méthodes de recherche, l'étude de cas permet d'étudier en profondeur un seul individu ou quelques-uns. Elle permet aussi de découvrir les aspects importants de la vie d'une personne ou d'en dresser un portrait global sous différents angles.

L'étude de cas comporte néanmoins des limites. Lorsque les gens sont interviewés, des trous de mémoire sont inévitables. Les individus peuvent aussi déformer leur passé en raison de la **désirabilité sociale**, par exemple. Les intervieweurs peuvent également avoir certaines attentes et subtilement inciter les participants à combler les lacunes de leurs réponses dans un sens compatible avec leur approche théorique.

• L'OBSERVATION

Comment réagissent des adolescents devant un nouvel appareil informatique? Quels sont les comportements des personnes souffrant de troubles mentaux lorsqu'elles sont en contact avec des animaux domestiques? Comment se comportent les enfants hyperactifs en classe?

Dans la méthode de l'**observation**, le chercheur explore ou décrit un événement. Cette méthode est surtout utilisée lorsqu'un phénomène particulier est tout à fait inédit ou très peu connu. Notons que le chercheur, la plupart du temps, n'intervient pas auprès des individus qu'il étudie afin de ne pas influencer leurs comportements. Il se tient à l'écart ou se mêle au groupe sans attirer l'attention des participants observés. Comme l'a fait Jane van Lawick Goodall (voir la figure 1.8), l'observation se fait dans le milieu naturel des individus étudiés. Elle est alors qualifiée d'**observation naturelle**. L'observation se fait aussi en laboratoire. Elle

FIGURE 1.8   LA MÉTHODE DE L'OBSERVATION NATURELLE

Pendant des années, Jane van Lawick Goodall s'est servi de la méthode de l'observation naturelle auprès de chimpanzés. En évitant de les importuner, elle a montré, entre autres, que les humains ne sont pas les seuls à s'embrasser en guise d'accueil.

Étude de cas
Méthode scientifique bâtie sur une analyse approfondie et soigneusement élaborée d'une ou de plusieurs personnes obtenue à l'aide d'entrevues, de questionnaires ou de tests psychologiques.

Désirabilité sociale
Tendance plus ou moins consciente d'une personne à agir de façon à confirmer ce qu'elle croit que les autres attendent d'elle.

Observation
Méthode scientifique qui vise à dresser un portrait global d'un phénomène peu connu sans intervenir sur la manifestation des comportements.

Observation naturelle
Type d'observation se déroulant dans l'environnement habituel des êtres étudiés.

ENCADRÉ 1.5

Qui, sous l'influence d'un supérieur, peut faire souffrir une autre personne ? Stanley Milgram répond

L'histoire de l'humanité témoigne d'une série d'atrocités commises pour différents motifs. Encore aujourd'hui, les médias révèlent chaque jour des agressions commises à travers le monde. Les agresseurs suivent souvent les ordres d'un supérieur. Qui est susceptible de se plier à ces directives ? Des gens anormaux, différents de la majorité ? Il doit y avoir un problème important chez ces gens pour qu'ils agissent ainsi. C'est ce qu'a voulu vérifier scientifiquement le psychologue Stanley Milgram (1963).

Milgram publie dans les journaux une invitation à participer à une étude sur l'apprentissage et la mémoire à l'Université Yale. Quarante hommes âgés de 20 à 50 ans sont sélectionnés. Leur occupation varie de professeur à vendeur, en passant par ingénieur et manœuvre, et leur scolarité s'échelonne du cours primaire incomplet à une formation universitaire. Lorsqu'un participant arrive au laboratoire, se présente alors le chercheur (sérieux et vêtu d'un sarrau) qui explique son étude mesurant l'impact de l'intensité d'une punition sur l'apprentissage. Un autre participant est aussi présent. Pour les besoins de l'étude, un « professeur » et un « élève » doivent être désignés. Par un tirage au sort, le premier participant devient le professeur. L'autre participant, l'élève, s'assoit sur une chaise munie de sangles et d'électrodes. On lui explique que les sangles permettront d'éviter des mouvements trop amples et que les électrodes transmettront une décharge électrique à titre de punition. Une crème est appliquée afin de prévenir les ampoules et les brûlures. On lui dit que même si certains chocs électriques peuvent être très douloureux, ils ne

causent pas de dommages permanents aux tissus organiques. Bien qu'il s'inquiète un peu de cette situation, on le rassure en lui disant qu'il s'agit d'une étude scientifique de l'Université qui contribuera à l'avancement des connaissances. Le premier participant, le professeur, est témoin de ces échanges. On lui inflige, à titre d'exemple de punition, un choc de 45 volts (ce qui est suffisamment désagréable pour ne pas en souhaiter un deuxième). Le professeur est ensuite amené dans une pièce adjacente où il s'assoit devant un panneau comportant une série de commutateurs allant de 15 à 450 volts. Au-dessus des chiffres, des mots les qualifient allant de « Choc léger » à « Attention : choc dangereux »; les derniers commutateurs correspondent simplement à « XXX ».

Le professeur doit lire une fois une série de paires de mots à l'élève. Celui-ci désigne ensuite, par le biais de commutateurs, lequel des quatre mots prononcés par le professeur est celui manquant à la paire initiale. S'il choisit le bon mot, le professeur passe aux prochains mots; s'il se trompe ou ne répond pas, le professeur lui inflige une décharge. Chaque fois que l'élève commet une erreur, le professeur augmente le voltage de 15 volts. Lorsque 300 volts sont atteints, l'élève frappe sur le mur et gémit de douleur. À partir de 330 volts, aucune réponse ou réaction n'est émise. Si le professeur hésite ou se tourne vers le chercheur, celui-ci affirme (à l'aide de consignes prédéterminées par Milgram) qu'il doit poursuivre. Mais si le professeur s'oppose quatre fois, ou s'il quitte la pièce, l'expérience se termine.

Des quarante participants, tous (100 %) ont obéi jusqu'à la décharge de 300 volts.

Celle-ci marque la coupure entre « Choc intense » et « Choc d'intensité extrême ». Seulement 5 participants ont refusé d'aller au-delà des 300 volts, 9 se sont arrêtés entre 315 et 375 volts, mais 26 sont allés jusqu'au voltage maximal de 450. Ainsi, les participants ont infligé des décharges qualifiées de « XXX » dans une proportion de 65 %, certains poursuivant même s'ils croyaient que l'élève était mort. La majorité exprimait pourtant un malaise évident à agir de la sorte, manifestant de la transpiration, des tremblements, des bégaiements, des morsures aux lèvres, etc. Plusieurs ont aussi été pris d'un fou rire nerveux, bizarre et déplacé. Ils ont tenu à préciser qu'ils n'étaient pas des types sadiques, et que ces rires ne signifiaient pas qu'ils appréciaient donner des chocs électriques à l'élève. Heureusement. Mais ce que les « professeurs » ne savaient pas, c'est que les électrodes n'étaient pas branchées sur du courant électrique, que l'élève était un complice de Milgram qui simulait la douleur, et que les réponses au test de mémoire étaient prédéterminées.

Ainsi, Milgram a montré que la majorité d'entre nous est capable de commettre des gestes immoraux. Plus que les traits de personnalité, la situation semble expliquer les comportements des gens. Placés sous l'influence d'une figure d'autorité crédible (un chercheur de l'Université Yale, par exemple) nous risquons fort de mettre de côté notre conscience morale. Ces résultats ont d'ailleurs été confirmés par d'autres études effectuées dans d'autres pays avec des échantillons différents (Milgram, 1974, voir Lecomte, 1997).

---

permet alors de mieux contrôler les facteurs qui peuvent interférer avec le comportement des participants. Dans la majorité des cas, on élabore une grille d'observation au préalable. Cette grille a pour but de déterminer la présence et la fréquence des comportements étudiés.

La grande limite de l'observation est le manque de contrôle exercé sur les faits : plusieurs événements peuvent interférer avec les données recueillies. Mais la quantité d'informations que l'observation permet de recueillir est souvent le point de départ d'autres recherches mieux contrôlées.

• L'ENQUÊTE

Quels sont les rêves, les peurs et les priorités des jeunes Québécois ? Comment les couples partagent-ils les responsabilités familiales ? Quel est l'état de santé des personnes âgées ? Que font-elles de leurs journées ?

Enquête
Méthode scientifique par laquelle un échantillon important d'individus est interrogé par un questionnaire ou une entrevue.

Les psychologues utilisent les **enquêtes** pour connaître les comportements, les opinions, les attitudes et les valeurs des individus. Les enquêtes permettent de cerner des faits qui ne peuvent pas être observés dans le milieu naturel ou étudiés en laboratoire. Les psychologues qui font des enquêtes peuvent avoir recours à des questionnaires ou des entrevues (en face-à-face, par courrier ou au téléphone). En distribuant des questionnaires et en analysant les réponses à l'aide d'un ordinateur, les psychologues peuvent interroger des milliers de gens à la fois. Les rapports Kinsey (1948 et 1953) et Hite (1981, 1987 et 1994) sur la sexualité humaine sont des exemples d'enquêtes de grande envergure.

Les entrevues et les questionnaires ne sont pas infaillibles, bien sûr. Les gens peuvent se rappeler incorrectement leur comportement ou le déformer volontairement. Certaines personnes essaient de bien paraître aux yeux de l'intervieweur en répondant ce qu'elles perçoivent comme socialement désirable. Les études de Kinsey, par exemple, ont toutes été menées par des intervieweurs masculins. On s'est demandé si les répondantes auraient été plus ouvertes et honnêtes si elles avaient été interrogées par des femmes. Des problèmes semblables peuvent survenir lorsque les intervieweurs et les personnes interviewées sont d'ethnies et de milieux socioéconomiques différents. D'autres personnes peuvent dénaturer des attitudes et exagérer des problèmes pour attirer l'attention ou simplement pour essayer d'embrouiller les résultats.

• LA MÉTHODE CORRÉLATIONNELLE

Les individus ayant une cote de quotient intellectuel élevée sont-ils plus susceptibles de réussir à l'école? Les personnes ayant un besoin plus prononcé de se réaliser seront-elles portées à mieux réussir sur le plan professionnel? Quelle est la relation entre le stress et la santé?

Dans la **méthode corrélationnelle**, les psychologues tentent de déterminer si un type de comportement ou un trait est lié à un autre, c'est-à-dire en corrélation avec un autre. Prenons les **variables** du quotient intellectuel et des résultats scolaires. De nombreuses études ont révélé des **corrélations positives** entre ces deux facteurs. De façon générale, cela signifie que plus la cote obtenue par un individu à un test d'intelligence est élevée, plus celui-ci a de chances d'obtenir de bons résultats scolaires, et vice versa (voir la figure 1.9). Par contre, il y a une **corrélation négative** entre le stress et la santé : à mesure que le stress augmente, le fonctionnement du système immunitaire diminue, et vice versa (voir le chapitre 10). Plusieurs personnes dont le stress est très élevé éprouvent des problèmes de santé.

La méthode corrélationnelle peut suggérer des pistes, mais elle ne révèle pas quelle variable entraîne l'autre. Par exemple, il peut sembler logique de supposer qu'une cote de quotient intellectuel élevée permette aux enfants d'obtenir de meilleurs résultats scolaires. Cependant, les recherches ont également démontré que le type d'éducation familiale contribue à l'obtention de cotes élevées dans les tests d'intelligence. On peut donc penser qu'une troisième variable explique le quotient intellectuel et les résultats scolaires : la stimulation et

Méthode corrélationnelle
Méthode scientifique qui étudie le sens (positif ou négatif) de la relation entre deux variables.

Variable
Dans une méthode scientifique, événement ou comportement qui est mesuré ou contrôlé.

Corrélation positive
Relation entre deux variables dans laquelle l'augmentation d'une variable s'accompagne de l'augmentation de l'autre variable.

Corrélation négative
Relation entre deux variables dans laquelle une variable augmente à mesure que l'autre diminue, et vice versa.

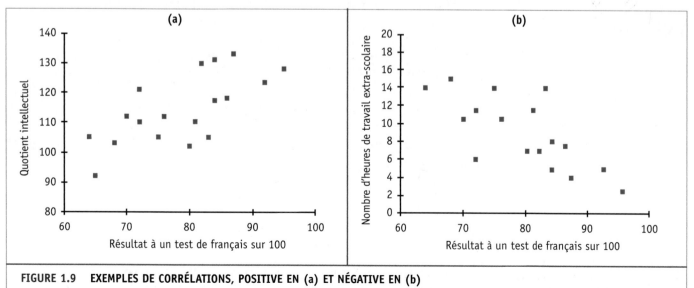

FIGURE 1.9   EXEMPLES DE CORRÉLATIONS, POSITIVE EN (a) ET NÉGATIVE EN (b)

l'encouragement des parents, par exemple. La motivation du jeune est une autre variable importante qui peut aussi être à l'origine de sa cote de quotient intellectuel et de ses résultats scolaires. La méthode corrélationnelle ne permet donc pas de déterminer une relation de cause à effet : elle permet d'établir des relations de covariance, c'est-à-dire des relations où deux facteurs (comme le stress et la santé) varient ensemble.

MYTHE OU RÉALITÉ 9

La méthode corrélationnelle donne lieu à des recherches scientifiques qui peuvent conclure qu'il existe un lien entre deux facteurs, sans pouvoir affirmer lequel cause l'autre. Seule la méthode expérimentale peut établir un lien de cause à effet.

• LA MÉTHODE EXPÉRIMENTALE

La présence d'un réseau social contribue-t-elle à une bonne santé mentale ? L'humour dans un message publicitaire augmente-t-il les probabilités de vente du produit annoncé ? Les athlètes qui emploient la visualisation positive sont-ils plus performants que les autres ?

La **méthode expérimentale** est la seule méthode scientifique permettant d'établir une relation de cause à effet entre deux événements : la **variable indépendante** et la **variable dépendante.** La variable indépendante est l'événement manipulé par l'expérimentateur pour déterminer ses effets sur un autre événement (le chercheur suppose que c'est la cause du comportement étudié). Dans la méthode expérimentale, le chercheur fait varier la variable indépendante à différents niveaux. Chaque niveau de la variable indépendante entraîne la formation d'un **groupe expérimental**. Le chercheur vérifie ensuite si cette manipulation influe sur le second événement, c'est-à-dire la variable dépendante. La variable dépendante est la conséquence ou l'effet des variations de la variable indépendante. Afin de s'assurer que c'est bien la variable indépendante qui influe sur la variable dépendante, plusieurs facteurs doivent être contrôlés. Ces facteurs sont des «parasites» qui risquent de biaiser les résultats. Toujours pour s'assurer de bien isoler les variables indépendante et dépendante, souvent un **groupe témoin** est formé. Auprès de ce groupe de participants, on mesure la variable dépendante alors que le niveau de la variable indépendante est nul. Ce groupe sert de point de comparaison avec les autres groupes qui ont subi les autres niveaux de la variable indépendante.

Par exemple, dans une expérimentation visant à déterminer si l'alcool provoque l'agressivité, la variable indépendante est la quantité d'alcool consommée, et la variable dépendante est la fréquence des comportements agressifs. La variable indépendante est manipulée par l'expérimentateur qui tente de déterminer ses effets sur l'agressivité. L'alcool est donc administré à différentes doses (infime, suffisante pour entraîner l'intoxication, l'ébriété) aux groupes expérimentaux. On ne donne aucun alcool au groupe de contrôle. Ensuite, pour tous les groupes, la fréquence des comportements agressifs est notée en fonction des doses. L'expérimentateur, après avoir analysé les données, peut savoir si l'augmentation de la consommation d'alcool entraîne une augmentation des comportements agressifs. Si les participants du groupe de contrôle obtiennent des fréquences de comportement agressif aussi élevées, ou même plus élevées, que celles des groupes expérimentaux, on ne pourra pas conclure que l'alcool cause l'agressivité.

Le principal avantage de la méthode expérimentale est de découvrir s'il existe un lien de cause à effet. Dans une telle recherche, plusieurs contrôles doivent être effectués. Dans notre exemple, ce que les chercheurs disent aux participants, l'âge de ces derniers, leur sexe, leur poids, de même que le temps écoulé depuis le dernier repas, le moment de la journée et les situations visant à susciter les comportements agressifs doivent être contrôlés afin de s'assurer qu'ils ne sont pas la cause des réactions agressives. On tente d'isoler les variables indépendante et dépendante de ces parasites. C'est pourquoi la méthode expérimentale est souvent utilisée en laboratoire, où il est plus facile de contrôler ces influences possibles.

Méthode expérimentale
Méthode scientifique qui tente de découvrir une relation de cause à effet en contrôlant une variable indépendante et en mesurant son impact sur une variable dépendante.

Variable indépendante
Dans la méthode expérimentale, c'est la cause présumée du comportement étudié. C'est une condition que l'on manipule de façon à pouvoir mesurer ses effets.

Variable dépendante
Dans la méthode expérimentale, c'est l'effet présumé des modifications effectuées à la variable indépendante.

Groupe expérimental
Dans la méthode expérimentale, groupe de participants soumis à l'un des niveaux de la variable indépendante.

Groupe témoin
Dans la méthode expérimentale, groupe de participants soumis au niveau nul de la variable indépendante.

La grande limite de la méthode expérimentale tient au fait qu'elle découpe la réalité en événements isolés les uns des autres et qu'elle les étudie souvent en laboratoire. Il peut donc être difficile d'établir un rapprochement entre les résultats obtenus grâce à la méthode expérimentale et les comportements de la vie quotidienne. Par exemple, dans l'expérimentation visant à établir un lien entre l'alcool et l'agressivité, les données obtenues dans un laboratoire sont-elles semblables à ce qui se passe dans un bar ou une résidence familiale? Il appartient au chercheur d'être conscient de cette limite et d'en tenir compte lorsqu'il précise la portée des résultats : il doit préciser à qui et dans quels contextes ils peuvent être appliqués.

1.5.2 LES ÉTAPES DE LA DÉMARCHE SCIENTIFIQUE

Toutes les méthodes scientifiques, y compris celles mentionnées ci-haut, se font en cinq étapes : la problématique, la collecte de données, l'analyse des données, l'interprétation des résultats et la diffusion des résultats.

• LA PROBLÉMATIQUE

La première étape de la démarche scientifique consiste tout d'abord à préciser le problème à étudier. Les expériences quotidiennes de même que les croyances populaires peuvent alimenter cette étape. Ensuite, le chercheur doit recenser les écrits (théories et recherches) portant sur le sujet choisi. Finalement, après avoir pris connaissance des travaux réalisés dans le domaine, le chercheur doit émettre une hypothèse ou cerner un objectif. Un objectif se rapporte à l'exploration ou à la description d'une réalité, alors qu'une hypothèse établit une relation entre deux phénomènes. C'est cette hypothèse, ou cet objectif, qu'il faudra vérifier en la confrontant à des données réelles.

> **Hypothèse**
> Énoncé temporaire d'une relation entre deux événements ou comportements devant être vérifié par les faits.

Par exemple, il est fréquent d'entendre qu'il y a un lien entre les émissions télévisées dont le contenu est violent et les comportements agressifs. Un chercheur, en s'appuyant sur les théories de l'apprentissage par observation, pourrait émettre l'hypothèse suivante : plus le nombre d'heures d'écoute d'émissions comportant des paroles et des gestes violents est élevé, plus la fréquence des comportements violents augmente chez les enfants âgés de 5 à 10 ans. Le caractère violent des émissions et des comportements des enfants serait évalué par les parents (formés à cet effet) qui utiliseraient un système de cotation précis.

• LA COLLECTE DE DONNÉES

La collecte de données consiste à soumettre l'hypothèse (ou l'objectif) à des faits observés, selon la méthode de recherche choisie. Dans l'exemple ci-dessus, on aurait recours à une méthode corrélationnelle consistant à demander aux parents d'étudier pendant une semaine leur enfant et de lui attribuer deux «cotes» : le nombre d'heures d'écoute d'émissions violentes et la fréquence des comportements violents.

Observer

• L'ANALYSE DES DONNÉES

L'analyse des données consiste en la compilation des résultats obtenus et leur traitement, et vise à comprendre leur signification. Grâce à cette analyse, le chercheur peut savoir si son hypothèse est confirmée ou si son objectif est atteint. Des analyses statistiques sont souvent utilisées afin d'approfondir les résultats obtenus. En l'occurrence, le chercheur compilerait l'ensemble des cotes obtenues par les enfants et les soumettrait à une analyse statistique. Par cette analyse, il pourrait affirmer si un lien existe entre le nombre d'heures d'écoute d'émissions violentes et la fréquence des comportements violents. (Tel qu'il a été expliqué dans la section sur la méthode corrélationnelle, ce lien ne permet pas de savoir si les émissions violentes sont la source des comportements violents, ou l'inverse.)

Comprendre

• L'INTERPRÉTATION DES RÉSULTATS

L'interprétation des résultats comprend plusieurs subdivisions. Après avoir constaté si les résultats confirment ou infirment l'hypothèse, ou encore si l'objectif est atteint, le chercheur doit s'assurer qu'il n'y a pas eu d'erreurs graves dans la collecte des données. Il doit aussi faire un retour sur la problématique pour établir des liens entre les théories et recherches antérieures, et les résultats de sa propre recherche. Ensuite, il lui faut préciser la portée de ces résultats, c'est-à-dire établir à quel contexte et à qui on peut les appliquer. Enfin, avant de conclure avec les faits importants de la recherche, le chercheur peut faire des recommandations concrètes et suggérer des pistes pour susciter d'autres recherches sur le sujet étudié.

Par exemple, le chercheur pourrait élargir la portée de ses résultats à tous les enfants d'âge scolaire et suggérer d'autres recherches avec des enfants plus âgés. Il conclurait en soulignant qu'il semble bien y avoir, ou ne pas y avoir, un lien entre les émissions violentes et les comportements violents, ce qui contribuerait à mettre de l'avant de nouvelles théories.

• LA DIFFUSION DES RÉSULTATS

Intervention
ou
Prévention.

Pour permettre aux autres chercheurs, mais aussi aux personnes curieuses, d'en connaître plus sur un domaine précis, la recherche complète doit être accessible sous une forme ou une autre : rapport écrit, communication orale, affiche, etc. Dans l'élaboration de leurs problématiques, d'autres scientifiques pourront alors se référer à cette recherche. La boucle de la démarche scientifique est alors refermée.

PSYCHOLOGIE

PSYCHOLOGIE est une **science** qui étudie les **comportements** liés aux **phénomènes mentaux**

analysés par **recherche fondamentale** / **recherche appliquée**

grâce à des **méthodes de recherche** dont les résultats mènent à des **théories**

théories telles que :

- **psychanalyse** basée sur **pulsions et conflits inconscients** représentée par **Freud**
- **behaviorisme** basé sur **apprentissage** représenté par **Watson**, **Pavlov**, **Skinner**
- **psychologie de la gestalt** basée sur **perception** représentée par **Wertheimer**
- **psychologie humaniste** basée sur **actualisation de soi** représentée par **Rogers**, **Maslow**
- **psychologie cognitive** basée sur **phénomènes mentaux** représentée par **Piaget**
- **approche biologique** basée sur **système nerveux**, **hérédité**, **hormones** représentée par **Sperry**

spécialités telles que :
- **psychologue clinicien**
- **psychologue médiateur**
- **neuro-psychologue**
- **psychologue indus-triel-organisationnel**
- **psychologue scolaire**
- **psychologue du sport**
- **psychologue en expertise psycholégale**

s'influencent

méthodes de recherche telles que :
- **étude de cas**
- **observation**
- **enquête**
- **méthode corrélationnelle**
- **méthode expérimentale** comporte **variable indépendante**, **variable dépendante**

code de déontologie — respectent

QUESTIONS DE RÉVISION DU CHAPITRE 1

1.1 La place des psychologues parmi celles d'autres types d'intervenants

1. La psychologie est la science qui étudie le comportement et _____ .

2. Pour porter le titre de psychologue au Québec, il faut :
   a) avoir complété un baccalauréat en psychologie ;
   b) avoir complété une maîtrise en psychologie ;
   c) être membre de l'Ordre des psychologues du Québec ;
   d) être membre de l'Ordre des psychothérapeutes du Québec ;
   e) répondre aux conditions de a, b, et c.

3. Le titre de psychanalyste est protégé par la loi. Vrai ou faux ?

4. Si vous consultez un psychothérapeute, vous aurez la possibilité de porter plainte contre lui s'il commet une faute professionnelle :
   a) oui, c'est garanti par son titre ;
   b) en aucun cas ;
   c) seulement s'il appartient à un ordre professionnel dûment reconnu ;
   d) seulement si vous avez beaucoup d'argent ;
   e) seulement si vous avez un témoin.

5. Un psychanalyste est un médecin. Vrai ou faux ?

1.2 La psychologie en tant que science

1. Nommez les quatre buts de la psychologie.
   1 : _____ ; 2 : _____ ;
   3 : _____ ; 4 : _____ .

2. Plusieurs recherches en psychologie sont effectuées sur des animaux. Vrai ou faux ?

3. La psychologie est une science empirique. Vrai ou faux ?

4. La formulation de relations entre des lois, des concepts et des faits scientifiques correspond à une :
   a) généralisation ;
   b) variable ;
   c) théorie ;
   d) recherche ;
   e) psychothérapie.

5. Les psychologues, lorsqu'ils effectuent des recherches, tentent de trouver les nombreuses _____ qui interviennent dans les comportements et les phénomènes mentaux.

1.3 Que font les psychologues ?

1. La recherche _____ vise à accroître nos connaissances sans égard aux retombées immédiates, alors que la recherche _____ vise à trouver des solutions à des problèmes déterminés.

2. Un psychologue clinicien travaille principalement dans les écoles secondaires et primaires. Vrai ou faux ?

3. Un psychologue qui étudie le lien entre le comportement, les phénomènes mentaux et le fonctionnement du système nerveux se nomme _____ .

4. Parmi les fonctions suivantes, laquelle peut être remplie par un psychologue industriel et organisationnel ?
   a) aider un couple à s'entendre lors de sa séparation ;
   b) créer du matériel stimulant pour les personnes aux prises avec la maladie d'Alzheimer ;
   c) prévenir l'apparition de troubles psychologiques au sein d'un groupe de jeunes toxicomanes ;
   d) évaluer l'intelligence d'un enfant ;
   e) sélectionner du personnel.

5. Le psychologue en expertise psycholégale peut être appelé à témoigner en cour dans le cas d'une séparation afin de juger quel parent est le plus apte à assumer la garde de l'enfant. Vrai ou faux ?

1.4 Quelles sont les approches théoriques de la psychologie ?

1. Parmi les concepts suivants, lequel appartient à la psychanalyse ?
   a) le conditionnement ;
   b) les perceptions sont plus que la somme de leurs parties, mais elles sont déterminées par chacune d'elles ;
   c) l'actualisation de soi ;
   d) les mécanismes de défense ;
   e) le traitement de l'information.

2. Watson a affirmé que la psychologie devait se limiter aux événements observables et mesurables. Vrai ou faux ?

3. Lequel des auteurs suivants est associé au néobehaviorisme ?
   a) Ellis ;
   b) Rogers ;
   c) Bandura ;
   d) Koffka ;
   e) Skinner.

4. Dans la théorie humaniste, _____ est l'expression répétée de l'estime pour la valeur d'une personne, sans qu'elle signifie l'acceptation sans réserve de tous ses comportements.

5. L'approche théorique qui analyse les représentations et s'interroge sur la faculté de raisonnement, le langage, la mémoire et l'intelligence est :
   a) le behaviorisme ;
   b) la psychologie de la gestalt ;
   c) la psychanalyse ;
   d) la psychologie humaniste ;
   e) la psychologie cognitive.

6. L'approche _____ s'intéresse aux liens entre le fonctionnement du système nerveux, et nos comportements et phénomènes mentaux.

7. Lequel des énoncés suivants est vrai ?
   a) Wertheimer et Köhler sont des psychologues humanistes ;
   b) Newell, Simon et Piaget sont des psychologues cognitivistes ;
   c) Freud et Erikson ont fondé la psychologie de la gestalt ;
   d) Pavlov, Watson et Skinner sont psychanalystes ;
   e) Rogers et Maslow sont les pères du behaviorisme.

1.5 Comment les psychologues étudient-ils le comportement et les phénomènes mentaux ?

1. La désirabilité sociale peut limiter la qualité des données obtenues lors d'une étude de cas. Vrai ou faux ?

2. Une _____ permet d'avoir accès à des faits qui ne peuvent pas être observés dans le milieu naturel ou étudiés en laboratoire.

3. Une corrélation positive signifie qu'il y a une relation de cause à effet entre les variables étudiées. Vrai ou faux ?

4. Une variable indépendante est :
   a) une relation entre deux variables dans laquelle l'augmentation d'une variable s'accompagne de l'augmentation de l'autre variable ;
   b) une relation entre deux variables dans laquelle une variable augmente à mesure que l'autre diminue, et vice versa ;
   c) une condition que l'on manipule de façon à pouvoir observer ses effets ;
   d) la réaction des participants aux conditions manipulées par le chercheur ;
   e) une variable qui n'a pas d'impact sur les facteurs étudiés.

5. Quelles sont, dans l'ordre, les cinq étapes de la démarche scientifique ?
   a) la problématique, la collecte de données, l'analyse des données, l'interprétation des résultats et la diffusion des résultats ;
   b) la collecte de données, la problématique, l'analyse des données, la diffusion des résultats et l'interprétation des résultats ;
   c) la collecte de données, l'analyse des données, la diffusion des résultats, la problématique et l'interprétation des résultats ;
   d) l'observation, l'enquête, la méthode corrélationnelle et la méthode expérimentale ;
   e) l'enquête, l'observation, la méthode corrélationnelle et la méthode expérimentale.

6. Une hypothèse est :
   a) une conception selon laquelle la connaissance ne peut venir que de l'observation des faits et de l'expérience ;
   b) une conception selon laquelle les actions sont déterminées par l'hérédité ou des événements antérieurs et non par le hasard ou le libre choix ;
   c) un énoncé temporaire d'une relation entre deux événements ou comportements devant être vérifié par les faits ;
   d) une erreur par laquelle on substitue un mot à celui qu'on voulait dire ou écrire ;
   e) une description rigoureuse de ce que la personne perçoit à l'intérieur d'elle-même.

Pour aller plus loin...

Volumes et ouvrages de référence

TAMISIER, J.C. (1999). *Grand dictionnaire de la psychologie*, Paris, Larousse.

Ce dictionnaire général de la psychologie présente les concepts, les théories et les penseurs de la psychologie par ordre alphabétique. Il est divisé en rubriques courtes, avec des définitions de quelques dizaines de mots, et en rubriques longues, qui développent un thème sur quelques pages.

ROUDINESCO, E. et M. PLON (1997). *Dictionnaire de la psychanalyse*, Paris, Fayard.

Mine d'informations diverses sur des concepts et des personnes liées à la psychanalyse. La plupart des textes sont longs et détaillés.

Périodiques

Psychologie Québec

Publié par l'Ordre des psychologues du Québec, il comporte de l'information sur la vie professionnelle ainsi que des dossiers portant sur des sujets de la psychologie clinique. Pour avoir un aperçu :
http://www.ordrepsy.qc.ca/Public/publications/07c_magPsyQc.asp

Le Journal des psychologues

Le *Journal des psychologues* est l'équivalent français de *Psychologie Québec*. Il présente de brèves nouvelles sur la recherche et des dossiers cliniques, généralement d'orientation psychanalytique, etc. Pour avoir un aperçu :
http://www.ciao.fr/Journal_des_psychologues__261738

Psychologies Magazine

Mensuel qui s'adresse au grand public ; la plupart de ses articles proposent des solutions pratiques aux problèmes de la vie personnelle. Le magazine comporte notamment des tests, une section de questions et de réponses, ainsi qu'une section où sont compilés et critiqués les best-sellers parmi les livres de psychologie. *Psychologies Magazine* donne aussi des nouvelles brèves sur l'actualité scientifique en psychologie. Pour avoir un aperçu :
http://www.psychomag.com

Interactions

Publiée par l'Université de Sherbrooke, cette revue s'intéresse à tous les aspects de la psychologie des relations humaines, tant en pédagogie et en psychologie clinique que dans les relations de travail. Les articles rapportent beaucoup d'histoires de cas. Pour avoir un aperçu : http://www.usherbrooke.ca/psychologie/publication

American Psychologist

C'est le journal officiel de l'American Psychological Association (APA). Il contient surtout des dossiers qui présentent des synthèses de résultats de recherche dont les thèmes sont particulièrement actuels. Pour avoir un aperçu : http://www.apa.org/journals/amp.html

La Revue québécoise de psychologie

Elle comporte des rapports de recherche, des études cliniques, des recensions de livres et des essais théoriques. Ses textes portent en fait généralement sur des problématiques qui concernent spécifiquement la société québécoise. Pour avoir un aperçu :
http://www.rqpsy.qc.ca

Sites Internet

L'Ordre des psychologues du Québec : www.ordrepsy.qc.ca

L'Ordre des conseillers et conseillères d'orientation et des psychoéducateurs et psychoéducatrices du Québec : www.orientation.qc.ca

La Société canadienne de psychanalyse : www.psychoanalysis.ca

Les sites des départements de psychologie

Université Concordia : www-psychology.concordia.ca

Université de Montréal : www.fas.umontreal.ca/PSY/

Université de Sherbrooke : www.usherbrooke.ca/psychologie/

Université du Québec à Montréal : www.psycho.uqam.ca

Université du Québec à Trois-Rivières : www.uqtr.uquebec.ca/psycho/

Université Laval : www.psy.ulaval.ca

Université McGill : www.psych.mcgill.ca

Les sites des départements de psychologie présentent diverses informations. La description des programmes détaille le type de diplômes qu'on peut obtenir dans chaque université (incluant souvent une liste des cours offerts), le type de recherches qu'on y conduit ainsi qu'une liste des laboratoires de recherche affiliés.

ABADIE, Josselyne. *Synthèse S. Milgram* [en ligne], 2002, http://perso.wanadoo.fr/lemiroir/milgram.html
Synthèse du livre écrit par S. Milgram portant sur ses découvertes concernant la soumission à l'autorité.

Pour aller plus loin...

ZIMBARDO, Philip G. [en ligne], 2004,
http://www.prisonexp.org/slide-1.htm
Explications détaillées de la recherche effectuée par
P. Zimbardo en 1973 sur les réactions des participants
jouant le rôle de gardiens et de prisonniers.

 Films, vidéos, cédéroms, etc.

HIRSCHBIEGEL, Oliver (2000). *L'expérience*, Allemagne,
113 min., coul., 35 mm et DVD.
Film de fiction basé sur les conclusions de la recherche
effectuée par Zimbardo en 1973.

VERNEUIL, Henry. (1979). *I comme Icare,* France,
126 min., coul., 35 mm.
Avec Yves Montant, film de fiction basé sur les conclusions
de la recherche effectuée par Milgram en 1963.

Chapitre 2

LUCE MARINIER

Le système nerveux

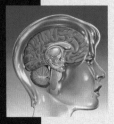

PLAN DU CHAPITRE

? MYTHES OU RÉALITÉS

Pour savoir si ces affirmations sont vraies ou fausses, trouvez les rubriques *MYTHE OU RÉALITÉ*.

1. Les cellules du cerveau humain sont tout à fait semblables à, et fonctionnent de la même façon que celles du cerveau d'un chat ou d'un hippopotame.

2. Certaines cellules du système nerveux peuvent mesurer plus d'un mètre.

3. Dans le système nerveux, les messages voyagent au moyen de l'électricité.

4. Le corps produit un analgésique naturel qui est plus puissant que la morphine.

5. Le cerveau humain est plus gros que celui de n'importe quel autre animal.

6. La peur peut provoquer une indigestion.

7. Plusieurs hommes paraplégiques peuvent quand même avoir une érection et une éjaculation.

8. Les animaux peuvent apprendre des comportements afin d'obtenir en récompense une stimulation électrique appliquée au « centre du plaisir » de leur cerveau.

9. Si un chirurgien stimulait électriquement une région spécifique du cerveau d'une personne, celle-ci serait prête à jurer que quelqu'un lui a touché la jambe.

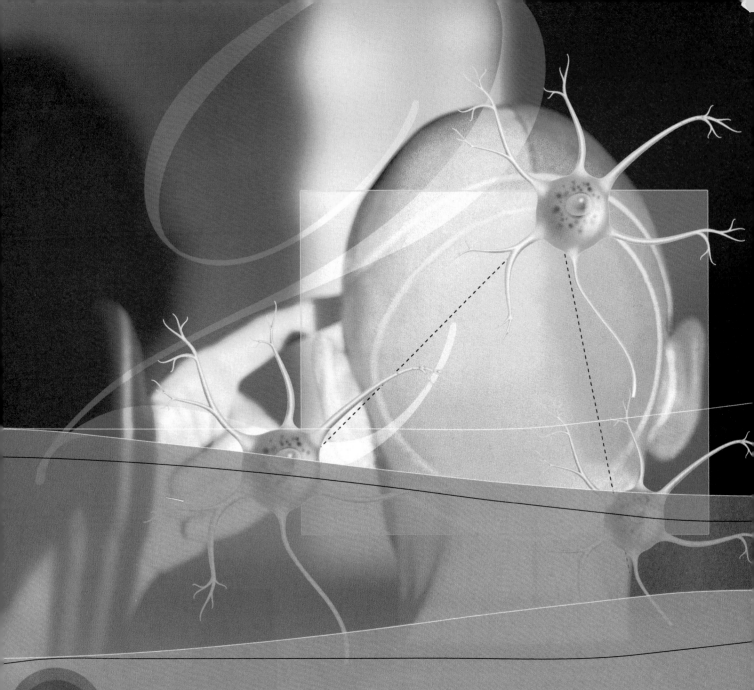

CIBLES D'APPRENTISSAGE

Après avoir lu ce chapitre, vous devriez être en mesure :

• de nommer les parties du neurone et d'expliquer leur rôle dans la transmission de l'impulsion nerveuse ;

• de décrire le rôle et le fonctionnement de cinq types de neurotransmetteurs dans l'impulsion nerveuse ;

• de présenter les six divisions du système nerveux humain et les tâches importantes qu'elles assument ;

• d'identifier les structures du cerveau et déterminer leurs rôles respectifs ;

• de localiser les différents lobes du cortex cérébral ;

• d'expliquer les fonctions des aires du cortex cérébral ;

• de présenter les spécialisations des deux hémisphères cérébraux ;

• de présenter quelques instruments utilisés pour étudier le cerveau.

AMORCE : *Après avoir consulté son médecin pour des fourmillements dans les bras et des troubles de vision, Hélène, une jeune femme âgée de 33 ans, vient d'apprendre qu'elle a la sclérose en plaques. On lui dit que cette maladie neurologique progresse plus ou moins rapidement, parfois par des poussées qui alternent avec des périodes plus calmes alors que dans d'autres cas, elle progresse sans arrêt. Selon les endroits du cerveau touchés par la maladie, les symptômes varient. Quelques médicaments existent pour tenter d'en ralentir la progression et pour diminuer la douleur, mais à ce jour, aucun traitement ne guérit la sclérose en plaques. Afin de comprendre ce qui se passe dans le cerveau d'Hélène, des éclaircissements sont donnés au fil des sections de ce chapitre.*

Le premier chapitre explique ce qu'est la psychologie, soit l'étude scientifique du comportement et des phénomènes mentaux. Or, afin de bien comprendre ce que peut faire, penser et ressentir un être humain, il est indispensable de s'attarder sur son système nerveux puisque sans lui, aucune de ces capacités n'est possible.

2.1 LES NEURONES

Neurone
Cellule du système nerveux par laquelle les impulsions nerveuses sont transmises.

Impulsion nerveuse
Aussi appelée «message nerveux» ou «influx nerveux»; décharge électrochimique d'un neurone établissant la communication entre différentes structures du cerveau, la moelle épinière, les muscles, les glandes et les sens.

Le **neurone** est l'unité de base du système nerveux; c'est une cellule nerveuse. L'humain naît avec environ 100 milliards de neurones dont la plupart se trouvent dans son cerveau. Chaque neurone transmet les messages sous forme d'**impulsion nerveuse**. Les neurones sont responsables de tous les comportements et de tous les phénomènes mentaux : ces cellules reçoivent des messages provenant de diverses sources et les transmettent ensuite à d'autres parties du corps. Par exemple, vos yeux sont présentement en train de percevoir des stimuli visuels captés par des neurones conçus expressément pour ce type d'information. Ces neurones sont en «communication» avec d'autres neurones qui transmettent ce que vous voyez aux neurones de la partie postérieure de votre cerveau. Ces derniers, en collaboration avec d'autres neurones, décodent les lettres que vous lisez. Il s'agit donc d'une série de messages relayés d'un ensemble de neurones à un autre.

ENCADRÉ 2.1

Les neurones ne sont pas les seuls à communiquer !

On a longtemps pensé que le cerveau d'Albert Einstein, dont il a fait don à la science, n'avait rien de particulier comparativement à celui de la majorité d'entre nous. En effet, ni le nombre ni la taille de ses neurones étaient inhabituels. Pourtant, une scientifique du nom de Marian Diamond (voir Fields, 2004) a noté un jour que le cortex associatif d'Einstein contenait un nombre étonnamment élevé de cellules gliales. Jusqu'au milieu des années 1990, on attribuait à ces cellules, qui sont neuf fois plus nombreuses que les neurones, un rôle de soutien et de maintenance du système nerveux. On croyait qu'elles n'avaient pas de responsabilité importante dans les phénomènes mentaux. Eh bien, il semble que ce soit faux !

Les cellules gliales sont situées proche des axones et des synapses. Elles participent d'ailleurs à la formation de nouvelles synapses. En effet, lorsqu'on détruit la connexion entre deux neurones, les cellules gliales effectuent un pont temporaire jusqu'à ce qu'un nouvel axone ait repoussé. Mais, contrairement aux neurones qui fonctionnent de façon électrochimique, elles n'envoient et ne reçoivent les messages que par des signaux chimiques, dont les neurotransmetteurs. Elles sont très occupées à «écouter» les neurones et à y réagir. Par exemple, elles renforcent certaines synapses en ajoutant leur propre production de neurotransmetteurs ou, au contraire, elles en affaiblissent d'autres en empêchant les neurotransmetteurs d'atteindre leur cible. Ainsi, les cellules gliales induisent des changements dans la force des synapses, ce qui permet au système nerveux d'évoluer au fil des expériences vécues par la personne; c'est ce qu'on appelle la plasticité du cerveau. C'est par ce processus biologique que l'être humain apprend.

Ainsi, si Einstein a été capable de concevoir des théories aussi complexes, c'est peut-être grâce à ses très nombreuses cellules gliales !

ALBERT EINSTEIN

Qu'est-ce qui a fait d'Einstein l'un des cerveaux les plus marquants du XXe siècle ? La réponse semble se trouver dans le nombre de ses cellules gliales, plutôt que dans le nombre de ses neurones.

Contrairement à la plupart des autres cellules du corps, comme celles de la peau, des cheveux et des graisses, les neurones ne se reproduisent pas facilement, d'où peut-être leur très grand nombre. De plus, chaque neurone établit des milliers de connexions avec quelque 10 000 neurones (Johnson, 2003). La mort ou la destruction de quelques neurones est ainsi contrecarrée par la présence de milliers d'autres qui rétabliront les connexions nécessaires. On a aussi récemment découvert que d'autres types de cellules, les cellules gliales, contribuent à la bonne transmission des impulsions nerveuses, prenant parfois même le relais de neurones détruits. Pour en savoir plus, lisez l'encadré 2.1.

ÉCLAIRCISSEMENT DE L'AMORCE

Les conséquences de la sclérose en plaques d'Hélène seront sans doute de plus en plus importantes au fil des ans, parce que le nombre de neurones détruits ira en augmentant. Au début, les symptômes seront plus légers et disparaîtront pour ensuite réapparaître. C'est grâce aux milliers de connexions entre les neurones que la destruction de certains d'entre eux sera compensée, du moins au début de la maladie.

La forme et la dimension des neurones varient selon leur fonction (figure 2.1). Pourtant, tous les neurones ont la même structure et les mêmes composantes, indépendamment de leur forme ou de leur dimension.

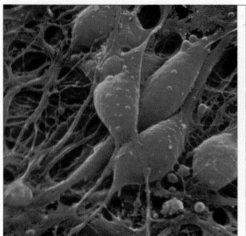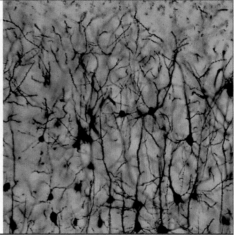

FIGURE 2.1 DIFFÉRENTS TYPES DE NEURONES

Selon leur fonction et leur emplacement à l'intérieur du système nerveux, les neurones ont des formes distinctes, mais ils sont toujours composés des mêmes parties. La photo de gauche montre des neurones de la moelle épinière et celle de droite, des neurones du cortex cérébral.

 MYTHE OU RÉALITÉ 1

Il est vrai que les cellules du cerveau humain sont tout à fait semblables et que leur fonctionnement est identique à celles du cerveau d'un chat ou d'un hippopotame. En effet, aucun type de neurone ou de neurotransmetteur n'est particulier à l'humain. Ce qui distingue l'humain des autres animaux, c'est la complexité de son cortex cérébral.

2.1.1 LA STRUCTURE DU NEURONE

Comme l'indique la figure 2.2, les quatre parties importantes du neurone sont les dendrites, le corps cellulaire, l'axone et l'arborisation terminale. Les neurones transportent les messages dans une seule direction, soit des dendrites ou du corps cellulaire vers l'axone, pour aboutir à l'arborisation terminale.

Autour du corps cellulaire se déploient quelques ou des centaines de prolongements, appelés « dendrites ». Les dendrites reçoivent les messages d'autres neurones et les transmettent au corps cellulaire. Le **corps cellulaire** contient le noyau du neurone, qui détermine la fonction

Dendrites
Prolongements multiples du corps cellulaire du neurone recevant les impulsions en provenance d'autres neurones.

Corps cellulaire
Partie du neurone comprenant un noyau et contrôlant l'activité du neurone.

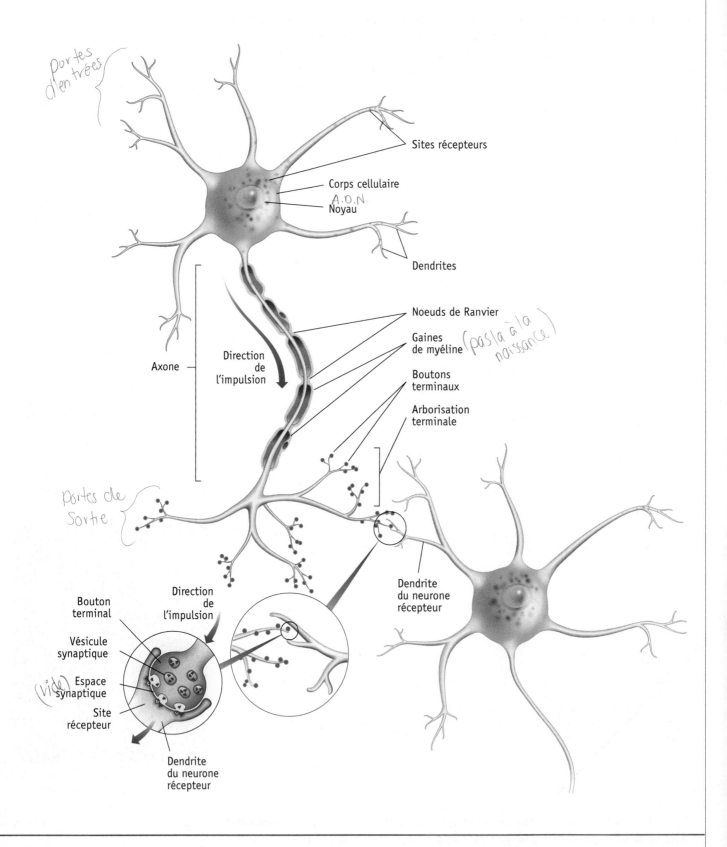

Portes d'entrées

Sites récepteurs

Corps cellulaire

A.D.N.
Noyau

Dendrites

Noeuds de Ranvier

Gaines
de myéline *(pas là à la naissance)*

Boutons
terminaux

Arborisation
terminale

Axone

Direction
de
l'impulsion

Portes de Sortie

Dendrite
du neurone
récepteur

Bouton
terminal

Direction
de
l'impulsion

Vésicule
synaptique

(vide) Espace
synaptique

Site
récepteur

Dendrite
du neurone
récepteur

FIGURE 2.2   L'ANATOMIE D'UN NEURONE

L'impulsion nerveuse arrive aux dendrites ou au corps cellulaire, est transmise le long de l'axone puis parvient aux boutons terminaux. Lorsque l'axone est recouvert de gaines de myéline comme ici, l'impulsion «saute» d'un nœud de Ranvier à l'autre, ce qui augmente sa vitesse. La synapse est la jonction sans contact entre les boutons terminaux et les dendrites (ou le corps cellulaire) du neurone suivant. Les neurotransmetteurs sont des substances chimiques contenues dans les vésicules synaptiques des boutons terminaux. Ils sont libérés par le neurone émetteur dans l'espace synaptique, et plusieurs sont repris par les sites récepteurs des dendrites (ou du corps cellulaire) du neurone récepteur.

de la cellule. S'il est détruit, ou s'il manque d'oxygène, le neurone meurt. C'est le centre décisionnel du neurone : il compile et organise l'ensemble des messages reçus des dendrites. S'il reçoit une quantité suffisante de stimulations, il déclenche l'impulsion nerveuse sous forme électrique. Sinon, il garde le neurone au repos. C'est par l'**axone** que le corps cellulaire transmet l'influx nerveux vers d'autres neurones, comme un fil conducteur. Chaque neurone possède un seul axone dont l'extrémité se divise en de très nombreuses ramifications appelées **arborisation terminale**. La figure 2.3 montre qu'au bout de ces ramifications se trouvent des renflements nommés **boutons terminaux**, ou terminaisons axonales. À l'intérieur de ces boutons terminaux, de petites poches, les **vésicules synaptiques**, contiennent des **neurotransmetteurs**. Grâce à ces substances chimiques, la communication entre les neurones est assurée. À la figure 2.4, on voit que la **synapse** constitue la jonction, sans contact direct, entre deux neurones. Après que l'impulsion nerveuse a voyagé le long de l'axone sous une forme électrique, les vésicules synaptiques libèrent les neurotransmetteurs dans l'**espace synaptique** ; il s'agit alors d'une transmission chimique. Ils sont reçus par les dendrites ou le corps cellulaire du neurone suivant. L'impulsion nerveuse traverse donc de minuscules espaces et passe ainsi d'une cellule à l'autre, poursuivant son chemin vers sa destination.

Axone
Prolongement unique du neurone transmettant l'impulsion nerveuse à d'autres neurones par son arborisation terminale.

Arborisation terminale
Ramification de l'axone dont les extrémités sont formées de boutons terminaux.

Bouton terminal
Aussi appelé «terminaison axonale»; renflement des extrémités de l'arborisation terminale dans lequel se trouvent les vésicules synaptiques.

Vésicule synaptique
Petit sac situé dans les boutons terminaux contenant les neurotransmetteurs.

Neurotransmetteur
Aussi appelé «neuromédiateur»; substance chimique libérée par les neurones inhibant ou stimulant les cellules qui les reçoivent.

Synapse
Libération des neurotransmetteurs par le neurone émetteur et leur réception par le neurone suivant, ou par un muscle ou une glande.

Espace synaptique
Espace entre les boutons terminaux d'un neurone et la cellule réceptrice (neurone, muscle ou glande), dans lequel voyagent les neurotransmetteurs..

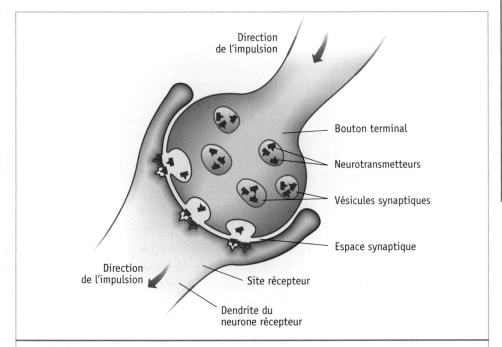

FIGURE 2.4   LA SYNAPSE

Les neurones transmettent leurs messages aux autres neurones par des jonctions appelées «synapses». La synapse entraîne l'excitation ou l'inhibition du neurone récepteur selon le nombre et le type des neurotransmetteurs libérés dans l'espace synaptique par les vésicules synaptiques du neurone émetteur et captés par le neurone récepteur. Si les neurotransmetteurs n'ont pas la structure requise pour s'emboîter dans les sites récepteurs, ils n'agissent pas sur le neurone suivant.

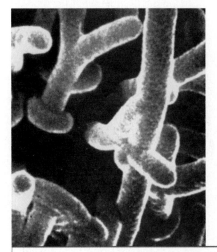

FIGURE 2.3   LES BOUTONS TERMINAUX OU TERMINAISONS AXONALES

Agrandissement d'une photo de boutons terminaux

À mesure que l'enfant se développe, les axones des neurones s'allongent. Selon l'évolution de chaque personne, les dendrites et l'arborisation terminale se multiplient, créant de vastes réseaux de communication. Les possibilités de connexions deviennent plus nombreuses, ce qui explique en partie l'augmentation des capacités de l'enfant pendant sa croissance, et celle des adultes. Lorsque nous apprenons, les dendrites et les arborisations terminales se déploient. C'est ce phénomène qui explique l'incapacité des spécialistes à prédire comment une personne ayant subi des dommages au cerveau se rétablira. En effet, selon les stimulations reçues, les dendrites peuvent se développer et compenser l'absence de certains neurones. Chez l'adulte, on estime le nombre total de synapses possibles dans le cerveau à 10^{15}, ce qui représente environ 200 000 fois la population terrestre actuelle (Fottorino, 1998) !

MYTHE OU RÉALITÉ 2

Il existe certaines cellules nerveuses mesurant plus d'un mètre : il s'agit de neurones s'étirant du dos jusqu'au gros orteil. Ces neurones sont les plus longues cellules du corps humain.

Gaine de myéline
Substance grasse qui recouvre et isole les axones et qui augmente la vitesse de transmission des impulsions nerveuses

Nœud de Ranvier
Segment dénudé d'un axone myélinisé.

De nombreux neurones ont leur axone recouvert d'une **gaine de myéline**. Cette couche blanchâtre, formée de **protéines, protège l'axone** à la manière d'un isolant recouvrant des fils électriques. Mais la myéline ne recouvre pas uniformément l'axone. Les points à découvert, là où l'axone est dénudé, sont appelés **nœuds de Ranvier**. En raison de l'isolation fournie par la myéline, les impulsions nerveuses voyagent rapidement en «sautant» d'un nœud à l'autre. Donc, en isolant en partie l'axone, la gaine de myéline accroît la vitesse de transmission des impulsions nerveuses. Le processus de myélinisation se poursuit jusqu'à l'âge de 10 ans environ. Ce phénomène engendre des réactions plus rapides chez les enfants plus âgés. Par exemple, ils parlent, marchent et prennent les objets plus rapidement parce que leurs neurones sont plus efficaces dans la transmission nerveuse.

ÉCLAIRCISSEMENT DE L'AMORCE

La sclérose en plaques est une maladie qui entraîne la destruction des gaines de myéline. Il y a donc un ralentissement de la transmission nerveuse et, éventuellement, une destruction des axones qui ne sont plus protégés. Selon l'endroit où les «plaques» de neurones sont endommagées, les symptômes sont différents (problèmes de vision, de motricité, d'élocution, etc.). C'est pourquoi il est difficile de prédire quelles difficultés éprouvera Hélène. Cependant, parce que les neurones sains peuvent déployer de nouvelles dendrites et arborisations, il est possible que la destruction de certains neurones demeure inaperçue. Quant au traitement de la sclérose en plaques, des recherches sont actuellement en cours pour tenter de trouver un moyen de stimuler la production de la myéline.

2.1.2 L'IMPULSION NERVEUSE

Même lorsque nous dormons, notre cerveau est en activité (voir le chapitre 4). Les neurones transmettent sans arrêt des messages, c'est-à-dire des impulsions nerveuses. Ces impulsions voyagent le long des neurones et sont de nature électrochimique.

L'impulsion nerveuse se déplace dans le corps humain à des vitesses comprises entre 1 et 100 mètres par seconde selon qu'il s'agit des neurones non myélinisés ou des neurones myélinisés (Girault, 2004). Ces vitesses ne sont pas impressionnantes outre mesure si on les compare à la vitesse de la lumière et à celle du courant électrique, qui peuvent voyager à 300 000 km/s. Les distances à parcourir dans le corps sont toutefois courtes, ce qui permet à un message de voyager de l'orteil au cerveau en un cinquième de seconde, environ.

Lorsque les vésicules synaptiques libèrent les neurotransmetteurs dans l'espace synaptique pour qu'ils soient captés par les sites récepteurs du neurone suivant, ce sont des substances chimiques qui assurent la transmission de l'impulsion nerveuse. Les neurotransmetteurs influent sur l'équilibre chimique du neurone. Si et seulement si leur quantité est suffisante, cela provoque une charge électrique qui est transportée le long de l'axone du neurone. La transmission de l'influx nerveux est alors électrique. Comme il a été dit précédemment, la charge électrique voyage plus rapidement le long des axones myélinisés parce qu'elle «saute» d'un nœud à l'autre. Lorsque les impulsions nerveuses arrivent à l'arborisation terminale, les neurotransmetteurs sont libérés, et le cycle recommence.

Ces processus électrochimiques peuvent sembler fort éloignés de vos sensations et de vos pensées. Pourtant, ce sont ces nombreux événements microscopiques qui engendrent la conscience de soi et de l'univers.

MYTHE OU RÉALITÉ 3

Il est vrai que les messages (les impulsions nerveuses) voyagent dans le cerveau au moyen d'électricité. Ils voyagent aussi de façon chimique grâce aux neurotransmetteurs.

2.1.3 LES NEUROTRANSMETTEURS

Plus de 100 substances sont actuellement connues comme étant ou pouvant être des neurotransmetteurs (Marieb, 1999). Chaque neurotransmetteur possède une structure chimique distincte et peut s'introduire dans un emplacement spécialement adapté à sa forme, le **site récepteur**, qui se trouve sur la dendrite ou sur le corps cellulaire du neurone récepteur.

Les neurones peuvent être influencés par des neurotransmetteurs libérés par plus de 1 000 autres neurones. Certains neurotransmetteurs ont le pouvoir d'« exciter » des neurones, c'est-à-dire de permettre la transmission de l'impulsion nerveuse. D'autres neurotransmetteurs peuvent plutôt les « inhiber », c'est-à-dire empêcher la transmission de l'impulsion nerveuse. La sommation des neurotransmetteurs inhibiteurs et excitateurs détermine s'il y a transmission de l'impulsion nerveuse. Plus la quantité finale de neurotransmetteurs excitateurs est grande, plus le nombre de messages qu'envoie le neurone récepteur est grand. Voici quelques types de neurotransmetteurs auxquels les psychologues s'intéressent.

• L'ACÉTYLCHOLINE

L'**acétylcholine** commande les contractions musculaires et se trouve dans une région du cerveau appelée « hippocampe », structure du système limbique qui intervient dans la formation des souvenirs (voir plus loin). La diminution de l'acétylcholine disponible dans le cerveau a pour effet de provoquer des pertes de mémoire. La maladie d'Alzheimer est associée à une détérioration progressive des neurones qui produisent l'acétylcholine. Cette maladie, à laquelle un encadré est consacré dans le chapitre 6 sur la mémoire, se caractérise par une diminution graduelle de la mémoire et d'autres fonctions cognitives, comme la capacité d'abstraction.

• LA DOPAMINE

La **dopamine** est un neurotransmetteur principalement inhibiteur. Elle joue un rôle dans les mouvements volontaires, l'apprentissage et la mémoire, de même que dans les réactions émotives, particulièrement au niveau des sensations de plaisir. Les carences en dopamine sont associées à la maladie de Parkinson, trouble caractérisé par la perte progressive de la maîtrise des muscles. Les personnes qui en sont atteintes ont des tremblements involontaires et des mouvements saccadés, sans coordination. Le médicament L-dopa, substance que le cerveau transforme en dopamine, ralentit la progression de cette maladie.

La schizophrénie est également reliée à la dopamine. Il y aurait surutilisation de la dopamine disponible dans le cerveau, occasionnant ainsi hallucinations, et perturbations de la pensée et des émotions. Certains médicaments employés dans le traitement de la schizophrénie bloquent l'action de la dopamine en retenant une partie de celle-ci à l'extérieur des sites récepteurs.

• LA NORADRÉNALINE

La **noradrénaline** est en grande partie produite par les neurones du tronc cérébral (voir plus loin). Elle agit à la fois comme neurotransmetteur et comme hormone. Elle accélère les battements du cœur et d'autres processus physiologiques. Elle joue aussi un rôle dans l'état d'éveil, l'apprentissage, la mémoire ainsi que l'appétit. Certains troubles affectifs seraient liés à l'excès et à l'insuffisance de noradrénaline. Des stimulants tels que la cocaïne et les amphétamines (voir le chapitre 4) facilitent le relâchement de la noradrénaline, d'où une sensation d'excitation.

Site récepteur
Emplacement sur la dendrite ou sur le corps cellulaire d'un neurone conçu pour recevoir un neurotransmetteur particulier.

Acétylcholine
Neurotransmetteur commandant les contractions musculaires et impliqué dans la mémoire.

Dopamine
Neurotransmetteur impliqué dans les mouvements et qui semble jouer un rôle dans la schizophrénie, de même que dans les sensations de plaisir.

Noradrénaline
Neurotransmetteur qui, comme l'adrénaline, active le système nerveux. Elle joue aussi un rôle dans l'état d'éveil, l'apprentissage, la mémoire, l'appétit et les émotions.

• LA SÉROTONINE

Sérotonine

Neurotransmetteur dont les carences ont été associées aux troubles affectifs, à l'anxiété et à l'insomnie.

La **sérotonine**, autre neurotransmetteur principalement inhibiteur, agit sur les réactions émotives et le sommeil. Une insuffisance de sérotonine est reliée à l'anxiété, à la dépression et à l'insomnie. Le Prozac, un médicament prescrit pour soulager les symptômes de la dépression, augmente les niveaux de sérotonine dans le cerveau. Le LSD, quant à lui, a pour effet de ralentir l'action de la sérotonine. Il en résulte des hallucinations et une perte du sommeil (voir le chapitre 4).

• L'ENDORPHINE

Endorphine

Neurotransmetteur qui, comme la morphine, diminue les sensations liées à la douleur et augmente les sensations euphoriques.

Le mot **endorphine** est la contraction des termes « morphine » et « endogène ». Le mot endogène signifie « qui se développe à l'intérieur de l'organisme ». L'endorphine a donc les mêmes fonctions que la morphine, mais elle est produite par l'organisme. Présente à l'état naturel dans le cerveau et dans la circulation sanguine, l'endorphine est un neurotransmetteur inhibiteur. Comme la morphine, elle se fixe sur les sites récepteurs qui transmettent des messages de douleur. Elle bloque ainsi la transmission des impulsions nerveuses responsables de la douleur. Par exemple, lors d'un accouchement (voir la figure 2.5), le cerveau libère de l'endorphine, ce qui aide à diminuer la douleur sentie par la femme.

FIGURE 2.5   UN ACCOUCHEMENT

Lors d'un accouchement, le cerveau libère de l'endorphine afin de diminuer l'intensité de la douleur ressentie par la femme.

 MYTHE OU RÉALITÉ 4

L'endorphine que produit le corps est un analgésique naturel plus puissant que la morphine.

En plus de soulager la douleur, l'endorphine joue un rôle dans la régulation de la respiration, de l'appétit, de la mémoire, du comportement sexuel, de la tension artérielle, de l'humeur et de la température corporelle. La libération de l'endorphine peut également accroître le sentiment de compétence et pourrait être reliée au « paroxysme du coureur », par lequel une agréable impression envahit la personne qui effectue une activité sportive sur une longue période de temps. Tel qu'il est décrit au chapitre 4, toutes les drogues, légales et illégales, agissent sur les neurotransmetteurs : soit qu'elles en augmentent les effets, soit qu'elles les diminuent ou les modifient. Perceptions, humeurs, pensées et mouvements peuvent ainsi être touchés.

2.2 LES DIVISIONS DU SYSTÈME NERVEUX

Le système nerveux est composé de plusieurs structures formées de **nerfs**, de neurones et d'autres types de cellules contrôlant toute l'activité du corps et de l'esprit. Le système nerveux humain est plus complexe que celui de tout autre animal, même si le cerveau humain n'est pas le plus gros parmi ceux des mammifères. Le développement du système nerveux est influencé par l'hérédité. Pour savoir si cette influence peut causer des maladies et d'autres phénomènes, lisez l'encadré 2.2.

Nerf

Regroupement d'axones de nombreux neurones.

 MYTHE OU RÉALITÉ 5

Il est faux de dire que le cerveau humain est plus gros que celui des autres animaux. Le cerveau humain pèse environ un kilo et demi, alors que celui de l'éléphant et de la baleine peuvent peser quatre fois plus. Néanmoins, proportionnellement au poids du corps, le cerveau humain est plus lourd que celui de l'éléphant et de la baleine. En effet, le cerveau humain représente environ 1/60 du poids total de l'individu, alors que ceux de l'éléphant et de la baleine pèsent respectivement environ 1/1 000 et 1/10 000 de leur poids total.

Comme le montre la figure 2.6, le cerveau n'est qu'une partie du système nerveux. La figure 2.7, quant à elle, permet de voir qu'il faut y ajouter la moelle épinière et un important réseau de nerfs. Le système nerveux central est situé au centre du corps, alors que le système nerveux périphérique s'étend vers les extrémités.

ENCADRÉ 2.2

Les répercussions de l'hérédité sur nous

Le sytème nerveux est le grand déterminant de nos comportements et phénomènes mentaux. Cependant, s'il est aussi important chez les êtres humains, c'est que sa construction très complexe est déterminée par notre code génétique, notre hérédité. Est-ce que nos gènes peuvent aussi déterminer notre intelligence ou l'apparition d'une maladie mentale comme la schizophrénie ? Les médias attribuent souvent à des causes héréditaires le développement de la maladie d'Alzheimer, de la sclérose en plaques, de la dépression et, parfois même, de réalités aussi complexes que l'homosexualité ou le suicide. Qu'en est-il au juste ?

Il faut comprendre que pour affirmer qu'un phénomène est héréditaire, il faut démontrer un lien de cause à effet par une recherche expérimentale (voir le chapitre 1).

Or, les données obtenues dans de telles recherches sont surtout de nature corrélationnelle. En effet, on ne manipule pas le code génétique d'une personne pour constater si tel gène entraîne l'apparition de telle maladie, par exemple. On établit plutôt un lien entre la présence concomitante d'un gène en particulier et d'une maladie spécifique au sein d'un groupe d'individus, et on conclut qu'il existe entre les deux une relation plus ou moins forte. Si un gène cause une maladie en particulier, cela signifie que toutes les personnes ayant ce gène développeront la maladie. Cela signifie aussi que si une maladie est uniquement déterminée par le code génétique, deux jumeaux identiques (qui ont nécessairement exactement le même code génétique) en seront tous les deux atteints.

À ce jour, aucun trouble mental, ni aucune attitude ou incapacité intellectuelle, n'a été lié directement à un gène spécifique. Comme dans le cas de la schizophrénie, souvent les chercheurs affirment qu'il s'agit plutôt d'une prédisposition génétique, c'est-à-dire d'un risque de développer la maladie si d'autres facteurs (surtout environnementaux) sont présents (Javitt et Coyle, 2004 ; Hyman, 2003). Ils affirment aussi que la maladie serait le résultat d'une interaction entre plusieurs gènes, et non celui d'un seul. En conclusion, s'il est vrai que notre système nerveux contrôle nos comportements et nos processus mentaux, il demeure le produit de l'action combinée de nos gènes et de notre environnement.

2.2.1 LE SYSTÈME NERVEUX PÉRIPHÉRIQUE

Les deux principales divisions du **système nerveux périphérique** sont le système nerveux somatique et le système nerveux autonome. Sans le système nerveux périphérique, le cerveau serait isolé du monde et il serait incapable de le percevoir ou d'y jouer un rôle.

• LE SYSTÈME NERVEUX SOMATIQUE

Le **système nerveux somatique** est formé de **neurones afférents** (sensoriels) et de **neurones efférents** (moteurs). Si une personne se fait écraser un orteil, par exemple, la sensation est

Système nerveux périphérique

Partie du système nerveux située en périphérie du corps. Il comprend le système somatique et le système autonome.

Système nerveux somatique

Division du système nerveux périphérique reliant le système nerveux central aux récepteurs sensoriels (neurones afférents) et aux muscles (neurones efférents).

Neurone afférent

Aussi appelé « neurone sensoriel »; neurone transmettant des messages des récepteurs sensoriels à la moelle épinière et au cerveau.

Neurone efférent

Aussi appelé « neurone moteur »; neurone transmettant des messages du cerveau ou de la moelle épinière aux muscles et aux glandes.

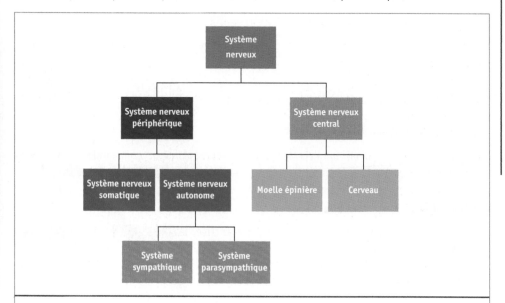

FIGURE 2.6   LES DIVISIONS DU SYSTÈME NERVEUX

Le système nerveux comporte deux divisions principales : le système nerveux périphérique et le système nerveux central. Le premier est composé des systèmes somatique (fonctions volontaires) et autonome (fonctions involontaires). Le système nerveux autonome est composé des divisions sympathique (active lorsque le corps dépense de l'énergie) et parasympathique (active lorsque les réserves du corps se rétablissent). Le système nerveux central comprend le cerveau et la moelle épinière.

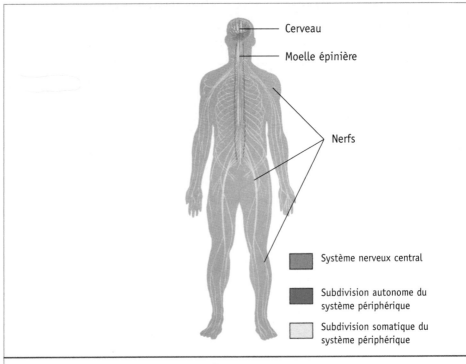

Cerveau

Moelle épinière

Nerfs

■ Système nerveux central

■ Subdivision autonome du système périphérique

□ Subdivision somatique du système périphérique

FIGURE 2.7 LES STRUCTURES DU SYSTÈME NERVEUX

Voici un schéma du système nerveux qui comprend le cerveau (protégé par la boîte crânienne), la moelle épinière (protégée par une colonne d'os appelée «vertèbres») et un réseau complexe de nerfs formant les subdivisions autonome et somatique du système périphérique.

enregistrée par les récepteurs sensoriels se trouvant près de la surface de la peau. Elle est ensuite transmise à la moelle épinière et au cerveau par l'entremise des neurones afférents. C'est alors que la personne ressent la douleur. Les neurones moteurs, ou neurones efférents, renvoient de façon presque simultanée un message à la partie du corps concernée pour qu'elle se soustraie au choc.

Ainsi, par ses neurones afférents, le système nerveux somatique transmet au système nerveux central les messages sensoriels de la vision, de l'audition, de l'olfaction, du toucher, du goût, etc. Dans le sens inverse, les messages en provenance du cerveau et de la moelle épinière acheminés vers le système nerveux somatique par les neurones efférents permettent de commander les mouvements volontaires du corps (lever la main, faire un clin d'œil ou courir, par exemple), la respiration ainsi que les mouvements auxquels nous faisons à peine attention, comme ceux qui maintiennent la posture et l'équilibre.

• LE SYSTÈME NERVEUX AUTONOME

Autonome signifie «automatique». Le **système nerveux autonome** commande les glandes et les activités involontaires, comme le rythme cardiaque, la digestion et la dilatation des pupilles, même durant le sommeil. Le système nerveux autonome est aussi composé de neurones afférents et efférents.

Le système nerveux autonome comporte deux branches, le sympathique et le parasympathique, dont les effets sont souvent contraires. Lorsqu'ils fonctionnent en même temps, il s'établit entre eux un certain équilibre. On peut voir à la figure 2.8 qu'un grand nombre d'organes et de glandes sont stimulés par les deux branches du système nerveux autonome.

En général, le **sympathique** est plus actif pendant les processus qui impliquent une dépense des réserves d'énergie. La branche sympathique crée les réponses d'attaque ou de fuite lorsqu'un stress se manifeste. Le **parasympathique**, pour sa part, est plus actif lorsqu'il s'agit de réapprovisionner les réserves d'énergie du corps. Par exemple, le sympathique accélère le rythme cardiaque quand l'individu a peur. Mais, dans les moments de détente, c'est le parasympathique qui ralentit son rythme cardiaque.

Système nerveux autonome
Division du système nerveux périphérique contrôlant les glandes et les activités involontaires comme les battements de cœur, la digestion et la dilatation des pupilles.

Sympathique
Branche du système nerveux autonome la plus active lors des réactions entraînant la dépense de réserves d'énergie du corps.

Parasympathique
Branche du système nerveux autonome la plus active lors des processus visant à rétablir les réserves d'énergie du corps.

MYTHE OU RÉALITÉ 6

La digestion est liée à l'activité du système parasympathique. Puisque c'est le système sympathique qui domine lorsqu'un individu a peur, cette peur peut entraîner une indigestion.

Les psychologues s'intéressent particulièrement au système nerveux autonome parce que ses activités sont reliées à diverses émotions, comme l'angoisse et l'amour, de même qu'à plusieurs maladies psychosomatiques, comme il en sera d'ailleurs question aux chapitres 8 et 10.

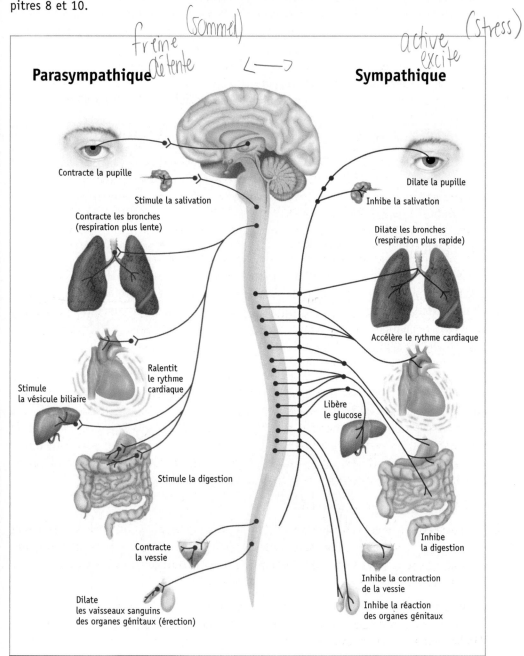

FIGURE 2.8   LES ACTIVITÉS DES DEUX BRANCHES DU SYSTÈME NERVEUX AUTONOME

La branche parasympathique du système nerveux autonome se consacre habituellement à réapprovisionner les réserves d'énergie du corps. Elle est raccordée aux organes par des nerfs qui proviennent du haut et du bas de la moelle épinière. La branche sympathique est la plus active lorsque les comportements de l'individu lui font consommer de l'énergie. Ses neurones se regroupent en grappes le long de la partie centrale de la moelle épinière. Les deux branches du système nerveux autonome ont souvent des effets contraires sur les organes qu'elles desservent.

𝟤.𝟤.𝟤 LE SYSTÈME NERVEUX CENTRAL

Le **système nerveux central** comprend la moelle épinière et le cerveau.

• LA MOELLE ÉPINIÈRE

Système nerveux central
Partie du système nerveux située au centre du corps comprenant le cerveau et la moelle épinière.

Moelle épinière
Cordon de nerfs à l'intérieur de la colonne vertébrale transmettant les messages des récepteurs sensoriels au cerveau, et du cerveau aux muscles et aux glandes.

La **moelle épinière** est un cordon de nerfs ayant à peu près 2,5 cm d'épaisseur. On peut voir à la figure 2.7 comment elle transmet les messages des récepteurs sensoriels au cerveau (neurones afférents) et du cerveau aux muscles et aux glandes partout dans le corps (neurones efférents). La moelle épinière est également capable de «réagir localement» à des stimulations externes. Il s'agit de réflexes qui n'impliquent que deux ou trois neurones. Ainsi, sans que l'impulsion nerveuse ne soit transmise au cerveau, il y a manifestation d'un comportement. C'est ce qui se produit dans une foule de réflexes tels que le clignement des yeux, le réflexe patellaire (lorsque le tendon de la rotule du genou est frappé et que la jambe se soulève), l'érection, la lubrification vaginale, etc. Même si le cerveau intervient souvent dans ces réactions, sa participation n'est pas obligatoire pour qu'elles se manifestent.

MYTHE OU RÉALITÉ 7

Il est prouvé que des hommes paraplégiques peuvent avoir une érection et une éjaculation. Même si les messages d'excitation sexuelle ne sont plus transmis au cerveau, la moelle épinière assure elle-même les réflexes d'excitation sexuelle et de contraction musculaire de l'orgasme.

• LE CERVEAU

Cerveau
Partie importante du système nerveux comprenant un ensemble complexe de structures situées à l'intérieur de la boîte crânienne, et contrôlant les actions volontaires et une grande partie des actions involontaires.

Même s'il ne pèse qu'un kilogramme et demi, le **cerveau** est véritablement la «grande vedette» du système nerveux humain. Alors que son apparence est plutôt banale, ses capacités sont très impressionnantes, et certaines demeurent encore peu connues. Pourtant, les recherches se multiplient et, comme on le verra plus loin, les instruments d'observation et de mesure sont de plus en plus perfectionnés. Le cerveau est en fait composé de plusieurs structures, comme l'illustre la figure 2.9.

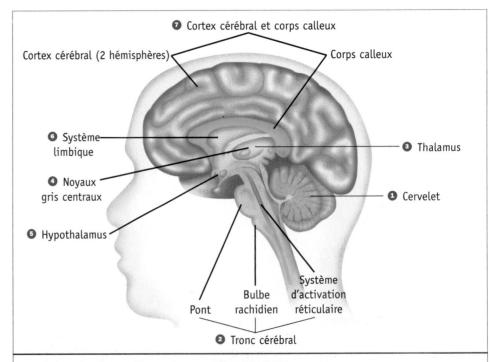

FIGURE 2.9   LES STRUCTURES DU CERVEAU HUMAIN

Cette vue latérale de la face interne droite du cerveau illustre quelques-unes des structures les plus importantes.

Cervelet ❶ Le terme « **cervelet** » signifie « petit cerveau ». Les deux hémisphères du cervelet jouent un rôle dans le maintien de l'équilibre et dans la coordination de l'activité musculaire. Les blessures au cervelet peuvent entraîner un manque de coordination motrice, le trébuchement et la perte du tonus musculaire. De la même façon, c'est parce que l'alcool affecte le cervelet que sa consommation entraîne de tels effets.

Tronc cérébral ❷ À l'avant du cervelet, on trouve trois structures qui font partie du **tronc cérébral**. Fait sur le long au centre du tronc cérébral, le **système d'activation réticulaire (SAR)** est essentiel aux fonctions de l'attention, du sommeil et de l'éveil. La stimulation électrique du système d'activation réticulaire réveille les animaux endormis. Par ailleurs, certains dépresseurs, tels que l'alcool, agissent en partie sur ces fonctions en ralentissant l'activité du système d'activation réticulaire. Le système d'activation réticulaire sert aussi de filtre, en laissant certains messages atteindre les régions supérieures du cerveau et la conscience, et en en bloquant d'autres.

Le **bulbe rachidien** est la partie inférieure du tronc cérébral formée de nombreux nerfs reliant la moelle épinière aux régions supérieures du cerveau. Il commande des fonctions aussi vitales que le rythme cardiaque, la tension artérielle et la respiration. Il entre également en jeu dans le sommeil, le vomissement, l'éternuement et la toux.

Le renflement situé au-dessus du bulbe rachidien est le **pont**. Il transmet des informations au sujet du mouvement du corps et intervient dans les fonctions relatives à l'attention, au sommeil, à la vigilance et à la respiration.

Thalamus ❸ Pour sa part, le **thalamus** est situé près du centre du cerveau. Il comprend deux structures jointes en forme d'ovale qui servent de relais aux stimulations sensorielles et motrices. De nombreuses fibres afférentes et efférentes unissent le thalamus au cortex cérébral. Par exemple, le thalamus retransmet les informations sensorielles de l'œil à l'aire visuelle du cortex cérébral. Il prend aussi part à la régulation du sommeil et de l'éveil conjointement avec d'autres structures cérébrales, dont le système d'activation réticulaire. Enfin, le thalamus intervient dans la mémorisation d'informations.

Noyaux gris centraux ❹ Enfouis dans le cerveau près du thalamus se trouvent les **noyaux gris centraux**. Ils influent sur la maîtrise des mouvements du corps, la coordination des membres et la cognition. La plus grande quantité de dopamine du cerveau est produite par des neurones situés dans les noyaux gris centraux, et la dégénérescence de ces noyaux est associée à la maladie de Parkinson.

Hypothalamus ❺ L'**hypothalamus** est un petit groupe de noyaux (amas de corps cellulaires) se trouvant sous le thalamus. Malgré son poids minime de quatre grammes, il joue un rôle essentiel dans la régulation de la température du corps, dans la concentration des liquides, dans l'entreposage des éléments nutritifs, dans l'équilibre hormonal, ainsi que dans les nombreuses facettes de la motivation et de l'émotion.

Durant les années cinquante, James Olds et Peter Milner (Olds et Milner, 1954 ; Olds, 1969) constatent que, en associant la stimulation électrique d'une région de l'hypothalamus d'un rat à un comportement donné, ils enregistrent une augmentation de la fréquence de ce comportement. Le rat stimule lui-même à répétition cette zone, jusqu'à 100 fois la minute et plus de 1 900 fois l'heure. C'est pourquoi Olds et Milner qualifient cette région de l'hypothalamus de « centre du plaisir ».

? MYTHE OU RÉALITÉ 8

Il est vrai que les animaux peuvent apprendre des comportements afin d'obtenir en récompense une stimulation électrique appliquée au « centre du plaisir » de leur cerveau. C'est ce que les travaux de Olds et de Milner (1954) ont démontré.

Cervelet
Partie du cerveau postérieur responsable de la coordination musculaire et de l'équilibre.

Tronc cérébral
Structure située à l'avant du cervelet, dans le prolongement de la moelle épinière, comprenant le système d'activation réticulaire, le bulbe rachidien et le pont.

Système d'activation réticulaire (SAR)
Aussi appelé « formation réticulée » ; partie du cerveau responsable de l'attention, du sommeil et de l'éveil.

Bulbe rachidien
Partie inférieure du tronc cérébral responsable, entre autres, de la régulation du rythme cardiaque, de la respiration et du sommeil.

Pont
Aussi appelé « protubérance » ; renflement du tronc cérébral responsable, entre autres, du mouvement du corps, du sommeil, de la vigilance et de la respiration.

Thalamus
Structure située près du centre du cerveau et responsable de la transmission de l'information sensorielle au cortex, ainsi que des fonctions du sommeil et de l'attention.

Noyaux gris centraux
Amas de corps cellulaires situés près du thalamus, responsables de la coordination motrice et intervenant dans la cognition.

Hypothalamus
Regroupement de noyaux situé sous le thalamus responsable, entre autres, de la température du corps, de la motivation et de l'émotion, et sécrétant des hormones.

En implantant des électrodes dans différentes parties de l'hypothalamus, les chercheurs ont découvert qu'il intervient dans l'appétit, la soif, le comportement sexuel, les soins à la progéniture et l'agression. L'hypothalamus a aussi comme fonction de sécréter un certain nombre d'hormones qui agissent, par exemple, sur la croissance et sur la production de lait par les seins. Enfin, l'hypothalamus agit sur les fonctions autonomes et les réactions émotionnelles. Il n'est pas surprenant que des personnes soumises à une tension émotionnelle aiguë ou prolongée soient prédisposées aux maladies viscérales telles que les ulcères gastriques ou l'hypertension artérielle (Marieb, 1999). (Voir le chapitre 10.)

Système limbique ◐ L'hypothalamus est étroitement relié à un ensemble de structures formant le **système limbique** (figure 2.10), à tel point d'ailleurs que certains auteurs, sans qu'ils fassent consensus, le considèrent même comme faisant partie du système limbique. Ce dernier est le «cerveau émotionnel». Il agit sur la stabilité émotionnelle, l'agitation, la libido, l'agression, la faim, la volonté et la mémoire. Par le travail des neurotransmetteurs et des hormones, le système limbique influe sur l'ensemble du fonctionnement du cerveau.

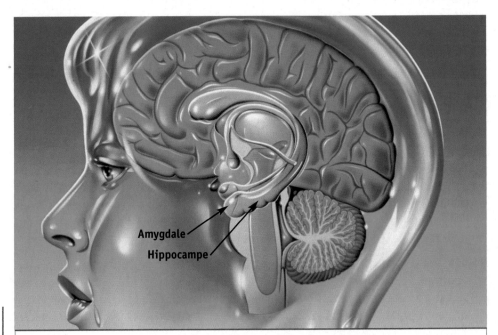

Amygdale

Hippocampe

FIGURE 2.10 DEUX STRUCTURES DU SYSTÈME LIMBIQUE ET DU CERVEAU

L'hippocampe et l'amygdale, les deux principales structures du système limbique

Ainsi, l'**hippocampe** est une partie du système limbique à laquelle les psychologues s'intéressent beaucoup parce qu'elle intervient dans la mémoire. L'**amygdale** est une autre structure du système limbique importante puisqu'elle influe sur l'élaboration et l'expression des émotions, notamment celles liées à la peur et au danger, à la lutte et à la fuite.

Hémisphères cérébraux et corps calleux ❼ La partie la plus évoluée du cerveau humain est composée des **hémisphères cérébraux**, le droit et le gauche, reliés par un épais regroupement d'axones nommé **corps calleux**. Seuls les êtres humains sont dotés d'hémisphères cérébraux occupant une aussi grande superficie du cerveau. La surface grise qui renferme des milliards de corps cellulaires et qui recouvre les hémisphères cérébraux est appelée **cortex cérébral**. Le cortex cérébral a une épaisseur de 2 à 4 mm (Marieb, 1999) et présente de nombreux replis nommés **circonvolutions**. Les circonvolutions sont délimitées par des creux nommés **scissures**, ou sillons. Si les circonvolutions étaient dépliées, le cortex cérébral mesurerait environ 1 m² (Marieb, 1999). Les plis sont nés de la nécessité de contenir une telle surface à l'intérieur de la boîte crânienne.

Parmi l'ensemble des espèces animales, le cortex humain est celui qui est le plus développé. Il représente environ 40 % de la masse du cerveau (Marieb, 1999). Il y a une relation entre le développement cortical d'une espèce et la complexité de ses comportements, de même

---

Système limbique

Ensemble de structures logé au centre du cerveau et formé, entre autres, de l'hippocampe, du septum et de l'amygdale. Il joue un rôle important dans les émotions, la motivation et la mémoire.

Hippocampe

Partie du système limbique intervenant dans la formation des souvenirs.

Amygdale

Partie du système limbique intervenant dans l'élaboration et l'expression des émotions.

Hémisphère cérébral

Partie du cerveau, droite ou gauche, reliée par le corps calleux et le tronc cérébral.

Corps calleux

Épais groupe d'axones reliant les deux hémisphères cérébraux.

Cortex cérébral

Couche plissée de corps cellulaires des neurones recouvrant les hémisphères cérébraux et responsables des fonctions cognitives supérieures telles que le langage et la pensée.

Circonvolution

Repli sinueux en forme de bourrelet; se réfère ici au cortex cérébral.

Scissure

Aussi appelée «sillon»; creux qui sépare les circonvolutions du cortex cérébral.

que ses capacités d'apprentissage et de raisonnement. Si l'humain tient une place si privilégiée parmi le règne animal, c'est sans l'ombre d'un doute en raison de son cortex cérébral. C'est pourquoi une attention particulière lui est accordée. Pour un résumé des structures importantes du cerveau et de leurs fonctions, consultez le tableau 2.1.

TABLEAU 2.1 STRUCTURES DU CERVEAU ET LEURS FONCTIONS

STRUCTURES	FONCTIONS
❶ Cervelet	Maintient l'équilibre et la coordination de l'activité motrice.
❷ Tronc cérébral	
• Système d'activation réticulaire (SAR)	• Contrôle l'attention, le sommeil et l'éveil; filtre les informations.
• Bulbe rachidien	• Commande le rythme cardiaque, la tension artérielle, la respiration, le sommeil, le vomissement, l'éternuement et la toux.
• Pont	• Transmet des informations sur les mouvements du corps; joue un rôle dans l'attention, le sommeil, la vigilance et la respiration.
❸ Thalamus	Relaie les stimulations sensorielles; joue un rôle dans le sommeil et l'éveil, et dans la mémorisation d'informations.
❹ Noyaux gris centraux	Veillent à la maîtrise des mouvements du corps et à la coordination des membres; jouent un rôle dans la cognition.
❺ Hypothalamus	Contrôle la régulation de la température du corps, la concentration des liquides et l'entreposage des éléments nutritifs; joue un rôle dans la motivation et les émotions; sécrète des hormones.
❻ Système limbique (dont l'amygdale et l'hippocampe font partie)	Influe sur la stabilité émotionnelle, l'agitation, la libido, l'agression, la faim, la volonté et la mémoire.
❼ Hémisphères cérébraux et corps calleux, en particulier le cortex cérébral	Interprètent les informations sensorielles; contrôlent les mouvements volontaires; interviennent dans l'apprentissage, la pensée, la mémoire, le langage, la personnalité et les émotions.

Dans la maladie de la sclérose en plaques, la myéline du système nerveux périphérique n'est pas détruite. Les systèmes nerveux autonome (avec les branches sympathique et parasympathique) et somatique fonctionnent normalement. Pour Hélène, cela signifie que ses fonctions vitales comme la respiration et le rythme cardiaque ne sont pas menacées par sa maladie. Cependant, certains des médicaments prescrits pourraient affecter le système autonome. Par ailleurs, ses neurones afférents et efférents sont intacts, ses sens et ses muscles fonctionnent. Cependant, son système nerveux central est touché. La myéline de sa moelle épinière et de son cerveau disparaît. Ainsi, même si son système nerveux somatique est intact, elle peut avoir des difficultés motrices et sensorielles, parce que la transmission de ces informations à son cerveau ne se fait pas bien. Aussi, certains de ses réflexes pourraient moins bien fonctionner (clignement des yeux, réflexe patellaire, lubrification vaginale, etc.). Le cervelet est une autre partie du système nerveux central qui est souvent atteinte par la sclérose en plaques. Hélène peut s'attendre à connaître des troubles d'équilibre et de coordination motrice, ce qui affectera sa capacité à marcher; elle aura sans doute besoin d'une canne et, éventuellement, d'un fauteuil roulant. De plus, des troubles du sommeil sont liés à des atteintes au tronc cérébral, plus particulièrement au bulbe rachidien et au pont.

ÉCLAIRCISSEMENT DE L'AMORCE

2.3 LES HÉMISPHÈRES CÉRÉBRAUX : LA PARTIE LA PLUS ÉVOLUÉE DU CERVEAU

Puisque les hémisphères cérébraux sont, comme on l'a mentionné plus haut, au cœur de nos capacités les plus spécifiquement humaines, ils sont décrits plus en profondeur dans cette section-ci. On s'attarde particulièrement au cortex, siège des fonctions les plus complexes. On présente dans un premier temps ses divisions anatomiques, les lobes, puis les aires qui sont responsables de différentes fonctions. On termine par d'autres grandes fonctions situées dans chacun des hémisphères.

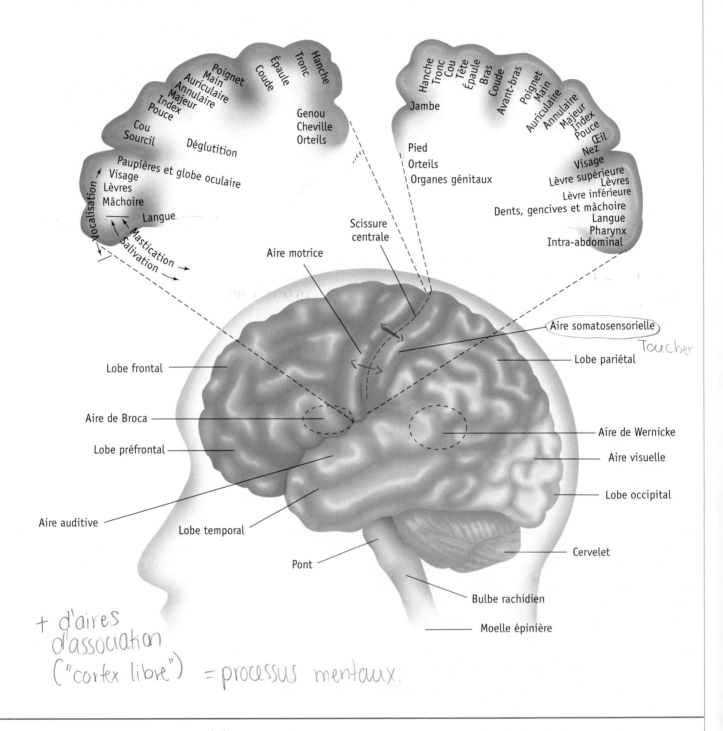

Coupes transversales
des aires somatosensorielle
et motrice du cortex cérébral,
vues de face

Aire motrice

Poignet
Main
Auriculaire
Annulaire
Majeur
Index
Pouce
Épaule
Coude
Tronc
Hanche
Cou
Sourcil
Genou
Cheville
Orteils
Déglutition
Paupières et globe oculaire
Visage
Lèvres
Mâchoire
Vocalisation
Langue
Mastication
Salivation

Aire somatosensorielle

Hanche
Tronc
Cou
Tête
Épaule
Bras
Coude
Avant-bras
Poignet
Main
Auriculaire
Annulaire
Majeur
Index
Pouce
Jambe
Pied
Orteils
Organes génitaux
Œil
Nez
Visage
Lèvre supérieure
Lèvres
Lèvre inférieure
Dents, gencives et mâchoire
Langue
Pharynx
Intra-abdominal

Aire motrice
Scissure centrale
Aire somatosensorielle
Toucher

Lobe frontal
Lobe pariétal
Aire de Broca
Aire de Wernicke
Lobe préfrontal
Aire visuelle
Aire auditive
Lobe occipital
Lobe temporal
Cervelet
Pont
Bulbe rachidien
Moelle épinière

+ d'aires d'association ("cortex libre") = processus mentaux.

FIGURE 2.11 LES LOBES DU CORTEX CÉRÉBRAL

Le cortex se divise en quatre lobes pour chacun des deux hémisphères : frontaux, pariétaux, temporaux et occipitaux. Les aires visuelles du cortex sont situées dans les lobes occipitaux; les aires auditives du cortex sont situées dans les lobes temporaux. Les aires somatosensorielles et motrices se font face de chaque côté de la scissure centrale. Des dommages aux aires de Broca ou de Wernicke peuvent entraîner une aphasie caractéristique, c'est-à-dire une perturbation prévisible de la capacité de s'exprimer ou de comprendre le langage. Ici, on présente l'hémisphère gauche seulement.

2.3.1 LES LOBES DU CORTEX CÉRÉBRAL

Chacun des deux grands hémisphères du cortex cérébral est divisé en quatre lobes (figure 2.11). Les **lobes frontaux** se trouvent au niveau du front, à l'avant de la scissure centrale. Ils sont particulièrement développés chez les humains ; ils représentent un tiers du volume du cerveau. En effet, à l'avant des lobes frontaux, on effectue une autre subdivision : les parties préfrontales. Les **lobes pariétaux**, quant à eux, se situent derrière la scissure centrale, sur le côté de la tête. Pour leur part, les **lobes temporaux** résident au-dessous de la scissure latérale, sous les lobes frontaux et pariétaux, au niveau de la tempe. Enfin, les **lobes occipitaux** logent derrière les lobes temporaux et pariétaux, à l'arrière de la tête. Les lobes ont des fonctions précises reliées à un des sens ou à la motricité. Lorsqu'on fait référence à ces fonctions, on utilise le terme « aires » plutôt que « lobes », celui-ci se rapportent plutôt aux différences anatomiques.

2.3.2 LES AIRES DU CORTEX CÉRÉBRAL

À chaque lobe correspondent des fonctions situées dans des aires. Cependant, il faut retenir que ces aires spécialisées travaillent en étroite collaboration, se relayant sans arrêt une foule de messages nerveux.

• LES AIRES VISUELLES

Lorsque la lumière frappe la rétine des yeux, les neurones des lobes occipitaux se déchargent, et l'individu voit. La stimulation artificielle directe des lobes occipitaux produit également des sensations visuelles. Une personne « voit » des éclairs lumineux si des neurones de cette aire visuelle sont stimulés au moyen d'électrodes, même en pleine noirceur ou lorsque ses yeux sont bandés. Comme le montrent les travaux des lauréats *ex æquo* du prix Nobel de médecine en 1981, Hubel et Wiesel, les aires visuelles englobent plusieurs aires spécialisées dans le traitement de différents types d'informations visuelles. Il y a des neurones responsables de la perception de la couleur, du mouvement, de la forme et de l'orientation.

• LES AIRES AUDITIVES

Les aires auditives du cortex résident dans les lobes temporaux. Comme on le verra au chapitre 3, les sons provoquent la vibration des structures dans l'oreille. Les messages sont retransmis aux aires auditives du cortex et, lorsqu'une personne entend un bruit, les neurones de ces aires se déchargent.

• LES AIRES SOMATOSENSORIELLES

Dans les lobes pariétaux se trouvent les **aires somatosensorielles**, dans lesquelles sont projetés les messages reçus des sensations corporelles au niveau de la peau, des muscles et des organes internes. Parmi ces sensations, on trouve la chaleur et le froid, le toucher, la douleur et le mouvement. Les neurones de différentes parties des aires somatosensorielles se déchargent, selon qu'une personne se fait caresser la joue ou piquer le doigt. La figure 2.12 montre que le visage et les mains sont surreprésentés dans les aires somatosensorielles comparativement, entre autres, au tronc et aux jambes. Cette surreprésentation explique pourquoi le visage et les mains sont plus sensibles au toucher que les autres parties du corps. De plus, les sensations de la moitié droite du corps sont reçues et traitées par l'aire somatosensorielle du lobe pariétal gauche, et vice versa pour les sensations du côté gauche, qui sont envoyées au lobe pariétal droit.

Lobes frontaux
Parties avant du cortex cérébral particulièrement impliquées dans le traitement des informations motrices et, dans leur partie préfrontale, dans les phénomènes mentaux les plus complexes.

Lobes pariétaux
Parties supérieures du cortex cérébral particulièrement impliquées dans le traitement des sensations corporelles.

Lobes temporaux
Parties du cortex cérébral situées près de la tempe et particulièrement impliquées dans le traitement des informations auditives, dans la mémoire et dans l'apprentissage.

Lobes occipitaux
Parties arrière du cortex cérébral particulièrement impliquées dans le traitement des informations visuelles.

Aires somatosensorielles
Sections des lobes pariétaux qui reçoivent les sensations captées par la peau.

? MYTHE OU RÉALITÉ 9

Si un chirurgien stimule électriquement un endroit de l'aire somatosensorielle droite d'une personne, elle est persuadée qu'on lui a touché la jambe gauche.

• LES AIRES MOTRICES

Aires motrices
Sections des lobes frontaux qui contrôlent les mouvements volontaires.

Les **aires motrices** résident dans les lobes frontaux, juste devant les aires somato-sensorielles. Les neurones des aires motrices se déchargent lorsqu'un individu bouge certaines parties du corps. C'est Penfield (1969), un neurochirurgien qui a fondé l'Institut neurologique de Montréal, qui a établi la carte des régions des aires motrices liées à des mouvements particuliers. En travaillant avec des personnes souffrant d'épilepsie, dont il voulait retirer les neurones dysfonctionnels, il a mis au point une technique permettant de les maintenir éveillées tout en stimulant leur cortex (qui est insensible à la douleur). Par exemple, lorsqu'il stimulait une région précise de l'hémisphère droit dans l'aire motrice, à l'aide d'une électrode microscopique, la personne levait la jambe gauche. L'action de lever la jambe gauche était enregistrée dans l'aire somatosensorielle droite, et la personne avait du mal à déterminer si elle avait vraiment eu l'« intention » de lever la jambe. Penfield a ainsi montré que le nombre de neurones liés à une action varie selon l'importance et la complexité du mouvement (figure 2.12). En fait, il y a des disproportions entre les surfaces correspondant à différentes parties du corps. Les mains et la bouche occupent une place importante des aires motrices, alors que les bras et le dos correspondent à un nombre beaucoup plus limité de neurones. Nous sommes ainsi capables d'effectuer des mouvements très précis et complexes avec les parties surreprésentées.

Lorsqu'une personne apprend un mouvement particulier, pour la pratique d'un sport ou d'un instrument de musique par exemple, la représentation corticale correspondante se développe (Bullier, 1996). Un pianiste stimule pendant des années la croissance des dendrites et

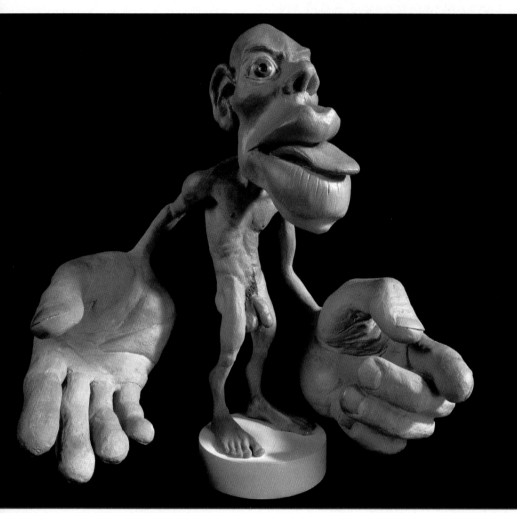

FIGURE 2.12 L'HOMONCULE HUMAIN

Cette petite figurine montre que les neurones sensoriels (aires somatosensorielles) et moteurs (aires motrices) de certaines parties du corps comme les lèvres et les mains sont beaucoup plus nombreux que pour d'autres parties, comme les bras et les jambes.

des arborisations terminales des neurones des aires motrices responsables de ses mains, ils occupent donc une plus grande surface que chez une autre personne.

• LES AIRES D'ASSOCIATION

Aires d'association
Régions du cortex cérébral intégrant plusieurs messages afin de contrôler l'apprentissage, la pensée, la mémoire et le langage, de même que la personnalité et les émotions.

Quoique le phénomène soit moins marqué chez les espèces animales inférieures, les régions du cerveau humain qui ne sont pas impliquées dans les sens et la motricité se sont particulièrement développées au fil de l'évolution. Sont alors apparues les **aires d'association**, parfois nommées « cortex libre ». Très importantes, les aires d'association intègrent les informations de plusieurs sens, tout en permettant les phénomènes mentaux supérieurs. Par exemple, par leurs aires d'association, les lobes temporaux sont impliqués dans la mémoire et l'apprentissage.

Les parties préfrontales renferment aussi plusieurs aires d'association où logent les fonctions psychiques les plus complexes. Ces parties permettent d'envisager l'avenir, de juger, de persévérer, de prendre des décisions, d'élaborer des hypothèses complexes, d'être cohérent et d'avoir une conscience de soi. Liées à l'expression, au contrôle et à la perception des émotions, les parties préfrontales sont aussi le siège de la personnalité et elles jouent un rôle dans la mémoire. Elles semblent donc être le centre décisionnel du cerveau (Goldman-Rakic, 1992 ; Goldman-Rakic, 1995, voir Goleman, 1995).

Mais les deux aires d'association les plus connues sont l'aire de Broca et l'aire de Wernicke (figure 2.11). Elles sont toutes deux impliquées dans le langage. Des dommages à l'une ou l'autre de ces aires sont susceptibles de provoquer l'**aphasie**, c'est-à-dire une perte de la capacité de s'exprimer oralement ou de comprendre le langage verbal.

Aphasie
Perte de la capacité de s'exprimer oralement ou de comprendre le langage verbal.

C'est en 1861 que le chirurgien français Paul Broca détermine pour la première fois le rôle d'une région précise du cerveau. L'aire de Broca est située dans le lobe frontal gauche, près de la zone de l'aire motrice qui commande les muscles de la langue, de la gorge et d'autres parties du visage qui sont utilisées pour parler. Lorsque l'aire de Broca est endommagée, la personne s'exprime lentement et avec difficulté, en employant des phrases simples ; c'est l'**aphasie de Broca**. Par exemple, le patient étudié par Broca arrivait difficilement à prononcer les simples mots « tan-tan » ou « sacré nom de dieu », mais il comprenait parfaitement ce qu'on lui disait.

Aphasie de Broca
Trouble du langage caractérisé par une élocution lente et laborieuse.

En 1874, le neurologue Karl Wernicke découvre une autre région liée au langage : l'aire de Wernicke, qui se trouve à la jonction des lobes pariétal et temporal gauches, près de l'aire auditive. L'aire de Wernicke joue un rôle dans la compréhension et la logique du langage écrit et parlé. La personne qui subit des dommages à cette aire peut présenter l'**aphasie de Wernicke**, ce qui ne l'empêche pas de parler librement, mais qui perturbe sa capacité de comprendre le langage des autres et de choisir les mots appropriés pour s'exprimer. C'est pourquoi l'aire de Wernicke apparaît essentielle pour comprendre le lien entre les mots et leur signification. Sans elle, les paroles exprimées et entendues perdent leur sens.

Aphasie de Wernicke
Trouble du langage caractérisé par une difficulté à comprendre la signification du langage parlé.

Rappelons que, souvent, plusieurs régions partagent la même activité. Telles sont les aires de Broca et de Wernicke, toutes deux essentielles au langage. Cependant, lorsqu'une personne converse avec une autre, plusieurs autres sites du cerveau sont actifs. Comme l'ont souligné les gestaltistes, le cerveau fonctionne comme un tout et, même si certaines de ses aires sont plus sollicitées que d'autres, chacune détermine le fonctionnement neurologique normal.

2.3.3 LA SPÉCIALISATION DES DEUX HÉMISPHÈRES

C'est le psychobiologiste Roger Sperry, lauréat *ex æquo* du prix Nobel de la médecine en 1981, qui a découvert les différences entre les hémisphères droit et gauche du cerveau (Sperry, 1968). Bien que, globalement, les deux hémisphères se ressemblent sur le plan physique, ils jouent des rôles différents comme on l'indique dans le tableau 2.2. L'encadré 2.3 vous permet d'en savoir davantage sur les travaux de Sperry. Au Québec, plusieurs psychologues ont été marqués par les travaux de Sperry, dont Maryse Lassonde, une neuropsychologue de réputation internationale sur laquelle porte l'encadré 2.4.

Comme le montrent les aires somatosensorielles et motrices, chaque hémisphère contrôle le côté opposé du corps. Il y a plusieurs années, des chercheurs ont en effet découvert que les patients ayant des blessures à un hémisphère présentent des déficits sensoriels ou moteurs du côté opposé du corps. Les expériences réalisées depuis montrent que les nerfs sensoriels et moteurs se croisent au niveau du bulbe rachidien. L'hémisphère gauche commande les fonctions et reçoit les messages du côté droit du corps. À l'inverse, l'hémisphère droit commande les fonctions et reçoit les messages du côté gauche du corps.

TABLEAU 2.2 GRANDES SPÉCIALISATIONS DES DEUX HÉMISPHÈRES

HÉMISPHÈRE GAUCHE	HÉMISPHÈRE DROIT
Contrôle des mouvements et des sensations du côté droit du corps.	Contrôle des mouvements et des sensations du côté gauche du corps.
Langage écrit et oral.	Perception visuelle en trois dimensions.
Contrôle et modération des réactions émotives.	Perception et expression des émotions dans la voix, le visage, la posture, etc.
Pensée logique et rationnelle.	Créativité, imagination, intuition.
Traitement détaillé et séquentiel de l'information (plus précis).	Traitement global et simultané de l'information (plus rapide).
Pensée analytique.	Pensée automatisée.
Interprétation, explication, abstraction.	Attention au moment présent, au concret.
Organisation du mouvement volontaire et de précision.	Organisation du mouvement dans l'espace.

Informations tirées de Azémar (2003); Gazzaniga (1998); Hillger et Koening (1991); Vauclair et Fagot (1996).

ENCADRÉ 2.3

Roger Sperry découvre que nous avons deux cerveaux plutôt qu'un!

En 1981, Roger Sperry obtient le prix Nobel de médecine pour avoir montré que les deux hémisphères du cortex cérébral ont des fonctions différentes. En effet, en étudiant onze personnes dont la communication entre les deux hémisphères a été interrompue (leur corps calleux et d'autres connexions ont été sectionnés au moyen d'une intervention chirurgicale), il découvre la latéralisation des fonctions cérébrales, c'est-à-dire le fait que les hémisphères cérébraux tendent à avoir des fonctions spécifiques. Grâce à cette intervention, effectuée auprès de gens atteints d'épilepsie importante et incontrôlable par la médication, les crises sont restreintes à un seul hémisphère, ce qui en réduit les symptômes. Dans sa recherche, Sperry analyse les performances de ces onze personnes au cerveau dédoublé dans des tâches spécifiques effectuées en laboratoire.

Dans l'une de ces tâches, par exemple, on met un bandeau sur l'un des yeux du participant et on lui demande de fixer un point au milieu d'un écran. On présente ensuite un stimulus à gauche ou à droite du point pendant moins de 1/10 de seconde. Ce court laps de temps fait en sorte que les yeux n'ont pas le temps d'effectuer un mouvement de balayage et de transmettre ainsi l'information d'un champ visuel à l'autre. Comme le montre la figure dans cet encadré, tout ce qui est à gauche du nez est le champ visuel gauche, et vice versa pour la droite. Ainsi, tout ce qui est dans le champ visuel gauche est reçu par les moitiés droites des rétines des deux yeux et ensuite transmis à l'hémisphère droit. L'inverse se produit pour le champ visuel droit. Puisque le langage est situé dans l'hémisphère gauche, lorsqu'un stimulus est présenté dans le champ visuel gauche, une personne dont les deux hémi-

sphères sont coupés ne peut pas nommer le stimulus qu'elle voit.

Dans une autre situation, si on présente simultanément à chaque hémisphère une image différente, un dollar à gauche et un point d'interrogation à droite, par exemple, la main gauche (cachée par un écran) dessine un dollar, mais si on demande à la personne de dire ce qu'elle vient de dessiner, elle répond un point d'interrogation. Ainsi, le stimulus du champ visuel gauche va à l'hémisphère droit, qui contrôle la main gauche, alors que le stimulus du champ visuel droit va à l'hémisphère gauche, qui contrôle la parole.

Une autre de ces tâches consiste à demander au participant de reconnaître un objet placé dans sa main, sans qu'il puisse le voir. Ici encore, lorsque la main gauche manipule l'objet, la personne dont le cerveau est dédoublé n'est pas capable de le nommer, car l'hémisphère droit, où arrivent les sensations provenant de la main gauche, ne peut communiquer avec le droit, où se trouve le centre de la parole. Elle tente de deviner de quoi il s'agit, ou semble même ne pas réaliser qu'elle a un objet dans la main gau-

che. Mais si on met l'objet dans un sac rempli de plusieurs autres objets, la main gauche est capable de trouver le bon objet et de le sortir du sac étant donné que toutes les sensations provenant des objets parviennent au même hémisphère, le droit, qui peut donc effectuer la reconnaissance! Dans une variante de cette expérience, on met dans chaque main un objet différent, puis chaque main doit retrouver l'objet touché dans le sac rempli de divers objets. Alors que les personnes au cerveau normal sont ralenties par les demandes contradictoires des deux hémisphères, les personnes au cerveau dédoublé sont bien plus rapides, puisque chaque hémisphère travaille en parallèle.

Dans la vie de tous les jours, les personnes avec un cerveau dédoublé ne remarquent pas ces phénomènes surprenants, puisque leurs yeux sont toujours en train d'effectuer un balayage leur permettant de recouper les champs visuels gauche et droit. Néanmoins, pour Sperry, ces travaux démontrent que chaque hémisphère possède ses propres perceptions, souvenirs et expériences.

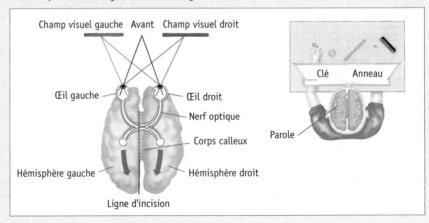

SPÉCIALISTE QUÉBÉCOISE

ENCADRÉ 2.4
Maryse Lassonde (1954 -)

Après de brillantes études en psychologie à l'Université de Montréal, Maryse Lassonde obtient son doctorat à l'âge de 23 ans, devenant la plus jeune docteure en psychologie de l'Université Stanford de la Californie. Sa carrière est marquée de plusieurs bourses, de nombreuses collaborations avec différentes organisations partout dans le monde (dont l'Organisation mondiale de la santé) et d'un nombre impressionnant de publications. Elle a par ailleurs été honorée de plusieurs prix prestigieux, dont un des Prix du Québec en 1999. Elle est actuellement responsable du programme de neuropsychologie clinique de l'Université de Montréal.

Maryse Lassonde s'est penchée sur un grand nombre de thèmes de recherche : conséquences de diverses formes d'épilepsie infantile, fonctions du corps calleux, atteinte du corps calleux dans la démence de type Alzheimer, effets des commotions cérébrales chez les athlètes, etc. En effet, l'équipe du Canadien s'est tournée vers Maryse Lassonde pour évaluer le profil neuropsychologique des joueurs avant et après une commotion cérébrale. Elle utilise un casque qui enregistre l'activité électrique du cerveau. Une onde nommée « P300 » mesure la capacité d'attention du sujet. Chez les gens en bonne santé, cette onde est dominée par le rouge. Mais lorsqu'on la compare à celle d'athlètes victimes d'une commotion cérébrale, le rouge disparaît presque complètement. Ainsi, on peut suivre la guérison d'un patient au fur et à mesure que le rouge de cette onde réapparaît. (Site des Prix du Québec, www.prixduquebec.gouv.qc.ca, 2004 et Site de Découverte, http://radio-canada.ca/actualite/Decouverte/dossiers/83_cerveau/index.html).

Parce que la plupart des humains sont droitiers, l'hémisphère gauche est qualifié d'« hémisphère dominant ». On a vu plus haut que les deux régions principalement responsables du langage sont l'aire de Broca et l'aire de Wernicke (figure 2.11). Chez 90 % des personnes, c'est l'hémisphère gauche qui « parle ». Chez les autres, surtout chez les gauchers, c'est l'hémisphère droit, ou les deux (Marieb, 1999). (Lisez l'encadré 2.5 pour connaître davantage les particularités des gauchers.) Cependant, il y a davantage de répartition du langage dans les deux hémisphères chez les femmes que chez les hommes. En effet, lorsqu'elles subissent une blessure à l'hémisphère gauche, les femmes perdent en général moins leurs capacités langagières que les hommes subissant la même blessure (Gazzaniga, 1998). Le même phénomène se remarque chez certains gauchers (Pariser et autres, 1985, voir Azémar, 2003).

Le tableau 2.2 résume les grandes spécialisations des deux hémisphères, le langage étant l'une d'elles. Chaque hémisphère privilégie une façon de traiter les informations. Il ne faut cependant pas croire que ces capacités sont parfaitement indépendantes. Les deux hémisphères sont complémentaires et fonctionnent mieux avec l'aide l'un de l'autre. Par exemple, plus une tâche exige l'attention de l'un des deux hémisphères, moins le deuxième hémisphère est disponible pour effectuer une tâche différente, et plus il risque de collaborer avec le premier pour réussir à compléter la tâche (Holtzman, 1982, voir Gazzaniga, 1998). Ainsi, les fonctions des hémisphères gauche et droit se chevauchent, et les deux hémisphères ont tendance à réagir simultanément. En outre, il faut nuancer ces spécialisations en tentant compte des nombreuses différences individuelles possibles couramment observées par les scientifiques.

Selon les endroits du cortex où la myéline disparaît en conséquence de la sclérose en plaques, Hélène pourrait manifester différents types de symptômes. Si sa main droite ou sa jambe droite bougent difficilement, c'est que l'aire motrice du lobe frontal gauche correspondant à ces membres est touchée par la maladie. Des difficultés à prononcer adéquatement les mots seraient quant à elles liées à la destruction des neurones de l'aire de Broca, alors que des troubles dans la compréhension du langage seraient liés à l'aire de Wernicke. Parce que les « plaques » de neurones détruites diffèrent d'une personne à l'autre, les signes de la maladie sont très variables. En sachant quelle partie du cortex est liée à certaines capacités, Hélène pourra mieux comprendre ce qui lui arrive.

ÉCLAIRCISSEMENT DE L'AMORCE

APPROFONDISSEMENT

ENCADRÉ 2.5
Être gaucher signifie-t-il être gauche ?

Saviez-vous que Léonard de Vinci, Pablo Picasso et Charlie Chaplin étaient gauchers ? De même, Maurice Richard et Wayne Gretzky sont latéralisés à gauche dans leur sport. Seuls les humains ont une préférence motrice pour l'une de leurs mains au détriment de l'autre ; c'est ce qu'on appelle la latéralité. En fait, il y a beaucoup plus de droitiers dans toutes les ethnies et cultures du monde ; par contre, selon les ethnies, la proportion de gauchers peut varier de 4 à 36 % (Fottorino, 1998). Cette caractéristique est notée très tôt dans l'enfance. La latéralisation s'expliquerait par la complexité des mouvements exécutés par les humains, comparativement à ceux des animaux.

Au fil de l'histoire, comme c'est souvent le cas des minorités, les gauchers ont été victimes de préjugés. Ainsi, la langue française continue de véhiculer certains stéréotypes : on dit « maladroit » et « gauche » pour désigner les personnes malhabiles, droitiers et gauchers confondus ! Dans le passé, des méthodes punitives ont été mises de l'avant afin de limiter le nombre de gauchers. Ceux qu'on a appelés « gauchers contrariés », en plus de souffrir de ces mesures et du rejet qui y était associé, ont parfois développé des troubles tels que le bégaiement (Tamasier, 1999).

En général, la latéralité des gauchers est moins nette que celle des droitiers. Ils peuvent effectuer un geste avec la main droite et un autre avec la gauche, et parfois alterner. Cependant, les personnes ambidextres, c'est-à-dire celles qui utilisent aussi bien l'une ou l'autre de leurs mains, sont moins habiles que les individus nettement latéralisés.

Par ailleurs, le langage est gouverné par l'hémisphère gauche chez 96 % des droitiers (Rasmussen et Milner, 1975), ce qui est également le cas chez 70 % des gauchers. Selon certaines estimations, c'est seulement chez 15 % des gauchers que le centre du langage est à droite, et chez les autres 15 % que l'emplacement du centre du langage est bilatéral.

Une des hypothèses avancées pour expliquer la prédominance de la main droite est justement liée à la région du cerveau responsable du langage, qui se trouve généralement dans l'hémisphère gauche. Les sites neurologiques associés à la parole et à la main droite sont adjacents, ce qui favoriserait l'utilisation de la main droite (Oldfield, 1969, voir Fottorino, 1998). Selon Levy et Naylaky (1972, voir Fottorino, 1998), un gène dominant entraînerait la préférence pour la main droite. En effet,

même si 7 % des gauchers n'ont aucun parent gaucher, il demeure que 54 % d'entre eux sont nés d'un couple de gauchers. L'hérédité semble donc jouer un rôle, sans toutefois que celui-ci soit exclusif. De fait, les jumeaux identiques ne sont pas toujours tous les deux gauchers (Vauclair et Fagot, 1996). Les hormones, dont la testostérone, seraient aussi en cause. Effectivement, il y a plus de gauchers masculins que féminins. D'autres explications, plus contestées, se penchent sur les traumatismes à la naissance qui influeraient sur la latéralisation.

CHARLIE CHAPLIN
Plusieurs artistes et athlètes masculins sont gauchers, comme Charlie Chaplin.

2.4 QUELQUES INSTRUMENTS D'OBSERVATION DU CERVEAU

Grâce à diverses techniques, on peut étudier l'activité du cerveau. Ainsi, l'une des structures les plus complexes de l'univers connu dévoile tranquillement ses secrets.

2.4.1 L'ÉLECTROENCÉPHALOGRAPHIE

Électroencéphalographie (EEG)
Technique par laquelle on place des électrodes sur le cuir chevelu afin d'enregistrer l'activité électrique des neurones, activité qui se manifeste au moyen d'ondes cérébrales.

Les chercheurs utilisent l'**électroencéphalographie (EEG)** pour enregistrer l'activité électrique du cerveau. Comme l'illustre la figure 2.13, des électrodes sont rattachées au cuir chevelu à l'aide de ruban adhésif ou de colle. L'EEG peut détecter d'infimes quantités de signaux électriques émis sous forme d'ondes cérébrales. Le chapitre 4 traite de certains types d'ondes associées aux divers stades du sommeil, dont le rêve. Les spécialistes utilisent l'EEG pour localiser les zones du cerveau qui réagissent à certains types de stimuli et pour diagnostiquer certaines maladies.

2.4.2 LA TOMODENSITOMÉTRIE (TDM)

Tomodensitométrie (TDM)
Technique dans laquelle un faisceau étroit de rayons X, produit par une source tournant autour de la tête du patient, est dirigé vers celle-ci pour mesurer la quantité de radiations qui la traversent.

Dans la **tomodensitométrie (TDM)**, qu'on appelle couramment « scanner », un faisceau étroit de rayons X produit par une source tournant autour de la tête du patient est dirigé vers la tête de ce dernier pour mesurer la quantité de radiations qui traversent le crâne, et ce, sous des coupes multiples, c'est-à-dire à différents niveaux par rapport au sommet du crâne (voir la figure 2.14). L'ordinateur permet d'intégrer ces calculs en une image tridimensionnelle du cerveau. Ainsi, de nombreuses lésions cérébrales et d'autres anomalies, qui, auparavant, ne pouvaient être détectées que par intervention chirurgicale, sont affichées sur un écran.

2.4.3 LA TOMOGRAPHIE PAR ÉMISSION DE POSITONS

Une autre technique, la **tomographie par émission de positons (TEP)**, produit une image informatisée de l'activité nerveuse qui se déroule dans certaines parties du cerveau en mesurant la quantité de glucose utilisée par ces parties. Pour ce faire, une quantité minime d'une substance radioactive est mélangée à du glucose, puis injectée dans le sang. Lorsque le glucose atteint le cerveau, le tracé de l'activité cérébrale est révélé par la détection des positons, molécules à charge positive, émis par la substance. Les chercheurs se sont servis de la TEP pour déterminer les parties du cerveau les plus actives lorsque, par exemple, une personne écoute de la musique, travaille à résoudre un problème de mathématiques ou parle. Comme le démontre la figure 2.15, on note aussi des différences dans l'activité nerveuse observée chez une personne normale et chez une personne atteinte de schizophrénie ou de dépression. Le bleu signale une faible activité ; le rouge, une activité élevée.

2.4.4 L'IMAGERIE PAR RÉSONANCE MAGNÉTIQUE

Actuellement, la technique de pointe a pour nom **imagerie par résonance magnétique (IRM)**. Avec cet appareil, la personne est soumise à un aimant dont le champ magnétique est de 30 000 fois supérieur à celui de la Terre. Sous l'influence d'une radiofréquence émise par une antenne spécifique lors de l'examen, cet aimant provoque une « résonance » des noyaux atomiques d'hydrogène contenus dans le cerveau. C'est donc dire que les différentes parties du cerveau émettent un signal particulier révélant ainsi leur position (voir la figure 2.16). L'IRM est souvent utilisée avec la TEP pour observer le fonctionnement du cerveau en détail. Grâce à ces deux technologies, des chercheurs travaillent afin de mieux comprendre et de mettre au point des médicaments destinés au traitement de la schizophrénie, de la sclérose en plaques, de la maladie d'Alzheimer et de la maladie de Parkinson.

Tomographie par émission de positons (TEP)

Technique par laquelle une quantité minime d'une substance radioactive est mélangée à du glucose puis injectée dans le sang, ce qui, lorsque le glucose atteint le cerveau, permet d'en détecter les structures actives, c'est-à-dire celles qui consomment le glucose.

Imagerie par résonance magnétique (IRM)

Technique de pointe qui consiste à soumettre une personne à un champ magnétique provoquant une résonance des noyaux atomiques d'hydrogènes contenus dans son cerveau.

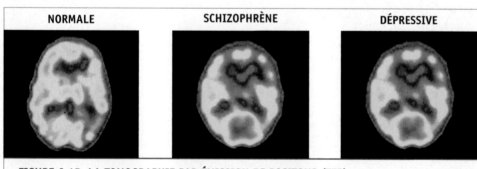

FIGURE 2.15 LA TOMOGRAPHIE PAR ÉMISSION DE POSITONS (TEP)

Voici trois images produites grâce à la tomographie par émission de positons (TEP). La première est celle du cerveau d'une personne normale, la deuxième est celle du cerveau d'une personne schizophrène et la troisième représente le cerveau d'une personne dépressive.

FIGURE 2.13

L'ÉLECTROENCÉPHALOGRAPHIE (EEG)

L'électroencéphalographie (EEG), utilisant des électrodes placées sur le cuir chevelu, est la première technique utilisée pour mesurer l'activité électrique du cerveau.

FIGURE 2.14 LA TOMODENSITOMÉTRIE (TDM)

La tomodensitométrie (TDM) consiste à faire passer un étroit faisceau de rayons X à travers la tête et à mesurer la quantité de radiations qui la traversent.

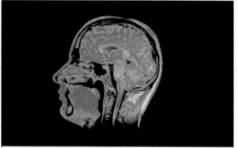

FIGURE 2.16 IMAGERIE PAR RÉSONANCE MAGNÉTIQUE (IRM)

Illustration de la netteté des images que l'on peut obtenir avec l'imagerie par résonance magnétique (IRM).

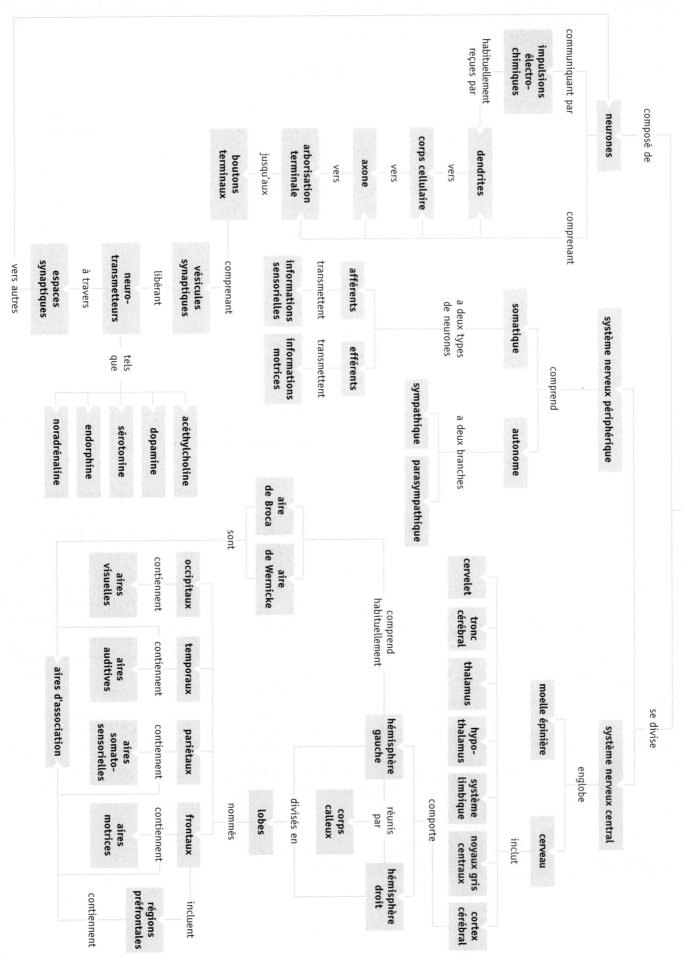

SYSTÈME NERVEUX

2.1 Les neurones

1. Une cellule nerveuse se nomme : _____.

2. Les neurones transportent les messages dans une seule direction, soit des dendrites ou du corps cellulaire vers l'axone pour aboutir à l'arborisation terminale. Vrai ou faux?

3. La communication entre les neurones est assurée par :

   a) les gaines de myéline ;
   b) les nœuds de Ranvier ;
   c) les neurotransmetteurs ;
   d) les cellules gliales ;
   e) Les choix a, b, c et d sont inexacts.

4. Les dendrites et les arborisations terminales se développent lorsque nous apprenons. Vrai ou faux?

5. Je suis un neurotransmetteur impliqué dans la mémoire et dont l'insuffisance est associée à la maladie d'Alzheimer :

   a) l'acéthylcholine ;
   b) la dopamine ;
   c) la noradrénaline ;
   d) la sérotonine ;
   e) l'endorphine.

2.2 Les divisions du système nerveux

1. Qu'est-ce qu'un nerf ?

   a) c'est une cellule du système nerveux par laquelle les impulsions nerveuses sont transmises ;
   b) ce sont les prolongements multiples du corps cellulaire du neurone recevant les impulsions en provenance d'autres neurones ;
   c) ce sont les ramifications multiples de l'axone dont les extrémités sont formées de boutons terminaux ;
   d) c'est une substance chimique libérée par les neurones inhibant ou stimulant les cellules qui les reçoivent ;
   e) c'est un regroupement d'axones de nombreux neurones.

2. Les nerfs afférents transmettent l'information du cerveau aux muscles. Vrai ou faux?

3. Les systèmes somatique et autonome font partie du système nerveux _____.

4. La branche _____ du système nerveux autonome est plus active au cours des réactions entraînant la dépense de réserves d'énergie du corps, alors que la branche _____ est plus active au cours des processus visant à rétablir les réserves d'énergie du corps.

5. Le cervelet est :

   a) un cordon de nerfs à l'intérieur de la colonne vertébrale transmettant les messages des récepteurs sensoriels au cerveau, et du cerveau aux muscles de même qu'aux glandes ;
   b) une partie inférieure du tronc cérébral responsable, entre autres, de la régulation du rythme cardiaque, de la respiration et du sommeil ;
   c) une partie du cerveau postérieur responsable de la coordination musculaire et de l'équilibre ;
   d) un renflement du tronc cérébral responsable, entre autres, du mouvement du corps, du sommeil, de la vigilance et de la respiration ;
   e) un regroupement de noyaux, situé sous le thalamus, responsable de la température du corps, de la motivation et de l'émotion, et sécrétant des hormones.

6. La structure du cerveau qui joue un rôle dans l'attention et le sommeil, et qui filtre les messages se nomme l'hypothalamus. Vrai ou faux?

7. Le système limbique :

   a) est divisé en deux hémisphères, le droit et le gauche ;
   b) contrôle les mouvements et les sensations du corps ;
   c) est plissé de circonvolutions et de scissures ;
   d) joue un rôle important dans les émotions, la motivation et la mémoire ;
   e) est situé dans la moelle épinière.

2.3 Les hémisphères cérébraux : la partie la plus évoluée du cerveau

1. Les aires visuelles sont situées dans les lobes _____ ; les aires auditives sont situées dans les lobes _____ ; les aires somatosensorielles sont situées dans les lobes _____ ; et les aires motrices sont situées dans les lobes _____.

2. Le lobe occipital permet les fonctions les plus complexes telles que le jugement, la conscience de soi, la mémoire, etc. Vrai ou faux?

3. Une personne qui joue du violon a des aires motrices liées aux mains plus importantes qu'une autre personne ne pratiquant aucun instrument de musique. Vrai ou faux?

4. Les parties du cerveau responsables des pensées, de l'apprentissage et de la mémoire se nomment _____.

5. Quel type de problème une détérioration de l'aire de Broca ou de l'aire de Wernicke est-elle susceptible de produire?

   a) l'aphasie;
   b) une lésion;
   c) la surdité;
   d) le bégaiement;
   e) une maladie mentale.

6. La moitié parlante du cerveau est le plus souvent :

   a) l'hémisphère lié à la pensée créatrice et artistique;
   b) l'hémisphère lié à la pensée analytique;
   c) l'hémisphère habile dans le traitement visuospatial de l'information;
   d) l'hémisphère le plus émotif;
   e) non dominant.

2.4 Quelques instruments d'observation du cerveau

1. Il est possible d'étudier l'intérieur du cerveau sans effectuer une opération chirurgicale. Vrai ou faux?

2. Parmi les techniques suivantes, laquelle permet de tracer des ondes cérébrales?

   a) l'électroencéphalographie;
   b) la tomographie par émission de positons;
   c) la tomodensitométrie (TDM);
   d) l'imagerie par résonance magnétique;
   e) toutes ces techniques le permettent.

3. À l'aide de certains instruments, on peut observer les parties du cerveau les plus actives pendant qu'une personne effectue une tâche. Vrai ou faux?

Pour aller plus loin...

Volumes et ouvrages de référence

MARIEB, E. N. (1999). *Anatomie et physiologie humaines*, Saint-Laurent, ERPI.
Manuel de base utilisé dans les cours du collégial en biologie humaine ; il comporte une section sur le système nerveux.

Périodiques

FOTTORINO, E. (1998). « Voyage au centre du cerveau », *Le Monde*, du 3 au 7 février.
Un dossier de presse facile d'accès couvrant plusieurs facettes du cerveau, tant sur le plan anatomique que sur le plan fonctionnel.

Sites Internet

Site constituant un mine d'informations sur le cerveau et qui présente des schémas et des textes de niveaux débutant, intermédiaire et avancé :
http://www.lecerveau.mcgill.ca/flash/index_d.html

Site basé sur les travaux de Penfield permettant, par une animation, de stimuler différentes régions du cortex moteur pour en constater les effets :
http://www.pbs.org/wgbh/aso/tryit/brain/#

Site résumant des reportages effectués sur le cerveau comportant des rubriques liées à la conscience, aux sens, à la créativité, aux pathologies, etc. :
http://radio-canada.ca/actualite/Decouverte/dossiers/83_cerveau/index.html

Site officiel de Roger Sperry présentant son travail et sa vie : http://www.rogersperry.info

Site des Prix du Québec qui permet de connaître certaines personnalités qui ont marqué la recherche au Québec dans le domaine de la psychophysiologie :
http://www.prixduquebec.gouv.qc.ca/prix-scientifiques/index.html?prixquebec

Films, vidéos, cédéroms, etc.

BBC. (2000). *La fascinante histoire du cerveau*. Version française de la série *Brain Story*, traduite par Covitec en collaboration avec Canal Vie et propriété d'Astral Média.

Pioneer Productions for the Learning Channel. (1994). *Le cerveau et le système nerveux*, tiré de la série *Le corps humain*, produit pour Discovery Communications, Inc. TLC.

Télé-Québec. (1989). *Le cerveau*, tiré de la série « Omni Science ».

Chapitre 3

ALAIN HUOT

La sensation et la perception

MYTHES OU RÉALITÉS

Pour savoir si ces affirmations sont vraies ou fausses, trouvez les rubriques *MYTHE OU RÉALITÉ*.

1. Les êtres humains ne possèdent que cinq sens.

2. Les hommes sont plus susceptibles de souffrir de cécité des couleurs que les femmes.

3. On a plus de chances de vendre une maison si un gâteau cuit pendant que des acheteurs potentiels la visitent.

4. Une personne peut se sentir constamment étourdie, comme si elle venait tout juste de sortir d'un manège à La Ronde, simplement à cause d'une infection à l'oreille.

5. Par une nuit noire et sans nuages, il est possible d'apercevoir la lumière d'une chandelle à une distance de 48 km.

6. Parfois, une personne n'entend pas certains sons parce qu'elle ne veut pas les entendre.

7. Les messages enregistrés à l'envers dans certaines pièces musicales ont un effet subliminal : comme ils sont perçus inconsciemment, ils influencent le comportement.

8. C'est parce que notre nez cesse de percevoir les odeurs qu'on ne s'aperçoit plus de l'odeur de la peinture qu'on étend sur des murs.

CIBLES D'APPRENTISSAGE

Après avoir lu ce chapitre, vous devriez être en mesure :

- de distinguer la sensation et la perception ;

- de décrire comment chacun des sens capte de l'information et la transmet au cerveau ;

- de décrire les mécanismes de la sélection de l'information ;

- de décrire les mécanismes de l'organisation perceptive, soit les lois de la gestalt
  et les constances perceptives ;

- de décrire les mécanismes de l'interprétation perceptive et de comprendre les illusions perceptives.

Sébastien Chicoine est messager à vélo à temps partiel. Il est sur le point d'obtenir un diplôme d'études collégiales en sciences humaines. Sa matière forte est la philosophie. Fatigué d'étudier à sa table cuisine, il décide d'aller au casse-croûte qui se trouve en bas de chez lui. Il se choisit un coin tranquille pour pouvoir faire ses lectures. Il commence par observer autour de lui. Il mange la pâtisserie aux pommes qu'il a commandée. Il se dit que les muffins aux fraises du café d'en face sont meilleurs. Derrière lui, il entend un autobus qui s'arrête pour prendre des passagers. Ce bruit lui rappelle le plaisir qu'il a eu l'avant-veille quand il s'est rendu fêter chez des amis et qu'il est revenu en autobus parce que son vélo avait une crevaison. Il se met ensuite le nez dans son livre de philosophie qui sent un peu le moisi depuis qu'il y a renversé de l'eau. Deux filles à la table à côté parlent d'un voyage au Guatemala. Sébastien sent l'odeur du café que l'une d'elles boit.

Les sens de Sébastien transmettent des dizaines d'informations à son cerveau, qui aussitôt les sélectionne, les organise et les interprète.

INTRODUCTION : SENSATION VERSUS PERCEPTION

On a l'impression que notre perception du monde est un reflet direct de la réalité extérieure. Mais en fait, il existe une grande différence entre l'environnement et la perception qu'on en a. Nos sens sont des fenêtres limitées, qui ne captent qu'une partie infime de la réalité extérieure. Notre cerveau se charge ensuite de donner une forme et d'interpréter ces échantillons du monde extérieur, qui subissent alors de profondes transformations. Nos yeux, par exemple, captent des ondes lumineuses qui nous permettent de former une image en deux dimensions. À partir de cette image, notre cerveau construit une perception en trois dimensions. Il organise les stimulations en formes signifiantes : une fourchette ou un muffin, que l'on reconnaît et que l'on peut se préparer à utiliser. Notre oreille capte des vibrations, et notre cerveau construit une perception sonore continue. Il reconnaît une voix, il interprète la baisse du volume de celle-ci comme un ton de confidence, etc. La perception est donc une construction mentale qu'on se fait à partir de stimulations de l'environnement (Parkin, 2000). Elle comporte des mécanismes physiologiques et des mécanismes psychologiques.

Sensation

Stimulation des récepteurs sensoriels et transformation des stimuli en influx nerveux. Transmission de l'influx au système nerveux central.

Captation

Saisie par un organe sensoriel d'une stimulation de l'environnement.

Transduction

Transformation d'une stimulation physique ou chimique en impulsion nerveuse.

La **sensation** concerne les mécanismes physiologiques qui se chargent d'enregistrer les stimulations de l'environnement. Les deux principaux mécanismes de la sensation sont la **captation** et la **transduction**. La captation est la saisie par les sens de stimulations chimiques ou physiques venues de l'environnement (des ondes lumineuses, des vibrations sonores, etc.). La transduction est la transformation en impulsion nerveuse des stimulations de l'environnement (Lemaire, 1999).

La transduction des stimulations extérieures s'effectue mécaniquement ou chimiquement, selon les sens. Les stimulations extérieures proviennent de sources d'énergie (une lumière, un son, une pression) ou de la présence de substances chimiques, comme dans le cas de l'odorat et du goût. L'information que captent les sens est transmise au système nerveux central et traitée, comme on l'a vu au chapitre 2, dans des aires du cerveau qui sont spécifiquement consacrées à chacun des sens. C'est dans les aires sensorielles et dans leurs aires d'association que peuvent s'organiser des perceptions complexes.

Perception

Processus par lequel les sensations sont organisées en une représentation intérieure du monde.

La **perception** inclut la sensation et implique des mécanismes psychologiques (Lemaire, 1999). Elle comporte trois tâches psychologiques principales : la sélection, l'organisation et l'interprétation de l'information sensorielle. La perception implique des mécanismes rudimentaires, comme la reconnaissance des couleurs et des odeurs de base, qui sont effectués par des structures sous-corticales du cerveau. La perception implique aussi des processus psychologiques complexes, comme les apprentissages, la motivation et la mémoire.

Ainsi, l'aspect physique du patron du casse-croûte et celui d'un sucrier peuvent stimuler le même nombre de récepteurs sensoriels dans les yeux. La perception correspond à la capacité de bien identifier chacun de ces stimuli et d'évaluer leur distance, comme remarquer que le patron s'est teint les cheveux pour camoufler ses cheveux blancs, ou comme éprouver un léger dégoût à l'idée qu'on puisse mettre du sucre dans du café.

3.1 LA SENSATION : MATIÈRE PREMIÈRE DE LA PERCEPTION

Depuis les philosophes grecs, la tradition occidentale dénombre cinq sens : la vue, l'ouïe, le goût, l'odorat et le toucher. La réalité est en fait plus complexe. Ce qu'on nomme le toucher se décompose en trois **sens cutanés** : la capacité à sentir la pression, la capacité à sentir la température et la capacité à sentir la douleur. Il existe aussi des sens **proprioceptifs**, qui nous renseignent sur la position de nos membres et de notre corps dans l'espace.

MYTHE OU RÉALITÉ 1

Il n'est pas tout à fait exact de dire que les êtres humains n'ont que cinq sens, parce qu'on peut décomposer le toucher en sens très différents les uns des autres, par exemple le sens spécialisé dans la perception de la douleur, le sens spécialisé dans la perception de la température, le sens spécialisé dans la perception de la pression, ainsi que deux sens proprioceptifs.

Sens cutanés
Perception de la pression, de la température et de la douleur par des capteurs spécialisés situés sur la peau.

Proprioceptif
Qui concerne la position du corps, de la tête et des membres dans l'espace.

3.1.1 LA VISION

Les yeux sont des capteurs spécialisés qui réagissent aux ondes lumineuses. Les ondes lumineuses visibles ne constituent qu'une infime partie du spectre électromagnétique, qui comprend aussi les ondes radio, les micro-ondes et les rayons X. La figure 3.1 présente l'ensemble du spectre électromagnétique. La transduction correspond à la transformation des ondes lumineuses visibles en impulsions nerveuses par les cellules de la rétine. Ces cellules représentées à la figure 3.2, les **cônes** et les **bâtonnets**, sont situées au fond de l'œil. La physiologie de la vision est détaillée dans l'encadré 3.1.

Certaines propriétés physiques des ondes lumineuses entraînent des perceptions différentes. Les ondes lumineuses de longueurs d'ondes différentes sont perçues comme des couleurs différentes. Sur le plan perceptif, on distingue trois dimensions dans la couleur. La première

Cône
Photorécepteur en forme de cône qui transmet les sensations de couleur.

Bâtonnet
Photorécepteur en forme de bâtonnet qui n'est sensible qu'à l'intensité de la lumière.

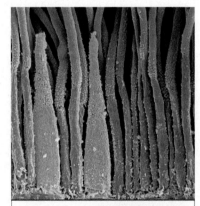

FIGURE 3.2 UNE PHOTOGRAPHIE AGRANDIE DE QUELQUES CÔNES ET BÂTONNETS

L'œil contient environ 100 millions de bâtonnets et 5 millions de cônes répartis sur la rétine de chaque œil. Seuls les cônes sont sensibles à la couleur. La fovéa de l'œil est une partie de la rétine presque exclusivement tapissée de cônes, qui deviennent ensuite de plus en plus clairsemés dans la région périphérique de la rétine. Les bâtonnets, en revanche, sont presque absents de la fovéa et sont répartis plus densément dans la périphérie de la rétine.

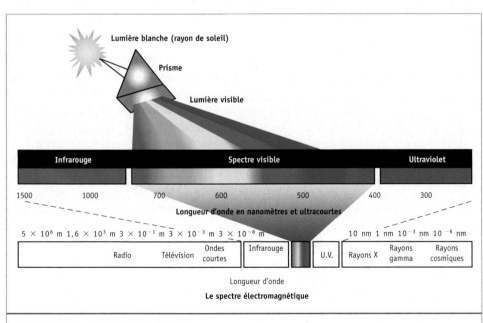

FIGURE 3.1 LE SPECTRE VISIBLE

Les diverses formes d'énergie électromagnétique ont des longueurs d'ondes différentes, qui vont de quelques trillionièmes de mètre à des milliers de kilomètres. La lumière visible a une longueur d'onde variable de 400 à 700 nanomètres. Un nanomètre est une unité égale à un milliardième de mètre.

L'œil fonctionne un peu comme une caméra. Dans les deux systèmes, la lumière pénètre par une ouverture, l'iris, puis elle est dirigée vers la rétine, composée de cellules sensibles à la lumière, ou photorécepteurs. La fovéa est la région d'acuité visuelle maximale, la partie de la rétine où les récepteurs sont le plus denses. La tache aveugle est une partie de la rétine qui est insensible à la stimulation visuelle. Une image projetée sur la tache aveugle ne peut

être détectée en raison de la présence de cellules se rejoignant à cet endroit pour former le nerf optique.

Les bâtonnets et les cônes sont les cellules photoréceptrices situées sur la rétine. Il y a près de 100 millions de bâtonnets et près de 5 millions de cônes. La fovéa est composée presque exclusivement de cônes, qui deviennent ensuite plus clairsemés dans la région périphérique de la rétine. Les bâtonnets, par contre, sont

pratiquement absents de la fovéa et sont répartis plus densément dans la région péri-phérique de la rétine.

Les bâtonnets ne sont sensibles qu'à l'intensité de la lumière et ne permettent donc de voir qu'en noir et blanc. Les cônes, eux, transmettent la vision des couleurs. Les bâtonnets permettent la vision nocturne. Ainsi, à mesure que l'éclairage baisse durant la soirée, les objets semblent perdre leurs couleurs.

APPROFONDISSEMENT

LA LOCALISATION DE LA TACHE AVEUGLE

Il faut d'abord regarder le dessin 1 en fermant l'œil droit, puis déplacer le livre de gauche à droite à environ 30 cm de l'œil gauche en fixant le signe +. Le cercle devrait disparaître. En réalité, il est projeté sur la tache aveugle de la rétine, c'est-à-dire le point où les axones des cellules se rencontrent pour former le nerf optique. Sur le dessin 2, on peut faire disparaître la figure et «voir» la ligne bleue traverser la tache où elle était en fermant l'œil droit et en fixant le signe + de l'œil gauche. Lorsque cette figure est projetée sur la tache aveugle, le cerveau «complète» la ligne, ce qui explique qu'on n'ait pas conscience d'avoir des taches aveugles.

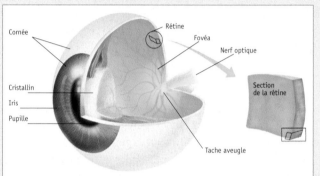

L'ŒIL HUMAIN

Dans l'œil, tout comme dans un appareil photo, la lumière pénètre par une ouverture étroite et est projetée sur une surface sensible : la rétine.

Tonalité

Qualité perceptive de la couleur correspondant à des sensations telles que : rouge, jaune, vert, etc. Dépend principalement de la longueur d'onde de la lumière.

Clarté

Qualité perceptive selon laquelle une couleur paraît plus ou moins pâle ou foncée.

Saturation

Degré de richesse d'une couleur.

de ces dimensions est la **tonalité**, ou la couleur proprement dite, qui est déterminée principalement par la longueur des ondes réfléchies. La tonalité correspond aux expériences sensorielles qu'on nomme, par exemple, le rouge ou le bleu, et qui sont absentes d'une photo en noir et blanc. Chaque tonalité a sa tonalité complémentaire, deux tonalités étant dites complémentaires quand on obtient du gris ou du blanc en les mélangeant. Le jaune et le bleu-violet, par exemple, sont des tonalités complémentaires. Si on superpose un faisceau lumineux jaune et un faisceau lumineux bleu-violet sur un mur blanc, on observe non pas du vert, mais du blanc. La superposition d'un faisceau rouge et d'un faisceau vert produit le même effet. La deuxième dimension perceptive de la couleur est la **clarté** (la brillance). Elle dépend principalement de l'intensité des ondes lumineuses et se rapporte à l'aspect clair ou foncé d'une couleur. Enfin, la troisième dimension perceptive de la couleur est la **saturation**, qui se rapporte à la richesse des couleurs. La plupart des téléviseurs comportent un bouton qui permet d'accentuer ou d'atténuer graduellement la couleur. Il suffit de jouer avec ce bouton pour modifier dans un sens ou dans l'autre le niveau de saturation des couleurs.

Deux théories complémentaires rendent compte des mécanismes responsables de la perception des couleurs (Boeglin, 2003). La théorie trichromatique de Young-Helmholtz rend compte de la partie du traitement qui se fait dans la rétine de l'œil. Les cônes réagissent aux ondes lumineuses de couleurs différentes. Certains cônes réagissent surtout au rouge, d'autres au vert et d'autres au bleu-violet. Par ailleurs, la théorie de Hering des processus antagonistes rend compte de la partie du traitement de l'information visuelle qui est effectuée dans le cerveau, notamment par les neurones du thalamus. Ces neurones reçoivent des impulsions déjà filtrées par les cônes et réagissent aux couleurs par paires rouge-vert, jaune-bleu et blanc-noir.

Les effets perceptifs de contraste des couleurs, qu'on appelle **contrastes chromatiques**, sont en rapport étroit avec cette spécialisation cellulaire. Il existe deux types de contrastes chromatiques : le contraste successif et le contraste simultané. L'expérience proposée à la figure 3.3 illustre le phénomène de **contraste successif**. Les sensations persistantes résultant de la perception prolongée d'une couleur sont suivies de la perception de la couleur complémentaire. Si on fixe la figure 3.3 pendant 30 secondes et qu'on regarde ensuite une feuille blanche, on devrait voir un feu de circulation doté des couleurs habituelles. Un rebondissement nerveux serait responsable du contraste successif. Ainsi, lors de l'observation du vert, une activité inhibitrice se développerait (voir dans le chapitre 2 les notions sur l'action des neurotransmetteurs inhibiteurs), et lorsqu'on retire le vert et qu'on présente une simple page grise, il en résulterait une perception de rouge (la tonalité complémentaire), même si aucune stimulation rouge n'est présente (Haber et Hershenson, 1980).

Alors que le contraste successif apparaît après que le stimulus initial est retiré, le **contraste simultané** se produit par voisinage de deux couleurs présentes : « De fait, dès que deux couleurs sont juxtaposées, on observe une altération de chacune par un effet de contraste simultané [...] En d'autres mots, on peut dire que toute couleur induit sa complémentaire dans les couleurs qui lui sont contiguës. » (Delorme, 1982). L'anneau de Benussi présenté à la figure 3.4 permet d'observer ce type de contraste : la section de l'anneau gris située du côté rouge semble légèrement verdâtre. Par contre, la section de l'anneau située du côté vert paraît teintée de rouge.

Une personne qui peut distinguer toutes les couleurs du spectre visible possède une vision normale des couleurs. On dit qu'elle est **trichromate** parce qu'elle est sensible aux trois couleurs de base : rouge, vert et bleu. Les personnes complètement insensibles aux couleurs sont appelées **monochromates**, car leur vision n'est sensible qu'à la clarté. Mais les cas de cécité totale des couleurs sont très rares. Les personnes atteintes de cécité partielle des couleurs sont appelées **dichromates**, car elles ne sont sensibles qu'à deux couleurs de base.

Contraste chromatique
Impression visuelle provoquée par une stimulation sensorielle simultanée ou successive. La perception qui en résulte représente la couleur complémentaire du stimulus.

Contraste successif
(appelé aussi image consécutive)
Impression visuelle qui subsiste après le retrait d'un stimulus.

Contraste simultané
Impression visuelle apparaissant en même temps que le stimulus déclencheur.

Trichromate
Qualifie la vision normale caractérisée par le fait d'être sensible aux trois couleurs de base (rouge, vert et bleu) et permettant de percevoir toutes les nuances de couleur.

Monochromate
Type de vision correspondant à une cécité complète des couleurs.

Dichromate
Type de vision correspondant à une cécité partielle des couleurs caractérisée par le fait de n'être sensible qu'à deux couleurs de base.

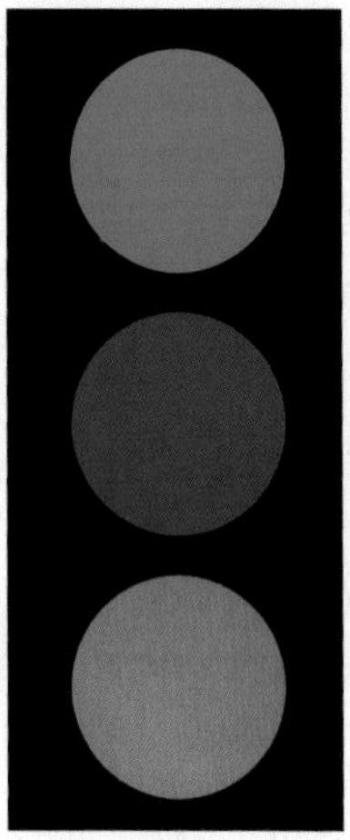

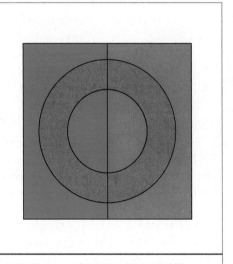

FIGURE 3.3   LES FEUX DE CIRCULATION

Pour restaurer les couleurs originales des feux de circulation, il faut fixer le centre de l'image pendant 30 secondes, puis poser rapidement le regard sur une feuille blanche. Les couleurs des feux de circulation apparaîtront. Il s'agit là d'une image consécutive produite par contraste successif.

FIGURE 3.4   L'ANNEAU DE BENUSSI

Ce handicap est d'origine héréditaire. Il concerne davantage d'hommes que de femmes (Sekuler et Blake, 1990).

MYTHE OU RÉALITÉ 2

La cécité partielle des couleurs est plus courante que la cécité totale des couleurs ; il s'agit d'un trait relié au sexe, puisqu'elle touche principalement les hommes.

La figure 3.5 montre une image telle qu'elle devrait être perçue par une personne ayant une vision normale des couleurs (trichromate), en comparaison avec la vision d'une personne dichromate ou monochromate. La figure 3.6 donne un exemple des types de tests utilisés pour diagnostiquer la cécité des couleurs.

Capture visuelle
Tendance de la vision à dominer les autres sens.

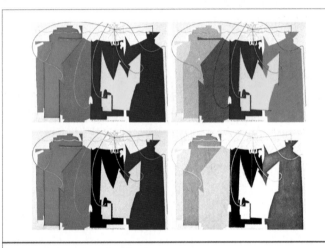

FIGURE 3.5   LA CÉCITÉ DES COULEURS

La peinture en haut à gauche apparaît telle qu'elle devrait être perçue par une personne ayant une vision normale des couleurs (trichromate). Si elle était atteinte de cécité des couleurs rouge-vert (dichromate), cette personne verrait l'image telle qu'elle apparaît en haut à droite. Les photos du bas à gauche et à droite montrent respectivement l'image telle qu'elle apparaîtrait à une personne souffrant de cécité des couleurs jaune-bleu ou de cécité totale des couleurs (monochromate).

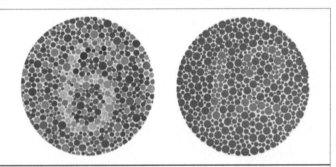

FIGURE 3.6   LES PLAQUES UTILISÉES POUR UN TEST DE CÉCITÉ DES COULEURS

Pouvez-vous distinguer les chiffres dans ces plaques ? Une personne atteinte de cécité des couleurs rouge-vert serait incapable de voir le 6, et une personne atteinte de cécité des couleurs bleu-jaune ne distinguerait probablement pas le 12. (Mise en garde : ces reproductions ne peuvent être utilisées comme test réel de la cécité des couleurs.)

Hauteur tonale
Caractéristique selon laquelle un son est perçu comme grave ou aigu. La hauteur tonale dépend principalement de la fréquence de l'onde sonore.

L'information que reçoit la vue est plus importante pour le fonctionnement humain que celle provenant des autres sens. D'ailleurs, près du quart du cortex cérébral est consacré au traitement de l'information visuelle, et on considère que la cécité est la perte sensorielle la plus incapacitante. La vision fournit avec l'audition une matière première privilégiée pour les processus cognitifs élaborés comme la pensée abstraite. La plupart des données sur la perception qui sont présentées dans les sections suivantes proviennent d'études menées sur la perception visuelle. Cette primauté de la vision sur les autres sens se nomme **capture visuelle**. Rock et Victor (1964) ont mesuré que lorsqu'une personne regarde un objet carré à travers des lentilles qui le déforment en un rectangle, elle le perçoit habituellement comme un rectangle, même si elle peut le palper avec ses mains.

La couleur est une importante dimension émotive et esthétique de la vie quotidienne. Elle est chargée de valeurs symboliques. Le jaune, par exemple, était la couleur réservée à l'empereur de Chine. Quiconque portait du jaune lors d'une cérémonie sur la place de la Paix céleste était aussitôt mis à mort. Il est courant d'attribuer une dimension psychologique aux couleurs. Le rouge et le jaune sont généralement considérés comme ayant un effet stimulant, alors que le vert et le bleu auraient plutôt un effet relaxant. Il faut cependant savoir que l'effet d'une couleur varie énormément selon l'objet en cause (Birren, 1998).

3.1.2 L'AUDITION

Le slogan publicitaire du film de science-fiction *Alien*, « Dans l'espace, personne ne peut vous entendre crier », constitue un énoncé vérifiable. En effet, l'espace étant vide, les sons ne peuvent s'y propager, puisqu'ils correspondent à des vibrations dont la transmission nécessite un véhicule, comme l'air ou l'eau. Par ailleurs, dès lors qu'elles ont été transmises par un milieu quelconque, les vibrations sonores sont captées par l'oreille, amplifiées et transformées en impulsions nerveuses dans l'oreille interne, où s'effectue la transduction (voir l'encadré 3.2 sur la physiologie de l'audition). Les dimensions perceptives des sons perçus par le cerveau humain sont : la hauteur tonale, la sonie et le timbre.

La **hauteur tonale** d'un son correspond au contraste perceptif entre l'aigu et le grave. Cette dimension de l'expérience sonore est déterminée principalement par la fréquence des vibrations, soit le nombre de cycles à la seconde exprimé par l'unité **hertz** (Hz). Un cycle à la seconde correspond à 1 Hz. Plus le nombre de cycles à la seconde (Hz) est élevé, plus la hauteur tonale est grande (plus le son est aigu). La hauteur tonale d'une voix de femme est plus élevée que celle d'un homme, parce que les cordes vocales des femmes sont plus courtes et vibrent à une fréquence plus élevée. Les cordes de violon sont plus courtes que celles d'un alto ; elles vibrent donc à des fréquences plus hautes, et le son produit est perçu comme étant d'une hauteur tonale plus élevée.

Hertz (Hz)
Unité exprimant la fréquence des ondes sonores. Un hertz équivaut à un cycle par seconde.

La **sonie**, ou l'intensité perçue d'un son, est déterminée par l'amplitude des ondes sonores. Plus l'amplitude d'une onde est élevée, plus l'intensité du son est grande. L'intensité physique du son est habituellement exprimée par l'unité **décibel**, dont l'abréviation est dB, ainsi nommée en l'honneur de Graham Bell, l'inventeur du téléphone. La figure 3.7 présente les équivalents en dB de plusieurs sons familiers. Une intensité de 20 dB équivaut à l'intensité d'un chuchotement perçu à une distance d'un mètre et demi. Le niveau d'intensité toléré dans une bibliothèque est d'environ 30 dB. Une personne peut subir des dommages auditifs si elle est exposée pendant une période prolongée à des sons de 85 à 90 dB.

Sonie
Qualité perceptive selon laquelle un son paraît plus ou moins fort.

Décibel (dB)
Unité servant à mesurer l'intensité du son.

Le **timbre** est ce qui donne une personnalité à l'expérience sonore. Un piano et une guitare peuvent émettre des sons d'amplitudes équivalentes, mais on reconnaît néanmoins le timbre particulier de chaque instrument. Cette expérience sensorielle découle de la combinaison des vibrations qui est caractéristique à chaque émetteur de sons (chaque instrument de musique ou chaque voix humaine).

Timbre
Qualité d'un son qui permet de distinguer deux instruments de musique ou la voix de deux personnes.

L'audition est un sens d'une grande importance cognitive, car elle est la porte d'entrée du langage. Des centres de traitement spécialisés pour le langage sont bien connectés au cortex

---

APPROFONDISSEMENT

ENCADRÉ 3.2
L'oreille : un haut-parleur sophistiqué

L'oreille humaine est modelée et organisée pour canaliser les sons et les transmettre aux centres cérébraux qui pourront les interpréter. L'oreille est constituée de trois parties : l'oreille externe, l'oreille moyenne et l'oreille interne.

L'oreille externe, représentée par le canal auditif, est conçue pour acheminer les ondes sonores jusqu'à l'oreille moyenne. L'oreille moyenne comprend le tympan, une membrane mince qui vibre en réaction aux ondes sonores, ainsi que trois osselets (le marteau, l'enclume et l'étrier) qui agissent comme un amplificateur en accroissant l'amplitude de la pression de l'air.

Dans l'oreille interne, la pression de l'air est transformée en vibrations captées par des liquides dans des membranes (la cochlée, la membrane basilaire et l'organe de Corti). Des milliers de cellules ciliées (cellules réceptrices qui se présentent comme les cheveux de l'organe de Corti) se courbent en réaction aux vibrations de la membrane basilaire. Le mouvement de ces cellules réceptrices engendre un influx nerveux qui est transmis au cerveau par les 31 000 neurones qui forment le nerf auditif (Yost et Nielson, 1985). À l'intérieur du cerveau, l'information auditive est projetée sur les aires auditives des lobes temporaux du cortex cérébral.

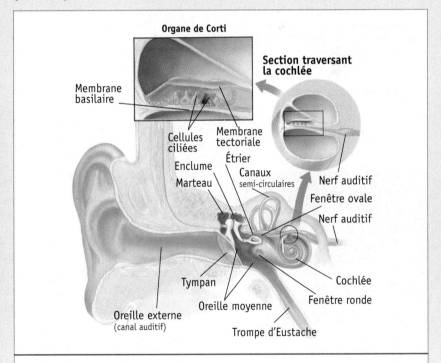

L'OREILLE HUMAINE

L'oreille externe achemine les sons au tympan. À l'intérieur du tympan, les vibrations du marteau, de l'enclume et de l'étrier transmettent le son à l'oreille interne. Les vibrations de la cochlée transmettent le son au nerf auditif, par l'entremise de la membrane basilaire et de l'organe de Corti.

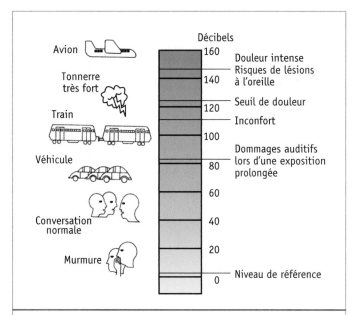

FIGURE 3.7   L'ÉVALUATION EN DÉCIBELS DE QUELQUES SONS FAMILIERS

Le niveau sonore de zéro décibel équivaut au seuil d'audition.

Saveur

Ensemble de la perception que cause un aliment. Dépend de la stimulation des papilles gustatives, mais également de l'odeur et de la texture des aliments.

Odeur

Caractéristique d'une substance que perçoit l'odorat.

Nerf olfactif

Nerf qui transmet au cerveau l'information concernant les odeurs enregistrées par les récepteurs olfactifs.

FIGURE 3.8   LE GOÛT ET L'ODORAT

L'odorat joue un rôle important dans la reconnaissance du goût.

auditif primaire (voir le chapitre 2). Les stimuli linguistiques peuvent cependant aussi bien parvenir au cerveau par les yeux, comme dans les cas de la lecture silencieuse et de la langue des signes utilisée par les sourds.

3.1.3 LE GOÛT ET L'ODORAT : LES SENS CHIMIQUES

Le goût et l'odorat sont des sens chimiques. Dans le cas de la vision et de l'ouïe, de l'énergie physique stimule les récepteurs sensoriels. Avec le goût et l'odorat, des molécules de la substance sentie ou goûtée sont prélevées et font réagir chimiquement les récepteurs.

Il existe quatre saveurs primaires : le sucré, le salé, l'acide et l'amer. La perception de ces **saveurs** dépend presque autant de leur odeur, de leur texture et de leur température que de leur goût proprement dit. Le goût est détecté par les cellules gustatives, soit les neurones récepteurs se trouvant sur les bourgeons gustatifs de la langue. Un être humain possède environ 10 000 bourgeons gustatifs, dont la plupart sont situés dans les parties latérales et antérieure de la langue. On a longtemps cru que les zones de la langue étaient spécialisées et qu'elles contenaient des bourgeons gustatifs qui réagissaient à une seule saveur primaire (comme les cônes de l'œil sont spécialisés et réagissent à des couleurs différentes). Les travaux de Bartoshuk (1993 ; 2000) remettent en question cette répartition de la sensibilité gustative, qui serait en fait étalée sur toute la langue. La perception de la saveur globale des aliments, comme ceux représentés à la figure 3.8, dépend donc presque autant de leur odeur, de leur texture et de leur température que de leur saveur primaire proprement dite.

Une **odeur** est un échantillon de la substance sentie. La transduction des odeurs est effectuée par les neurones récepteurs de la muqueuse olfactive logée profondément dans chaque narine. Les neurones récepteurs sont activés lorsque quelques molécules de la substance sous forme gazeuse entrent en contact avec eux. L'information sur les odeurs est transmise au cerveau par l'entremise du **nerf olfactif**.

Comparativement aux animaux, l'être humain est défavorisé en ce qui concerne l'odorat. Les chiens, par exemple, possèdent environ sept fois plus d'espace pour l'odorat dans leur cortex cérébral. Les chiens mâles reniflent pour déterminer où s'arrête le territoire des autres chiens et pour évaluer si les chiennes sont sexuellement réceptives. Certains chiens sont même entraînés à détecter par l'odorat la marijuana dans des sacs scellés et des valises. Mais, malgré l'insuffisance de notre sens de l'odorat, nous pouvons quand même déceler l'odeur d'un millionième de milligramme de vanille dans un litre d'air.

Les connexions des récepteurs du goût et de l'odorat ne sont pas dans le cortex, mais plutôt dans le système limbique, qui est aussi le système responsable des émotions et des souvenirs. Les odeurs peuvent déclencher des aversions violentes et les saveurs peuvent faire remonter des souvenirs à la surface. La littérature rend compte de cette association des saveurs et des odeurs avec les émotions et les souvenirs. Le célèbre épisode de la madeleine de Proust fait référence à une pâtisserie bretonne (la madeleine) dont la saveur oubliée suffit à réveiller le temps perdu qui submerge le narrateur de nostalgie.

MYTHE OU RÉALITÉ 3

Il est vrai qu'on a plus de chances de vendre une maison si un gâteau cuit pendant que des acheteurs potentiels la visitent. Les odeurs ont un réel effet sur le système limbique du cerveau et peuvent influencer positivement une personne si elles sont associées à des souvenirs agréables.

3.1.4 LES SENS CUTANÉS

Les sens cutanés, comme mentionné précédemment, servent à stabiliser l'organisme dans l'environnement. Des récepteurs sensoriels distincts servent à capter la pression, la température et la douleur (Brown et Deffenbacher, 1979).

Environ un demi-million de récepteurs de la pression sont dispersés dans tout le corps. Certaines parties du corps sont plus sensibles que d'autres. La différence de sensibilité que l'on remarque au bout des doigts et sur le visage se produit parce que les terminaisons nerveuses y sont plus densément entassées qu'à d'autres endroits du corps, comme on l'a vu à la figure 2.12.

Les récepteurs de la température sont des neurones logés juste sous la peau et qui sont particulièrement sensibles aux changements de température. À des températures normales, les récepteurs de la température s'adaptent rapidement. Lorsqu'une personne plonge dans une piscine, l'eau peut lui sembler froide parce qu'elle est au-dessous de la température du corps. Pourtant, après quelques instants, l'eau d'une piscine chauffée à 25 °C peut paraître chaude.

D'autres récepteurs spécialisés transmettent la sensation de douleur. La douleur est une sensation qui ne s'adapte pas, mais qui peut être distraite. Il est possible d'atténuer ou d'éliminer la douleur en exerçant une pression sur la peau (par exemple, en frottant autour d'une blessure). Ces sensations de pression bloquent la transmission de la sensation de douleur par la moelle épinière. Les auteurs qui ont étudié ce phénomène le nomment le **portillon de la douleur**. La douleur est une sorte de signal pour le corps. Elle est essentielle à l'adaptation, car elle motive à réagir devant un danger.

Portillon de la douleur
Blocage des sensations de douleur quand la moelle épinière doit aussi relayer des sensations de pression qui proviennent de zones voisines de la source de la douleur.

ENCADRÉ 3.3

La gestion de la douleur : la psychologie à la rescousse

APPROFONDISSEMENT

La médecine a développé toute une série de médicaments, les analgésiques, pour traiter la douleur. Ces médicaments ne sont cependant pas toujours efficaces. En outre, les patients peuvent développer une dépendance à de nombreux analgésiques. Lorsqu'une personne devient dépendante d'un médicament, il faut en augmenter la dose pour qu'elle obtienne le même effet. Des méthodes psychologiques de gestion de la douleur peuvent réduire les besoins en analgésiques.

Ironiquement, l'une des méthodes psychologiques les plus efficaces pour gérer la douleur est l'apport d'informations précises et détaillées sur les maux. La plupart des personnes essaient de ne pas penser à leurs symptômes durant la phase initiale d'une maladie (Suls et Fletcher, 1985). Pourtant, lorsqu'il s'agit d'administrer des traitements douloureux comme la chimiothérapie, la connaissance détaillée du traitement aide la plupart des patients à le supporter et leur donne un sentiment de maîtrise sur ce qu'ils subissent (Martelli et autres, 1987). Une information précise aide même les enfants à supporter les procédés

douloureux (Jay et autres, 1983). À l'Hôpital Sainte-Justine, le documentaire vidéo *Qu'est-ce qui m'arrive ?* est utilisé afin d'expliquer aux enfants atteints de leucémie en quoi consistent la maladie et ses traitements.

Les psychologues étudient aussi des moyens pour minimiser l'inconfort durant les procédures douloureuses proprement dites. L'utilisation de la distraction ou de la fantaisie fait partie de plusieurs méthodes. Les études portant sur des enfants âgés de neuf ans jusqu'à l'adolescence ont révélé que les jeux vidéo diminuaient la perception de la douleur et de l'inconfort liés aux effets secondaires de la chimiothérapie (Kolko et Rickard-Figueroa, 1985 ; Redd et autres, 1987). Pendant que les enfants reçoivent des injections de produits chimiques provoquant la nausée, ils se concentrent sur la bataille de monstres à l'écran.

Des méthodes non traditionnelles comme l'hypnose et l'acupuncture ont aussi fait leurs preuves. L'hypnose est utilisée par des professionnels comme anesthésique en médecine dentaire, pour les accouchements et même pour certaines interventions chirur-

gicales (Barber, 1982 ; Turk et autres, 1983 ; Turner et Chapman, 1982b). Il sera question de l'hypnose dans le chapitre 4. L'acupuncture peut aussi soulager la perception de la douleur, notamment chez les patients atteints de maux de dos chroniques (Price et autres, 1984). L'hypnose et l'acupuncture pourraient provoquer la libération d'endorphines, un neurotransmetteur qui est un analgésique naturel. Les endorphines sont également libérées lorsque les patients reçoivent un placebo, un faux médicament (généralement de la farine) qui augmente leurs attentes de soulagement (Levine et autres, 1979).

L'apprentissage de la relaxation semble être aussi efficace que l'hypnose dans la gestion de la douleur (Moore et Chaney, 1985 ; Turner et Chapman, 1982a). Quelques techniques de relaxation portent sur la relaxation des différents groupes musculaires. D'autres comportent des exercices respiratoires. D'autres encore portent sur l'imagerie guidée, qui détourne l'attention de la personne souffrante tout en accentuant la sensation de relaxation.

$\mathcal{3.1.5}$ LES SENS PROPRIOCEPTIFS

Les sens proprioceptifs concernent la position du corps, de la tête et des membres dans l'espace. Il en existe deux : le sens kinesthésique et le sens vestibulaire.

Il est possible, par exemple, de toucher son nez avec un doigt les yeux fermés grâce à la **kinesthésie**, des mots grecs *kinési*, signifiant « mouvement », et *aisthêsis*, signifiant « sensation ». Lorsqu'on contracte les muscles du bras, les sensations de compression et de durcissement musculaires sont également rendues possibles grâce à la kinesthésie. La kinesthésie est le sens qui informe de la position et du mouvement des parties de notre corps les unes par rapport aux autres. Ce sens est particulièrement maîtrisé pour pratiquer des mouvements de danse, comme ceux qui sont illustrés à la figure 3.9. Dans la kinesthésie, l'information sensorielle est retransmise au cerveau par les organes sensoriels des articulations, des tendons et des muscles.

Le **sens vestibulaire** indique la position par rapport à l'espace environnant. C'est par ce sens qu'une personne sait si elle est droite et en position d'équilibre. Les organes sensoriels logés dans les **canaux semi-circulaires** de l'oreille interne contrôlent le mouvement et la position du corps relativement à la force de la gravité. Ces canaux signalent à la personne qu'elle est en train de tomber et lui donnent des indices sur les déplacements de son corps. C'est aussi le sens vestibulaire qui procure la sensation d'accélération dans un moyen de transport, comme l'avion de la figure 3.10.

> **MYTHE OU RÉALITÉ 4**
>
> *Il est vrai qu'une infection à l'oreille peut provoquer des étourdissements et, éventuellement, des nausées. Un individu pourrait alors avoir constamment l'impression de sortir d'un manège de La Ronde. Les canaux semi-circulaires responsables de l'équilibre sont en effet situés dans notre oreille interne.*

$\mathcal{3.2}$ LA PERCEPTION

L'information sensorielle transmise au cerveau fournit la matière première de la perception. La plus grande partie du travail de la construction de la perception commence alors. Le cerveau sélectionne, organise et interprète les sensations, ce qui, dans la vie réelle, nous permet habituellement de percevoir un monde cohérent, organisé et tridimensionnel.

$\mathcal{3.2.1}$ LA SÉLECTION DE L'INFORMATION

Une série de mécanismes perceptifs déterminent la sélection de l'information. Les seuils de perception concernent la possibilité de capter une information sensorielle ou une variation de l'information sensorielle. L'attention joue un rôle de filtre actif de l'information, qui peut aussi être captée automatiquement ou même sans qu'on en ait conscience. Des mécanismes permettent également de ne plus ressentir ou percevoir des stimuli trop répétitifs ou trop habituels.

• LA DÉTECTION DES SIGNAUX

Pour qu'une information sur le monde extérieur parvienne au système nerveux central, il faut d'abord que l'un des sens la saisisse. Une immense quantité d'informations potentielles échappe aux capteurs sensoriels, parce que certains signaux ne sont pas assez intenses ou présentent des variations trop subtiles. Les **seuils de détection** désignent les niveaux de stimulus minimaux nécessaires pour qu'un sens puisse les capter. Il existe deux types de seuils de détection, les seuils absolus et les seuils différentiels.

Un **seuil absolu** représente le niveau de stimulation minimal nécessaire pour causer une sensation. Par exemple, la quantité d'énergie physique nécessaire pour activer le nerf visuel

---

Kinesthésie (sens kinesthésique)
Sens qui nous informe au sujet de la position de notre tête et de nos membres par rapport à notre tronc.

Sens vestibulaire
Sens de l'équilibre qui informe de la position du corps relativement à la force de gravité.

Canaux semi-circulaires
Structures de l'oreille interne qui contrôlent le mouvement et la position du corps. En partie responsables de l'équilibre.

FIGURE 3.9 LE SENS KINESTHÉSIQUE

La danseuse reçoit de l'information au sujet de la position et du mouvement des parties de son corps grâce à la kinesthésie. L'information sensorielle est acheminée au cerveau par des organes sensoriels situés dans les articulations, les tendons et les muscles.

Seuil de détection
Intensité minimale de stimulation nécessaire pour produire une sensation donnée.

Seuil absolu
Intensité minimale d'énergie en mesure de produire une sensation au moins 50 % des fois où un stimulus est présenté.

est le seuil absolu de la lumière. Au-dessous de ce seuil, la détection de la lumière est impossible (Haber et Hershenson, 1980). Le tableau 3.1 donne le détail des seuils absolus de perception.

 MYTHE OU RÉALITÉ 5

Par une nuit noire et sans nuages, on pourrait apercevoir la lumière d'une simple chandelle à une distance de 48 km. C'est un exemple de seuil absolu. Ainsi, lors de l'incendie du faubourg Saint-Roch à Québec, en 1845, on pouvait apercevoir les lueurs du feu jusqu'au lac Saint-Pierre, situé 160 km plus à l'ouest.

Le **seuil différentiel** indique quant à lui la différence de stimulation nécessaire pour occasionner une différence de perception. La **loi de Weber** stipule que le seuil différentiel est proportionnel à l'intensité des stimuli. On perçoit plus facilement la différence entre des stimuli d'intensités faibles qu'entre des stimuli d'intensités élevées : on perçoit plus facilement la différence entre un poids de 5 kilos et un poids de 10 kilos, que la différence entre un poids de 100 kilos et un poids de 105 kilos.

Pour mesurer les deux types de seuils de perception, les psychologues ont convenu d'un critère de détection de 50 %. Si un groupe de sujets parvient, par exemple, à détecter le son de la corne de brume de Tadoussac plus de la moitié des fois où on la fait entendre à une distance donnée, on établira le seuil absolu de détection auditive au volume du son de la corne. Il faut aussi tenir compte des **bruits** ambiants, comme le vent et les vagues, qui peuvent produire des interférences et nuire à la détection du signal sonore.

En plus des caractéristiques physiques des stimuli, la **théorie de détection des signaux** tient compte des facteurs physiologiques et psychologiques qui affectent les seuils de détection. La qualité des récepteurs est l'un de ces facteurs. Une personne myope sans ses lunettes a besoin d'une plus grande intensité de stimulation visuelle pour pouvoir effectuer une détection. Des facteurs psychologiques entrent aussi en ligne de compte : un marin habitué à se fier aux signaux de la corne de brume sera apte à détecter beaucoup mieux ce signal que les touristes de passage recrutés pour l'expérience.

FIGURE 3.10 LE SENS VESTIBULAIRE

Ce sens permet de sentir l'accélération d'un avion qui décolle.

Seuil différentiel
Différence minimale d'intensité nécessaire pour différencier deux stimuli au moins 50 % des fois où ils sont présentés.

Loi de Weber
Loi de la perception selon laquelle le seuil différentiel est proportionnel à l'intensité des stimuli. On perçoit plus facilement la différence entre des stimuli d'intensités faibles qu'entre des stimuli d'intensités élevées.

Bruit
1. Dans la théorie de détection des signaux, tout signal indésirable qui entrave la perception du signal à transmettre; 2. Dans l'audition, combinaison de sons discordants.

Théorie de détection des signaux
Approche selon laquelle la perception des stimuli sensoriels repose sur l'interaction de facteurs physiques, biologiques et psychologiques.

TABLEAU 3.1 QUELQUES SEUILS DE DÉTECTION ABSOLUS ET D'AUTRES CARACTÉRISTIQUES DES SYSTÈMES SENSORIELS CHEZ L'ÊTRE HUMAIN

SENS	STIMULUS	RÉCEPTEURS	SEUIL
Vision	Énergie électromagnétique	Bâtonnets et cônes dans la rétine	La flamme d'une chandelle vue à une distance d'environ 48 km par une nuit noire et sans nuages
Ouïe	Variations de pression	Cellules ciliées sur la membrane basilaire de l'oreille interne	Le tic-tac d'une montre à une distance d'environ 6 m dans une pièce silencieuse
Goût	Substances chimiques dissoutes dans la salive	Bourgeons gustatifs sur la langue	5 ml de sucre dissous dans 7,5 l d'eau
Odorat	Substances chimiques	Cellules réceptrices dans la partie supérieure de la cavité nasale (le nez)	Une goutte de parfum diffusée dans une petite maison (1 partie dans 500 millions)
Toucher	Déplacement mécanique	Terminaisons nerveuses logées sur la peau	L'aile d'une mouche tombant sur la joue à une distance de 1 cm

Source : adaptation de Galanter (1962).

• L'ATTENTION SÉLECTIVE

La structure des stimuli n'influence pas seulement la détection des signaux; elle influence également la priorité qu'on accorde aux stimuli. Les stimuli animés, nouveaux, intenses, répétitifs et contrastés captent plus facilement l'attention. L'organisme est préparé à réagir

FIGURE 3.11 LA PUBLICITÉ

Les concepteurs de publicités savent utiliser les principes de la perception pour capter l'attention des consommateurs. Les stimuli qu'ils créent sont toujours nouveaux, inusités, contrastés, intenses et, pourtant, répétitifs.

Attention sélective

Capacité de se concentrer sur certains stimuli en en ignorant d'autres.

Effet *cocktail party*

Capacité à sélectionner une source de stimulations parmi plusieurs sources simultanément disponibles.

FIGURE 3.12 L'ÉTAL DE NOURRITURE

Les besoins et la motivation influencent l'attention sélective. Une personne qui a faim sera plus sensible aux odeurs de nourriture.

à des signaux qui se distinguent ou qui indiquent un changement dans les conditions extérieures. Cette disposition perceptive permet de mieux s'adapter à un environnement en constante transformation et potentiellement menaçant. Les stimuli intenses éveillent les sens et déjouent des habitudes perceptives qui tendent à nous faire oublier les stimuli ordinaires. Les publicités qu'on voit à la figure 3.11 jouent sur ces facteurs pour capter notre attention.

Une grande partie des signaux potentiels échappent à nos sens parce qu'ils ont une intensité insuffisante ou parce qu'ils passent inaperçus. On reçoit quand même beaucoup plus de stimulations sensorielles qu'on peut en interpréter. Pour éviter la surcharge, la perception est pourvue de filtres. Certains de ces filtres agissent automatiquement, d'une manière involontaire (voir la section sur l'automatisation et la perception subliminale). Il est également possible de concentrer volontairement son attention sur une partie des stimuli. Bien entraînés, les filtres perceptifs sont capables de sélectionner l'information avec une grande efficacité (Arguin, 2003). Une structure à la base du cerveau, la formation réticulée, joue un rôle dans le filtrage des sensations. Cette structure est aussi impliquée dans le maintien de la vigilance et dans la régulation du sommeil.

L'**attention sélective** peut être considérée comme un synonyme de la concentration. Elle consiste à « centrer volontairement ses mécanismes de perception sur un stimulus particulier et [à] traiter activement cette information en négligeant les stimuli non pertinents » (Bérubé, 1991, p. 5). Un exemple classique pour illustrer la capacité de l'attention à changer rapidement de cible est nommé l'**effet *cocktail party*** et concerne la capacité à sélectionner une source donnée parmi plusieurs conversations différentes dans une pièce bruyante lors d'une soirée.

L'attention sélective comporte deux tâches d'égale importance : enregistrer les données choisies et éliminer les autres données également disponibles, mais non pertinentes (Milliken et autres, 1998). L'accomplissement de ces deux tâches est volontaire, mais elle requiert la mobilisation de ressources cognitives limitées. Au-delà d'une certaine quantité d'informations, les capacités sensorielles ou le cerveau sont surchargés. Des informations pertinentes sont alors perdues tandis que de l'information non pertinente parvient jusqu'à la conscience. Les personnes fatiguées et les enfants hyperactifs se laissent plus facilement distraire par les stimuli non pertinents.

Les capacités de l'attention sélective sont influencées par des facteurs physiologiques. L'âge et l'acuité sensorielle influencent la quantité d'informations qu'une personne peut traiter. La consommation de drogues et la maladie altèrent les capacités d'attention : certains stimuli peuvent absorber une personne fiévreuse, tandis qu'elle aura peut-être beaucoup de difficultés à se concentrer si elle doit effectuer des tâches comme prendre un médicament ou téléphoner.

Des facteurs psychologiques jouent un rôle encore plus important dans l'attention sélective. Les attentes et l'expérience augmentent la quantité d'informations qui peut être traitée. Les stimuli attendus et connus sont plus faciles à traiter. La pratique permet d'anticiper et d'accomplir plus rapidement des tâches plus complexes. Un pilote de ligne expérimenté peut à la fois porter attention aux conditions atmosphériques, amorcer la descente de l'avion et parler au contrôleur aérien. Un novice a besoin de toutes ses ressources seulement pour manœuvrer la sortie du train d'atterrissage.

La motivation, les besoins et les émotions sont d'autres facteurs psychologiques qui jouent un rôle sur l'attention sélective. Une personne qui a faim remarquera davantage la nourriture sur les étalages d'un marché comme celui qui est illustré à la figure 3.12. Quant aux émotions, elles peuvent occasionner des déformations de l'information. La psychanalyse souligne comment les pulsions et les désirs inconscients influencent la perception de la réalité. Nos expériences émotives et nos désirs enfouis nous amènent parfois à adopter des mécanismes de défense destinés à nous prémunir contre l'angoisse (Sandler et Freud, 1985). Ces mécanismes agissent comme des filtres perceptifs (Chesni, 1992).

Ce n'est pas par hasard que Sébastien Chicoine n'a pu s'empêcher d'écouter la conversation de ses deux voisines au café où il étudie. Les filles parlent d'un voyage au Guatemala et Sébastien est fasciné par ce qu'elles en disent, au point qu'il ne remarque plus ce qui se passe autour de lui. Un psychanalyste considérera que l'attention de Sébastien a été attirée par la conversation des filles parce que leurs propos rejoignent des désirs inconscients chez lui. Par contre, il n'avait pas remarqué auparavant que ses deux voisines avaient parlé de lui un peu plus tôt, d'une façon plus ou moins flatteuse, ce qu'un psychanalyste interprétera comme une réaction de défense.

 MYTHE OU RÉALITÉ 6

Il est exact qu'une personne, parfois, n'entend pas certains sons parce qu'elle ne veut pas les entendre.

• L'AUTOMATISATION ET LA PERCEPTION SUBLIMINALE

L'augmentation de l'efficacité perceptive avec la pratique découle largement de l'**automatisation** d'une partie du traitement de l'information. L'automatisation consiste à catégoriser grossièrement et rapidement l'information pour la traiter (Ballesteros, 1994 ; Rock et Mack, 1994). Le traitement automatique présente trois caractéristiques : il ménage les ressources de l'attention, il s'effectue sans qu'on en ait conscience et il échappe au contrôle (Reisberg, 2001).

Tout est une question d'économie des ressources cognitives. Il est beaucoup plus efficace, pour fonctionner dans l'environnement, d'acquérir des mécanismes automatiques de traitement de l'information que de toujours soumettre chaque stimulus à l'attention consciente. L'apprentissage d'une tâche nouvelle (parler une nouvelle langue, s'adonner à un nouveau sport) consiste, pour une large part, à apprendre à percevoir, à condenser et à traiter utilement une grande quantité d'informations. La compréhension du langage requiert l'utilisation généralisée de mécanismes perceptifs très puissants mais inconscients. Neely (1977) a par exemple testé qu'un mot présenté très rapidement activait automatiquement toute une série de mots associés. Quand ses sujets voyaient le mot « corps », leur temps de réaction au mot « bras » était considérablement réduit.

Le traitement automatique agit aussi comme un réflexe. Par exemple, la lecture repose sur l'acquisition par la pratique d'automatismes puissants (Eysenck et Keane, 1990). Il est presque impossible pour des adultes alphabétisés de s'empêcher de lire des mots écrits qui se présentent dans leur champ visuel. L'expérience de Stroop, présentée dans l'encadré 3.4, en est une illustration classique.

La perception automatique est en partie subliminale, car elle implique l'enregistrement par le cerveau d'informations qui n'atteignent pas directement le seuil de la conscience (Dodwell, 1999).

Beaucoup d'inexactitudes sont véhiculées sur la **perception subliminale**. Il existe surtout des légendes sur la possibilité de manipuler mécaniquement le comportement par des stimuli qui échappent à la perception consciente. Des publicitaires ont cru, par exemple, que des mots projetés trop vite pour qu'on puisse les lire pouvaient pousser à la consommation compulsive. De même, des enregistrements de musique comportant des messages impossibles à entendre aideraient à maigrir ou à cesser de fumer, et Satan lui-même encouragerait les amateurs de rock au suicide et à la drogue par sa voix inaudible enregistrée à l'envers (Vokey et Read, 1985).

Dans tous ces cas, il semble bien que le message soit si subliminal qu'il n'est en fait pas perçu du tout. La publicité subliminale a été inventée par James Vicary, qui avait glissé dans un film des cadres d'un vingt-cinquième de seconde suggérant de boire du Coke et de manger du maïs soufflé. À l'entracte, les spectateurs se seraient rués vers le comptoir à friandises du cinéma. Cette « expérience » des années cinquante avait eu un grand retentissement, si bien qu'il a fallu à Vicary des années pour reconnaître qu'il s'agissait d'une fraude destinée à

Automatisation
Capacité à traiter l'information sans y accorder d'attention consciente. Cette capacité se développe avec l'expérience.

Perception subliminale
Perception se situant en deçà du seuil de la conscience.

ENCADRÉ 3.4
La tâche de Stroop

En 1935, John Ridley Stroop a inventé une méthode expérimentale classique qui illustre la puissance des automatismes perceptifs. Dans cette expérience, qui a fait l'objet de beaucoup de variantes, des sujets doivent nommer des couleurs dès qu'ils les aperçoivent. Les couleurs sont présentées sous forme de lettres colorées. Dans la condition de base, les lettres colorées forment des mots neutres, par exemple, parapluie écrit en rouge. Les sujets doivent identifier la couleur rouge. Dans la condition expérimentale, les mots présentés aux sujets sont des noms de couleurs écrits dans une couleur différente, par exemple, le mot vert écrit en rouge. Les sujets doivent nommer la couleur qu'ils perçoivent, et non lire.

Typiquement, leur temps de réaction est considérablement ralenti lorsque le mot est un nom de couleur. Les sujets ne peuvent s'empêcher de lire le mot *vert*, qui interfère avec leur capacité à nommer rapidement la couleur rouge qu'ils ont effectivement perçue (Parkin, 2000). Les résultats qu'on observe à la tâche de Stroop permettent de constater que les automatismes perceptifs acquis agissent effectivement comme des réflexes et qu'ils peuvent interférer avec une tâche délibérée, comme nommer des couleurs. Des sites Internet proposent des variantes en ligne de la tâche de Stroop, que les internautes peuvent conduire eux-mêmes (voir dans la médiagraphie).

Les sujets ont beaucoup de mal à nommer la couleur plutôt qu'à la lire. La lecture est une tâche automatique qui interfère avec la reconnaissance des couleurs.

Condition de base	Condition expérimentale
PARAPLUIE	VERT
MAISON	BLEU
BALLON	NOIR
CHANDELLE	VIOLET
BUREAU	ROUGE
AUTOCAR	JAUNE

LA TÂCHE DE STROOP

---

sauver son agence de publicité de la faillite (Epley, 1999). Quant aux cassettes subliminales pour s'aider soi-même, une équipe de chercheurs a mis à l'épreuve leur efficacité en changeant leurs étiquettes. Les sujets qui voulaient, par exemple, améliorer leur estime de soi ont en fait écouté des cassettes comportant des messages subliminaux pour augmenter leur mémoire. Curieusement, les sujets se sont dits grandement aidés par ces cassettes aux messages subliminaux mal ciblés (Greenwald et autres, 1991). Il suffit apparemment d'y croire.

MYTHE OU RÉALITÉ 7

Contrairement à une croyance répandue, les messages enregistrés à l'envers dans certaines pièces musicales n'ont pas d'effet sur le comportement.

• L'ADAPTATION SENSORIELLE ET L'HABITUATION

Deux mécanismes expliquent comment les sens et le cerveau cessent de s'activer pour les stimulations répétitives ou habituelles. Ces mécanismes sont l'adaptation sensorielle et l'habituation. L'adaptation sensorielle concerne la physiologie des sens, alors que l'habituation est un phénomène perceptif qui relève du cerveau.

Adaptation sensorielle
Tendance des récepteurs sensoriels à ne plus capter un stimulus constant.

Les sens sont d'abord pourvus d'un mécanisme spécialisé qui les prépare à traiter en priorité l'information nouvelle et l'information inattendue : l'**adaptation sensorielle**. Ce mécanisme physiologique consiste à cesser de réagir à une stimulation sensorielle continue. Le sens qui s'adapte le plus rapidement aux stimuli est l'odorat : on cesse rapidement de percevoir une odeur constante. L'adaptation de l'odorat permet aux habitants de certaines villes industrielles (La Tuque ou Cap-de-la-Madeleine, par exemple) de vivre sans être incommodés par la proximité d'usines qui dégagent des émanations odorantes. Quant aux yeux, ils font des mouvements saccadés involontaires très fréquents qui atténuent les effets de l'adaptation sensorielle. Sans ces petits mouvements constants des muscles oculaires, nos yeux s'adapteraient et on ne verrait plus rien (Delorme, 2003).

MYTHE OU RÉALITÉ 8

Il est exact que notre nez cesse de réagir à une odeur continue. C'est ce qui explique qu'on ne s'aperçoive plus de l'odeur de la peinture quand on passe plusieurs heures à en étendre sur des murs.

La plupart des stimulations qui sont disponibles dans l'environnement ne présentent pas d'intérêt, et on cesse de leur porter attention. Le cerveau apprend à ignorer ces stimulations et à les fondre dans le bruit ambiant. C'est ce qu'on nomme l'**habituation**. L'habituation est une forme rudimentaire d'apprentissage associatif dans lequel la répétition non renforcée d'un stimulus entraîne une diminution de la réponse comportementale (voir le chapitre 5). L'habituation ressemble à l'adaptation sensorielle à ceci près qu'avec l'adaptation sensorielle, les stimulations continues ne sont plus *ressenties* par les capteurs des sens, alors qu'avec l'habituation, les stimulations sensorielles deviennent des sensations auxquelles on apprend à ne plus réagir, puisqu'elles sont jugées sans intérêt. Un messager à vélo apprend par exemple à ne pas tenir compte de la plupart des bruits de voix dans la rue. Il a effectué une habituation à ces bruits. Il les ignore, mais il pourrait y porter attention s'il le voulait : il pourrait par exemple réagir s'il s'attendait à ce qu'un collègue appelle son nom pour lui transférer une enveloppe. Par contre, à force de porter son casque sur la route, le messager ne le sent même plus. C'est un cas d'adaptation sensorielle : les récepteurs cutanés de la pression sur sa tête se sont adaptés au poids du casque.

Habituation
Tendance perceptive à ne plus porter attention aux stimuli non-pertinents.

3.2.2 L'ORGANISATION DES SENSATIONS

• L'ORGANISATION DES SENSATIONS PAR LES CAPTEURS SENSORIELS ET PAR LE CERVEAU

Le cerveau humain est équipé de mécanismes spécialisés qui permettent d'organiser efficacement les sensations qui ont été sélectionnées par les mécanismes de l'attention. Certains mécanismes organisent les sensations très près des capteurs sensoriels. Il existe des cellules dans les capteurs sensoriels et dans leurs relais qui effectuent une analyse et une organisation sommaires des sensations. Certaines cellules sous-corticales, les **détecteurs de caractéristiques**, réagissent seulement à certaines configurations sensorielles. Des cellules sous-corticales des nerfs visuels réagissent, par exemple, aux angles et à certains contrastes. De même, une partie de l'organisation des sons selon leur longueur d'onde (leur fréquence) se fait dès l'oreille interne. Les centres perceptifs primaires du cerveau complètent ce travail d'organisation des sensations. Ils regroupent des éléments des perceptions pour détacher des formes et reconnaître des constances perceptives à travers des fluctuations de sensations.

Détecteur de caractéristiques
Cellules nerveuses spécialisées qui réagissent seulement à des stimuli sensoriels présentant des caractéristiques particulières (couleurs, angles, hauteur tonale, etc.).

• LES LOIS DE LA GESTALT

Un aspect important de l'organisation des sensations est la tendance perceptive à regrouper des fragments d'informations sensorielles en formes significatives. Des psychologues allemands et français, les gestaltistes (Wetheimer, Koffka, Kohler et Guillaume) ont proposé les lois de l'**organisation perceptive**. Selon les gestaltistes, le tout est perçu comme un ensemble cohérent plus grand que la somme de ses parties. Des règles d'organisation, les **lois de la gestalt** (de l'allemand *gestalt*, qui veut dire forme, ou configuration) guident la perception. Les gestaltistes ont proposé leurs lois à partir d'études portant sur la perception visuelle, mais on peut aisément les extrapoler pour les appliquer aux autres sens.

Organisation perceptive
Tendance à intégrer des éléments perceptifs en des configurations significatives.

Lois de la gestalt
Règles de l'organisation des perceptions en figures cohérentes plus grandes que la somme de leurs parties.

La plus importante des lois de la gestalt, le **contraste figure-fond**, stipule qu'on organise nos perceptions en formes se détachant d'un fond, lequel semble généralement plus éloigné de l'observateur que la figure. Bien que la distinction figure-fond ait d'abord été définie sur le plan visuel, on la rencontre également dans les autres modalités sensorielles. Dans l'effet *cocktail party*, la conversation sur laquelle on concentre son attention devient la figure, alors que les autres conversations lui servent de fond sonore.

Contraste figure-fond
Mécanisme d'organisation perceptive selon lequel on est porté à percevoir des figures se détachant d'un fond.

Par la fenêtre du casse-croûte où il est installé, Sébastien Chicoine peut apercevoir tour à tour des piétons qui passent, les panneaux qui indiquent le nom des rues, un chat, des nuages, l'escalier et l'enseigne du café d'en face. Tous ces objets constituent, au moment où Sébastien leur porte attention, des figures visuelles distinctes du reste, le fond.

ÉCLAIRCISSEMENT DE L'AMORCE

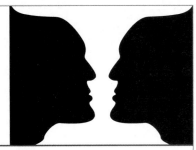

FIGURE 3.13 LE VASE DE RUBIN

Des images ambiguës permettent de constater combien la distinction figure-fond a une incidence sur l'organisation perceptive. Le vase de Rubin présenté à la figure 3.13 est dessiné de façon à permettre deux interprétations perceptives : on pourra voir tantôt un vase, tantôt une silhouette, selon ce qu'on considère comme la figure ou le fond. La figure 3.14 présente un tableau en trompe-l'œil où des indices perceptifs de la distinction figure-fond sont délibérément brouillés. La perception d'une partie du tableau peut alterner entre l'image d'un buste de Voltaire et l'image de deux religieuses (dont les têtes forment les yeux de Voltaire).

FIGURE 3.14 LE BUSTE DE VOLTAIRE
Marché d'esclaves avec buste invisible de Voltaire, par Salvador Dali.

Fermeture
Tendance à percevoir des figures complètes, même quand l'information sensorielle est lacunaire.

Proximité
Tendance perceptive à regrouper les objets qui sont proches les uns des autres.

Similitude
Tendance perceptive à regrouper les objets semblables.

Continuité
« Tendance à regrouper en formes des éléments situés en continuité les uns des autres. » (Bélaïd, 2004)

Les autres lois de la gestalt découlent du contraste figure-fond et décrivent des aspects particuliers du traitement perceptif des figures. La loi de la **fermeture** est la tendance à percevoir une configuration globale, même lorsqu'il y a des lacunes dans l'information sensorielle. La partie A de la figure 3.15, par exemple, montre des taches presque aléatoires. Toutefois, il demeure possible d'y voir un cheval et un cavalier. L'intégration de fragments décousus d'information en un tout significatif est une tendance perceptive à laquelle peut contribuer l'activation automatique de connaissances générales. La loi de la **proximité** stipule pour sa part qu'on tend à percevoir des éléments rapprochés comme appartenant à une même figure. Dans la partie B de la figure 3.15, la plupart des observateurs voudront voir trois petites tours plutôt que six lignes séparées. La loi de la **similitude** peut affecter notre perception de la partie C de la figure. Selon cette loi, on a tendance à regrouper les éléments similaires. Ainsi, on percevra plutôt trois colonnes de X et trois colonnes de O, plutôt que cinq lignes horizontales d'objets. La loi de la **continuité** rend compte de la tendance à regrouper des éléments qui se continuent les uns les autres comme l'illustre la

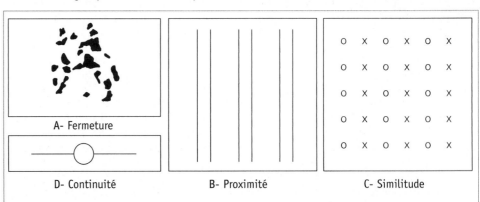

FIGURE 3.15 QUELQUES LOIS DE L'ORGANISATION PERCEPTIVE DE LA GESTALT
Ces dessins illustrent les lois de la fermeture, de la proximité, de la similitude et de la continuité.

partie D de la même figure 3.15. Finalement, selon la loi du **sort commun**, les éléments qui se déplacent collectivement sont perçus comme appartenant au même ensemble. Un groupe de personnes courant dans la même direction semblent avoir le même but.

L'encadré 3.5 sur la perception sociale illustre comment les principes de base qui viennent d'être présentés interviennent également dans notre façon d'organiser les stimuli sociaux et de percevoir les personnes de notre entourage.

Sort commun
Tendance à percevoir les éléments qui se déplacent collectivement comme appartenant au même ensemble.

• LES CONSTANCES PERCEPTIVES

L'image d'un chat à une distance de six mètres occupe environ le même espace sur la rétine qu'un insecte de quelques centimètres rampant sur la paume d'une main. Pourtant, on ne perçoit pas le chat comme aussi petit que l'insecte. Si les sensations étaient prises au pied de la lettre sans que nos connaissances du monde ne les corrigent, nos perceptions seraient chaotiques, avec des chats minuscules et des fourmis géantes. Heureusement, le cerveau ne travaille pas seulement à organiser la perception en formes significatives ; il met aussi à contribution l'expérience accumulée pour construire des perceptions stables. On acquiert ainsi la **constance de la grandeur**, qui est la tendance à percevoir un objet comme ayant une grandeur constante, même lorsque la grandeur de cette image sur la rétine varie en fonction de la distance.

Par ailleurs, les objets sont perçus comme conservant la même forme, même si l'image rétinienne change de forme lorsque l'objet pivote. Cette tendance est appelée **constance de la forme**. Le dessus d'une tasse de café ou d'un verre est toujours perçu comme rond, même si le cercle n'est visible que lorsqu'il est vu d'en haut. Nos perceptions des tasses sont influencées par nos connaissances du monde : nous savons que les tasses sont rondes, ce qui nous aide à les voir rondes. Les lois de la gestalt contribuent également à nous faire percevoir la forme ronde malgré l'imperfection du stimulus.

Constance de la grandeur
Tendance à percevoir un objet comme ayant une grandeur constante, même lorsque la grandeur de son image rétinienne varie selon la distance.

Constance de la forme
Tendance à percevoir un objet comme ayant la même forme même si l'image rétinienne change de forme selon la position de l'observateur par rapport à l'objet observé.

ENCADRÉ 3.5
La perception sociale

APPLICATION

L'organisation de la perception en structures signifiantes et l'activation de connaissances préalables pour interpréter de nouvelles expériences sont loin de s'appliquer uniquement aux objets physiques. Les candidats portent des vêtements de travailleurs compétents pour que l'employeur puisse les reconnaître comme tels. Les avocats de la défense recommandent à leurs clients de s'habiller de manière que les juges les catégorisent selon leur conception de l'honnête citoyen. Ces phénomènes relèvent du domaine de la perception sociale.

La première impression qu'une personne donne d'elle-même a tendance à persister. Si cette personne laisse autrui la percevoir comme impolie ou froide, elle risque que tous ses agissements soient interprétés en fonction de cette impression initiale. Dans une étude sur le sujet, Asch (1946) a demandé à des gens d'imaginer un individu «intelligent, travailleur, impulsif, critique, entêté et envieux». À un autre groupe de personnes, il a demandé exactement la même chose, mais en inversant totalement l'ordre des qualificatifs. Ainsi, pour le second groupe, les traits négatifs apparaissaient en premier et les traits positifs se retrouvaient à

la fin de la liste. Les sujets des deux groupes semblent avoir été influencés par leur première impression. En effet, ceux qui ont pris connaissance des traits positifs en premier ont eu une meilleure opinion de la personne décrite que ceux qui avaient commencé par lire les traits négatifs. Pourtant, les qualificatifs étaient identiques (Gergen et autres, 1992).

Asch (1946) a aussi démontré que les gens pouvaient inventer des traits de personnalité à un individu en fonction de petits indices, comme on complète une figure partielle dans les expériences des gestaltistes. Par exemple, on pouvait présenter une personne hypothétique à des sujets en leur mentionnant sept traits la décrivant. À un premier groupe, Asch décrivait l'individu comme étant intelligent, travailleur, habile, déterminé, pratique, prudent et chaleureux. À un deuxième groupe, les qualificatifs étaient les mêmes, à l'exception du dernier : «chaleureux» avait été remplacé par «froid». Les deux groupes de sujets devaient, par la suite, décrire le portrait global de la personne hypothétique. Asch a constaté une différence appréciable entre la description du premier groupe et

celle du deuxième. Les sujets qui avaient la liste de qualificatifs contenant le mot «chaleureux» décrivaient la personne comme étant populaire et heureuse, alors que les sujets auxquels on avait mentionné le qualificatif «froid» la décrivaient comme étant impopulaire, malheureuse et avare ! (Gergen et autres, 1992). Certains traits particuliers peuvent donc influencer la perception de la personne tout entière, et ces traits fondamentaux changent grandement l'opinion qu'un individu se fait des autres.

D'autres auteurs se sont penchés sur les préjugés. Les préjugés servent de raccourcis pour organiser l'information dont on dispose sur des groupes de personnes (Gergen et autres, 1992). Il est plus facile, si on voyage en Europe, de changer ses attentes dans chaque pays en fonction de préconceptions que d'être tout à fait ouvert à des expériences nouvelles et de devoir réapprendre les us et coutumes à chaque étape (Jeanneney, 2000). Les préjugés sont nuisibles quand ils sont trop rigides, qu'ils déforment nos perceptions ou qu'ils nous entraînent à déprécier les gens sur qui ils portent (Devine, 2001).

Constance des couleurs

Tendance à percevoir un objet dans sa couleur originale même si les conditions d'éclairage modifient la lumière qui en provient.

FIGURE 3.16 LE MESSAGER À VÉLO

Il lui faut user d'attention sélective et savoir décoder les indices visuels de la profondeur pour évaluer la vitesse des voitures qui l'entourent.

Indice binoculaire

Stimulus évoquant la profondeur et nécessitant l'action simultanée des deux yeux.

Disparité rétinienne

Indice binoculaire de profondeur fondé sur la différence d'image projetée par un objet sur la rétine de chaque œil.

Convergence oculaire

Indice binoculaire de profondeur fondé sur l'angle que forment les yeux avec un objet lorsque les yeux focalisent vers cet objet.

On acquiert également une **constance des couleurs**, c'est-à-dire la tendance à percevoir un objet dans une couleur constante même si les conditions d'éclairage modifient son apparence. La lumière reflétée par un édifice en briques rouges variera du brun au rouge clair, selon l'éclairage changeant du soleil aux différentes heures du jour, mais on tendra néanmoins à le percevoir comme un édifice en briques rouges.

3.2.3 L'INTERPRÉTATION DES INFORMATIONS SENSORIELLES

Une partie de l'information perceptuelle n'est pas directement accessible aux sens, notamment la troisième dimension et le mouvement, qui doivent être interprétés par le cerveau. Le cerveau utilise efficacement une information sensorielle minimale pour faire des inférences. Quand on connaît bien le fonctionnement de la perception, il est possible de concevoir des stimulations sensorielles ambiguës qui trompent nos attentes et nos mécanismes perceptifs. Ce que ces illusions trompent, ce n'est pas tant les sens que le cerveau, qui les organise et les interprète.

• LA PERCEPTION DE LA PROFONDEUR

Quand un messager à vélo comme celui de la figure 3.16 pédale dans les rues du centre-ville de Montréal, il doit traiter une très grande quantité d'informations. En plus de devoir utiliser avec efficacité son attention sélective, il lui faut faire rapidement des calculs sur la distance. Une source importante d'information pour effectuer ces calculs repose sur deux types d'indices : les indices binoculaires et les indices monoculaires.

Indices binoculaires. La vision en trois dimensions résulte d'abord du fait d'avoir deux yeux qui travaillent de concert. Ils fournissent au cerveau deux informations visuelles convergentes, mais légèrement décalées. Les **indices binoculaires** désignent les indices requérant la participation des deux yeux. Ce sont la disparité rétinienne et la convergence.

La **disparité rétinienne** désigne le léger décalage entre les informations visuelles fournies par chacun des deux yeux. On peut constater la disparité rétinienne en tenant le poing fermé devant son visage et en fermant alternativement chacun des deux yeux : les deux images perçues sont légèrement différentes. Le cerveau recoupe et corrige ce décalage pour construire une perception unifiée qui sert aussi à évaluer les distances.

La **convergence oculaire** est un indice qui provient des mouvements des yeux dans les globes oculaires. En effet, pour maximiser la vision des objets fixés, les deux yeux tendent à s'orienter vers celui-ci de façon que l'image se forme au centre de la rétine, point où la vision est la plus précise. L'angle formé par l'objet et les deux yeux fournit au cerveau un indice de profondeur, ainsi qu'on peut l'observer sur la figure 3.17. Les indices binoculaires de disparité rétinienne et de convergence sont plus prononcés à de courtes distances.

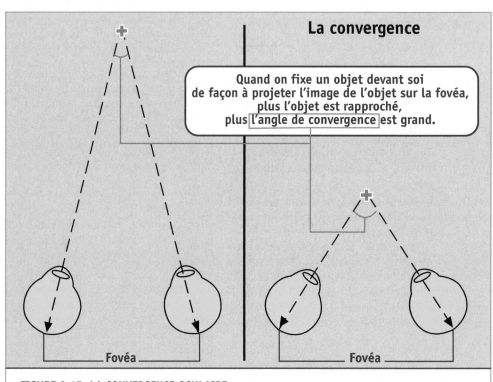

La convergence

Quand on fixe un objet devant soi de façon à projeter l'image de l'objet sur la fovéa, plus l'objet est rapproché, plus l'angle de convergence est grand.

Fovéa

Fovéa

FIGURE 3.17 LA CONVERGENCE OCULAIRE

Si on fixe un objet de manière à en obtenir une image claire, les yeux forment un angle de convergence. Plus l'objet est rapproché, plus l'angle de convergence est petit.

Indices monoculaires. Grâce aux **indices monoculaires**, les borgnes devraient également être en mesure de distinguer la profondeur ou la distance des objets. Les indices monoculaires permettent également l'illusion du réel dans des représentations à deux dimensions comme la peinture ou la photo.

Les artistes se servent beaucoup de l'indice monoculaire de **perspective linéaire**, qui est la tendance à percevoir des lignes convergentes comme un point de fuite qui s'éloigne de l'observateur. On constate l'effet de perspective quand on regarde une voie ferrée. Plus les rails sont éloignés de l'observateur, plus les lignes parallèles qu'ils sont en réalité convergent vers un même point.

La perspective est interprétée de concert avec la **taille relative**, qui est une déduction de la distance à partir de ce qu'on connaît de la taille des objets. À taille égale, les objets éloignés forment une image rétinienne plus petite que les objets rapprochés. Le système perceptif tend alors à interpréter l'image plus petite comme celle d'un objet plus éloigné, mais de taille réelle.

Le **gradient de texture** constitue un autre indice que les artistes peuvent aisément manipuler : plus les objets sont rapprochés de l'observateur, plus les éléments formant leur texture sont distants les uns des autres.

La **netteté** des contours d'un objet indique également sa distance par rapport à l'observateur. L'expérience montre qu'il est plus facile de discerner des détails sur des objets rapprochés. Dans la figure 3.18, Vasarely utilise la clarté des lignes en plus de la perspective pour obtenir un effet tridimensionnel.

Les **ombres** fournissent d'autres renseignements au sujet de la profondeur. En effet, les objets opaques bloquent la lumière et produisent des ombres. Les ombres et les reflets renseignent sur la forme tridimensionnelle des objets et sur leur position par rapport à la source lumineuse.

Le recouvrement, ou l'**interposition**, sans doute l'un des indices de profondeur les plus forts, est également le premier indice que les artistes ont découvert (Delorme, 1982 ; Delorme, 2003). L'expérience incite à percevoir les objets partiellement recouverts comme plus éloignés que les objets qui les cachent en partie. Le tableau de la figure 3.19 présente une figure impossible en jouant sur l'indice d'interposition.

Finalement, la **parallaxe de mouvement** est un indice de profondeur qui entre en jeu lorsqu'on est en mouvement, par exemple quand on regarde à l'extérieur d'une automobile en

Indice monoculaire
Stimulus évoquant la profondeur en ne requérant qu'un seul œil.

Perspective linéaire
Indice monoculaire de profondeur fondé sur la convergence, au niveau de l'image rétinienne, de lignes en réalité parallèles, mais dont une des extrémités s'éloigne de l'observateur.

Taille relative
Indice monoculaire de profondeur fondé sur la connaissance de la taille des objets. Les objets formant une image rétinienne plus petite sont perçus comme plus éloignés.

Gradient de texture
Indice monoculaire de profondeur fondé sur la distance relative entre les éléments constituant une texture.

Netteté
Degré de précision des contours formés au niveau de l'image rétinienne.

Ombre
Indice monoculaire de profondeur fondé sur le fait que les objets opaques bloquent la lumière et produisent des ombres.

Interposition
Indice monoculaire de profondeur fondé sur le fait qu'un objet rapproché éclipse une partie de l'objet derrière lui.

Parallaxe de mouvement
Indice monoculaire de profondeur. Si l'observateur est en mouvement, les parties rapprochées de son champ visuel changent davantage que les parties plus éloignées.

FIGURE 3.18 TABLEAU DE VASARELY

Comment l'artiste utilise-t-il les indices monoculaires de perception de la profondeur pour conférer à cette image un aspect tridimensionnel ?

FIGURE 3.19 « BLANC SEING »,
UN TABLEAU IMPOSSIBLE
DE MAGRITTE

Le peintre confond délibérément la perception monoculaire de profondeur en utilisant l'indice d'interposition.

mouvement. Les parties rapprochées du champ visuel changent alors rapidement dans la rétine (les affiches sur le bord de la route, les arbres plantés sur le terre-plein), alors que les parties plus éloignées du champ visuel semblent presque fixes (les arbres éloignés, les fermes au fond des champs).

• LA PERCEPTION DU MOUVEMENT

Le mouvement est une autre dimension perceptive que le cerveau doit déduire. Les images qui se forment dans la rétine sont fixes comme celles que capte une caméra. Le cerveau garde brièvement en mémoire les sensations, ce qui permet de comparer les changements dans le champ perceptif et de déduire le mouvement; c'est cette caractéristique qui permet d'avoir une impression de continuité quand nous visionnons un film.

Dans le but de comprendre les mécanismes de la perception du mouvement, les psychologues ont étudié différentes situations qui créent l'illusion du mouvement. Parmi ces illusions, on compte le mouvement stroboscopique, le phénomène phi et l'effet autocinétique.

Mouvement stroboscopique. Le **mouvement stroboscopique** est à l'origine de l'invention du cinéma. Dans le mouvement stroboscopique, l'illusion de mouvement est donnée par la présentation d'une séquence rapide d'images d'objets stationnaires (Beck et autres, 1977). Les films ne sont pas réellement constitués d'images qui bougent : comme dans l'exemple présenté à la figure 3.20, les spectateurs voient défiler 24 photogrammes à la seconde, chaque image différant légèrement de la précédente. L'illusion de mouvement est donc créée grâce à une projection d'images en séquences rapides.

FIGURE 3.20 LE MOUVEMENT STROBOSCOPIQUE

Dans un film, la vision d'une série d'images défilant à la vitesse de 24 à la seconde donne l'illusion du mouvement.

Les enfants font parfois des dessins légèrement différents d'une page à l'autre d'un calepin, ce qui leur permet de créer ainsi un dessin animé en tournant très rapidement les pages. Ils expérimentent alors le mouvement stroboscopique.

Phénomène phi. Le **phénomène phi** est un type de mouvement stroboscopique. Ce phénomène se trouve dans les grands titres de l'actualité défilant rapidement sur des écrans lumineux dans le métro, ou encore sur des tableaux d'affichage publicitaire. Ce qui se produit en réalité, c'est qu'une rangée de lumières est allumée, puis éteinte. Dès que la première rangée est éteinte, la deuxième s'allume, et ainsi de suite sur des centaines de rangées. Lorsque la commutation s'effectue rapidement, on assiste au phénomène phi : le clignement séquentiel des lumières est perçu comme un mouvement. Il s'agit donc du même principe que le mouvement stroboscopique, mais la lumière remplace ici l'image. Les mouvements apparents résultent de la loi de la continuité. On a tendance à percevoir une série de points comme ayant une unité, de sorte que la série de lumières (points) est perçue comme des lignes en mouvement.

Effet autocinétique. Une personne assise dans une pièce obscure et fixant un point de lumière projeté sur le mur opposé pourrait croire, après un moment, que la lumière a commencé à bouger, même si cette lumière est demeurée immobile. La tendance à percevoir un point de lumière stationnaire comme s'il se déplaçait, dans une pièce plongée dans l'obscurité, est appelée **effet autocinétique**.

Certains artistes parviennent à créer une illusion de mouvement. La figure 3.21 est une image d'art optique de Bridget Riley. Lorsque le regard est fixé sur un point de l'image, les zones voisines semblent être en mouvement. Cette œuvre utilise des traits picturaux pour créer l'illusion de mouvement. Dans ce cas, il s'agit d'un motif moiré dans lequel des lignes

Mouvement stroboscopique
Illusion visuelle par laquelle la perception de mouvement est engendrée par une série d'images stationnaires et légèrement différentes, présentées en succession rapide.

Phénomène phi
Perception de mouvement résultant de la présentation séquentielle de stimuli visuels lumineux.

Effet autocinétique
Tendance à percevoir un point de lumière stationnaire comme s'il était en mouvement dans une pièce plongée dans l'obscurité.

ondulées presque identiques sont placées côte à côte. Il est presque impossible de percevoir la continuité de l'une des lignes de l'image. Le regard a plutôt tendance à sautiller sans cesse d'une ligne à l'autre. Ce sautillement incessant provoque la perception de vibrations dans les lignes, ce qui se traduit par une impression de mouvement.

• LES FIGURES IMPOSSIBLES ET LES ILLUSIONS GÉOMÉTRIQUES

Outre les illusions concernant le mouvement, on trouve d'autres situations qui peuvent produire des **illusions perceptives**. Les deux figures impossibles montrées à la figure 3.22 montrent des objets en deux dimensions qui comportent de faux indices sur la troisième dimension (l'escalier infini) et de faux indices sur la constance de la forme (le faux trident).

Par ailleurs, les illusions géométriques présentées à la figure 3.23 présentent des indices visuels conçus pour tromper le cerveau.

Dans l'illusion conçue par Hering-Helmholtz, les deux lignes horizontales sont droites et parallèles. Cependant, les lignes rayonnantes les font paraître incurvées près du centre. Deux phénomènes perceptifs expliquent cette illusion : le contraste figure-fond et la perspective. On tend à traiter la zone centrale comme la figure d'un cercle devant une série de lignes rayonnantes qui s'en éloignent. L'impression de profondeur force la perception de courbes dans les deux lignes horizontales.

L'illusion de Müller-Lyer présente quant à elle deux lignes de même longueur. Pourtant, la ligne de droite ayant des pointes de flèche inversées paraît plus longue. Il semble que l'expérience pousse à percevoir les lignes verticales comme les parties d'une figure tridimensionnelle : l'extérieur d'une maison, à gauche, et le coin d'une pièce vue de l'intérieur d'une maison, à droite. Les pointes de flèche inversées à droite sont perçues comme les lignes où les murs rejoignent le plafond et le plancher. On perçoit ces lignes comme si elles se rapprochaient. Les pointes de flèche à gauche sont les lignes de murs extérieurs qui rejoignent le toit et les fondations. On les perçoit comme si elles s'éloignaient. La ligne verticale à droite est donc perçue comme plus éloignée. Les deux lignes verticales stimulent la même expansion de la rétine, mais le principe de la constance de grandeur incite à percevoir la ligne de droite comme plus longue en fonction de son contexte.

Dans l'illusion de Ponzo, les deux lignes horizontales sont de la même longueur. Pourtant, la ligne du haut peut sembler plus longue. La perspective et la règle de constance de grandeur s'appliquent à ce cas. Les lignes convergentes apparaissent encore comme des lignes

Illusion perceptive
Sensation qui engendre une erreur perceptive.

FIGURE 3.21 « CURRENT », UN TABLEAU DE BRIDGET RILEY

Dans cette image d'art optique, l'illusion de mouvement est créée grâce à un motif moiré au sein duquel des lignes ondulées presque identiques sont placées côte à côte, provoquant ainsi une perception de mouvement.

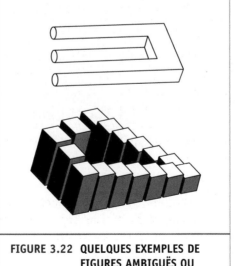

FIGURE 3.22 QUELQUES EXEMPLES DE FIGURES AMBIGUËS OU IMPOSSIBLES

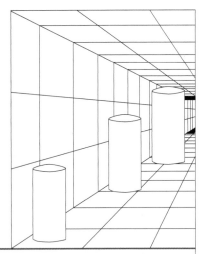

FIGURE 3.24 LES TROIS CYLINDRES

L'illusion créée par le principe de la constance de grandeur. Dans ce dessin, les trois cylindres sont de la même grosseur, mais ils semblent devenir plus gros vers la partie supérieure de l'image.

parallèles qui s'estompent au loin, comme une voie ferrée. La ligne horizontale du haut paraît plus loin sur cette voie ferrée, donc plus éloignée de l'observateur. La règle de constance de grandeur indique que si les objets semblent de même grandeur et que l'un d'eux est plus éloigné, l'objet le plus éloigné doit être le plus grand. L'observateur perçoit donc la ligne supérieure comme plus longue.

Dans l'illusion de Titchener, les cercles au centre des deux figures paraissent de grosseurs différentes simplement par effet de contraste, par rapport aux autres cercles de la même figure.

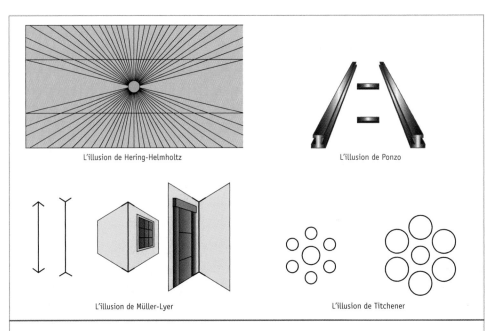

L'illusion de Hering-Helmholtz

L'illusion de Ponzo

L'illusion de Müller-Lyer

L'illusion de Titchener

FIGURE 3.23 LES ILLUSIONS PERCEPTIVES

Dans l'illusion d'Hering-Helmholtz, les lignes horizontales sont-elles droites ou incurvées ? Dans l'illusion de Müller-Lyer, les lignes verticales sont-elles de longueur identique ? La question se pose également pour les lignes horizontales de l'illusion de Ponzo. Enfin, dans l'illusion de Titchener, les deux cercles centraux sont-ils de même dimension ? Pourquoi ne pas les mesurer ?

Dans la figure 3.24, les trois cylindres ont tous la même taille, mais semblent de plus en plus gros vers la droite. Les lignes dessinées autour des cylindres créent un point de fuite et une illusion de perspective. Les cylindres semblent donc de plus en plus éloignés. On tend à organiser sa perception des cylindres relativement à ce contexte. Le cylindre de droite semble plus éloigné, donc plus grand que le cylindre de gauche, qui semble plus rapproché, et donc plus petit. Le principe de constance de grandeur explique qu'on interprète différemment la taille d'un objet selon sa localisation dans le champ visuel.

LA SENSATION

implique différents sens

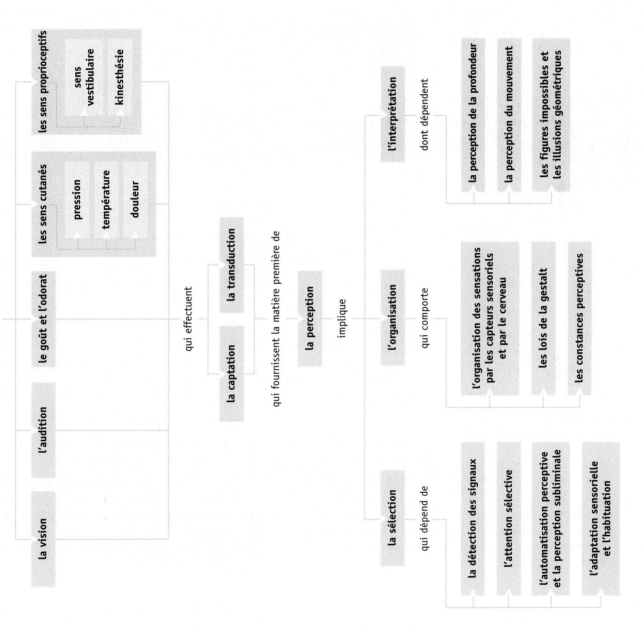

Introduction : sensation versus perception

1. Ajoutez les concepts ou les éléments de définition qui manquent à ce tableau

	Sensation	
Types de mécanismes	Mécanismes physiologiques	Mécanismes physiologiques et psychologiques
Mécanismes principaux	Captation, transduction	Sélection, _____, _____

3.1   La sensation : matière première de la perception

Pour chacun des sens suivants, indiquez si l'énoncé est vrai ou faux :

La vision
1. Les yeux captent des ondes lumineuses.
2. Des longueurs d'ondes lumineuses différentes se mesurent en hertz.
3. La vue est associée aux fonctions cognitives supérieures.

L'audition
4. Les oreilles captent des vibrations.
5. Des hauteurs tonales différentes se mesurent en hertz.
6. Les centres cérébraux de l'audition se trouvent dans le système limbique.

Le goût et l'odorat
7. Le goût et l'odorat sont des sens chimiques.
8. La saveur des aliments ne dépend pas de leur odeur.
9. Le goût et l'odorat sont connectés au système limbique, qui contrôle les émotions.

Les sens cutanés
10. Les récepteurs des sens cutanés se trouvent sur la peau.
11. Les mêmes récepteurs spécialisés perçoivent à la fois la douleur et la température.
12. L'expérience de la douleur sert de système d'alarme au corps.

Les sens proprioceptifs
13. La kinesthésie est la perception de la position du corps.
14. Le sens vestibulaire est la perception de l'équilibre du corps.
15. Les récepteurs du sens vestibulaire se trouvent dans le système limbique.

3.2   La perception

3.2.1 La sélection de l'information

Dans chacune des six situations présentées plus bas, indiquez quel mécanisme de sélection de l'information s'applique parmi les six mécanismes suivants : seuil différentiel, attention sélective, automatisation, perception subliminale, habituation, adaptation perceptive.

1. Pour faire ses virages brusques au hockey, Mathieu apprend qu'il doit d'abord tourner la tête, puis les épaules et ainsi de suite. Après trois saisons, il fait ses virages brusques sans y penser. _____
2. Mathieu cherche sa casquette partout. Elle est sur sa tête, mais il ne la sent pas. _____
3. Marie-Claude habite près de l'autoroute depuis trois mois. Au début, le bruit la gênait, mais à la longue, elle a appris à ne plus y faire attention. _____
4. Les voisins d'Alexandre, à la résidence étudiante, ont de la visite. Il leur demande de baisser le volume de leur musique. Ils l'ont baissé, mais Alexandre ne perçoit aucune différence. _____
5. Joannie ne s'aperçoit pas que c'est parce qu'il fait trop froid qu'elle est mal à l'aise dans le salon. _____
6. Dans la cafétéria, Olivier s'aperçoit que ses voisins ont passé l'examen qu'il passera le lendemain. Il écoute attentivement ce qu'ils en disent et il ne s'occupe plus des autres conversations. _____

3.2.2 L'organisation des sensations

Compléter les phrases suivantes.

1. Les _____ de _____ sont des cellules qui sont activées seulement si certaines caractéristiques (comme des angles) sont présentes dans les sensations qu'elles transmettent.
2. Les lois de la gestalt détaillent comment le cerveau organise les perceptions en _____ _____.
3. La principale manière de dégager des formes significatives est de les traiter comme des _____ qui se détachent d'un _____.
4. La _____ consiste à percevoir une figure complète à partir d'indices perceptifs lacunaires. La _____ consiste à grouper perceptivement des éléments détachés.
5. La _____ consiste à traiter comme un ensemble des groupes de figures similaires.
6. Le _____ consiste à considérer comme similaires des groupes d'éléments qui se déplacent dans la même direction ; en plus de percevoir un monde organisé, on perçoit un monde _____.
7. Pour obtenir la stabilité perceptive, le cerveau corrige les variations sensorielles de couleurs, de _____, et de _____.

3.2.3 L'interprétation des informations sensorielles

Compléter les phrases suivantes.

1. Les sens ne fournissent pas de l'information directe sur tous les aspects de l'information qu'ils captent ; le cerveau se sert alors d'indices dans les sensations pour les compléter systématiquement. Parmi les dimensions déduites, on compte la _____ et le mouvement.
2. Les indices _____ de la profondeur impliquent les deux yeux. Ce sont la _____ _____ et la convergence.
3. Les indices monoculaires peuvent être utilisés sur des

représentations en deux dimensions pour donner l'illusion de la profondeur. Ils incluent la _____, qui est l'impression que deux lignes convergentes s'_____ de l'observateur.

4. Le gradient de _____ est l'impression que donnent les objets détaillés d'être _____ de l'observateur.

5. Les deux autres indices monoculaires de la profondeur sont l'_____ et les _____.

6. Le cerveau déduit le _____ à partir des changements d'images qui affectent la rétine.

7. Le _____ _____ est une illusion de mouvement fondée sur une succession d'images _____ présentées en séquence rapide.

8. Les _____ _____ sont des images qui trompent délibérément les indices sur lesquels se fonde la perception.

Pour aller plus loin...

Volumes et ouvrages de référence

DELORME, A. et M. FLÜCKIGER (2003). *Perception et réalité : introduction à la psychologie des perceptions*, Bruxelles, De Boeck Université.

GREGORY, R. L. (1966). *L'œil et le cerveau*, Paris, Hachette.

Périodiques

« Les racines de la conscience », *Pour la science*, n° 302, décembre 2002.

« Tombé dans l'œil », *Québec Science*, juin 2000.
Disponible sur le site de la revue *Québec Science*, à l'adresse suivante :
http://www.cybersciences.com/cyber/4.0/2000/06/dimension.asp

« Le cerveau maître des illusions », *Québec Science*, mars 1999.
Disponible sur le site de la revue *Québec Science*, à l'adresse suivante :
http://www.cybersciences.com/cyber/4.0/1999/03/cerveau.asp

« La conscience et la perception », *La recherche*, n° 374, 2004.

« Le monde de l'image », *Sciences Humaines,* Hors-série 43, décembre 2003 et janvier-février 2004.
Disponible sur le site de la revue *Sciences Humaines*, à l'adresse suivante :
http://www.scienceshumaines.com/sommaire.do?id=32015

Science et vie. Hors-série 222, mai 2003.
Comprend une section intitulée « De la perception à la cognition ».
Disponible sur le site de la revue *Sciences Humaines*, à l'adresse suivante : http://www.science-et-vie.com

Sites Internet

Un cours complet de perception :
http://www.loria.fr/projets/wwwstic/msc-2003/cours1_percep_formes.pdf

Un mégasite américain qui propose des liens vers un grand nombre d'autres sites portant sur la perception et les sciences cognitives :
http://www.nebulasearch.com/encyclopedia/article/Visual_perception.html

Un site français avec des diagrammes sur la biologie de la perception visuelle :
http://membres.lycos.fr/pmdcolorants/vision.htm

L'expérience de Stroop en ligne :
http://www.ulb.ac.be/psycho/fr/docs/museum/Experiments/Stroop/Stroop-exp.html

Films, vidéos, cédéroms, etc.

CHANG, Kun. (2002). *Le toucher – Le premier sens*, Canada (Montréal), 52 min., couleur. Productions Max Films Television.
Documentaire portant sur le caractère méconnu du sens du toucher, sens qui joue néanmoins un rôle fondamental dans notre quotidien.

Les états altérés de conscience

PLAN DU CHAPITRE

MYTHES OU RÉALITÉS

Pour savoir si ces affirmations sont vraies ou fausses, trouvez les rubriques *MYTHE OU RÉALITÉ*.

1. Nos humeurs, nos aptitudes motrices, nos capacités d'attention et de mémoire sont rythmées par une horloge interne.

2. Lorsque nous rêvons, nos yeux effectuent des mouvements saccadés sous nos paupières.

3. Si l'on veut bien récupérer, il est préférable de se coucher avant minuit.

4. Les rêves contribuent au développement du cerveau.

5. Il est dangereux de réveiller un somnambule.

6. Il est possible d'hypnotiser une personne sans qu'elle le souhaite.

7. Certaines personnes subissent des chirurgies sans anesthésie.

8. L'ecstasy est une drogue qui a été initialement développée par une compagnie pharmaceutique pour diminuer l'appétit.

9. À force de consommer une drogue, le corps peut s'adapter à la présence de quantités suffisamment élevées pour tuer.

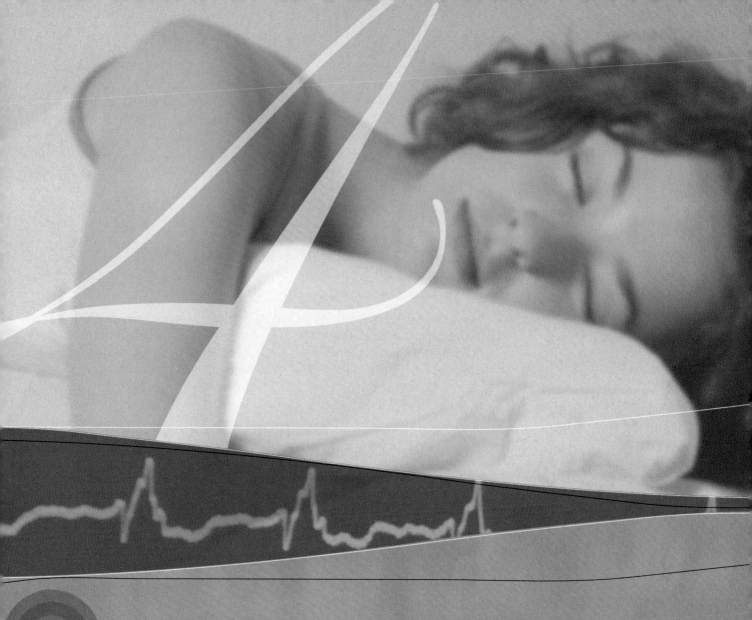

CIBLES D'APPRENTISSAGE

Après avoir lu ce chapitre, vous devriez être en mesure :

- de définir la nature de la conscience et d'en présenter les grandes manifestations ;

- d'expliquer les fonctions de l'horloge biologique et des rythmes circadiens ;

- de décrire les stades du sommeil, dont le rêve, et d'en présenter les fonctions ;

- de définir les principaux troubles du sommeil ;

- d'exposer différentes théories expliquant le rêve ;

- d'expliquer les changements que provoque l'hypnose sur la conscience ;

- de détailler les applications de l'hypnose ;

- de rendre compte des dangers de l'hypnose ;

- de différencier l'abus de drogues, la toxicomanie, la dépendance, le sevrage et la tolérance ;

- d'exposer différentes explications de la toxicomanie ;

- de décrire les principaux effets des dépresseurs, des stimulants, des perturbateurs, des médicaments psychothérapeutiques et des androgènes et stéroïdes anabolisants.

AMORCE

Jérôme vit des moments difficiles. Il est maussade, terrassé par une grippe persistante et vient tout juste de vivre sa première peine d'amour. Il revoit sans cesse les beaux moments vécus avec son amoureuse et le voyage qu'ils projetaient de faire l'an prochain. Ses pensées l'envahissent tellement qu'il a de la difficulté à être attentif en classe et lors de ses lectures. Dans ce contexte, il est conscient qu'il risque d'échouer des cours. Son travail rémunéré est aussi une source de tracas. En effet, deux de ses collègues de travail ont récemment été congédiés. Il ne veut pas subir le même sort. Bref, en étant conscient de tout ce qui se passe autour de lui et en lui, il arrive difficilement à relaxer. Même son sommeil devient problématique, puisqu'il souffre d'insomnie et fait de mauvais rêves. Comme des milliers de personnes aux prises avec leurs propres difficultés, Jérôme cherche une solution. La fin de semaine dernière, ses amis ont voulu lui changer les idées en l'amenant fêter dans un bar. Il a un peu trop bu et s'est laissé convaincre de fumer un joint. Cette soirée lui a plu parce qu'il pensait moins à ses inquiétudes. Il a envie de recommencer. Un de ses copains lui a dit qu'un hypnotiseur, présent au bar, l'a amené à réciter des parties du texte de Cyrano de Bergerac. Mais Jérôme ne se souvient pas du tout de cet épisode. Est-ce vraiment arrivé ?

Le troisième chapitre présente les concepts de la sensation et de la perception. On y expose comment les humains sont prédisposés à sélectionner, organiser et interpréter les sensations qu'ils captent de façon cohérente, et souvent adaptée à leur environnement. Après avoir présenté les différentes manifestations de la conscience en état d'éveil, on verra comment cet état habituel peut être perturbé, soit naturellement par le sommeil, soit au moyen d'une technique comme l'hypnose ou par l'absorption de certaines drogues.

4.1 QU'EST-CE QUE LA CONSCIENCE ?

Lorsque vous vous parlez à vous-même, qui parle et qui écoute ? Voilà le type de questions auxquelles les scientifiques s'intéressent lorsqu'ils étudient la conscience. Comment comprendre un phénomène immatériel et si mystérieux dont on ne connaît pas l'origine exacte ? En psychologie, la conscience fait l'objet de points de vue très variés.

Le fondateur de la psychanalyse, Freud, minimise l'importance du conscient qui, à ses yeux, constitue un leurre, une tromperie quant aux véritables motivations et pensées de la personne. Il croit que pour vraiment saisir l'individu, il faut déchiffrer son inconscient. Les behavioristes, eux, sont tout à l'opposé de la théorie freudienne : seuls les comportements observables et mesurables sont du domaine de la psychologie, au dire de Watson, qui écrivait en 1913 : « Le temps semble être venu pour que la psychologie rejette toute référence à la conscience. » (p. 163) L'année suivante, il est élu président de l'American Psychological Association, ce qui démontre que plusieurs psychologues américains partageaient alors son point de vue. Cette position privilégiée alimente chez la plupart des psychologues le refus d'étudier la conscience. Quant aux psychologues humanistes, ils considèrent la conscience, c'est-à-dire la conscience de soi et le sentiment d'être une personne, comme l'essence même de l'être humain. Non seulement la conscience s'avère essentielle à l'étude des humains, mais elle leur permet de se distinguer des animaux et des machines. Aujourd'hui, grâce à la psychologie cognitive, la conscience suscite de plus en plus d'intérêt. À l'argument selon lequel la conscience n'est pas observable, le cognitiviste Miller répond : « Quiconque la possède la perçoit » (1992, p. 180). Bien que l'étude de la conscience demeure complexe et remplie de défis, elle est sans doute la facette la plus fascinante de l'étude de la pensée humaine.

Conscience
Connaissance qu'une personne a de l'ensemble de ses perceptions : face à elle-même et face à son environnement.

On peut actuellement définir la **conscience** comme la connaissance qu'une personne a de l'ensemble de ses perceptions vis-à-vis d'elle-même et vis-à-vis de son environnement. Cette définion peut être précisée en considérant cinq manifestations de la conscience.

4.1.1 LA CONSCIENCE SENSORIELLE

La conscience sensorielle nous permet de prendre connaissance de l'existence du monde environnant. Nous voyons la neige qui tombe, nous entendons la voix d'une personne chère, nous goûtons une pomme fraîche, etc. Ainsi, par l'entremise de nos sens, cet aspect de la conscience permet de réaliser que nous évoluons dans un environnement fait de milliers de stimulations.

4.1.2 L'ATTENTION SÉLECTIVE

Une seconde manifestation de conscience qu'on peut distinguer correspond à ce dont il a été question au chapitre 3 à propos de l'attention sélective. Parmi les milliers de stimulations captées par nos sens, certaines sont plus utiles que d'autres pour notre adaptation. En portant notre attention sur elles, notre conscience nous permet, par exemple, d'apprendre en lisant, d'éviter une voiture qui vient dans notre voie ou de reconnaître un malaise physique suspect. Cela exige de mettre de côté plusieurs autres sensations moins pertinentes qui arrivent à notre conscience telles que des bruits extérieurs. Dans le cas de l'attention sélective, contrairement à la connaissance sensorielle, il faut faire des efforts pour focaliser notre conscience sur les éléments les plus importants.

4.1.3 LA CONNAISSANCE INTÉRIEURE DIRECTE

Vous êtes en mesure d'imaginer ou de vous souvenir d'un moment passé au soleil sur une plage de sable chaud, caressé par une légère brise. Même en l'absence de stimulation sensorielle, votre conscience vous donne accès à une foule d'expériences. Votre conscience ne nécessite pas de stimulations sensorielles pour créer des impressions aussi réelles que celles construites à partir des sens ; elle vous donne une connaissance intérieure directe.

4.1.4 LA CONSCIENCE DE SOI

Au cours de notre développement, nous nous différencions de ce qui nous entoure. Nous acquérons le sentiment d'être une personne à part entière, distincte des autres. Dans un monde en constant changement, cette impression assure une continuité à nos pensées, à nos émotions et à nos comportements. Cette manifestation correspond à ce qu'on appelle la conscience de soi.

4.1.5 L'ÉTAT DE VEILLE

Une dernière description de la conscience se rapporte à l'état de veille par lequel nous sommes en mesure d'exécuter, au meilleur de nos capacités, nos activités quotidiennes. Par exemple, à l'état de veille, notre raisonnement est habituellement logique, nos comportements sont contrôlés et nos perceptions, cohérentes. Sous cet angle, la conscience peut être altérée naturellement par le sommeil et le rêve, ou encore volontairement par l'hypnose ou la consommation de drogues. Comme nous le verrons dans les sections suivantes, dans ces **états altérés de la conscience**, nos pensées, comportements et perceptions diffèrent de ceux de l'état de veille.

État altéré de la conscience
État autre que l'état de veille normal, comprenant le sommeil, le rêve, l'hypnose et les perceptions déformées résultant de l'usage de drogues psychoactives.

ÉCLAIRCISSEMENT DE L'AMORCE

C'est par sa conscience que Jérôme a connaissance de ses perceptions et de ses émotions, ce qui entraîne des tensions. Plus précisément, son attention sélective est captée particulièrement par sa peine d'amour. Il n'arrive pas à focaliser sa conscience sur ses apprentissages scolaires. Par une connaissance intérieure directe, Jérôme se remémore des moments heureux vécus en compagnie de son amoureuse, même s'il en est maintenant séparé. Il demeure conscient de ce qu'ils ont construit ensemble, alors que la réalité que ses sens lui envoient est tout autre. La conscience qu'il a de lui-même est en processus de changement : son image personnelle s'articulait, entre autres, autour de cette relation amoureuse et il doit maintenant se distancier de sa partenaire pour mieux préciser qui il est. Il vit des moments difficiles qu'il aimerait pouvoir mettre de côté, mais aussitôt éveillé, il est conscient de ces événements, et ses soucis réapparaissent. Tant son état de veille que l'état altéré de conscience dans lequel il se trouve quand il dort ou prend de la drogue peuvent être perturbés par sa connaissance intérieure directe.

4.2 LE SOMMEIL ET LES RÊVES

Les prochaines sections décrivent l'alternance de l'éveil et du sommeil, de même que des stades du sommeil dont les fonctions sont particulières. Par la suite, quelques troubles du sommeil sont expliqués. Enfin, les caractéristiques et les explications du rêve sont présentées.

4.2.1 L'ALTERNANCE ÉVEIL — SOMMEIL

Horloge biologique
Mécanisme interne contrôlant des variations cycliques du fonctionnement biologique et psychologique, et du comportement d'un individu.

Circadien
Se dit d'un cycle rythmé par le lever et le coucher du soleil sur une période de 24 heures.

Notre corps est rythmé par l'alternance de cycles contrôlés par une horloge interne. Cette **horloge biologique** est le mécanisme responsable de variations périodiques affectant le fonctionnement biologique et psychologique, et le comportement d'un individu (Tamisier, 1999). Cette horloge est interne, puisque les rythmes qu'elle contrôle persistent en l'absence de repères externes. Cependant, elle se synchronise avec certains repères externes comme le soleil et la vie sociale. C'est ainsi que notre réveil et notre sommeil coïncident habituellement avec le jour et la nuit. Toutefois, depuis l'avènement de l'électricité, des pressions du monde moderne et du travail de nuit, ces rythmes sont bousculés (Audoin, 2001). On parle ici de rythmes **circadiens**, parce qu'ils suivent le lever et le coucher du soleil. Ils alternent sur une période d'environ 24 heures. Il existe aussi des rythmes plus courts et d'autres plus longs, mais les plus étudiés sont les rythmes circadiens.

Les rythmes circadiens biologiques contrôlent le réveil et le sommeil, la température corporelle, la digestion, la respiration, la composition du sang (la libération des hormones, par exemple) et plusieurs autres fonctions. Les rythmes circadiens psychologiques montrent quant à eux des variations journalières de l'humeur, des aptitudes sensorielles et motrices, des capacités d'attention, de la mémoire et de la cognition en général (Tamisier, 1999). Ainsi, la conscience est affectée par une horloge interne qui tend à imposer un rythme aux variations du niveau d'éveil.

 MYTHE OU RÉALITÉ 1

Il est vrai que nos humeurs, nos aptitudes motrices, nos capacités d'attention et de mémoire sont rythmées par une horloge interne. Elles respectent des rythmes circadiens contrôlés par notre horloge biologique.

Il peut arriver que notre horloge biologique soit désynchronisée. En effet, les voyages impliquant des changements de fuseaux horaires, les variations d'horaire de travail et le stress perturbent les rythmes circadiens. Cela peut entraîner des problèmes cardiaques et digestifs, des troubles de la vigilance et des troubles du sommeil extrêmement difficiles à traiter (Rose, 2004). Comme l'explique l'encadré 4.1, certaines personnes dont l'horloge biologique présente des problèmes consomment de la mélatonine pour tenter d'y rémédier.

ENCADRÉ 4.1
Comment resynchroniser notre horloge biologique

La mélatonine est à la fois un neurotransmetteur et une hormone sécrétée par le corps, surtout la nuit. Sa production est inhibée par le soleil. Il est possible d'acheter des dérivés plus ou moins synthétiques de mélatonine dont la sécurité et l'efficacité sont variables, la recherche n'ayant pas encore défini clairement ce qu'il en est (Audouin, 2001). Sa consommation vise à recadrer les rythmes circadiens lors d'un décalage horaire, par exemple. En effet, dans ces situations, la libération de sérotonine est déphasée par rapport au sommeil, bien qu'après quelques jours, la synchronisation se rétablisse. La prise de mélatonine pourrait donc faciliter la « remise à l'heure » de l'horloge biologique (Rose, 2004).

APPLICATION

4.2.2 LES STADES ET LES TYPES DU SOMMEIL

Le sommeil est constitué de différents stades rythmés par l'horloge biologique. Comme nous l'avons expliqué au chapitre 2, l'électroencéphalogramme (EEG), qui mesure l'activité électrique des neurones et la traduit sous forme d'ondes cérébrales, est l'un des principaux outils utilisés dans la recherche sur le sommeil.

La figure 4.1 présente des tracés produits au moyen de l'EEG lorsqu'une femme est éveillée, lorsqu'elle est détendue ou somnolente, et quand elle se trouve dans les différents stades du sommeil. On y présente les cinq stades du sommeil, lesquels, comme on le verra plus loin, peuvent être regroupés en deux types de sommeil.

Lorsqu'un individu est éveillé et actif, son cerveau émet des **ondes bêta**. Quand il ferme les yeux et qu'il commence à se détendre avant de s'endormir, il devient graduellement somnolent et son cerveau émet des **ondes alpha**. Au cours du stade 1 du sommeil, les ondes cérébrales passent du rythme alpha au rythme thêta. Les **ondes thêta** sont accompagnées de lents roulements des yeux. La transition des ondes alpha aux ondes thêta peut être suivie d'un **état hypnagogique** au cours duquel il est possible de « voir » de brèves images hallucinatoires qui ressemblent aux images du rêve et qui ont souvent la précision d'une photo. Le stade 1 du sommeil est le plus léger d'entre tous. Si l'individu est tiré de son sommeil au cours de ce stade, il pourra avoir l'impression de ne pas avoir dormi du tout.

Après 30 à 40 minutes de sommeil au stade 1, on observe une descente plutôt rapide dans les stades 2, 3 et 4. Au cours du stade 2, les ondes thêta sont ponctuées de **fuseaux de sommeil**, de brèves émissions d'activité cérébrale rapide. Le tracé présente aussi des passages caractérisés par une brève augmentation de l'activité cérébrale, ce qu'on appelle des **complexes K**, passages qui surviennent en réaction à des stimuli externes, comme le bruit d'un livre tombé par terre, ou à des stimuli internes, comme une contraction musculaire de la jambe. Au cours des stades 3 et 4, le sommeil devient plus profond, le cerveau produit de plus en plus d'ondes lentes, les **ondes delta**. C'est pourquoi certains parlent de **sommeil profond**, le qualifiant de « profond » en référence au fait qu'il est difficile de réveiller quelqu'un qui se trouve à ce stade.

Après une demi-heure environ de sommeil profond au stade 4, le dormeur reprend le chemin inverse. Cependant, au lieu de retourner au stade 1 après le stade 2, il pénètre dans un stade caractérisé, entre autres choses, par des mouvements oculaires rapides (MOR) visibles sous les paupières closes, d'où le terme **sommeil MOR** souvent utilisé pour désigner ce stade. Par opposition au sommeil MOR, on regroupe sous le nom de **sommeil NMOR** les états correspondant aux quatre autres stades et dans lesquels les mouvements oculaires rapides sont pratiquement absents.

Le sommeil MOR est également caractérisé par la présence d'ondes ressemblant à celles de l'état d'éveil et pouvant s'approcher de celles observables au stade 1, en raison de la ressemblance de l'EEG du sommeil MOR avec celui de l'éveil, alors même que le sujet est profondément endormi et difficile à réveiller. On appelle aussi ce stade **sommeil paradoxal**. Par ailleurs, étant donné que la fréquence de l'EEG est, de façon générale, plus lente au cours des stades 1 à 4 du sommeil que durant le sommeil MOR, il est maintenant d'usage chez les chercheurs de parler de **sommeil lent** pour référer aux quatre stades du sommeil NMOR.

Outre la présence des mouvements rapides des yeux et d'un tracé ressemblant à celui de l'éveil, on observe au cours du sommeil paradoxal diverses manifestations du système nerveux autonome. Ainsi, les fréquences respiratoire et cardiaque, lentes et régulières pendant le sommeil MOR, s'accélèrent et deviennent irrégulières, et la tension artérielle augmente, ce qui peut expliquer les érections et les lubrifications vaginales fréquentes à ce stade. Il est à noter également que même si l'EEG du sommeil MOR ressemble à celui de l'éveil, le dormeur est à ce stade pratiquement paralysé par le système d'activation réticulaire, grâce à l'action de plusieurs neurotransmetteurs, dont la sérotonine.

Onde bêta
Onde cérébrale associée à l'état d'éveil actif.

Onde alpha
Onde cérébrale associée à l'état de relaxation.

Onde thêta
Onde cérébrale lente habituellement associée au premier stade du sommeil, au cours duquel de brèves images hallucinatoires sont produites.

État hypnagogique
État de demi-sommeil situé entre l'endormissement et l'état de veille, et caractérisé par des images hallucinatoires.

Fuseau de sommeil
Brève émission d'ondes cérébrales rapides qui survient au cours du deuxième stade du sommeil.

Complexe K
Augmentation de l'activité cérébrale se produisant au deuxième stade du sommeil et résultant d'une stimulation externe ou interne.

Onde delta
Onde cérébrale lente émise habituellement au cours des troisième et quatrième stades du sommeil.

Sommeil profond
Stades 3 et 4 du sommeil pendant lesquels il est difficile de réveiller le dormeur, par opposition aux stades 1 et 2.

Sommeil paradoxal
(aussi appelé sommeil MOR)
Stade du sommeil caractérisé par des mouvements oculaires rapides (malgré une atonie générale du corps), des rythmes cardiaque et respiratoire accélérés et une activité cérébrale intense. Il est associé au rêve.

Sommeil lent
(aussi appelé sommeil NMOR)
Les quatre premiers stades du sommeil à ondes lentes pendant lesquels il n'y a pas de mouvements oculaires rapides sous les paupières du dormeur.

ÉTAT
D'ÉVEIL

Éveillée : ondes bêta (environ 13 à 50 Hz)

Détendue ou somnolente : ondes alpha
(environ 8 à 12 Hz)

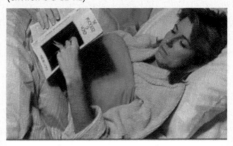

SOMMEIL
LENT

Stade 1 du sommeil : ondes thêta (environ 4 à 7 Hz)

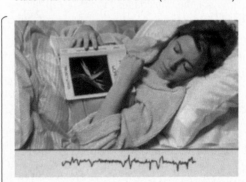

Stade 2 du sommeil : ondes thêta (environ 4 à 7 Hz)
avec fuseaux de sommeil et complexes K

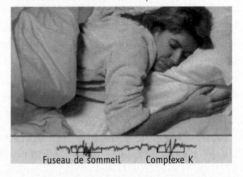

Fuseau de sommeil   Complexe K

Stade 3 du sommeil : ondes thêta (environ 4 à 7 Hz)
entrecoupées d'ondes delta (environ 0,5 à 3 Hz)

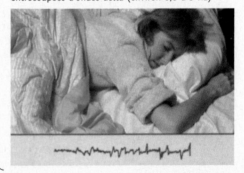

Stade 4 du sommeil : ondes delta (environ 0,5 à 3 Hz)

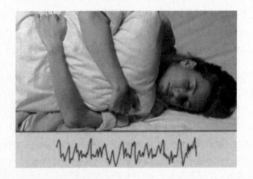

SOMMEIL
PARADOXAL

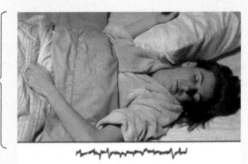

Stade 5 du sommeil : ondes ressemblant
à celles de l'état d'éveil (d'où le terme
paradoxal) et pouvant s'approcher de
celles observables au stade 1.

La plupart du temps, la personne rêve
pendant ce stade.

FIGURE 4.1   LES STADES DU SOMMEIL

Voici sept tracés électroencéphalographiques (EEG) et des images présentant le comportement d'une femme correspondant à chaque tracé. À mesure que le sommeil NMOR progresse du stade 1 au stade 4, les ondes cérébrales sont moins fréquentes et plus hautes. Durant le sommeil paradoxal, le tracé EEG ressemble à celui du stade 1, voire à celui de l'éveil. Pourtant, la personne est parfaitement immobile, à l'exception de mouvements oculaires rapides (MOR). La plupart des rêves sont vécus durant ce cinquième stade.

Dement et Kleitman (1957) ont démontré que, lorsqu'une personne est réveillée durant le sommeil MOR, elle signale dans 80 % des cas qu'elle était en train de rêver. Le rêve survient également durant le sommeil NMOR, surtout au stade 3, qui correspond à une autre période au cours de laquelle il est difficile de réveiller le dormeur. Ce phénomène est cependant moins fréquent : seulement 20 % des gens réveillés durant cette période mentionnent qu'ils étaient en train de rêver.

MYTHE OU RÉALITÉ 2

Il est vrai que lorsque nous rêvons, nos yeux effectuent sous nos paupières des mouvements saccadés qu'on appelle «mouvements oculaires rapides» ou «MOR».

Comme le présente la figure 4.2, l'humain a tendance à effectuer chaque nuit cinq cycles de sommeil, d'environ 90 minutes chacun, au cours desquels il traverse, dans des proportions différentes, les cinq stades du sommeil. Durant une nuit typique de huit heures, on observe approximativement cinq périodes de sommeil paradoxal. Ces périodes, principalement associées aux rêves et d'une durée d'environ 5 à 10 minutes au début du sommeil, rallongent graduellement au cours de la nuit jusqu'à pouvoir durer un trentaine de minutes au petit matin, ce qui donne une moyenne d'environ 15 minutes par période de rêve. À l'inverse, le stade 4 (le sommeil profond) est plus fréquent au début de la nuit et disparaît lorsque le matin approche. Le premier passage au stade 4 du sommeil est habituellement le plus long.

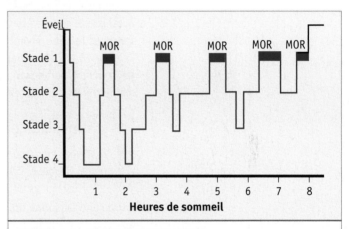

FIGURE 4.2   LES CYCLES DU SOMMEIL

Ce graphique illustre l'alternance entre les stades de sommeil paradoxal (MOR) et de sommeil lent chez un dormeur ordinaire. Il y a environ cinq périodes de sommeil MOR pendant une nuit de huit heures. Le stade 4 est plus fréquent au début de la nuit, et le sommeil MOR tend à se prolonger au petit matin.

4.2.3 LES FONCTIONS ET LA PRIVATION DU SOMMEIL

Le nombre d'heures de sommeil dont chacun a besoin est très variable et est affecté par l'âge, la santé et les habitudes de vie. Néanmoins, l'humain passe en moyenne environ un tiers de sa vie adulte à dormir, soit environ huit heures par nuit. Pourquoi une durée si longue ? C'est souvent au moyen de recherches effectuées sur la privation de sommeil qu'on constate que le sommeil lent (stades 1 à 4) et le sommeil paradoxal (stade 5) semblent remplir des fonctions importantes, mais différentes.

Le sommeil lent serait réparateur sur le plan physiologique. Un des pionniers de l'étude du sommeil, Ernest L. Hartmann, suggère que de nombreuses substances anti-infectieuses seraient produites durant le sommeil lent (Hartmann, 1973). La diminution de ces substances en raison d'un manque de sommeil pourrait expliquer les rhumes fréquents après des excès de travail ou d'étude, et un manque de repos. Le sommeil lent est aussi lié à la libération d'hormones, notamment l'hormone de croissance qui joue un rôle dans la synthèse des protéines. Enfin, Hartmann a démontré que les gens ont généralement davantage besoin de sommeil durant les périodes de changement et de stress comme dans le cas d'un nouvel emploi, d'une augmentation de la charge de travail ou d'un épisode de dépression. De la même façon, les efforts physiques accrus entraînent un pourcentage plus élevé de temps passé dans le sommeil lent. Le contrôle qu'exerce l'horloge biologique fait en sorte que le sommeil lent, le stade 4 particulièrement, est plus facilement atteint au début de la nuit, ainsi que le laisse voir la figure 4.2. La récupération physiologique s'effectue plus facilement avant minuit (Audoin, 2001). Par ailleurs, puisque les dépenses d'énergie diminuent avec l'âge, il y a une diminution du stade 4 chez les personnes âgées (Tamisier, 1999).

MYTHE OU RÉALITÉ 3

● *Il est vrai que dormir avant minuit facilite la récupération physiologique, puisque c'est surtout pendant le stade 4 qu'elle s'effectue et que ce stade est surtout présent dans la première moitié de la nuit.*

Le sommeil paradoxal semble quant à lui essentiel au fonctionnement psychologique. Lorsqu'on prive une personne de sommeil paradoxal, elle devient plus anxieuse et irritable, voire agressive, elle éprouve de la difficulté à demeurer attentive et présente une incoordination motrice. Elle manifeste aussi des troubles de la personnalité pouvant aller jusqu'à des hallucinations (Marieb, 1999). De plus, elle risque de voir sa mémoire moins bien fonctionner et ses capacités d'apprentissage diminuer (Stickgold et Hobson, 2000). On sait aussi que le sommeil paradoxal contribue au développement du système nerveux. En effet, le fœtus et le bébé vivent de fréquents épisodes MOR, alors que leur nombre diminue après l'âge de 60 ans (Tamisier, 1999). L'encadré 4.2 présente une autre explication de la fonction du sommeil paradoxal avancée par Michel Jouvet, qui soutient que le rêve permet de maintenir les comportements spécifiques à chacun.

MYTHE OU RÉALITÉ 4

● *Il semble bien que le sommeil paradoxal, pendant lequel les rêves se produisent habituellement, contribue au développement du cerveau.*

Lorsqu'une personne est complètement privée de sommeil, la première nuit de récupération est principalement consacrée aux stades 3 et 4 du sommeil lent. Au cours des nuits

---

ENCADRÉ 4.2
Michel Jouvet

C'est le physiologiste français Michel Jouvet qui a proposé, en 1959, l'expression « sommeil paradoxal » pour désigner cet état dans lequel la personne profondément endormie et immobile (hormis les yeux affectés de mouvements rapides), manifeste un tracé d'activité mentale comparable à celui de l'éveil. Ses recherches venaient compléter celles de Dement et Kleitman (1957) en montrant que le sommeil paradoxal est tout à fait différent du sommeil lent.

De plus, Jouvet a identifié la partie du cerveau responsable du blocage moteur associé au sommeil paradoxal. Dans une expérience (1959), il a détruit les neurones responsables de cette inhibition chez des chats. Les chats ont alors manifesté des comportements typiques de leur race : léchage, fuite et attaque. Les poils du dos et de la queue hérissés, ils ont montré les crocs, bombé le dos et pourchassé des proies imaginaires. Jouvet a affirmé que les chats « actaient » leurs rêves. Des humains qui ont la même partie du cerveau détruite agissent aussi durant leurs rêves et cauchemars : ils crient, gesticulent et sont parfois violents. Ce n'est pas de tout repos pour le partenaire ! La seule solution possible

est parfois d'attacher ces personnes à leur lit (Nielsen, voir Elie, 2004).

Jouvet a poursuivi ses travaux en tentant d'expliquer pourquoi les humains rêvent (Jouvet, 2000). Selon son hypothèse, le sommeil paradoxal reprogramme le cerveau pour assurer le maintien des informations génétiques, de même que le maintien des comportements acquis depuis la naissance. Il fait remarquer que seuls les animaux à sang chaud vivent des épisodes de sommeil paradoxal. Les mammifères et les oiseaux montrent des MOR, ce qui n'est pas le cas des reptiles, amphibiens et poissons. Chez les animaux moins évolués, l'organisation du système nerveux central se fait par division des neurones. C'est ainsi qu'il est continuellement entretenu. Quant aux animaux à sang chaud, leurs cellules nerveuses arrêtent de se diviser très tôt au cours de leur développement. En conséquence, ils n'ont pas le même système pour maintenir les circuits synaptiques. L'hypothèse de Jouvet est que le sommeil paradoxal permet la reprogrammation du bagage génétique par l'entremise du développement des ramifications synaptiques.

Ces ramifications viennent renforcer ou effacer les traces de nos apprentissages,

selon que ces traces sont en conformité ou non avec notre bagage génétique de base. Le rêve permettrait ainsi de maintenir fonctionnels les circuits synaptiques caractéristiques de l'espèce, et d'autres circuits responsables de l'individuation psychologique, tout en préparant le cerveau aux tâches qui l'attendent au réveil. C'est le rêve qui ferait que chacun de nous est différent.

Ce chat est-il éveillé ou endormi ? Si on lui a retiré les neurones responsables du blocage moteur associé au sommeil paradoxal, il pourrait bien être endormi !

APPROFONDISSEMENT

suivantes, un effet de rebondissement du sommeil paradoxal se manifeste. La personne a tendance à passer plus de temps dans le sommeil MOR : elle rattrape les heures perdues. Ce n'est pas le cas pour le sommeil lent qui, même s'il est récupéré en priorité, demeure déficitaire (Tamisier, 1999).

4.2.4 LES TROUBLES DU SOMMEIL

Le sommeil est associé à plusieurs phénomènes inhabituels, dont certains sont sans conséquences graves, alors que d'autres entraînent des difficultés plus importantes. Il s'agit de la narcolepsie, de l'insomnie, de l'apnée, du somnambulisme et de la somniloquie, des terreurs nocturnes et des cauchemars. L'adolescence semble liée à des difficultés de sommeil qui lui sont propres ; pour comprendre ce phénomène, vous pouvez consulter l'encadré 4.3.

• LA NARCOLEPSIE

Les personnes atteintes de ce trouble rare tombent profondément endormies à n'importe quelle heure du jour. En général, elles entrent immédiatement dans le sommeil paradoxal et y restent pendant environ 15 minutes (Marieb, 1999). On ne connaît pas la cause exacte de la **narcolepsie**, mais des anomalies génétiques semblent impliquées. Les hommes en sont plus souvent atteints que les femmes. Les neurones du tronc cérébral et du système d'activation réticulaire ne fonctionnent pas bien, ce qui entraîne la perte plus ou moins totale du contrôle musculaire. Par ailleurs, ces pertes soudaines de tonus sont souvent liées à des émotions intenses comme le rire, la peur, la colère ou le plaisir sexuel. L'ennui et le manque de sommeil y contribuent aussi (Tamisier, 1999). En tant que telle, la narcolepsie est sans conséquences graves. Cependant, si la personne conduit une voiture, opère de la machinerie ou est dans un bain, les dangers sont très réels. Certaines

Narcolepsie
Trouble du sommeil entraînant de façon soudaine la perte du tonus musculaire et l'endormissement.

APPLICATION

ENCADRÉ 4.3
La mauvaise humeur et la somnolence des adolescents

Dans le portrait classique de l'adolescence se trouve un jeune impossible à réveiller le matin, bougon aussitôt qu'il l'est, mais refusant systématiquement de se coucher avant une heure du matin. La recherche montre que l'horloge biologique est décalée par la puberté, ce qui entraîne un sommeil instable et perturbé (Audoin, 2001).

Cette modification des cycles circadiens s'explique par une augmentation des hormones de croissance (Giedd, voir Jenkins, 2004). Ces hormones sont libérées pendant le sommeil paradoxal, qui s'impose au détriment du sommeil lent. Bien que la période de développement la plus importante s'effectue dans les cinq premières années de la vie, une seconde poussée se manifeste de l'adolescence à la vingtaine. Sous cette influence, la région préfrontale est particulièrement stimulée : des connexions neuronales se déploient, contribuant au développement de la conscience de soi, de l'apprentissage et de la mémoire.

Un adolescent a en moyenne besoin de neuf heures et demie de sommeil par nuit, alors qu'il en dort habituellement sept et demie. Ce déficit explique l'humeur

maussade, mais peut aussi causer des difficultés à l'école (voir la photo). En effet, lorsqu'on enseigne une nouvelle matière à des jeunes âgés de 18 à 24 ans et qu'on interrompt leur sommeil paradoxal, ils réussissent moins bien les évaluations (Smith, voir Jenkins, 2004).

Plusieurs facteurs expliquent le manque de sommeil observé chez les adolescents : les études, le travail, les activités parascolaires, le relâchement du contrôle parental, etc. Le jeune a une responsabilité dans l'amélioration de la qualité de son sommeil : il peut faire des choix quant à ses sorties, le temps passé devant l'ordinateur et la télévision. Les parents peuvent aussi l'aider à récupérer en le laissant dormir, notamment la fin de semaine. Il faut cependant reconnaître que la grasse matinée du samedi matin ne peut pas effacer la perte de sommeil du lundi soir. Les habiletés sociales et les apprentissages scolaires de cette journée risquent donc d'en souffrir.

En plus des impacts négatifs sur l'humeur et sur la qualité des apprentissages, le manque chronique de sommeil chez les adolescents a d'autres conséquences.

Selon le National Institute of Health des États-Unis (voir Baril, 2001), la moitié des accidents de la route causés par un excès de somnolence est imputable à des jeunes de moins de 25 ans.

Cette étudiante a-t-elle dormi les neuf heures et demie que la plupart des adolescents requièrent pour être en mesure de vaquer à leurs occupations ?

personnes souffrant de narcolepsie font des siestes dans le but de prévenir leurs crises (American Psychiatric Association, 1996). Certains médicaments peuvent aussi aider à traiter ce trouble.

• L'INSOMNIE

Insomnie
Trouble du sommeil dans lequel la personne n'arrive pas à trouver un sommeil satisfaisant.

L'insomnie est l'incapacité d'obtenir la quantité ou la qualité de sommeil nécessaire à l'accomplissement des activités quotidiennes. On rencontre trois types d'insomniaques : la personne qui a de la difficulté à s'endormir, celle qui se réveille plusieurs fois durant la nuit et celle qui s'éveille très tôt le matin sans parvenir à se rendormir.

Rappelons que les besoins de sommeil varient grandement d'une personne à l'autre. Il est donc impossible de déterminer la «bonne» quantité de sommeil. Les personnes qui se disent insomniaques ont tendance à exagérer leur manque de sommeil et elles ont tendance à consommer beaucoup de médicaments (Marieb, 1999). Cette décision n'est pas la meilleure, puisque les médicaments deviennent inefficaces au fil des semaines et qu'ils n'induisent pas tous les stades nécessaires au sommeil récupérateur. De plus, ils ne règlent aucunement les sources de l'insomnie. Celles-ci sont souvent liées à des troubles psychologiques comme l'anxiété ou la dépression, au décalage horaire ou au vieillissement (le sommeil est moins profond et durable chez les personnes âgées). Ce trouble est aussi plus fréquemment rapporté par les femmes (American Psychiatric Association, 1996). Enfin, comme on le verra plus loin dans ce chapitre, la consommation d'alcool, de café et d'autres drogues peut également contribuer à l'insomnie.

Typiquement, l'insomnie débute avec une préoccupation psychologique. Cependant, le trouble persiste souvent au-delà de la disparition de cette préoccupation initiale. La personne insomniaque voit son trouble aggravé par un cercle vicieux. En effet, l'inquiétude de ne pas trouver le sommeil augmente l'activation de son système nerveux autonome et sa tension musculaire, ce qui est peu propice à la relaxation nécessaire au sommeil. On ne peut pas forcer le sommeil : il faut plutôt mettre en place les conditions favorables à son arrivée. Plus une personne s'efforce de dormir, plus sa frustration et son angoisse augmentent, moins le sommeil risque d'apparaître. Certains objets, comme le lit, peuvent même devenir associés au trouble et déclencher de la nervosité. Pour découvrir quelques solutions à l'insomnie, lisez l'encadré 4.4.

En plus de la fatigue, l'insomnie chronique peut être une source de difficultés non négligeables comme une détérioration de l'humeur, de la motivation et de l'attention. Elle peut aussi entraîner des maux de tête, des tensions musculaires et des problèmes gastriques (American Psychiatric Association, 1996). En fait, 88 % des insomniaques ont divers problèmes de santé comparativement à 33 % des «bons dormeurs» (Audoin, 2001).

• L'APNÉE

Apnée
Trouble du sommeil se manifestant par une respiration anormale.

L'apnée est un trouble relativement fréquent chez les hommes, puisque, contrairement aux femmes, 50 % d'entre eux ont une respiration anormale lorsqu'ils dorment, c'est-à-dire qu'ils souffrent d'apnée à des degrés divers (Dement et Koenigsberg, 2004). Les enfants, les personnes âgées de plus de 65 ans et les personnes obèses sont aussi à risque. L'apnée peut être causée par le relâchement des muscles de la gorge bloquant le passage de l'air vers les poumons. Une autre de ses causes possibles est une anormalité des neurones contrôlant la respiration régulière.

Une personne aux prises avec ce trouble peut arrêter de respirer jusqu'à des centaines de fois par nuit. Cela diminue grandement la qualité de son sommeil, entraînant des symptômes typiquement liés à la privation de sommeil (humeur instable, fonctionnement cognitif amoindri, problèmes de santé, etc.). En fait, ces épisodes peuvent être très dangereux, puisqu'ils créent un manque d'oxygène dans le corps, notamment au cerveau et au cœur. Une personne à la santé fragile peut même en mourir. La seule façon de mettre fin à l'apnée est le réveil, qui rétablit automatiquement la contraction des muscles de la gorge permettant à l'air de circuler librement. Même si la plupart des personnes qui ont des épisodes d'apnée ne prennent pas conscience de ces réveils fréquents visant à rétablir leur respiration, elles évoquent fréquemment le symptôme de la somnolence excessive : elles sont épuisées,

APPLICATION

ENCADRÉ 4.4
Pour faciliter le sommeil

Plusieurs personnes éprouvent des difficultés à bien dormir, une des raisons étant qu'il existe un fort contraste entre, d'une part, le rythme d'action et le flot de pensées de la journée et, d'autre part, le «lâcher-prise» nécessaire au sommeil. Dans un premier temps, il faut s'assurer que l'insomnie n'est pas causée par des cauchemars, des terreurs nocturnes, de la narcolepsie ou de l'apnée, qui sont des troubles exigeant des traitements adaptés. Ensuite, certaines habitudes peuvent favoriser l'apparition du sommeil. En voici quelques-unes. Dans tous les cas, croire que l'on peut trouver une solution efficace pour soi est une condition nécessaire au succès.

1. Repérer son rythme de sommeil et d'éveil : se coucher et se lever lorsque le corps le demande. Il faut éviter de rompre la régularité des cycles naturels. Répéter cet horaire chaque jour diminue le risque d'insomnie.

2. Penser à se détendre au cours de la journée : prendre des pauses, regarder dehors au loin, fermer les yeux, respirer profondément, relâcher régulièrement les muscles de la mâchoire, des épaules, des mains, etc. Des «microsommeils» sont même conseillés (Audoin, 2001) : on ferme les yeux pendant une à cinq minutes afin de couper les stimulations visuelles. De petites siestes (10 à 15 minutes) lorsque la fatigue est grande sont aussi bénéfiques. Elles ont été trop longues si l'on se réveille maussade et confus.

3. Aménager sa chambre en un lieu confortable, frais et calme, coupé des activités de la vie quotidienne. Éliminer les sources de stimulations (télévision, travail à faire, etc.) Dans ce sens, manger, étudier, écouter la télévision ou travailler à l'ordinateur dans le lit ne créent pas une bonne association entre la chambre et le repos.

4. Fermer le téléviseur au moins 30 minutes avant de se mettre au lit afin de diminuer la stimulation du cerveau.

5. Avant de se coucher, lire un livre — sur le sommeil, par exemple! (Voir à cet égard les suggestions dans la section *Pour aller plus loin* à la fin de ce chapitre.) La lecture est en général une activité relaxante, tant pour l'esprit que pour le corps. Par ailleurs, la compréhension des processus impliqués dans le sommeil aide à le démystifier et à dédramatiser l'insomnie.

6. Écouter de la musique douce, recevoir un massage, prendre un bain ou une douche tiède, boire un peu de liquide chaud sans caféine ni alcool (du lait, une tisane) peuvent favoriser l'apparition du sommeil.

7. Au moment de fermer les yeux, penser à une image agréable et relaxante comme un lac calme ou une plage de sable chaud.

8. Une psychothérapie peut aider l'insomniaque, surtout s'il est anxieux ou troublé par des idées récurrentes. Si son impact est rarement immédiat, elle a néanmoins l'avantage de proposer des changements en profondeur qui se maintiendront probablement toute la vie.

9. Les médicaments peuvent aider, s'ils sont consommés de façon temporaire (au maximum trois semaines). Il faut les utiliser avec prudence parce qu'ils perturbent les stades du sommeil, créent une dépendance et perdent leur pouvoir à l'usage. Ils ne devraient donc pas constituer la seule solution pour tenter de régler le problème : il s'agit davantage d'un complément que d'une panacée.

10. D'autres solutions existent : l'ostéopathie, l'acupuncture, l'homéopathie, etc. Ces approches ne font pas partie des interventions médicales traditionnelles, mais pour certaines personnes, elles peuvent être très efficaces.

---

puisque leur sommeil n'est pas récupérateur. Même les siestes ne permettent pas de satisfaire les besoins de sommeil, l'apnée s'y manifestant là aussi. En plus des arrêts de la respiration, les membres de l'entourage immédiat des personnes souffrant d'apnée observent des ronflements bruyants. Parmi les traitements possibles, la chirurgie offre des résultats très variables, alors qu'un masque nasal peut assurer l'apport d'oxygène, sans guérir le trouble.

• LE SOMNAMBULISME ET LA SOMNILOQUIE

Le somnambule bouge dans son sommeil, alors que le somniloque parle. Le **somnambulisme** et la **somniloquie** se manifestent habituellement lors du sommeil profond, c'est-à-dire dans les stades 3 et 4 du sommeil lent, au début de la nuit, aux moments où le rêve est peu fréquent.

Le visage du somnambule est inexpressif et la personne réagit peu aux tentatives de l'entourage pour la réveiller. Contrairement aux superstitions, il n'est pas dangereux de réveiller un somnambule. Il est même préférable de le faire, même si ce n'est pas facile, afin qu'il risque moins de trébucher, de se cogner ou encore de se retrouver au petit matin couché sur le coussin du chien! Les comportements des somnambules sont variés. Les plus typiques sont des comportements simples et routiniers comme s'asseoir dans le lit, se rendre aux toilettes, manger, descendre les escaliers. Une vessie trop pleine, un bruit, un stress ou la consommation d'alcool peuvent favoriser l'apparition de ce trouble (American Psychiatric Association, 1996). En ce qui concerne le somniloque, ses paroles peuvent être plus ou moins cohérentes, mais leur exactitude est souvent faible. Comme dans le cas du somnambulisme, les épisodes de somniloquie sont oubliés par la personne qui les a vécus.

Somnambulisme
Trouble du sommeil se manifestant par des actions plus ou moins complexes, alors que la personne est profondément endormie.

Somniloquie
Trouble du sommeil se manifestant par des paroles plus ou moins cohérentes, alors que la personne est profondément endormie.

Ces deux troubles, malgré la surprise qu'ils engendrent chez les autres, sont peu problématiques et relativement courants chez les enfants, surtout de sexe masculin. Ils sont en général liés à l'immaturité du système nerveux, ce qui explique qu'ils disparaissent habituellement avec l'âge. À noter également que le stress peut en augmenter la fréquence.

 MYTHE OU RÉALITÉ 5

● *Il n'est pas dangereux de réveiller un somnambule. Il peut être confus et surpris lorsqu'on le réveille, mais il est peu probable qu'il soit violent.*

• L'ÉNURÉSIE

L'énurésie est le fait d'uriner au lit. Elle apparaît durant les stades 3 et 4 du sommeil et est surtout observée chez les garçons. L'opposition, l'hypersensibilité émotive et l'anxiété sont parfois liées à l'énurésie. Même si des facteurs psychologiques y contribuent, elle semble liée à l'immaturité du système nerveux et tend à disparaître avec l'âge, souvent avant l'adolescence.

• LES TERREURS NOCTURNES

Au cours d'une **terreur nocturne**, une sensation provoque le réveil brutal du dormeur, qui se retrouve souvent assis en train de crier ou de prononcer des paroles incohérentes, ce que veut illustrer la figure 4.3. Il est agité de mouvements brusques, et ses rythmes cardiaque et respiratoire augmentent. Il a parfois les yeux ouverts, le regard dans le vide et est tout en sueur. Il peut avoir des mouvements de protection ou de fuite, comme s'il se croyait attaqué (American Psychiatric Association, 1996). Les terreurs nocturnes diffèrent des cauchemars parce qu'elles sont plus intenses et qu'elles n'apparaissent pas au cours du sommeil paradoxal, mais plutôt durant les stades 3 et 4. La personne ne se réveille pas complètement, se rendort et garde peu de souvenirs de son expérience (alors que les images du cauchemar sont vives). Il est donc préférable de ne pas intervenir, puisque le trouble se résorbe de lui-même. Il est présent chez 1 à 5 % des enfants, la plupart âgés de 18 mois à 6 ans (Tamisier, 1999). Comme pour l'énurésie, le somnambulisme et la somniloquie, les terreurs nocturnes disparaissent généralement avec le développement de l'enfant.

• LES CAUCHEMARS

Fréquents chez les enfants de 3 à 12 ans, les **cauchemars** sont des rêves associés à des émotions négatives suffisamment intenses pour réveiller les dormeurs. Contrairement à ce qu'on pourrait être porté à croire, cependant, il ne s'agit pas toujours de la peur. En effet, selon Zadra (voir Elie, 2004), dans 25 % des cas, il s'agit plutôt de tristesse, de colère, de dégoût, de honte ou de culpabilité. Outre l'émotion négative, l'incapacité à agir est une autre caractéristique typique du cauchemar : on n'arrive ni à s'enfuir ni à parler. Pourquoi ? Parce que tous les messages moteurs du cerveau sont bloqués lors du sommeil paradoxal. Cela est fort heureux, puisque sans ce mécanisme de blocage, nous risquerions fort « d'agir nos rêves ». En fait, comme l'explique l'encadré 4.2, des personnes dont le tronc cérébral est endommagé ont réellement frappé leur partenaire alors qu'elles rêvaient d'une bagarre !

Les cauchemars sont normalement sans conséquences graves. Cependant, une personne qui fait souvent l'expérience de cauchemars peut développer de l'insomnie pour tenter d'échapper à ces expériences pénibles qui laissent derrière elles une sensation de crainte. Rassurer l'enfant après un cauchemar est souvent nécessaire afin de l'aider à retrouver un état de relaxation. Pour l'observateur, il est impossible, en observant le dormeur, son tracé électroencéphalographique ou ses mouvements oculaires rapides, de déterminer s'il rêve ou s'il fait un cauchemar. Ce fait montre que le cauchemar est simplement un type de rêve. Cet état altéré de conscience fait l'objet de la prochaine section.

Énurésie
Trouble du sommeil se manifestant par l'émission d'urine de façon involontaire et inconsciente.

Terreur nocturne
Trouble du sommeil caractérisé par le réveil brutal et l'augmentation de l'activation corporelle, des cris, des pleurs et des gestes affolés, sans que la personne ne prenne conscience de ce qu'elle a vécu.

Cauchemar
Trouble du sommeil correspondant à un rêve dans lequel se trouve une émotion suffisamment désagréable pour qu'elle entraîne le réveil et la prise de conscience de l'expérience vécue.

FIGURE 4.3   TERREUR NOCTURNE OU CAUCHEMAR ?

Bien que les deux troubles du sommeil se ressemblent, lors d'une terreur nocturne, la personne ne se réveille pas complètement, se rendort et garde peu de souvenirs de son expérience, alors que, dans le cas du cauchemar, l'émotion négative est suffisamment intense pour entraîner le réveil de la personne, et celle-ci se souvient habituellement du rêve.

4.2.5 LES RÊVES

Il n'est pas aisé de définir avec précision les caractéristiques psychologiques du rêve, et encore moins de les expliquer.

• QUELQUES CARACTÉRISTIQUES PSYCHOLOGIQUES DU RÊVE

Les rêves constituent un univers parallèle à la vie de tous les jours. Comme dans *Une nuit d'hiver à Vitebsk*, la toile de Chagall représentée dans la figure 4.4, les rêves nous fascinent par leur magie et leur mystère. Les rêves font intervenir l'imagerie sans stimulation externe. Certains rêves sont si réalistes et si bien structurés que l'individu a l'impression qu'ils sont réels, qu'il est impossible qu'il soit simplement en train de rêver. D'autres rêves sont désorganisés et informes. En admettant que les rêves se déroulent principalement durant le sommeil paradoxal, les chercheurs s'entendent pour affirmer que tout le monde rêve, même si on ne s'en souvient pas toujours. Si une personne dort pendant huit heures, elle peut rêver jusqu'à cinq fois.

FIGURE 4.4   LE RÊVE

Dans *Une nuit d'hiver à Vitebsk*, Marc Chagall semble dépeindre des images issues d'un rêve.

Les rêves peuvent survenir au cours de chacune des phases du sommeil, mais ils sont plus impressionnants durant le sommeil paradoxal. Ils sont alors plus susceptibles de présenter une imagerie claire et des intrigues cohérentes, même si une partie du contenu est bizarre.

• QUELQUES EXPLICATIONS DU RÊVE

Il existe plusieurs théories explicatives du rêve. Aucune d'elles ne fait actuellement l'unanimité parmi les psychologues. Réunies, elles représentent un ensemble d'informations plus complémentaires que contradictoires.

L'explication psychanalytique. Dans son ouvrage intitulé *L'interprétation des rêves* et publié en 1900, Freud donne le véritable coup d'envoi à la psychanalyse. Pourtant, c'est en 1884 que Freud commence à s'intéresser aux rêves que lui racontent ses malades, notamment lorsqu'une de ses patientes lui lance : « Laissez-moi parler ! » Ce conseil fut à la base du développement de la méthode de **libre association**, règle première de la cure psychanalytique, et plus particulièrement de l'analyse des rêves. Pour Freud, le rêve constitue la voie royale pour accéder à l'inconscient. Même s'il reconnaît que l'origine du rêve provient d'une impression vécue durant la journée, il est convaincu que les rêves expriment des pulsions et des désirs inconscients refoulés. L'inconscient cherche toujours à s'exprimer. Freud pense que, durant le sommeil, la censure se relâche et qu'ainsi le matériel refoulé peut se glisser dans les rêves.

Freud distingue le **contenu manifeste**, soit ce que la personne raconte de son rêve, du **contenu latent**, soit le désir refoulé qui détermine le contenu manifeste. Le contenu latent est codé tel un rébus à déchiffrer. Cette stratégie protège le sommeil en ce sens qu'un bon déguisement permet à la personne de dormir paisiblement. Chez les enfants, le contenu manifeste est peu éloigné du contenu latent, car leur censure est moins développée. À l'inverse, les adultes refoulent davantage leurs pulsions sexuelles et agressives, compliquant le déchiffrage du contenu manifeste de leurs rêves. Les désirs sexuels et agressifs refoulés chez l'enfant servent de base à la formation des rêves chez l'adulte.

Au cours d'une analyse faite à partir d'un élément du rêve, la personne associe librement, sans se culpabiliser, les idées qui lui viennent spontanément à l'esprit. Si elle parvient à éviter toute forme de contrôle, les liens entre différents aspects du rêve et des contenus inconscients se révèlent. Le travail du psychanalysé est alors de réorganiser le contenu de son rêve afin de saisir l'idée sous-jacente qui a été bloquée ou transformée, toujours inconsciemment, parce que jugée trop dérangeante. Selon les psychanalystes, c'est là un travail

Libre association

En psychanalyse, méthode qui consiste à exprimer spontanément et avec le moins de contrôle possible toutes les pensées qui viennent à l'esprit, à partir de l'image d'un rêve ou d'un lapsus, par exemple.

Contenu manifeste

En psychanalyse, ce qu'une personne raconte de son rêve, ce qui est du domaine du conscient.

Contenu latent

En psychanalyse, ce qui est caché derrière ce que raconte une personne de son rêve et que l'on tente de déchiffrer pour atteindre une partie de son inconscient.

exigeant, puisqu'une foule de résistances, que l'on nomme «mécanismes de défense», sont mises en place afin, comme on l'explique dans le chapitre 11, de maintenir hors du champ de la conscience ces idées impensables. Pour les psychanalystes, les rêves «protègent» le sommeil en procurant une imagerie qui interdit aux pensées troublantes et refoulées l'accès à la conscience.

Les moyens d'expression du rêve diffèrent de ceux utilisés à l'état de veille. Toutefois, ils sont semblables à ceux de la poésie, de la création et de l'imagination. Ce sont des symboles, des métaphores, des superpositions, des substitutions, des inversions, etc. En psychanalyse, on tente de découvrir la signification de ces symboles. Le rêve incohérent et absurde prend sa forme lorsqu'on le décompose et qu'on interprète les motivations qu'il cache. Il est important de savoir que l'interprétation d'un rêve se fait à partir de l'histoire de la personne, de ses propres référents, et non pas à partir d'un dictionnaire universel des symboles!

Deux explications de type cognitif. Une première façon d'expliquer les rêves par l'approche cognitive est soutenue par Foulkes (1993), d'après qui les rêves ont pour fonction de traiter les événements stressants de la journée. D'une part, ils pourraient compenser des manques éprouvés (la personne rêve d'une grande fête alors qu'elle est isolée et seule); d'autre part, ils aideraient à développer un sentiment de maîtrise sur la vie (la personne recherche une solution alors qu'elle n'est pas dérangée par des stimuli externes et que sa mémoire est disponible pour soutenir cette recherche). Dans cette perspective, les rêves ne sont pas le reflet de contenus inconscients, mais plutôt de difficultés intellectuelles et émotionnelles non résolues.

Crick et Mitchison (1983) proposent une autre théorie cognitive sur la fonction des rêves, issue de la perspective de l'intelligence artificielle. Ils suggèrent que le sommeil paradoxal permet au cerveau d'éliminer l'accumulation excessive d'informations et, ainsi, de libérer de l'espace mémoire pour mieux se concentrer sur les événements du jour suivant.

Le point de vue biologique. Le modèle de l'activation-synthèse de Hobson et McCarley (1977), la théorie la plus souvent signalée comme explication biologique du rêve, veut que les rêves traduisent non pas un phénomène significatif, mais plutôt une activité biologique. Selon cette théorie, une abondance du neurotransmetteur acétylcholine dans le cerveau (voir le chapitre 2) et un mécanisme de déclenchement minuté dans le pont (situé dans le tronc cérébral) stimuleraient une série de réactions entraînant le rêve. L'une de ces réactions serait située au niveau du système d'activation réticulaire, ce qui stimulerait l'individu, mais pas au point de le réveiller. En effet, durant l'état d'éveil, la décharge de ces cellules est reliée aux mouvements, et en particulier aux mouvements semi-automatiques comme le fait de marcher, de courir et d'effectuer d'autres gestes. Cependant, comme nous l'avons vu plus haut, l'activité motrice est inhibée au cours du sommeil paradoxal, de sorte que l'individu n'est pas agité lorsqu'il rêve. Par ailleurs, le système d'activation réticulaire stimule également l'activité nerveuse de zones du cortex intervenant dans la vision, l'audition et la mémoire. Le cortex fait ensuite automatiquement la synthèse de ces sources de stimulation pour produire la substance des rêves. Ainsi, selon la conception biologique, les rêves constitueraient un sous-produit banal de l'activité neurologique dans les zones du cortex intervenant dans la vision, l'audition et la mémoire.

ÉCLAIRCISSEMENT DE L'AMORCE : *Si Jérôme est maussade et grippé, c'est peut-être à cause de la mauvaise qualité de son sommeil. Il est possible que son sommeil profond ne soit pas suffisamment présent afin de permettre toute la récupération physiologique dont il a besoin, d'où la grippe persistante. En se couchant avant minuit, Jérôme augmenterait ses chances de récupération. Son humeur maussade pourrait quant à elle être causée, en partie du moins, par un manque de sommeil paradoxal. En effet, une personne privée de ce type de sommeil manifeste souvent une humeur dépressive et irritable. Pour s'aider à retrouver un sommeil de qualité, Jérôme pourrait utiliser certaines des suggestions présentées dans l'encadré 4.4. Dans la mesure où ces solutions contribuent à diminuer son stress à l'état d'éveil, les mauvais rêves qui perturbent son sommeil devraient également s'estomper peu à peu.*

4.3 L'HYPNOSE

On présente ici une description générale de l'hypnose, ses applications, de même que les risques qui y sont liés.

4.3.1 LES CARACTÉRISTIQUES DE L'HYPNOSE

Malgré sa popularité dans les spectacles et en tant que manifestation mystérieuse, l'**hypnose** est aujourd'hui un sujet d'étude respectable. Appelé «transe hypnotique», cet état de conscience est habituellement provoqué comme suit : on demande à un participant de canaliser toute son attention sur une petite lumière, une tache sur un mur, un objet tenu par l'hypnotiseur ou simplement sur la voix de celui-ci, comme le montre la figure 4.5. Le participant perçoit des suggestions verbales selon lesquelles ses membres deviennent plus chauds, plus lourds et plus détendus. L'hypnotiseur indique au participant qu'il devient somnolent ou qu'il s'endort. L'hypnose se situe entre l'état de vigilance normale et le sommeil. Pourtant, l'état hypnotique s'avère très différent du sommeil normal. En effet, dans l'état hypnotique, l'acuité sensorielle n'est pas diminuée, l'attention peut être canalisée, différentes actions sont possibles et l'enregistrement de l'EEG est comparable à celui obtenu pendant l'éveil (Norbert, 1983).

L'hypnose obtient plus de succès auprès des gens qui comprennent ce que l'on attend d'eux durant l'état de transe. Les personnes facilement hypnotisées sont considérées comme étant dotées d'une suggestibilité hypnotique. Selon Hilgard (1977), elles représentent environ 10 à 20 % de la population, alors que 10 % ne sont pas du tout hypnotisables. La majorité de la population l'est donc à des degrés variables. De façon générale, les personnes facilement hypnotisables manifestent une attitude positive envers l'hypnose et désirent être hypnotisées. Il est donc extrêmement peu probable qu'une personne soit hypnotisée sans son consentement. Le fait d'apprécier et de faire confiance à l'hypnotiseur contribue aussi à la suggestibilité hypnotique. Cela ne veut pas dire que l'hypnotiseur peut faire accomplir à une personne des actes qu'elle aurait refusé de commettre en temps normal. L'hypnotisé conserve en effet la maîtrise de ses actes. L'hypnose peut cependant fournir le prétexte pour poser des gestes que la personne n'aurait pas autrement accepté de poser. Hilgard (1970 : voir Tamisier, 1999) a par ailleurs montré que les personnes imaginatives, créatives et ayant des croyances religieuses sont plus facilement hypnotisables. À l'inverse, les scientifiques et les sportifs qui font de la compétition y sont plus réfractaires.

 MYTHE OU RÉALITÉ 6

Il n'y a pas de preuve à l'effet qu'on puisse hypnotiser une personne contre son gré. Les personnes hypnotisées désirent l'être et coopèrent avec l'hypnotiseur.

4.3.2 LES APPLICATIONS DE L'HYPNOSE

Au cours des dernières années, l'hypnose est devenue une technique de plus en plus utilisée dans différents domaines (Bert, 2003). Dans le but de contrôler la douleur, l'hypnotiseur canalise l'attention de son patient afin de l'empêcher d'en prendre conscience. L'hypnose peut ainsi remplacer ou compléter la prise de médicaments avant, pendant et après une intervention chirurgicale, en médecine dentaire, lors d'accouchements (comme l'explique l'encadré 4.5), de même que pour traiter des douleurs associées aux migraines, aux rhumatismes et à des brûlures. L'hypnose accélère même la cicatrisation et la disparition de la douleur après une intervention chirurgicale (Ginandes et autres, 2003, voir Bert, 2003). Pour des troubles psychosomatiques, où le corps exprime une souffrance qui est aussi psychique, l'hypnose est efficace. Ainsi, l'hypertension, l'asthme, les troubles digestifs, urinaires et dermatologiques (les verrues disparaissent!) peuvent être contrôlés par l'hypnose (Bert, 2003).

Hypnose
État altéré de la conscience dans lequel les gens semblent très influencés par les suggestions d'une autre personne (l'hypnotiseur) et insensibles aux autres stimuli.

FIGURE 4.5 L'HYPNOSE

Environ 10 à 20 % de la population est facilement hypnotisable. Ce sont souvent des gens qui ont généralement une attitude positive face à l'hypnose et qui ont une bonne capacité d'imagination.

ENCADRÉ 4.5
Hypnose et accouchement

Développée au début du XXᵉ siècle en Europe, l'accouchement sous hypnose existe aujourd'hui au Québec. La technique s'appuie sur l'idée selon laquelle la peur et le stress de l'accouchement causent une contraction excessive des muscles de l'utérus, ce qui augmente la douleur ressentie. Par un entraînement proposé à la future mère et à son partenaire (Zekri, 2004), l'hypnothérapeute vise une relaxation totale pour permettre un accouchement plus facile et plus confortable. En fait, sur le plan biologique, on cherche à libérer l'endorphine (neurotransmetteur analgésique présenté au chapitre 2). La femme, aidée de son conjoint, apprend l'autohypnose afin de pouvoir elle-même contrôler sa douleur aux moments opportuns. Le Dʳ Campbell (voir Zekri, 2004) affirme que son taux de césariennes est passé de 25 à 1% grâce à l'hypnose!

Dans le cadre psychothérapeutique, la suggestion hypnotique est fréquemment utilisée pour faciliter la relaxation auprès de personnes anxieuses ou encore dans le traitement de la toxicomanie, des troubles du sommeil et de l'alimentation. Dans ce cadre, les hypnothérapeutes ne se donnent pas pour but la compréhension des origines du trouble, mais plutôt l'atteinte d'un comportement prédéterminé. Enfin, les policiers s'appuient parfois sur l'hypnose afin de permettre à des victimes ou à des témoins de retrouver le souvenir d'un agresseur. Certains ont même ainsi pu donner le numéro d'immatriculation de la voiture d'un suspect! Pourtant, comme l'explique la section suivante, ces souvenirs ne sont pas toujours exacts, car la formulation des questions peut facilement suggérer un souvenir.

MYTHE OU RÉALITÉ 7
Sous hypnose, certaines personnes peuvent effectivement subir des chirurgies sans anesthésie.

De nombreuses explications ont été proposées pour rendre compte de ce phénomène fascinant qu'est l'hypnose. L'encadré 4.6 en présente quelques-unes du point de vue cognitiviste.

ENCADRÉ 4.6
L'hypnose, quelques explications cognitivistes

Parmi les explications de l'hypnose, l'approche cognitive est celle qui offre les pistes les plus fréquemment défendues. Sarbin et Coe (1972) proposent la théorie du jeu de rôle de l'hypnose. Ils signalent que les changements de comportement attribués à l'hypnose peuvent être imités efficacement lorsqu'on demande aux participants de se comporter comme s'ils étaient hypnotisés. En outre, les participants ne peuvent être hypnotisés que s'ils connaissent bien le «rôle» hypnotique, c'est-à-dire la série de comportements mentionnés précédemment. C'est comme si chacun des participants se permettait d'exécuter ce que l'hypnotiseur attend de lui, tel un comédien jouant à fond son rôle dans une pièce. Selon cette théorie, l'hypnose ne constitue pas un état altéré de la conscience.

Hilgard (1977) explique le phénomène hypnotique grâce à une autre théorie cognitive: la théorie de la néodissociation. Selon ce point de vue, un individu peut prêter une attention sélective à une chose tout en percevant d'autres phénomènes inconsciemment. De la même façon, les coureurs de fond endurent des niveaux de douleur élevés en se dissociant, c'est-à-dire en s'imaginant ailleurs, en train de faire autre chose. Quand les gens sont hypnotisés, ils prêtent une attention sélective à l'hypnotiseur, même s'ils perçoivent d'autres événements de manière inconsciente. Après l'hypnose, ils concentrent leur attention sur la réalité et peuvent oublier ce qui s'est passé lorsqu'ils étaient hypnotisés.

Une expérience appuie cette théorie. On demande à des participants hypnotisés de plonger leur main gauche dans un seau d'eau glacée. L'hypnotiseur leur suggère qu'ils ne sentiront aucune douleur. Les participants qui ont réussi à se dissocier du froid en s'imaginant sur une plage, par exemple, n'ont signifié aucune douleur. Pourtant, lorsqu'on leur demande d'écrire spontanément ce qui leur vient à l'esprit avec leur main droite, ils notent: «C'est glacé»; «Ça fait mal»; «Sortez ma main». Hilgard nomme la partie de la conscience capable de s'exprimer ainsi «l'observateur caché». Il est donc possible de porter une attention à certains stimuli auditifs et visuels tout en se coupant d'autres sensations (tactiles, par exemple). Autrement formulé, nous pouvons dissocier notre conscience selon ce qui nous occupe, sans pour autant perdre la connaissance de ce qui arrive.

4.3.3 L'HYPNOSE : QUELQUES RISQUES POSSIBLES

L'hypnose est un état altéré de la conscience, c'est-à-dire que l'individu ne fonctionne pas «normalement» dans cet état. Il faut cependant garder en tête qu'il accepte de se mettre dans un état de suggestibilité qu'on ne peut lui imposer contre sa volonté. On peut le faire obéir à un ordre, mais seulement si cet ordre ne viole pas sa conscience morale ou ses intérêts. Quoi qu'il en soit, l'hypnose comporte néanmoins quelques risques.

Il importe tout d'abord de se rappeler que les faits rapportés sous hypnose ne sont pas forcément exacts. Aux États-Unis, des dizaines de milliers de personnes témoignent en cour sous hypnose. Or, les scientifiques sont très préoccupés par ce phénomène, car plusieurs recherches montrent qu'il s'agit souvent de faux souvenirs (Lafleur, 1993). Sous hypnose, la personne devient très sensible aux suggestions de l'hypnotiseur et peut créer de toutes pièces des souvenirs afin de se conformer à ses attentes. Ainsi, par exemple, un thérapeute convaincu que sa cliente souffre parce qu'elle a subi des agressions sexuelles dans son enfance peut l'amener à entreprendre des poursuites judiciaires contre son père. La cliente est vulnérable, elle fait confiance à son thérapeute et peut accepter cette hypothèse d'abus à un point tel qu'elle y croira sincèrement, se remémorant des scènes d'agression. Dans tout souvenir se mélangent des aspects réels et d'autres parfois créés de toutes pièces. Ce dont une personne se souvient sous hypnose n'est pas nécessairement plus vrai qu'un autre souvenir. La mémoire n'est jamais une copie conforme de la réalité.

Par ailleurs, il faut aussi être prudent lorsqu'il y a consultation afin de supprimer une douleur. Cette douleur est-elle la manifestation d'un problème physique réel et vraisemblablement grave? Un mal de tête peut provenir d'une tumeur cancéreuse, par exemple. Si la personne ne ressent plus de douleur après une séance d'hypnose, elle n'ira probablement pas consulter un médecin qui pourrait intervenir à temps.

Enfin, précisons que le titre d'hypnothérapeute ou d'hypnotiseur n'est pas réglementé au Québec. Afin de garantir une certaine éthique professionnelle, il vaut mieux s'assurer que celui-ci est bien un professionnel reconnu, un psychologue ou un médecin, par exemple.

À Jérôme, qui se demande s'il est possible qu'il ait été hypnotisé sans qu'il s'en souvienne, on peut offrir quelques explications. Pour que cela ait été possible, il faudrait que Jérôme fasse partie des 10 à 20 % de la population qui est dotée d'une suggestibilité hypnotique. Connaît-il l'hypnose? Est-il créatif et imaginatif? Si oui, il a plus de chances de faire partie de ce groupe. Ensuite, cela implique qu'il ait accepté de se faire hypnotiser, puisqu'on ne peut pas hypnotiser une personne contre son gré. Cela suggère aussi qu'il devrait se souvenir d'avoir récité des parties du texte de Cyrano de Bergerac. Néanmoins, il est possible que Jérôme ne se souvienne pas de cet épisode d'hypnose. En effet, si Jérôme a reçu la directive d'oublier les événements survenus sous hypnose, et même le fait d'avoir été hypnotisé, cette amnésie est plausible. En outre, sous hypnose, une personne peut manifester une mémoire accrue. A-t-il déjà appris des extraits de Cyrano de Bergerac? Si oui, il est alors possible qu'il se soit mis à les réciter, même si cela est surprenant. Enfin, même si réciter des extraits de Cyrano de Bergerac n'est pas très grave, on peut s'interroger sur l'éthique professionnelle de l'hypnotiseur ayant agit de la sorte. Son intention semble discutable.

ÉCLAIRCISSEMENT DE L'AMORCE

4.4 LA MODIFICATION DE LA CONSCIENCE DÉCOULANT DE L'USAGE DE DROGUES

Les états altérés de conscience par le sommeil et par l'hypnose peuvent se produire sans substance chimique, mais abordons maintenant les états altérés de conscience induits par la consommation de substances étrangères à l'organisme, communément appelées «drogues». Signalons au départ que ce terme se rapporte à de nombreux produits, selon l'extension qu'on veut bien lui donner. Ainsi, différents types de substances légales font partie de la vie quotidienne sans être nécessairement perçue comme des drogues. Songeons, entre autres, à certains médicaments, à la caféine et à la nicotine. Dans le cas présent, nous nous attarderons uniquement aux **psychotropes** ou **drogues psychoactives**, c'est-à-dire aux substances naturelles ou synthétiques pouvant perturber les phénomènes mentaux et le comportement sur le plan de la vigilance, de la perception, de la pensée, des émotions, de la coordination motrice, etc. À noter que, même si le commerce de la plupart des psychotropes est illégal, plusieurs de ces substances ont été au départ développées par des compagnies pharmaceutiques en tant que médicaments dans un cadre thérapeutique. C'est notamment le cas de drogues dont on entend souvent parler telles que l'héroïne, la cocaïne et même l'ecstasy.

 MYTHE OU RÉALITÉ 8

Il est vrai que l'ecstasy est une drogue qui a été développée en 1912 par les laboratoires pharmaceutiques Merck pour diminuer l'appétit.

Nous présenterons d'abord les principales catégories de psychotropes, pour ensuite aborder les raisons qui poussent un individu à en consommer et les facteurs qui jouent un rôle sur leurs effets. Nous verrons ensuite trois types de consommation qui en résultent, le dernier étant la toxicomanie, qui fera l'objet d'un point particulier.

4.4.1 LES CATÉGORIES DE PSYCHOTROPES

Il existe plusieurs psychotropes. Tous altèrent la conscience, mais de différentes façons. Selon leurs effets, le Comité permanent de lutte à la toxicomanie (2003) les divise en cinq grandes catégories : (1) les dépresseurs ; (2) les stimulants ; (3) les perturbateurs ou hallucinogènes ; (4) les médicaments psychothérapeutiques ; et (5) les androgènes et stéroïdes anabolisants. La section suivante les décrit. Pour avoir un portrait plus détaillé de quelques dépresseurs, stimulants et perturbateurs, consultez le tableau 4.1.

• LES DÉPRESSEURS

Les **dépresseurs** agissent en ralentissant l'activité du système nerveux central. Ils diminuent le niveau d'éveil et le fonctionnement cognitif. La personne se détend et est moins consciente des stimulations internes et externes, ce qui explique leurs effets **analgésiques**. On retrouve principalement dans la famille des dépresseurs : l'alcool, les tranquillisants mineurs (aussi appelés **sédatifs** et **hypnotiques**) dans lesquels on classe les barbituriques, les opiacés (incluant la codéine, l'héroïne, la méthadone, la morphine et l'opium) et les substances volatiles (les colles, les peintures, les combustibles et autres sources de vapeurs).

• LES STIMULANTS

Tous les **stimulants** augmentent l'activité du système nerveux favorisant l'éveil et l'accélération des fonctions cognitives. La personne se sent plus alerte et plus énergique. Certains stimulants semblent contribuer aux sensations d'euphorie et de confiance en soi. Les amphétamines, la cocaïne, la caféine et la nicotine (que nous rappelle la figure 4.6) font partie de cette famille.

• LES PERTURBATEURS

Les **perturbateurs** « brouillent » les fonctions cognitives et émotives. Ce sont des **hallucinogènes**, c'est-à-dire qu'ils engendrent des hallucinations ou, en d'autres termes, des perceptions survenant en l'absence de stimulation extérieure. Les perturbateurs peuvent également avoir d'autres effets, comme celui de détendre l'individu, de créer un état d'euphorie ou, dans certains cas, de provoquer la panique. Le cannabis (marijuana et haschisch), le LSD, la mescaline, le PCP et l'ecstasy sont des perturbateurs.

• LES MÉDICAMENTS PSYCHOTHÉRAPEUTIQUES

Du point de vue scientifique, les médicaments sont des drogues. Certains d'entre eux sont psychoactifs et sont utilisés dans le traitement psychologique. Ils comprennent les

---

Psychotrope (aussi appelé drogue psychoactive)
Substance naturelle ou synthétique pouvant perturber les processus mentaux et le comportement sur le plan de la vigilance, des perceptions, de la pensée, des émotions, de la coordination motrice, etc.

Dépresseur
Type de drogue psychotrope ralentissant l'activité du système nerveux central et favorisant la relaxation et le sommeil.

Analgésique
Qui entraîne un état d'insensibilité à la douleur sans perte de conscience.

Sédatif
Substance qui favorise le calme et apaise la nervosité ou l'agitation.

Hypnotique
Substance qui favorise la somnolence et le sommeil.

Stimulant
Type de drogue psychotrope augmentant l'activité du système nerveux central, la vigilance et de l'euphorie.

Perturbateur (aussi appelé hallucinogène)
Type de drogue psychotrope engendrant des hallucinations, de la relaxation et de l'euphorie.

antidépresseurs, les antipsychotiques et les stabilisateurs de l'humeur. Avec les anxiolytiques, les sédatifs et les hypnotiques, ils constituent les principales substances psychoactives prescrites aux personnes souffrant de troubles psychologiques. Ils se retrouvent aussi sur le marché noir et sont parfois impliqués dans une toxicomanie. Avec un suivi médical et psychologique adéquat, ils peuvent aider. Cependant, ils ne sont pas dépourvus d'effets nocifs et ils risquent d'entraîner des troubles physiques et psychologiques sérieux. Ils peuvent même entraîner la mort, surtout lorsqu'ils sont mélangés avec d'autres psychotropes comme l'alcool.

• LES ANDROGÈNES ET STÉROÏDES ANABOLISANTS

Il s'agit ici de psychotropes synthétisés à partir de la testostérone afin d'augmenter les performances sportives, sociales ou professionnelles. On retrouve dans cette catégorie le danazol, la fluoxymestérone et la nandrolone. Leurs effets bénéfiques sont largement dépassés par les risques liés à la santé physique et psychologique qu'ils comportent. Plusieurs décès y sont associés, comme l'explique l'encadré 4.7.

4.4.2 LES RAISONS DE CONSOMMER

Les raisons de consommer une drogue sont variables. Selon le Comité permanent de lutte à la toxicomanie (CPLT, 2003), elles découlent de l'histoire de la personne, de sa santé physique et psychologique, et de son environnement familial et social. On prend un psychotrope : pour le plaisir, pour se sentir mieux, pour surmonter un événement douloureux,

FIGURE 4.6   FUMER LA CIGARETTE

Au Québec, le nombre de personnes qui meurent à cause de la cigarette est comparable à 20 avions gros porteurs qui s'écraseraient chaque année. Si l'aviation était aussi peu sécuritaire, le gouvernement maintiendrait-il les vols ? Les gens continueraient-ils à prendre l'avion ?

ENCADRÉ 4.7

Des athlètes tués par la consommation de produits dopants ?

APPROFONDISSEMENT

Depuis quelques années, on observe le décès brutal de nombreux athlètes de très haut niveau (voir la figure). Voici quelques exemples tirés des deux dernières années (Mandard, 2004) : le Camerounais Marc-Vivien Foé, 28 ans, s'écroule au cours d'un match de soccer disputé en Europe ; l'attaquant hongrois Miklos Feher, 24 ans, connaît la même fin tragique ; deux semaines plus tard, le basketteur Raimond Jumikis, 23 ans, s'effondre lors d'une partie disputée à Stockholm ; Fabrice Salanson, espoir du cyclisme français, meurt à 23 ans d'un arrêt cardiaque pendant son sommeil, à la veille du départ du Tour d'Allemagne ; Marco Pantani,

34 ans, champion de cyclisme en 1998, est retrouvé inanimé dans une chambre d'hôtel ; un autre cycliste italien, Marco Rusconi, 24 ans, meurt dans le stationnement d'un centre commercial. Et on pourrait poursuivre...

La plupart du temps, les autopsies concluent que ces athlètes sont morts «naturellement» des suites d'un arrêt cardiaque et qu'aucun produit dopant n'a été détecté. Cela n'exclut pourtant pas que des hormones de croissance, des anabolisants et autres drogues psychoactives soient impliqués dans ces décès. Il semble effectivement surprenant qu'autant de jeunes hommes dans la fleur de l'âge, dotés de

corps exceptionnels et entourés de spécialistes médicaux, meurent de crises cardiaques. Plusieurs spécialistes affirment que la consommation d'hormones de croissance ou d'anabolisants peut entraîner des problèmes cardiaques (Escande, voir Mandard, 2004). Ces substances sont très toxiques et altèrent non seulement l'humeur (agressivité, dépression, irritabilité), mais aussi les muscles. Le cœur étant un muscle, il est particulièrement vulnérable à l'action des androgènes et des stéroïdes anabolisants.

Marco Pantani (à gauche) et Marc-Vivien Foé (à droite), deux athlètes décédés dans des circonstances troublantes.

Tableau 4.1 EFFETS DES PRINCIPALES DROGUES CONSOMMÉES DANS LE BUT D'ALTÉRER LA CONSCIENCE

TYPE DE DROGUES		EFFETS	DÉPENDANCE ET TOLÉRANCE
DÉPRESSEURS	**Alcool**	• Au début, légère stimulation, détente, euphorie ; diminution de la douleur, des inhibitions et des maux mineurs ; ensuite, sédation et dépression • Diminution des réactions sexuelles • Blocage de l'effet excitateur du glutamate entraînant la diminution des fonctions cognitives, notamment de la mémoire et de l'apprentissage • Stimulation de la libération de dopamine	• Dépendances physique et psychologique très fortes • Tolérance élevée
	Opiacés opium, morphine héroïne, méthadone codéine	• Euphorie, sédation et analgésie • Confiance en soi, satisfaction, paix • Vomissements et nausées • Substitut de l'endorphine et de l'acétylcholine • Stimulation de la libération de dopamine	• Dépendances physique et psychologique très élevées • Grande tolérance
STIMULANTS	**Amphétamines** méthéamphétamine (*speed*, *ice*, cristal)	• Suppression de la fatigue • Euphorie • Confiance en soi ; impression de contrôle sur soi et sur le monde • Diminution de l'appétit • Après ces effets, abattement • Forte stimulation de la libération de dopamine et de sérotonine	• Dépendance psychologique • Dépendance physique non établie • Tolérance rapide
	Cocaïne Le *crack* et le *free base* en sont des dérivés dont les effets sont beaucoup plus nocifs.	• Euphorie • Augmentation de la vitalité, de la confiance et du contrôle de soi • Diminution de l'appétit et de la douleur • Augmentation de l'appétit sexuel • Diminution de la capacité de jugement et des inhibitions • Tremblements, maux de tête, nausées • Augmentation de la présence de dopamine, de noradrénaline et de sérotonine	• Dépendance psychologique importante • Dépendance physique non établie avec certitude • Tolérance pas toujours présente
PERTURBATEURS OU HALLUCINOGÈNES	**Cannabis** marijuana, *haschisch*	• Détente, bonne humeur • Hallucinations légères • Perceptions accrues et augmentation de la pensée créatrice • Perception ralentie du temps • Somnolence, désorientation spatiotemporelle • Faible stimulation de la libération de dopamine	• Dépendance physique faible • Dépendance psychologique modérée • Tolérance inversée
	LSD	• Hallucinations impressionnantes et colorées • Réactions imprévisibles • Désorientation spatiotemporelle • Perturbation de la libération de sérotonine	• Pas de dépendance physique • Dépendance psychologique de courte durée possible • Tolérance faible
	PCP	• Euphorie, désinhibition et excitation • Désorientation, hallucinations • Perte de la sensibilité à la douleur • Sentiment de force et d'invulnérabilité • Stimulation de la libération de dopamine	• Produit très toxique • Dépendance psychologique possible • Dépendance physique rare
	Ecstasy	• Hallucinations et stimulation (excitation, impression de puissance, suppression de la fatigue, de la faim et de la douleur) • Au début, anxiété, euphorie, expression et contact avec soi et les autres facilités • Ensuite, fatigue, tristesse, mauvaise humeur • Augmentation de la présence de sérotonine et de dopamine	• Tolérance rapide • Dépendance psychologique possible • Dépendance physique très faible

RISQUES LIÉS À LA SANTÉ PHYSIQUE	RISQUES LIÉS À LA SANTÉ MENTALE	RISQUES LIÉS À LA VIE SOCIALE
• Dommages au niveau de la circulation sanguine et du système nerveux (*delirium tremens*, syndrome de Wernicke-Korsakoff) • Cirrhose • Ulcères • Cancers • Troubles hormonaux • Syndrome alcoolique fœtal • Intoxication aiguë pouvant entraîner la mort	• Dépression • Anxiété • Perturbation de la conscience de soi, du fonctionnement cognitif, de l'élocution et de la coordination motrice	• Baisse de productivité, perte d'emploi et du statut social • Mauvais résultats scolaires • Diminution du sentiment de culpabilité et de honte pouvant entraîner des comportements désinhibés (négligence, agression sexuelle, homicide et suicide) • Accidents de la route
• Blessures graves • Risques de contracter le VIH/sida ou l'hépatite • Ralentissement cardiaque et respiratoire • Surdoses mortelles (paralysie respiratoire)	• Troubles de l'humeur • Perte de motivation et d'intérêt généralisée	• Peut favoriser des actes criminels • Marginalisation sociale
• Acné • Perte de poids • Rythme cardiaque accéléré ou irrégulier	• Épuisement, insomnie ou hypersomnie, hallucination, délire paranoïaque, jugement faussé, agitation, irritabilité, dépression, angoisse	• Agressivité • Suicide
• Perte de poids • Perforation de la cloison des fosses nasales • Augmentation de la fréquence cardiaque et de la pression artérielle • Anomalies cardiaques et pulmonaires • Effondrements cardiovasculaire et respiratoire • Augmentation des risques d'épilepsie • Risques de contracter le VIH/sida ou l'hépatite • Mort • Lésions cérébrales et faible poids du fœtus	• Agitation, insomnie, anxiété, dépression et impuissance • Troubles de la mémoire • Symptômes semblables à ceux de la schizophrénie : hallucinations, délires paranoïaques, confusion	• La dépendance peut favoriser des actes criminels • Violence
• Nausées et vomissements • Augmentation du rythme cardiaque • Infections respiratoires • Cancer des poumons	• Perturbation de la capacité de concentration, de la coordination motrice • Diminution de la mémoire à court terme et de l'apprentissage • Craintes de la perte d'identité • Angoisse, confusion • Problèmes psychiatriques possibles	• Attitude amicale peut faire place à l'égocentrisme et au retrait
• Dangers de suicide accidentel ou volontaire • Hyperventilation • Hypertension • Augmentation de la température corporelle et du rythme cardiaque • Coma	• Pertes de contact avec la réalité et du contrôle de soi parfois très angoissantes • Crises de panique, délire paranoïde, phobies • Problèmes psychiatriques possibles	• Comportements agressifs
• Rigidité musculaire • Problèmes cardiaques • Blessures et accidents parfois mortels • Coma • Mort par arrêt cardiaque, respiratoire, rénal ou hémorragie cérébrale	• Dépression, anxiété et paranoïa • Pertes de mémoire, stupeur, confusion • Problèmes psychiatriques possibles	• Réactions imprévisibles souvent violentes
• Déshydratation et augmentation de la température corporelle • Troubles cardiaques • Perte de poids • Destruction de neurones	• Cauchemars, panique, anxiété, dépression • Troubles psychologiques sévères et durables	• Comportements agressifs

Tous ces effets et risques dépendent de la dose et de la durée de l'usage de la drogue, de sa méthode de consommation de même que des attentes de la personne à son égard et de l'interprétation qu'elle fait de ses effets. La plupart du temps, ces effets sont plus dramatiques lorsque différents psychotropes sont combinés. Les revendeurs changent constamment l'apparence et le nom des substances, tout en les mélangeant souvent entre elles.

pour faire comme les autres, pour le plaisir de partager avec d'autres, pour accéder à des sensations nouvelles ou parce qu'on ne peut plus s'en passer.

4.4.3 LES FACTEURS INFLUENÇANT L'EFFET DE LA DROGUE

L'impact d'une drogue sur celui qui la consomme dépend de plusieurs facteurs : du type de produit, de la quantité consommée, des méthodes de consommation, de l'interprétation de ses effets et, finalement, des attentes de l'individu face à cette drogue (grandement influencées par l'entourage). Ainsi, les idées entretenues par un individu à l'égard d'une drogue donnée et le contexte dans lequel cet individu évolue sont aussi importants que les effets biochimiques de la substance elle-même. C'est ce que démontrent les **placebos**, ces substances faites de farine et de sucre par exemple, mais qui provoquent différents effets selon les attentes de la personne à leur endroit.

En ce qui a trait à la méthode de consommation, le contact plus ou moins direct avec le cerveau par l'intermédiaire du sang explique les effets plus ou moins puissants, rapides et longs d'une drogue. Manger, boire, fumer, aspirer et s'injecter une drogue sont toutes des méthodes de consommation possibles. À l'un des pôles de ce spectre, selon la dose consommée, ingurgiter une drogue provoque des effets moins puissants, moins rapides et moins longs que se l'injecter, méthode située à l'autre pôle du spectre et qui entraîne les effets les plus puissants, mais aussi les plus dangereux.

4.4.4 LES TYPES DE CONSOMMATION

Dans l'usage d'une substance psychoactive, qu'elle soit légale ou non, on différencie trois types de consommation (CPLT, 2003). L'usage récréatif est un type de consommation socialement accepté n'entraînant pas de conséquences néfastes, ni pour soi ni pour les autres. Dans ce cas, les personnes sont habituellement à la recherche du plaisir et d'un climat de détente, sans tomber dans une escalade de consommation. Dans l'abus, des risques de dommages physiques, psychologiques et sociaux sont réels, tant pour la personne que pour son entourage. Par exemple, l'abus peut être associé à la conduite automobile avec perte de vigilance, à la dégradation des relations, à l'incapacité d'assumer ses responsabilités scolaires, professionnelles, financières ou familiales, etc. L'abus peut mener au troisième type de consommation, la toxicomanie, plus problématique que les deux autres.

4.4.5 LA TOXICOMANIE

La **toxicomanie** se traduit par une dépendance et une consommation presque quotidienne d'une substance donnée. Ce type de consommation de drogues ou de médicaments entraîne une désorganisation plus ou moins grande dans la vie d'une personne. Quatre indices témoignent de son existence : 1) le désir irrésistible de consommer une substance ; 2) une tendance à augmenter les doses ; 3) une dépendance psychologique et souvent physique à l'égard des effets recherchés ; et 4) des conséquences émotives, sociales, économiques ou physiques nuisibles au consommateur ou à son entourage.

Après avoir présenté trois phénomènes en relation avec la toxicomanie, c'est-à-dire la dépendance, le sevrage et la tolérance, nous compléterons cette section par quelques éléments d'explication.

• LA DÉPENDANCE

La **dépendance** est caractérisée par une consommation de drogues dont le but est d'alléger les malaises causés par le manque de ces substances dans l'organisme. La dépendance physique se produit lorsque l'organisme devient si habitué à une drogue qu'il ne peut pas fonctionner normalement sans elle, ou lorsque des doses plus importantes sont nécessaires pour obtenir l'effet désiré. La dépendance psychologique s'instaure lorsque les pensées, les

Placebo
Traitement ou médicament dont l'efficacité ne repose pas sur ses effets physiques, mais sur les attentes de la personne traitée.

Toxicomanie
Relation de dépendance psychologique ou physique à une drogue échappant à la volonté de l'individu et tendant à subordonner son existence à la recherche des effets du produit. Elle engendre des effets nocifs chez l'individu et dans la collectivité.

Dépendance
État que peut créer une consommation régulière d'une substance psychotrope. L'absence de cette substance dans l'organisme provoque des malaises d'ordre physique ou psychologique (voir sevrage).

sentiments et les activités d'une personne gravitent tellement autour de la drogue qu'il lui est extrêmement difficile de cesser d'en consommer ou même de penser à le faire. Le toxicomane ressent un besoin intense de consommer une drogue, c'est-à-dire qu'il est en état de manque. L'accroissement de la tension interne avant la consommation, le soulagement ressenti lors de la consommation et le sentiment de perte de contrôle pendant la consommation sont autant d'indices de l'existence d'une dépendance. Une personne peut être dépendante de plus d'une drogue à la fois, comme l'illustre la figure 4.7.

• LE SEVRAGE

Lorsqu'un individu est dépendant d'une drogue, la diminution de cette dernière au-dessous d'un certain seuil dans l'organisme entraîne toute une gamme de symptômes : angoisse, nervosité, dépression, insomnie, sueurs abondantes, vomissements, diarrhées, frissons et spasmes musculaires ; dans le cas des dépresseurs, cette absence peut entraîner des convulsions et même la mort. L'ensemble des manifestations causées par la privation d'une drogue à l'égard de laquelle la personne est devenue dépendante porte le nom de symptômes de **sevrage**. Ces symptômes disparaissent si la drogue est réintroduite dans l'organisme. Les réactions au cours du sevrage indiquent que l'organisme s'était adapté aux effets de la drogue. Par exemple, dans le cas de l'héroïne, qui calme et diminue les sensations de

FIGURE 4.7 PLUSIEURS VISAGES DE LA TOXICOMANIE

Plusieurs substances psychoactives comme l'alcool, les médicaments, la cocaïne et l'héroïne peuvent donner lieu à une dépendance entraînant des effets nocifs pour la personne et son entourage. De plus, une personne peut développer une dépendance à plusieurs substances ; elle est alors qualifiée de « polytoxicomane ».

douleur, le sevrage se traduit par de grandes angoisses et des douleurs diffuses (Tamiser, 1999). Le toxicomane peut mettre du temps à s'adapter à une vie sans drogue. Son absence laisse un vide par lequel le mal-être à l'origine de la consommation réapparaît. Cela explique les fréquentes rechutes qui font partie du lent processus de guérison (CPLT, 2003). Au Québec, il existe plusieurs ressources pour soutenir les personnes désirant se débarrasser de leur dépendance à une drogue. Deux d'entre elles sont présentées dans l'encadré 4.8.

Sevrage

Action de priver un toxicomane de la drogue à l'égard de laquelle il est dépendant. Ses effets sont à la fois physiques et psychologiques : spasmes musculaires, convulsions, sueurs, angoisse et insomnie. Le sevrage peut parfois entraîner la mort.

APPLICATION

ENCADRÉ 4.8
Deux centres québécois d'intervention en toxicomanie

Il existe au Québec de nombreuses ressources pour les personnes aux prises avec un problème de consommation de drogues. Le Centre d'intervention en toxicomanie Dollard-Cormier en est un. Dollard Cormier était professeur au Département de psychologie de l'Université de Montréal et a réalisé des travaux innovateurs sur l'alcoolisme et la toxicomanie. Le centre qui porte son nom est d'orientation humaniste (Cormier avait étudié auprès de Rogers, fondateur de l'approche humaniste). Il offre une programmation à haut seuil de tolérance. Le but premier du centre est de réduire le nombre de méfaits découlant de la consommation des drogues, et non leur suppression. Le Centre Dollard-Cormier offre plusieurs ressources spécialisées en

rééducation qui vont de l'hébergement à la désintoxication, en passant par l'aide juridique, l'orientation et le suivi en santé mentale. Les clientèles expressément visées sont les jeunes, les adultes, les personnes âgées, les itinérants et les personnes souffrant d'une maladie mentale.

La toxicomanie accentue les risques d'épidémie du VIH/sida. On estime que 14 % des consommateurs de drogues injectables sont infectés (CPLT, 2004). Les services et les programmes de prévention en place leur étant difficilement accessibles, il a fallu concevoir de nouveaux types de services d'aide. À Québec, Point de repères est un lieu d'échange ou d'obtention de seringues et de condoms gratuits. Ayant comme mandat la lutte contre l'épidémie du virus

du sida, ce centre encourage les relations entre les clients et les intervenants. Il se présente d'abord comme un lieu de santé et d'éducation. Point de repères existe depuis 1991 et se situe dans un carrefour stratégique de la basse ville de Québec, à mi-chemin entre deux zones de prostitution de rue. Le centre a donc pu établir des liens avec les individus fréquentant ce milieu.

Comme le Centre Dollard-Cormier, Point de repères mise sur la réduction des méfaits des drogues plutôt que sur le contrôle complet des individus. On veut d'ailleurs y établir un lieu où les toxicomanes pourraient s'injecter leurs drogues sous supervision. Une telle piquerie légale serait une première au Québec et suivrait des modèles déjà établis à Zurich et à Amsterdam.

• LA TOLÉRANCE

Tolérance
Nécessité d'augmenter avec le temps les doses d'une substance pour avoir le même effet que celui obtenu lors des premières consommations.

La consommation régulière d'une drogue peut aussi amener une **tolérance**. Parce que la personne est devenue moins sensible aux effets de cette drogue, des quantités toujours plus grandes sont nécessaires pour obtenir l'effet désiré. Ainsi, le toxicomane acquiert la capacité de supporter des doses qui pourraient tuer une personne non toxicomane. En augmentant les doses consommées, la personne tolérante à un psychotrope multiplie les risques pour sa santé physique, puisque le produit toxique s'accumule dans son corps. Par exemple, les consommateurs de barbituriques peuvent avoir besoin d'une dose supérieure pour dormir ou pour se calmer à cause de la tolérance développée. Mais cette dose peut s'avérer suffisante pour interrompre leur respiration et entraîner la mort. Voici un autre exemple : lorsqu'un héroïnomane entreprend une cure de désintoxication, il diminue graduellement ses doses jusqu'à l'abstinence. S'il fait une rechute en se disant qu'il va faire un dernier *trip*, il risque de s'injecter une dose à laquelle son corps n'est plus tolérant; il peut alors mourir d'une surdose.

MYTHE OU RÉALITÉ 9

Il est vrai qu'à force de consommer une drogue, le corps peut s'adapter à la présence de quantités suffisamment élevées pour tuer. C'est le phénomène de la tolérance.

Parfois, les personnes qui ont consommé des drogues se comportent de façon telle qu'on les croit victimes d'une maladie mentale. Mais les effets d'une drogue sont temporaires, dépassant rarement 48 heures. Les maladies mentales durent habituellement plus longtemps. Certains chercheurs s'intéressent néanmoins aux liens entre la toxicomanie et les troubles psychologiques. C'est notamment le cas de la professeure Louise Nadeau, brièvement présentée dans l'encadré 4.9.

• QUELQUES EXPLICATIONS

Les causes de la toxicomanie sont complexes. Olievenstein (1987 : voir Tamisier, 1999) affirme qu'il s'agit de la rencontre d'une personnalité, d'un produit et d'un moment socioculturel. Sur le plan du produit, il faut tenir compte des propriétés chimiques, du dosage, du mode d'administration, de la durée et de la fréquence de consommation, de même que de la pureté. En ce qui a trait à la personne, les prédispositions biologiques, l'affectivité, les façons d'interpréter les situations ainsi que les antécédents familiaux et sociaux sont tous des facteurs déterminants dans le développement de la toxicomanie. Quant au contexte socioculturel, il est déterminé par les coutumes, les attitudes et les politiques du groupe culturel. Enfin, il ne faut pas négliger l'accessibilité du produit, l'encouragement à la consommation, les pressions exercées par les pairs et les sources de stress présentes dans l'environnement. Plusieurs théories de la psychologie essaient d'expliquer la toxicomanie. En voici quelques-unes.

ENCADRÉ 4.9
Louise Nadeau

Louise Nadeau est professeure au Département de psychologie de l'Université de Montréal. Elle fait partie de plusieurs groupes de recherche québécois, canadiens et internationaux. Ses travaux sont centrés sur les substances psychoactives (dont l'alcool) et sont particulièrement axés sur la prévention, la consommation chez les femmes et les troubles psychologiques associés à la toxicomanie. Elle a écrit un nombre impressionnant d'articles et animé plusieurs conférences et séances de formation partout en Occident. Elle contribue aussi à la formation d'intervenants et de psychologues cliniciens d'approche cognitivo-comportementale. Louise Nadeau s'engage au sein d'organismes d'intervention auprès de toxicomanes. Sa personnalité dynamique et enjouée en fait une professeure fort appréciée.

SPÉCIALISTE QUÉBÉCOISE

La psychanalyse. Selon les tenants de la psychanalyse, la toxicomanie ne peut être réduite à un comportement : elle relève plutôt d'une problématique sous-jacente. La transgression d'un interdit, un désir inconscient de dépendance et l'envie de s'effacer comme individu pourraient être à l'origine d'une toxicomanie. Par exemple, l'alcoolisme peut traduire le besoin de rester dépendant, tel un enfant à l'égard de sa mère. L'abus de drogues est vu comme une façon de fuir la réalité et comme une façon de ne pas faire face aux exigences. La substance consommée peut alors constituer un symbole porteur de significations inconscientes. Ces significations sont d'ailleurs liées aux pulsions agressives (destruction, pertes de sensation, mort) et aux pulsions sexuelles (épanouissement, orgasme, contact avec la vie), comme si, particulièrement chez le toxicomane, ce qui tue était jouissif et ce qui procure une jouissance, susceptible de provoquer la mort.

Le behaviorisme et le néobehaviorisme. Selon le modèle de Skinner, l'usage d'une drogue peut être renforcé par les effets positifs de cette dernière sur l'humeur et par la diminution de sensations désagréables comme l'anxiété, la peur et la tension. Chez les personnes vivant une dépendance, l'évitement des symptômes de sevrage est également renforcé : il s'agit d'un renforcement négatif (voir le chapitre 5).

Les théoriciens de l'apprentissage social prétendent que le premier usage de drogues est habituellement le résultat de l'observation d'autrui ou d'une recommandation. Les parents qui consomment des drogues comme l'alcool, les médicaments psychothérapeutiques et les stimulants peuvent augmenter l'intérêt de leurs enfants pour ces drogues. En fait, ils leur indiquent sans s'en rendre compte quand les consommer, par exemple lorsqu'ils sont anxieux ou déprimés.

Comme les enfants apprennent de leurs parents en les imitant, les jeunes peuvent aussi apprendre à consommer des drogues en imitant leurs pairs. Le désir de plaire, d'être accepté dans un groupe et de se conformer à un comportement donné sont des incitations à la consommation de drogues. De plus, les attentes des sujets face aux effets d'une substance psychotrope peuvent les pousser à en cesser la consommation ou à la poursuivre.

La psychologie cognitive. La psychologie cognitive insiste sur l'hypothèse selon laquelle les idées entretenues à l'égard des effets d'une drogue ont autant d'importance que les propriétés chimiques de cette dernière. L'interprétation de l'intoxication par une personne détermine sa réaction immédiate et future. L'hypothèse s'applique également au sevrage. C'est ce que les néobehavioristes nomment les « attentes de l'individu ». Si une personne croit que la meilleure façon d'être heureux est de consommer et qu'une vie sans drogue est impossible, il y a de fortes chances que cette personne devienne toxicomane.

Une autre hypothèse avance que l'abus est relié aux prétextes que le toxicomane élabore pour justifier ses actions. Dans des situations d'échec, de comportements agressifs et sexuellement abusifs, ou encore de pertes de mémoire, l'individu peut porter le blâme sur la drogue plutôt que sur lui-même. Il se pose en victime plutôt qu'en personne responsable de ce qui lui arrive. L'attention est alors tournée sur le toxicomane plutôt que sur les personnes subissant ses actes inacceptables.

L'explication biologique. Il existe certaines preuves selon lesquelles des gens peuvent manifester une prédisposition génétique à la dépendance physique envers certaines substances psychotropes comme l'alcool, la cocaïne et la nicotine (Azar, 1999). En l'occurrence, les enfants de parents biologiques alcooliques, élevés par des parents adoptifs non alcooliques, semblent plus enclins à éprouver des problèmes d'alcool que les enfants naturels de ces parents adoptifs non alcooliques (Goodwin, 1985). Vue sous cet angle, la toxicomanie est une maladie qui se traduit par une vulnérabilité du corps aux effets des drogues. Certains affirment que la maladie échappe même à la personne. Dans ce cas, on va jusqu'à lui imposer des traitements, comme on le fait avec d'autres maladies (Tamisier, 1999). Mais cette prise en charge extérieure peut amener le toxicomane à se déresponsabiliser ou à abandonner ses efforts pour s'en sortir.

Lors de sa sortie dans un bar, Jérôme a consommé des psychotropes. Il l'a probablement fait avec l'intention d'avoir du plaisir, mais aussi pour se sentir mieux, pour surmonter sa peine d'amour et pour faire comme ses amis. S'il a aimé l'expérience, c'est que l'alcool et le cannabis ont augmenté la quantité de dopamine disponible dans la région de son cerveau nommée « circuit de récompense ». C'est probablement aussi parce que ses attentes ont contribué à créer des sensations agréables. Cependant, s'il répète régulièrement ce type de consommation, les sensations de plaisir risquent de diminuer, sous l'effet du phénomène de tolérance. Cela est particulièrement vrai pour l'alcool, qui est un puissant dépresseur. À petites doses, il favorise l'euphorie, mais si on en abuse, l'alcool diminue l'activité du système nerveux : l'humeur maussade s'impose, la mémoire diminue et le corps souffre. En effet, les risques de dépendance physique et psychologique à l'alcool sont élevés. Cependant, après un seul épisode d'abus, Jérôme ne risque pas de devenir alcoolique. Il faut que le comportement se répète régulièrement pour qu'il devienne problématique. La dépendance semble moins grande dans le cas du cannabis, qui est un perturbateur, un hallucinogène léger. Il entraîne parfois de légères hallucinations, des fous rires, une détente, et comporte des risques pulmonaires, s'il est consommé régulièrement. Bref, si Jérôme en consomme à l'occasion pour relaxer et pour avoir du plaisir, il risque peu de développer une toxicomanie. Cependant, s'il prend l'habitude de boire et de fumer du pot régulièrement, il pourrait développer une dépendance, sans parler des problèmes possibles avec les autorités policières.

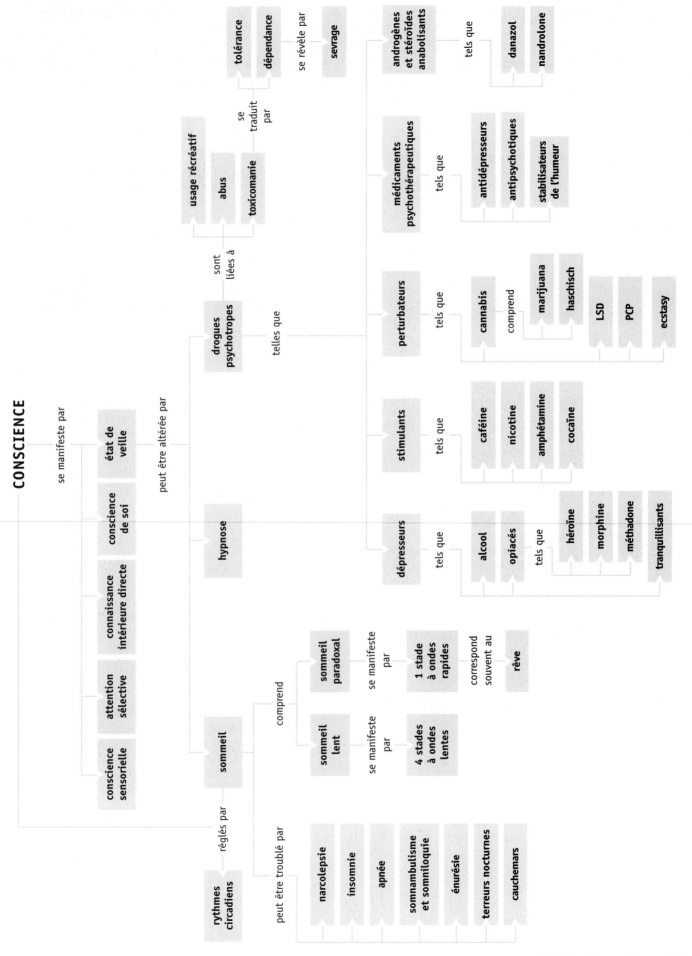

CONSCIENCE

se manifeste par

- conscience sensorielle
- attention sélective
- connaissance intérieure directe
- conscience de soi
- état de veille

peut être altérée par

rythmes circadiens — réglés par

peut être troublé par

sommeil

comprend
- sommeil lent
  - se manifeste par
  - 4 stades à ondes lentes
- sommeil paradoxal
  - se manifeste par
  - 1 stade à ondes rapides
    - correspond souvent au
    - rêve

- narcolepsie
- insomnie
- apnée
- somnambulisme et somniloquie
- énurésie
- terreurs nocturnes
- cauchemars

hypnose

drogues psychotropes

sont liées à
- usage récréatif
- abus
- toxicomanie

se traduit par
- tolérance
- dépendance

se révèle par
- sevrage

telles que

dépresseurs — tels que
- alcool
- opiacés
  - tels que
  - héroïne
  - morphine
  - méthadone
  - tranquillisants

stimulants — tels que
- caféine
- nicotine
- amphétamine
- cocaïne

perturbateurs — tels que
- cannabis
  - comprend
  - marijuana
  - haschisch
- LSD
- PCP
- ecstasy

médicaments psychothérapeutiques — tels que
- antidépresseurs
- antipsychotiques
- stabilisateurs de l'humeur

androgènes et stéroïdes anabolisants — tels que
- danazol
- nandrolone

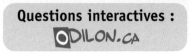
4.1 Qu'est-ce que la conscience ?

1. La connaissance qu'une personne a de l'ensemble de ses perceptions vis-à-vis d'elle-même et vis-à-vis de son environnement se rapporte au concept de _____.

2. La conscience sensorielle permet de prendre connaissance de l'existence du monde environnant. Vrai ou faux ?

3. Quelle manifestation de la conscience ne nécessite pas de stimulations sensorielles pour créer des impressions aussi réelles que celles construites à partir des sens ?

    a) La conscience sensorielle
    b) L'attention sélective
    c) La connaissance intérieure directe
    d) La conscience de soi
    e) L'état de veille

4. Le rêve est un état altéré de conscience. Vrai ou faux ?

4.2 Le sommeil et les rêves

1. Les rythmes _____ suivent le lever et le coucher du soleil.

2. Le sommeil MOR :

    a) correspond habituellement à une période du sommeil sans rêve ;
    b) ne semble pas revigorer le corps ;
    c) est un stade du sommeil à ondes lentes ;
    d) est associé à une absence complète de mouvements dans toutes les parties du corps ;
    e) favorise le développement neurologique pendant la prénatalité et l'enfance.

3. Les quatre premiers stades du sommeil, pendant lesquels le dormeur ne rêve habituellement pas, s'appellent

    _____.

4. Lequel des énoncés suivants est inexact ?

    a) Durant une nuit de huit heures, il y a approximativement cinq périodes de sommeil paradoxal.
    b) À mesure que la nuit avance, la personne rêve plus souvent et plus longtemps.
    c) Le stade 4 du sommeil est plus fréquent au début de la nuit et disparaît lorsque le matin approche.
    d) Les personnes manquant de sommeil éprouvent habituellement des difficultés sur le plan physique, et non sur le plan psychologique.
    e) Les personnes et les animaux privés de sommeil MOR subissent généralement un effet de rebondissement-MOR.

5. Le trouble du sommeil entraînant de façon soudaine la perte du tonus musculaire et l'endormissement se nomme _____.

6. L'apnée du sommeil peut entraîner la mort. Vrai ou faux ?

7. En quoi le contenu manifeste d'un rêve consiste-t-il ?

    a) Il s'agit des éléments sexuels d'un rêve.
    b) Il s'agit des éléments fantaisistes d'un rêve.
    c) Il s'agit des éléments dont nous nous souvenons.
    d) Il s'agit des éléments inconscients du rêve.
    e) Il s'agit du contenu auquel s'intéresse le plus les psychanalystes.

8. Que soutient le modèle de l'activation/synthèse ?

    a) Qu'une abondance d'acétylcholine dans le cerveau et un mécanisme de déclenchement minuté dans le pont stimulent une série de réactions qui entraînent le rêve.
    b) Que le rêve compense des manques éprouvés durant la journée et qu'il aide à développer un sentiment de maîtrise sur la vie.
    c) Que le rêve permet au cerveau d'éliminer l'accumulation excessive d'informations et ainsi de libérer de l'espace mémoire pour se concentrer sur les événements du jour suivant.
    d) Qu'il faut faire une synthèse des associations activées par le rêve.
    e) Les choix a, b, c et d sont inexacts.

4.3 L'hypnose

1. La majorité de la population est facilement hypnotisable. Vrai ou faux ?

2. L'hypnose peut accélérer la cicatrisation et la disparition de la douleur après une intervention chirurgicale. Vrai ou faux ?

3. L'hypnose comporte certains dangers. Parmi les choix suivants, lequel n'en est pas un ?

    a) La confusion d'une personne aux prises avec un trouble psychologique comme la schizophrénie peut augmenter après qu'elle a été hypnotisée.
    b) Une personne peut porter des accusations envers quelqu'un après qu'un hypnotiseur lui a suggéré qu'elle a été victime d'une agression, alors que c'est faux.
    c) On ne peut pas porter plainte contre un hypnotiseur pour avoir commis une faute professionnelle.
    d) On peut être hypnotisé à notre insu.
    e) Les choix a, b, c et d sont des dangers liés à l'hypnose.

4.4 La modification de la conscience découlant de l'usage de drogues

1. Une substance _____ altère la conscience.

2. L'abus est une forme de toxicomanie. Vrai ou faux ?

3. De quelle manière la toxicomanie se manifeste-t-elle habituellement ?

   a) Par des symptômes de sevrage
   b) Par une dépendance
   c) Par une tolérance à la substance
   d) Les choix a, b et c sont inexacts
   e) Les choix a, b et c sont exacts

4. Lequel des énoncés suivants est inexact ?

   a) L'alcool est un sédatif.
   b) L'alcool diminue la coordination motrice.
   c) L'alcool diminue, puis, au fil de la consommation, augmente les sentiments dépressifs.
   d) L'alcool altère le jugement et la conscience de soi.
   e) L'alcool fait augmenter les réactions sexuelles.

5. Lequel des énoncés suivants est exact ?

   a) La cocaïne provoque les mêmes effets que les endorphines et en diminue la production.
   b) L'héroïne et la morphine remplacent la sérotonine qui agit à la manière d'un frein sur la conscience.
   c) Le LSD provoque un sentiment d'euphorie en bloquant le recaptage de la dopamine et de la noradrénaline.
   d) Le cannabis augmente beaucoup la libération de dopamine.
   e) Les choix a, b, c et d sont exacts.

Pour aller plus loin...

Volumes et ouvrages de référence

AMERICAN PSYCHIATRIC ASSOCIATION (1996). *DSM IV : Manuel diagnostique et statistique des troubles mentaux*, Paris, Masson.
Une description des symptômes associés à différents troubles du sommeil et à la toxicomanie.

AUDOIN, L. (2001). *Le sommeil, bien dormir enfin*, Toulouse, Milan.
Un petit livre simple d'accès renfermant une foule de renseignements intéressants sur le sommeil.

COMITÉ PERMANENT DE LUTTE À LA TOXICOMANIE (2003). *Drogues : savoir plus, risquer moins*, Québec, Bibliothèque nationale du Québec.
Petite bible des psychotropes claire, accessible et très complète qui se vend à un prix modique.

FUCKS, P. (1999). *Les rêves*, Toulouse, Milan.
Différentes réflexions sur le rêve : son histoire, les théories scientifiques, les liens avec les arts, etc.

Périodiques

«Le dossier de la drogue», *L'Histoire*, n° 266, juin 2002.
Un portrait de la consommation, du trafic et du contrôle politique de la drogue sur la planète, d'un point de vue historique, des débuts à aujourd'hui.

Sites Internet

Un site associé à l'Hôpital du Sacré-Cœur de Montréal traitant du sommeil, du ronflement et de l'apnée :
http://www.crhsc.umontreal.ca/hscm/araq.html

Un autre site associé à l'Hôpital du Sacré-Cœur de Montréal, mais celui-ci se consacre à l'étude des rêves et au traitement des troubles qui s'y rattachent :
http://www.jtkresearch.com/DreamLab/b_intro.asp?lang=f

Un site de l'Université de Lyon présentant une foule d'informations portant sur le sommeil :
http://ura1195-6.univ-lyon1.fr

Site d'une association de personnes atteintes de déficiences liées au sommeil (insomnie, narcolepsie, apnée, etc.) qui a pour but d'informer, d'aider et de sensibiliser la personne atteinte d'un trouble du sommeil, ainsi que sa famille, ses amis et le grand public : http://www.fondationsommeil.com

Site d'un organisme regroupant des hypnothérapeutes, dont le but est de promouvoir les bienfaits de l'hypnose et de faire respecter les règles de conduite définies par un code de déontologie : http://www.hypno-quebec.com/message.html

Un article de fond répondant à plusieurs questions fréquentes sur l'hypnose. Jusqu'où faire confiance à l'hypnose ? Comment fonctionne l'hypnose ?
http://www.reseauproteus.net/fr/therapies/guide/articleinteret.aspx?doc=hypnotherapie_dehin_r_1994_th

Un site présentant une foule de renseignements sur l'alcool, ses risques, les niveaux de concentration et les ressources d'aide : http://www.educalcool.qc.ca

Un site du regroupement Al-Anon qui vise à aider les familles et les amis des personnes alcooliques. Alateen est leur programme de rétablissement pour les jeunes gens : http://www.al-anon.org/alafran.html

Le site des Narcotiques anonymes est une association internationale fondée sur un principe de communauté, regroupant des personnes touchées par la dépendance aux drogues et qui se rétablissent ensemble :
http://www.naquebec.org/indexna.html

Site qui offre un service téléphonique d'information, de référence et d'écoute gratuit, bilingue, confidentiel et anonyme aux personnes toxicomanes, à leur entourage et aux intervenants sociaux : http://www.drogue-aidereference.qc.ca

Ce site présente une foule de rubriques destinées aux jeunes (sexualité, suicide, violence, famille, etc.), dont une sur les drogues : http://www.teljeunes.com/principal/aidezmoi.asp

Un site dont l'objectif est de fournir aux individus qui s'intéressent à l'alcoolisme, à la toxicomanie et au jeu excessif ou pathologique une source d'information de qualité facilement accessible : http://www.toxquebec.com

Pour aller plus loin...

Un site du centre d'intervertion en toxicomanie Dollard-Cormier présentant leurs différents services :

http://www.centredollardcormier.qc.ca/accueil.htm

Site permettant d'obtenir les différentes ressources sur l'alcool et la toxicomanie au Québec :

http://msss.gouv.qc.ca/sujets/prob_sociaux/alcool_toxico.html

Films, vidéos, cédéroms, etc.

KENNARD, D. (1984). *Dormir — rêver*, Angleterre, Goldcrest Films and Television, vidéocassette format VHS, 26 min., son, couleur.
Un documentaire qui illustre les différentes phases du sommeil, son rôle ainsi que celui des rêves, les transformations que subit le corps durant le sommeil (activité du cerveau et des muscles, respiration, rythme cardiaque, sécrétion d'hormones).

LEBEL, A. (1989). *Les troubles du sommeil*, Québec, Opson inc., Trois-Rivières. Productions CEFEM, vidéocassette format VHS, 26 min., son, couleur.
Un documentaire (consultation scientifique : Jacques Montplaisir) sur les troubles du sommeil répartis en trois catégories : l'insomnie, les parasomnies (somnambulisme et incontinence nocturne) et l'hypersomnie (narcolepsie et apnée du sommeil) ; conseils pratiques et traitements disponibles pour contrer ces problèmes.

PAYETTE, D. (1999). *Le paresseux et le sommeil*, Montréal, Groupe Icotop, Montréal, Télé-Québec, vidéocassette format VHS, 25 min., son, couleur.
Un documentaire sur la relation entre les cycles biologiques et le sommeil abordant entre autres la question de la privation du sommeil et les incidences du travail de nuit sur le sommeil.

Chapitre 5

ALAIN HUOT

L'apprentissage

PLAN DU CHAPITRE

? MYTHES OU RÉALITÉS

Pour savoir si ces affirmations sont vraies ou fausses, trouvez les rubriques *MYTHE OU RÉALITÉ*.

1. On peut entraîner des chiens à saliver au son d'une cloche.

2. Des psychologues ont aidé un enfant à surmonter sa peur des lapins en le laissant manger des biscuits pendant qu'un lapin s'approchait progressivement de lui.

3. Au cours de la Seconde Guerre mondiale, un psychologue a élaboré une stratégie visant à entraîner des pigeons à guider des missiles jusqu'à leur cible.

4. La punition n'est pas efficace.

5. On peut encourager un enfant à mal se comporter en le réprimandant.

6. Lire au lit peut favoriser l'insomnie.

7. Observer peut suffire pour acquérir des compétences.

CIBLES D'APPRENTISSAGE

Après avoir lu ce chapitre, vous devriez être en mesure :

• de distinguer les apprentissages de type associatif des apprentissages cognitifs ;

• de décrire les principaux concepts du conditionnement classique (stimulus inconditionnel, stimulus neutre, stimulus conditionnel, réponse inconditionnelle, réponse conditionnelle) ;

• d'expliquer et de distinguer les types de conditionnements opérants (renforcement positif et négatif, punition positive et négative) ;

• de comprendre les mécanismes du conditionnement (l'extinction, le recouvrement spontané, la généralisation et la discrimination) et de distinguer comment ils s'appliquent au conditionnement classique et au conditionnement opérant ;

• de distinguer les types d'apprentissages cognitifs (apprentissage par intuition, latent, par observation et par concepts).

Émilie travaille comme monitrice dans un camp d'été. À son arrivée, elle ne connaissait pas tous les secrets du métier. Elle a été jumelée avec Anne, une monitrice plus expérimentée qui lui a expliqué comment gérer son temps quand elle partirait faire de la marche en montagne avec son groupe. Quand les enfants sont arrivés, Émilie a observé comment Anne et les autres moniteurs faisaient pour ne pas s'énerver. Elle a emprunté leur manière de parler. Elle est devenue un membre à part entière de l'équipe. Le midi, les enfants et leurs moniteurs reviennent de la montagne. Le chef cuisinier fait sonner une trompette pour annoncer le repas. Cette musique suffit pour mettre tout le monde en appétit. Un matin, Émilie épate Anne. Elle a appris à se servir d'une boussole dans un cours de survie. Elle n'a jamais utilisé de vraie boussole dans une forêt, mais avec Anne et les enfants, elle réussit à s'en servir et à retrouver le chemin. Au début de l'été, Émilie reçoit beaucoup de lettres de ses amis. Elle va voir dans son casier postal chaque soir. Ses amis partent en vacances chacun de leur côté et cessent de lui écrire. Émilie a toujours une boîte postale vide et elle cesse d'aller la voir chaque soir. Émilie revient chez elle à la fin d'août confiante d'avoir beaucoup appris.

Plus les espèces animales sont simples, plus leur comportement est déterminé par des instincts. Le saumon, par exemple, est programmé génétiquement pour remonter sa rivière natale et revenir y pondre ses œufs après une vie passée dans l'océan. Plus les espèces sont complexes, au contraire, plus les comportements programmés préalablement sont rares. À la place, ces espèces disposent de la capacité d'apprentissage, qui permet d'acquérir une gamme de comportements variés, souples et surtout adaptables (Domjan, 2003).

Certains mécanismes d'apprentissage sont communs aux êtres humains et à plusieurs espèces animales. C'est notamment le cas des mécanismes de l'habituation et du conditionnement. Ces mécanismes agissent lorsqu'un organisme acquiert de l'expérience au contact de son environnement. Une personne peut apprendre, comme un chien-guide, à s'habituer à ne plus réagir au bruit, si elle habite près d'un aéroport, par exemple. Les conditionnements favorisent l'efficacité des prédateurs à la chasse et aussi l'apprentissage des règles de conduite adaptées au milieu humain.

Plus une espèce est complexe, plus les mécanismes d'apprentissage dont elle dispose sont complexes. Ainsi, presque aucun des comportements humains n'est déterminé génétiquement. Par contre, l'être humain dispose d'une capacité développée d'utiliser des représentations mentales pour guider son comportement. Les représentations mentales permettent de transmettre l'expérience et de l'enseigner sous forme de connaissances. Les connaissances sont transmises à travers un bagage culturel qui détermine à son tour le comportement des individus. La plus puissante faculté adaptative humaine est sans doute le langage. La réalisation de cette faculté est si étroitement liée à la transmission culturelle que deux individus de même code génétique pourraient être incapables de se comprendre si le hasard les séparait et les faisait grandir dans des milieux linguistiques différents.

Apprentissage associatif
Type d'apprentissage simple par lequel un organisme apprend à associer des stimuli et des réponses. Voir le conditionnement classique et le conditionnement opérant.

Réponse
Comportement manifeste émis relativement à un stimulus.

Les psychologues distinguent deux types de mécanismes d'apprentissage : les mécanismes d'apprentissage associatif et les mécanismes d'apprentissage cognitif. L'**apprentissage associatif** est l'apport principal de l'approche behavioriste en psychologie. Il consiste à associer des stimuli, qui sont des signaux de l'environnement, à des **réponses** comportementales adaptées de la part d'un organisme (Forget, Otis et Leduc, 1988). Les behavioristes décrivent quatre types d'apprentissage associatif : l'habituation, la sensibilisation, le conditionnement classique et le conditionnement opérant. L'apprentissage cognitif a pour sa part été décrit par des psychologues d'approche cognitive. Il consiste à construire de nouvelles représentations mentales qu'on peut inférer par l'observation d'un changement de comportement (Forget, Otis et Leduc, 1988). Selon les cognitifs, ce n'est pas l'expérience directe avec l'environnement qui provoque le changement de comportement, mais plutôt l'interprétation ou la signification donnée à l'expérience (Catania, 1992). On doit à l'approche cognitive les concepts d'apprentissage social, d'apprentissage latent, d'apprentissage par observation et d'apprentissage par concepts, traités plus loin dans ce chapitre. L'apprentissage intuitif décrit par les gestaltistes est aujourd'hui largement intégré dans l'approche cognitive.

5.1 LES APPRENTISSAGES DE TYPE ASSOCIATIF

Cesser de remarquer une décoration est un exemple d'habituation. Se mettre à avoir envie de nourriture au son d'une trompette est un exemple de conditionnement classique, et apprendre à se mettre en file parce qu'on sait qu'alors on obtiendra plus vite de la nourriture est un exemple de conditionnement opérant. Dans ces trois exemples, on peut observer un comportement et l'expliquer par des stimuli de l'environnement. La décoration qu'on ne voit plus n'annonce rien, la musique annonce la nourriture et la patience ordonnée est renforcée par un accès plus rapide à la nourriture.

5.1.1 L'HABITUATION ET LA SENSIBILISATION

Les mécanismes d'apprentissage associatif les plus simples sont l'**habituation** et la **sensibilisation**. Dans l'habituation, la présentation répétée d'un stimulus sans intérêt pour l'organisme entraîne la diminution d'une réponse comportementale. La sensibilisation est le processus inverse : l'augmentation de la réponse comportementale à un stimulus intéressant (Doré, 1983). On recourt à l'habituation pour analyser le développement de la mémoire chez les nourrissons. On présente à plusieurs reprises un stimulus et on mesure l'attention que le bébé y porte, en notant la durée de fixation visuelle ou la réponse cardiaque. Au début, l'attention du nourrisson est soutenue, parce qu'il s'agit d'un élément nouveau dans son environnement, puis elle diminue graduellement au fil des répétitions quand ce stimulus n'annonce pas la présentation d'un stimulus réellement intéressant pour le bébé (comme de la nourriture). L'habituation constitue un indice de la mémoire du nourrisson. Il réagit moins à la fin des présentations parce qu'il se rappelle avoir déjà vu ce stimulus (voir d'autres données sur l'habituation dans le chapitre 3).

5.1.2 LE CONDITIONNEMENT CLASSIQUE

• LES TRAVAUX DE PAVLOV

On doit la description du **conditionnement classique** au physiologiste russe Ivan Pavlov (1849-1936), qui étudiait des chiens dans son laboratoire. Pour découvrir les neurones responsables de la salivation, Pavlov avait attaché des mesureurs dans la gueule de ses chiens, comme celui illustré à la figure 5.1. Mais ses efforts étaient constamment contrecarrés, car les chiens salivaient à des moments inopportuns, comme lorsqu'un assistant faisait cliqueter un plateau de nourriture. Pavlov s'est vite mis à s'intéresser à ce phénomène que le hasard lui révélait.

En raison de sa constitution biologique, le chien salive si de la viande est placée dans sa gueule. La salivation est une réponse non apprise à la présence de viande, c'est-à-dire un réflexe. Les **réflexes** sont déclenchés par des stimuli. Un stimulus est un changement dans l'environnement qui provoque généralement une réaction de l'organisme, comme la viande sur la langue d'un chien. Pavlov s'est aperçu que les réflexes peuvent également être appris, ou plutôt conditionnés par association. Ses chiens salivaient en réponse au cliquetis des plateaux de nourriture, parce que ce bruit avait été associé à l'arrivée de nourriture.

Pour Pavlov, ces types de réponses salivaires sont des « réflexes conditionnels ». Ils sont conditionnels à l'association répétée d'un **stimulus neutre** (SN) (comme le cliquetis d'un plateau de nourriture) et d'un stimulus significatif (dans ce cas, la viande) capable de provoquer spontanément la réponse cible (dans ce cas, la salivation). Aujourd'hui, lorsque les psychologues parlent de réflexes conditionnels, ils parlent plutôt de **réponses conditionnelles** (RC). Ce sont des réponses physiologiques déclenchées par des stimuli précédemment neutres, mais qui, après avoir été présentés à plusieurs reprises, deviennent à leur tour significatifs, donc conditionnels.

Habituation
Forme d'apprentissage par laquelle la présentation répétée d'un stimulus entraîne la diminution d'une réponse comportementale.

Sensibilisation
Forme d'apprentissage par laquelle la présentation répétée d'un stimulus entraîne l'augmentation d'une réponse comportementale.

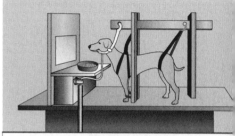

FIGURE 5.1   LA DÉMONSTRATION FAITE PAR PAVLOV DES RÉFLEXES CONDITIONNELS CHEZ LE CHIEN

Derrière un miroir sans tain, à gauche, un assistant de laboratoire sonne une cloche et place ensuite de la poudre de viande sur la langue du chien. Après plusieurs associations, le chien salive en réponse à la cloche seulement. Un tube permet de recueillir la salive et de la déposer dans une fiole. La quantité de salive constitue la mesure de l'intensité de la réponse de l'animal.

Conditionnement classique
Forme d'apprentissage associatif par lequel un stimulus finit par provoquer la réponse habituellement déclenchée par un deuxième stimulus, en étant associée à maintes reprises à ce dernier.

Réflexe
Réponse à un stimulus qui peut être soit innée, soit apprise par conditionnement.

Stimulus neutre
Événement sans signification biologique pour l'organisme. Un stimulus neutre ne déclenche en lui-même aucune réponse spécifique (à part une réponse d'orientation) tant qu'il n'a pas été associé à un stimulus inconditionnel.

Réponse conditionnelle (RC)
Traduction du russe *uslovnyi refleks*. Dans le conditionnement classique, réponse apprise à un stimulus conditionnel.

MYTHE OU RÉALITÉ 1

Il est vrai que l'on peut entraîner des chiens à saliver au son d'une cloche ou d'une sirène, et même en leur présentant des figures géométriques.

• LES COMPOSANTES DU CONDITIONNEMENT CLASSIQUE

Pavlov doit sa célébrité à son expérience avec des cloches, par laquelle il a illustré l'acquisition des réponses conditionnelles. Au cours de cette expérience, Pavlov a fait entendre une cloche à son chien immédiatement avant chaque distribution de viande. Après plusieurs **essais**, c'est-à-dire après plusieurs pairages du son de la cloche avec l'arrivée de la viande, Pavlov a fait sonner la cloche, mais sans la faire suivre par la viande. Il a alors constaté que le chien salivait quand même. Ce dernier a appris à saliver en réponse au son de la cloche. Ce stimulus *cloche*, qui était jusqu'alors neutre, est devenu capable de produire une réponse physiologique parce qu'il était fortement associé à la viande qui, elle, provoquait automatiquement la salivation. Le stimulus neutre avait acquis le pouvoir de déclencher une réponse physiologique par son association à un stimulus inconditionnel (la viande). Le chien de Pavlov a donc appris le lien entre le son d'une cloche, un stimulus neutre au départ, et l'arrivée de viande, un stimulus qui provoquait spontanément une réponse de salivation.

Essai
Appariement d'un stimulus neutre avec un stimulus inconditionnel.

Stimulus inconditionnel (SI)
Événement qui présente une signification biologique pour l'organisme et qui déclenche une réponse spécifique sans qu'il y ait eu apprentissage.

Réponse inconditionnelle (RI)
Comportement inné déclenché par un stimulus inconditionnel sans qu'il y ait eu apprentissage.

Réponse d'orientation
Réponse non apprise par laquelle un organisme prête attention à un stimulus.

Stimulus conditionnel (SC)
Événement précédemment neutre qui acquiert la capacité de déclencher une RC chez l'organisme parce qu'il a été associé à un stimulus inconditionnel capable de provoquer cette réponse.

Dans la démonstration décrite à la figure 5.2, la viande est un **stimulus inconditionnel** (SI). En effet, la viande déclenche sans apprentissage préalable une réponse physiologique de salivation. Un comportement spontané, comme la salivation en réponse à de la viande, s'appelle une **réponse inconditionnelle** (RI), ou réponse non apprise. Les réponses inconditionnelles ont la caractéristique d'être des comportements involontaires déclenchés par le système nerveux autonome ou par le système nerveux périphérique.

Au départ, avant son association avec la viande, la cloche était un stimulus neutre ou sans signification. Tout au plus, elle aurait pu produire une **réponse d'orientation** chez le chien, à cause de son caractère distinctif (voir le chapitre 3). Puis, à force d'association répétée avec la viande, la cloche est devenue un **stimulus conditionnel** (SC), un annonciateur du stimulus inconditionnel. La salivation en réponse à la cloche est une réponse conditionnelle ou apprise. La réponse conditionnelle ressemble à la réponse inconditionnelle, les deux étant des réponses de salivation. La seule différence entre la réponse conditionnelle et la réponse inconditionnelle est quantitative: le chien sécrète plus de salive avec la viande qu'au son de la cloche.

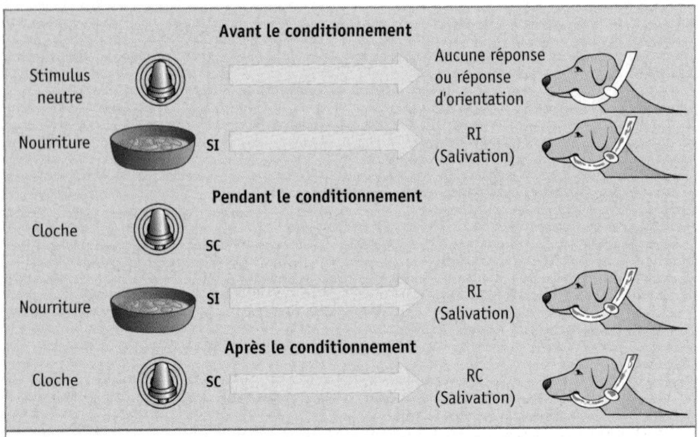

L'apprentissage par conditionnement classique est plus efficace lorsque le stimulus conditionnel est présenté environ 0,5 seconde avant le stimulus inconditionnel et qu'il se poursuit au moins jusqu'au début du stimulus inconditionnel. Mais le conditionnement peut également avoir lieu si le stimulus conditionnel et le stimulus inconditionnel sont présentés en même temps, ou si le stimulus conditionnel est présenté quelques secondes avant le stimulus inconditionnel. La figure 5.2 illustre ces différentes situations. L'apprentissage est moins efficace et n'a pas toujours de succès lorsque le stimulus conditionnel est présenté après le stimulus inconditionnel. Il arrive que le conditionnement s'établisse très rapidement, notamment avec les aversions gustatives présentées dans l'encadré 5.1.

Les mécanismes du conditionnement classique s'appliquent autant à l'explication des réponses conditionnées humaines qu'à l'explication des réponses conditionnées chez les animaux. Le son de la trompette, par exemple, agit sur les enfants du camp d'été, comme

FIGURE 5.2 UN SCHÉMA DU CONDITIONNEMENT CLASSIQUE

Avant le conditionnement

Stimulus neutre — Aucune réponse ou réponse d'orientation

Nourriture — SI — RI (Salivation)

Pendant le conditionnement

Cloche — SC

Nourriture — SI — RI (Salivation)

Après le conditionnement

Cloche — SC — RC (Salivation)

Avant le conditionnement, la nourriture (le SI) déclenche la salivation (la RI). La cloche, un stimulus initialement neutre, n'entraîne aucune réponse, sinon une réponse d'orientation. Pendant le conditionnement, la cloche sonne juste avant la présentation de nourriture sur la langue du chien. Après plusieurs répétitions, la cloche seule, maintenant un SC, déclenche la salivation, la RC.

ENCADRÉ 5.1
L'aversion gustative

Les aversions gustatives servent à motiver l'organisme à éviter les aliments qui peuvent être nocifs. Même si elles sont acquises par association, les aversions gustatives se distinguent des autres types de conditionnement classique. D'abord, une seule association entre le stimulus (par exemple, une dose excessive d'un alcool) et la réponse (des nausées) peut suffire à établir une aversion. Une fois l'aversion établie, la seule odeur du même alcool peut déclencher une réponse de nausée. Par ailleurs, alors que la plupart des modes de conditionnement classique nécessitent la contiguïté du SI et du SC, la RI (nausée) de l'aversion gustative peut se produire plusieurs heures après le SC (l'odeur de l'alcool ou de l'aliment).

Malheureusement, l'aversion gustative peut perturber encore plus la santé des personnes traitées pour le cancer à l'aide de la chimiothérapie. La chimiothérapie provoque souvent des nausées, et il peut se développer une aversion gustative pour des aliments absorbés plus tôt dans la journée. Ainsi, il arrive que des patients cancéreux, qui perdent peut-être déjà du poids en raison de leur maladie, constatent que l'aversion gustative aggrave les problèmes associés au manque d'appétit. Pour combattre l'aversion gustative chez ces patients, Bernstein (1985) recommande de leur donner des aliments inhabituels avant la chimiothérapie. Si une aversion gustative se développe, ce sera alors à l'égard d'aliments inhabituels, et l'appétit des patients pourrait être maintenu à l'égard des aliments de base.

LE DÉVELOPPEMENT D'UNE AVERSION GUSTATIVE

Les aversions gustatives peuvent se développer après une seule association du SC et du SI. Dans la plupart des types de conditionnement classique, le SC et le SI doivent être contigus, mais dans l'aversion gustative, le RI (nausée) peut survenir plusieurs heures après le SC (saveur d'un aliment).

---

celui de la cloche de Pavlov : elle est un stimulus conditionnel qui déclenche une réponse conditionnelle de mise en appétit des enfants (de salivation). Il est possible de conditionner et même de **contre-conditionner** les êtres humains, ainsi que l'illustre l'encadré 5.2. Les réponses conditionnées humaines soulèvent cependant la question théorique des représentations mentales.

Contre-conditionnement
Technique de thérapie behavioriste qui consiste à associer des stimuli agréables à des stimuli anxiogènes, de telle sorte que les stimuli anxiogènes perdent leur caractère d'aversion.

ENCADRÉ 5.2
Des expériences classiques en conditionnement classique

En 1920, John Watson et Rosalie Rayner publient un article décrivant comment les réactions émotives comme la peur peuvent être apprises grâce aux principes du conditionnement classique. Le participant à leur démonstration est un bébé de neuf mois prénommé Albert. Albert aimait jouer avec un rat, le genre de compagnons de jeux que l'on trouve dans certains laboratoires de psychologues.

En utilisant une méthode qui, de nos jours, contreviendrait aux règles d'éthique des psychologues, Watson faisait sursauter Albert en frappant des barres de fer derrière lui lorsqu'il jouait avec le rat. Après plusieurs essais, Albert s'est mis à avoir peur du rat, même sans le bruit des barres de fer. La peur d'Albert s'est généralisée à d'autres objets d'apparence semblable à celle du rat, comme un lapin et la barbe blanche d'un expérimentateur, ou tout objet blanc et poilu. Plus l'objet ressemblait à un rat, plus la peur était intense.

Vers la même époque, Harold Jones et Mary Cover Jones (Jones, 1924) ont proposé que si les peurs pouvaient être conditionnées par des expériences désagréables, il devait être aussi possible de les contre-conditionner par des expériences agréables. Le contre-conditionnement consiste à associer un stimulus agréable à un objet anxiogène afin de neutraliser la réponse de peur.

Dans une expérience, les Jones ont contre-conditionné Peter, un enfant de deux ans qui avait peur des lapins. Les Jones ont pris des dispositions pour qu'un lapin se rapproche progressivement de Peter pendant que ce dernier s'adonnait à quelques-unes de ses activités préférées, comme croquer des bonbons et des biscuits. On a d'abord placé le lapin dans un coin éloigné de la pièce pendant que Peter croquait ses friandises. Peter jetait un coup d'œil inquiet, mais il continuait de manger. Progressivement, l'animal s'est rapproché. À la fin, Peter mangeait des friandises et caressait le lapin en même temps. Les Jones ont conclu que le plaisir de manger et la peur sont incompatibles, créant ainsi un contre-conditionnement de la peur.

CONDITIONNEMENT ET GÉNÉRALISATION D'UNE RÉPONSE DE PEUR CHEZ BÉBÉ ALBERT

En haut à gauche, avant le conditionnement, le petit Albert s'approche sans peur d'un rat. En haut à droite, la présence d'un rat blanc et un bruit très fort sont associés, ce qui l'étonne et l'effraie. En bas à gauche, après le conditionnement, Albert manifeste sa peur du rat. En bas à droite, sa peur s'étend même à un homme portant une barbe blanche.

Pour les behavioristes, l'acquisition des réponses conditionnelles se fait de mani[...] mécanique. Ils parlent de substitution: pour le chien, la cloche devient une sorte de s[...]stitut, ou d'équivalent, de la viande. Rescorla, un auteur d'approche cognitive, a prop[...] un autre point de vue. Pour lui, les conditionnements servent à anticiper les événements [...] l'environnement. Ainsi, le son de la trompette annonce le dîner; il permet de prédire qu[...] nourriture sera disponible. Dans l'optique de Rescorla, les conditionnements servent à [...] former une carte mentale ajustée aux conditions qui prévalent dans l'environnement.

MYTHE OU RÉALITÉ 2

Il est vrai que des psychologues ont aidé un enfant à surmonter sa peur des lapins en le laissant manger des biscuits pendant qu'un lapin s'approchait progressivement de lui?

• L'EXTINCTION ET LE RECOUVREMENT SPONTANÉ

Si la cloche sonne plusieurs fois de suite dans le laboratoire de Pavlov sans que la viande s[...] présentée, la réponse conditionnée de salivation s'éteint chez le chien. Dans la nature, [...] organismes sont soumis à des phénomènes cycliques déterminés, par exemple, par [...] saisons. Un prédateur peut associer la lumière du matin avec une réponse conditionné[...] d'appétit parce que tel type d'oiseau (un stimulus inconditionnel) se rencontre à l'aube. [...] s'agit d'un oiseau migrateur, le prédateur cessera de rencontrer cet oiseau le matin aprè[...] migration. La réponse d'appétit du prédateur s'éteindra. Mais le prédateur devra-t-il appr[...] dre à nouveau l'année suivante l'association du stimulus lumière du matin avec la répo[...] d'appétit? Sa réponse apparaîtra de nouveau quand la lumière du matin redevien[...] annonciatrice de la présence de l'oiseau. L'extinction et le recouvrement spontané sont d[...] mécanismes du conditionnement classique qui permettent aux organismes de s'ajuster [...] changements qui surviennent dans leur environnement.

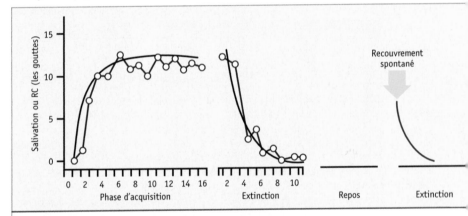

FIGURE 5.3   COURBES D'APPRENTISSAGE ET D'EXTINCTION

Les données obtenues par Pavlov (1927) sont présentées en rouge, et les courbes idéales, en noir. Dans la phase d'acquisition, le chien salive (émet une RC) en réponse à un son de cloche (SC) après seulement quelques essais au cours desquels la cloche est couplée avec la viande (le SI). Par la suite, la RC subit une extinction au cours d'environ 10 essais où le SC n'est pas suivi du SI. Après une période de repos, la RC fait l'objet d'un recouvrement spontané.

Extinction

Processus qui consiste à cesser d'émettre un comportement quand celui-ci cesse d'être ajusté aux conditions de l'environnement.

L'**extinction** illustrée à la figure 5.3 survient donc lorsqu'un stimulus conditionnel (par exem[...] le son d'une cloche) n'est plus suivi d'un stimulus inconditionnel (la viande). Le stimu[...] conditionnel (la cloche) perd alors son pouvoir de déclencher une réponse conditionne[...] de salivation. On dit que la réponse conditionnelle s'éteint. L'extinction permet à l'organis[...] de modifier son comportement lorsque le stimulus conditionnel ne sert plus sa fonct[...] prédictive du stimulus inconditionnel.

Pavlov a mesuré l'extinction du comportement de salivation. Le chien commence à saliver [...] émettre une réponse conditionnelle) en réponse au son de la cloche (le stimu[...] conditionnel) après quelques pairages de la cloche avec la viande (stimulus inconditionne[...]

Le pairage répété, ou le nombre d'essais, fait augmenter la salivation, telle qu'elle est mesurée par le nombre de gouttes de salive. Après 7 ou 8 essais, la salivation se maintient à 11 ou 12 gouttes. Puis la salivation au son de la cloche s'éteint à la suite de plusieurs essais où le stimulus conditionnel (la cloche) est présenté sans la viande. Après une dizaine d'essais d'extinction, la salivation en réponse à la cloche ne se produit plus.

Comme on l'a vu, l'extinction d'une réponse conditionnelle n'entraîne pas sa suppression permanente. Il semble plutôt que l'organisme inhibe cette réponse, qui demeure disponible pour une réapparition future. Le **recouvrement spontané** des réponses apprises survient lorsque, après une période de repos, la réponse réapparaît à la suite de la présentation du stimulus conditionnel seulement. Par exemple, quelques jours après l'extinction de la réponse conditionnelle de salivation, Pavlov a fait entendre de nouveau le stimulus conditionnel (la cloche) au chien. Ce dernier a émis de nouveau sa réponse conditionnelle de salivation.

Lorsqu'il y a recouvrement spontané de la réponse conditionnelle, la force de la réponse, dans ce cas la quantité de salive, n'est plus aussi grande qu'à la fin des séries d'essais d'acquisition. Aussi, une seconde série d'essais d'extinction fera disparaître la réponse conditionnelle plus rapidement que la première. Par contre, bien que la réponse conditionnelle soit plus faible, une nouvelle association entre le stimulus conditionnel et le stimulus inconditionnel fera augmenter rapidement la force de la réponse.

Une caractéristique des comportements réflexes acquis par conditionnement classique est leur résistance à l'extinction. Non seulement les conditionnements tendent à persister mais, en fait, ils ont la faculté de conditionner d'autres réactions réflexes. Le **conditionnement d'ordre supérieur** désigne une forme d'apprentissage dans lequel on utilise, à titre de stimulus inconditionnel, un stimulus qui a acquis, dans une situation de conditionnement précédente, sa capacité de déclencher un comportement donné. Dans le laboratoire de Pavlov, par exemple, certains des chiens qui avaient associé la cloche à la viande ont conservé leur réponse acquise assez longtemps pour que des stimuli associés à la cloche (et non à la viande) suffisent à les faire saliver. Ils salivaient à la seule vue d'une forme associée au son de la cloche. On observe beaucoup de conditionnements d'ordre supérieur avec des réponses émotives. Certaines musiques acquièrent indirectement la capacité de déclencher des émotions. Des mots ou des symboles comme ceux qui sont illustrés à la figure 5.4 sont plus ou moins associés à des situations génératrices d'anxiété, acquièrent à eux seuls la capacité de générer de l'anxiété (Barker, 2001). On observe aussi l'inverse : des objets peuvent acquérir par conditionnement classique la capacité de calmer l'anxiété. C'est notamment le cas des objets comme les ours en peluche ou les couvertures que les enfants gardent dans leur lit. Quand les enfants serrent leur ours en peluche, cela peut déclencher en eux une réponse conditionnée d'apaisement. L'ours en peluche est donc un stimulus conditionné qui a été associé plus ou moins directement à la mère (le stimulus inconditionnel original qui déclenche une réponse inconditionnelle d'apaisement).

• LA GÉNÉRALISATION ET LA DISCRIMINATION

Sauf dans le cas d'expériences de laboratoire soigneusement contrôlées, il est rare que deux situations soient exactement semblables. S'adapter signifie répondre de manière similaire à des stimuli différents, mais ayant une fonction semblable (la **généralisation**). Sans cette possibilité de généraliser les stimuli, les apprentissages resteraient sans effet. Ce qu'une personne aurait appris ne pourrait être utilisé que dans les cas identiques à la situation originale, ce qui la contraindrait à réapprendre indéfiniment. La généralisation permet d'utiliser une réponse apprise dans toutes sortes de situations différentes (Morgan, 1976).

Dans une démonstration de généralisation, Pavlov a d'abord entraîné un chien à saliver à la vue d'un cercle. Lors de chaque essai, il montrait un cercle (stimulus conditionnel) au chien, puis il lui donnait de la viande (stimulus inconditionnel). Après plusieurs essais, le chien émettait la réponse conditionnelle de salivation à la seule vue du cercle. Pavlov a démontré que le chien émettait également la réponse conditionnelle en réaction à des figures géométriques fermées comme l'ellipse, le pentagone et même le carré. Plus la figure ressemblait de

Recouvrement spontané
Réapparition d'un comportement éteint lorsque les conditions de l'environnement se mettent à nouveau à favoriser ce comportement.

Conditionnement d'ordre supérieur
Forme d'apprentissage dans lequel on utilise, à titre de stimulus inconditionnel, un stimulus qui a acquis, dans une situation de conditionnement précédente, sa capacité de déclencher un comportement donné.

FIGURE 5.4 SYMBOLES GÉNÉRATEURS D'ÉMOTIONS

Des symboles ont la capacité de déclencher des émotions par conditionnement d'ordre supérieur.

Généralisation
Émission d'un comportement dans des circonstances différentes que celles qui ont favorisé son acquisition, mais qui présentent des similitudes importantes avec le contexte initial de l'apprentissage.

Courbe de généralisation

Description du lien entre le degré de similarité entre des stimuli et l'ampleur de la réponse qui leur est associée.

près à un cercle, plus la réponse était intense. C'est ce qu'on nomme « gradient » ou **courbe de généralisation**. Au camp d'été, les enfants généralisent leur réponse de salivation au son du saxophone. Ils comprennent que ce nouveau son est un équivalent fonctionnel du son de la trompette.

Si la généralisation a une grande utilité adaptative, les organismes doivent aussi apprendre que de nombreux stimuli très semblables peuvent avoir des fonctions très différentes, voire opposées. Par exemple, la même farce dite par l'ami ou par l'ennemi traduit chez l'un l'affection, chez l'autre le mépris. Chacun apprend à décoder la différence très subtile de ton entre les deux manières de dire les mêmes mots. De même, les enfants du camp d'été comprennent que le son de la trompette entendu le soir a une autre valeur prédictive que le même son entendu le midi.

Discrimination

Capacité à n'émettre un comportement donné que dans des circonstances qui présentent suffisamment de caractéristiques similaires avec la situation dans laquelle le comportement a été appris.

La **discrimination** se traduit par l'apprentissage complémentaire de la généralisation : elle consiste à distinguer parmi les stimuli plus ou moins semblables ceux qui sont utiles à l'organisme pour réagir à son environnement. Pavlov a démontré, par exemple, qu'un chien conditionné à saliver en réponse à des cercles pouvait aussi apprendre à ne pas saliver en réponse à une ellipse. Pavlov a dressé le chien en lui présentant des cercles et des ellipses, mais en n'associant la viande (stimulus inconditionnel) qu'aux cercles (stimuli conditionnels). Au bout d'un certain temps, le chien n'émettait plus de réponse conditionnelle en présence des ellipses.

Par contre, Pavlov a constaté ensuite qu'en augmentant la difficulté de la tâche de discrimination, il pouvait grandement perturber le comportement du chien. Après que le chien ait manifesté la capacité de discriminer le stimulus, Pavlov montrait à l'animal des ellipses de plus en plus arrondies, jusqu'à être des cercles. À la longue, le chien ne parvenait plus à distinguer les cercles. Il s'est alors mis à uriner, à déféquer et à aboyer à profusion, et il a même essayé de mordre le personnel de laboratoire.

5.1.3 LE CONDITIONNEMENT OPÉRANT

• LA LOI DE L'EFFET

Le conditionnement classique concerne l'établissement involontaire d'un lien entre un stimulus de l'environnement et une réponse comportementale réflexe. L'organisme peut connaître l'existence de ce lien, mais le conditionnement classique échappe néanmoins à son contrôle (Domjan, 2003). Or, les organismes supérieurs disposent de la faculté d'agir volontairement sur leur environnement. Les behavioristes ont introduit le concept de **conditionnement opérant** pour rendre compte de l'acquisition des réponses comportementales délibérées. Le précurseur de ces travaux est Edward Thorndike, qui a décrit la loi de l'effet.

Conditionnement opérant

Forme d'apprentissage associatif par lequel un organisme apprend à reproduire ou à inhiber un comportement parce que ce dernier a été renforcé ou puni.

À la même époque où Pavlov étudiait les réflexes acquis avec des chiens, Thorndike faisait des recherches avec des chats sur le comportement volontaire. Thorndike attrapait les chats errants des ruelles de Harlem et les enfermait dans sa « cage à devinettes ». Lorsqu'un chat réussissait à tirer sur une corde placée dans la cage, le loquet se déverrouillait et le chat pouvait sortir et atteindre un bol de nourriture situé à l'extérieur de la cage. La première fois qu'il était placé dans la cage, le chat essayait de se faufiler entre les barreaux de la cage en donnant des coups de patte et en mordillant. Le chat faisait de l'**apprentissage par essais et erreurs**. Il lui fallait en moyenne trois ou quatre minutes pour trouver par hasard la ficelle qui ouvrait la porte. Replacé dans la cage, le chat pouvait encore prendre quelques minutes avant de se libérer. Mais à mesure que les essais se répétaient, il fallait de moins en moins de temps au chat : ses comportements se concentraient autour de la ficelle. Après sept ou huit essais, le chat tirait la ficelle aussitôt qu'il était placé dans la cage.

Apprentissage par essais et erreurs

Forme simple d'apprentissage au cours duquel un organisme invente des solutions et ajuste son comportement en fonction des résultats qu'il obtient.

Loi de l'effet

Principe de Thorndike selon lequel les réponses ont tendance à se maintenir si elles sont renforcées et ont tendance à disparaître si elles sont punies.

Pour expliquer le fait que le chat ait appris à tirer la ficelle, Thorndike a énoncé sa **loi de l'effet**. Selon cette loi, une réponse comportementale, comme tirer la ficelle, a tendance à se maintenir si son effet est favorable, c'est-à-dire s'il y a récompense, comme la nourriture pour le chat. Autrement dit, les récompenses renforcent les relations stimulus (nourriture)–réponse (tirer sur la ficelle). En revanche, une réponse a tendance à disparaître si son effet est défavorable, c'est-à-dire s'il y a punition, ou s'il n'y a pas d'effet.

L'apprentissage par essais et erreurs laisse supposer que seul le hasard est responsable de l'acquisition de nouveaux comportements. Mais ce qui peut être vrai pour l'apprentissage de comportements très simples ne peut expliquer l'acquisition de comportements plus complexes comme l'apprentissage de l'écriture. Il faudra attendre Skinner pour expliquer l'acquisition de tels comportements.

• LES TRAVAUX DE B.F. SKINNER

Dans son autobiographie, Skinner (1904-1990), dont on peut voir le portrait à la figure 5.5, relate son effort de guerre baptisé le «Projet pigeon». Skinner avait proposé dans ce projet que des pigeons soient entraînés à guider des missiles jusqu'à leur cible. Au cours de l'apprentissage, le comportement des pigeons serait récompensé à l'aide de boulettes de nourriture; les pigeons devaient picorer des cibles projetées sur un écran. En picorant des cibles semblables affichées sur un écran à l'intérieur d'un missile, l'oiseau corrigerait la trajectoire du missile, qui frapperait alors sa cible, au prix du sacrifice du pigeon. Toutefois, les projets de construction du missile nécessaire à cette expérience ont été abandonnés, l'équipement du pigeon étant jugé trop encombrant. Comme l'a déploré Skinner, son idée n'a pas été prise au sérieux. Le Projet pigeon a été abandonné, mais les principes d'apprentissage élaborés lors de ce projet ont trouvé des applications considérables.

FIGURE 5.5   B.F. SKINNER

B.F. Skinner et quelques-uns de ses «associés», photographiés dans le laboratoire de l'Université Harvard.

MYTHE OU RÉALITÉ 3

Il est vrai qu'un psychologue a élaboré une stratégie visant à entraîner des pigeons à guider des missiles jusqu'à leur cible. Ce psychologue était B.F. Skinner.

Dans son ouvrage le plus marquant, *The Behavior of Organisms,* Skinner (1938) a proposé de nombreuses innovations théoriques et techniques. Il a concentré son étude sur des comportements simples, comme appuyer sur un levier. Pour Skinner, un tel comportement est un **opérant**, une unité comportementale objectivement définie de façon qu'on puisse compter le nombre de fois qu'elle survient. En complétant les travaux de Thorndike, Skinner a décrit les principes du conditionnement opérant selon lequel le comportement des organismes est déterminé par ses conséquences.

Pour étudier le comportement opérant, Skinner a conçu une cage d'animaux sophistiquée, surnommée «boîte de Skinner» et illustrée à la figure 5.6. La cage était conçue pour les expériences de laboratoire, car les conditions expérimentales pouvaient être soigneusement introduites et retirées, et les opérants émis par les animaux de laboratoire, rigoureusement mesurés. Dans certaines expériences de Skinner, les rats qui appuyaient sur un levier obtenaient une boulette de nourriture. Dans d'autres, l'émission du comportement désiré faisait cesser un choc électrique.

• LES COMPOSANTES DU CONDITIONNEMENT OPÉRANT

Le conditionnement opérant a deux volets: le renforcement et la punition, qui déterminent quels comportements sont reproduits et quels comportements disparaissent.

Le renforcement. Le **renforcement** est le premier volet du conditionnement opérant. Il explique l'acquisition des comportements. Plus précisément, le conditionnement est un événement qui augmente la probabilité d'apparition d'un comportement qui lui est associé. Skinner distingue deux types de renforcements: le renforcement positif et le renforcement négatif.

Le renforcement positif. Le renforcement positif implique l'obtention par l'organisme de stimuli agréables à la suite de son comportement. Les stimuli agréables sont, par exemple, la nourriture, l'approbation sociale ou les caresses. On nomme ces stimuli des **agents de renforcement positif**, car ils augmentent la probabilité de réapparition d'un

Opérant

Unité comportementale objectivement définie de façon qu'on puisse compter le nombre de fois qu'elle survient.

FIGURE 5.6   LES EFFETS DU RENFORCEMENT

Un rat albinos de laboratoire gagne sa pitance dans une boîte de Skinner. L'animal appuie sur un levier à cause de l'agent de renforcement, des boulettes de nourriture, distribué par le bec de la mangeoire automatique. La force d'habitude de ce comportement opérant peut être mesurée par la fréquence des pressions sur le levier.

Renforcement

Événement qui a pour effet d'augmenter la probabilité de l'émission d'un comportement qui lui est associé.

Agent de renforcement positif

Agent de renforcement qui, lorsqu'il est présenté, augmente la probabilité d'apparition d'un comportement opérant.

Les types de programmes de renforcement

Les programmes de renforcement correspondent à la façon dont les agents de renforcement sont distribués en relation avec les réponses comportementales. Les psychologues distinguent deux grands types de programmes de renforcement : le renforcement continu et le renforcement intermittent. Le renforcement continu désigne les programmes où chaque comportement est renforcé, tandis que dans les programmes à renforcement intermittent, les participants obtiennent des renforcements pour seulement une partie des réponses qu'ils émettent.

On distingue en fait quatre types principaux de programmes de renforcement intermittent. Le tableau ci-après spécifie ce qui caractérise ces types de renforcement et donne un exemple pour chacun d'eux.

TYPE DE PROGRAMME DE RENFORCEMENT		DESCRIPTION	EXEMPLE	VITESSE D'EXTINCTION
Proportion	Fixe	Renforcement disponible après un nombre fixe de réponses	Un ouvrier reçoit une unité de salaire après chaque cinquième pièce qu'il assemble	Rapide
	Variable	Renforcement disponible après un nombre variable de réponses (autour d'une moyenne)	La machine à sous donne de l'argent au joueur après un nombre variable de parties	Lente
Intervalle	Fixe	Renforcement disponible après un intervalle fixe	Les acheteurs d'automobiles savent qu'elles coûtent moins cher juste avant la sortie des nouveaux modèles	Rapide
	Variable	Renforcement disponible après un intervalle variable (d'une durée moyenne)	Les cartes postales des amis en vacances arrivent dans la boîte aux lettres avec irrégularité	Lente

Renforcement continu

Programme de renforcement dans lequel chaque bonne réponse est renforcée.

Renforcement intermittent

Programme de renforcement dans lequel les bonnes réponses ne sont pas toutes renforcées.

comportement quand ils sont présentés aux organismes. Par exemple, les enfants du camp d'été émettront probablement davantage le comportement « se mettre en file » si ce comportement est renforcé par l'obtention rapide de nourriture (l'agent de renforcement positif). Il existe plusieurs types de programmes de renforcement positif, illustrés à l'encadré 5.3.

Selon la théorie du conditionnement opérant, il importe peu de savoir comment la première réponse comportementale a été produite. Il se peut qu'elle soit émise par hasard, comme dans le cas de l'apprentissage par essais et erreurs de Thorndike. L'organisme peut également être physiquement guidé vers la réponse. Les entraîneurs d'animaux utilisent parfois une contrainte physique ou l'incitation pour produire la première réponse désirée. Par exemple, une personne peut donner l'ordre à son chien de s'asseoir en lui disant « Assis ! » et en

TABLEAU 5.1 QUELQUES EXEMPLES D'AGENTS DE RENFORCEMENT NÉGATIF

STIMULUS DÉSAGRÉABLE	COMPORTEMENT OPÉRANT	AGENT DE RENFORCEMENT NÉGATIF
Un bruit intense	Se couvrir les oreilles avec les mains	Diminution ou disparition du bruit
Une blessure, un malaise ou un problème de santé	Donner les premiers soins ; consulter un médecin	Soulagement de la douleur ou du malaise
Un soleil intense	Porter des verres fumés	Diminution ou disparition de l'éclat du soleil
La neige, la pluie ou le vent	Porter des vêtements de protection (habit de neige, imperméable, coupe-vent)	Protection contre le froid, la pluie ou le vent
Avoir à prendre l'ascenseur si on a peur de le prendre	Monter les étages à pied	Réduction momentanée de l'émotion de la peur

appuyant ensuite sur son postérieur jusqu'à ce qu'il soit en position assise. Ensuite, elle renforce la position assise du chien à l'aide de nourriture ou d'une caresse sur la tête.

Le **façonnement** décrit à la figure 5.7 est une procédure employée pour accélérer l'émission de la première réponse, surtout quand il s'agit de l'apprentissage de comportements complexes, comme l'écriture ou la natation. Il consiste à renforcer progressivement les approximations successives du comportement visé. Au départ, il peut être sage de féliciter le futur nageur lorsqu'il ose se laisser flotter pour la première fois. Mais, à mesure que l'apprentissage progresse, il faut attendre davantage pour renforcer l'élève et s'ajuster à ses progrès.

Le renforcement négatif. Le renforcement négatif implique au contraire que l'organisme élimine des stimuli désagréables par son comportement. Les stimuli désagréables sont, par exemple, la douleur, les bruits stridents ou les réprimandes. Le tableau 5.1 en présente plusieurs exemples. On nomme ces stimuli des **agents de renforcement négatif**, car ils augmentent la probabilité de réapparition d'un comportement quand ils sont retirés.

Deux types d'apprentissage sont basés sur le renforcement négatif: l'**apprentissage par échappement** et l'**apprentissage par évitement**. Ainsi, dans les expériences d'apprentissage par échappement, un rat reçoit un choc électrique s'il se trouve dans une partie donnée de sa cage. Il apprend alors à courir vers une autre partie de sa cage pour échapper au choc. Son comportement (courir rapidement) est renforcé par le retrait du choc (agent de renforcement négatif). Par contre, dans les expériences d'apprentissage par évitement, un stimulus discriminatif (un bruit) annonce le choc électrique, si bien que le rat peut apprendre à courir aussitôt vers la partie sûre de sa cage pour éviter le choc avant qu'il ne survienne. Son comportement est alors renforcé négativement par évitement du choc électrique (Barker, 2001).

Parmi les agents de renforcement, on peut distinguer les **agents de renforcement primaires** (inconditionnels) et les **agents de renforcement secondaires** (conditionnels). Les agents de renforcement primaires sont efficaces en raison de la constitution biologique de l'organisme. Ce sont des stimuli dont les propriétés de renforcement sont indépendantes de tout apprentissage antérieur, comme la nourriture, l'eau (agents de renforcement positif) ou la douleur (agent de renforcement négatif). Les agents de renforcement secondaires acquièrent leur propriété de renforcement parce qu'ils ont été associés à des agents de renforcement primaires. C'est pourquoi ils sont également qualifiés d'«agents de renforcement conditionnels». Par exemple, l'argent (agent de renforcement secondaire) peut être échangé pour de la nourriture (agent de renforcement primaire).

Le renforcement joue un grand rôle dans les rapports sociaux. Les parents et les camarades amènent les enfants à acquérir des comportements jugés adéquats pour leur sexe par un système complexe de renforcement et de punitions. Les parents utilisent parfois maladroitement le renforcement et la punition. En punissant les enfants agressifs, il arrive qu'ils leur donnent indûment de l'importance, alors qu'ils ne renforcent pas assez les enfants qui partagent en ne les félicitant pas. L'encadré 5.4 donne plus de détails sur les effets mitigés de la punition.

La punition. La **punition** est le deuxième volet du conditionnement opérant. Elle explique la disparition des comportements. En termes scientifiques, on dira que la punition est un événement qui supprime ou réduit la probabilité d'apparition d'un comportement qui lui est associé. Tout comme le renforcement, la punition peut être positive ou négative. Le tableau 5.2 présente une synthèse des types de conditionnements opérants.

Façonnement
Technique d'apprentissage de comportements complexes qui consiste à renforcer successivement les approximations du comportement terminal visé.

Agent de renforcement négatif
Agent de renforcement qui, lorsqu'il est retiré, augmente la probabilité d'apparition d'un comportement opérant.

Apprentissage par échappement
Type d'apprentissage dans lequel un organisme acquiert un comportement pour faire disparaître un agent de renforcement négatif.

Apprentissage par évitement
Type d'apprentissage par lequel un organisme acquiert un comportement pour ne pas subir un agent de renforcement négatif.

Agent de renforcement primaire
Stimulus dont les propriétés de renforcement sont indépendantes de tout apprentissage antérieur (peut également être appelé agent de renforcement inconditionnel).

Agent de renforcement secondaire
Stimulus qui, grâce à son association avec un agent de renforcement établi, a acquis des propriétés de renforcement (peut également être appelé agent de renforcement conditionnel).

Punition
Événement qui diminue la probabilité de l'émission d'un comportement qui lui est associé.

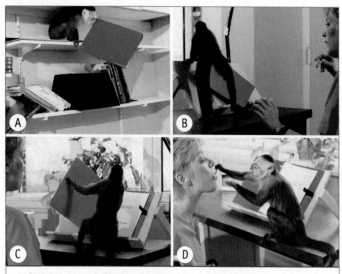

FIGURE 5.7   LE FAÇONNEMENT DU COMPORTEMENT « LIVRE »

Depuis quelques années, des psychologues entraînent de petits singes capucins à apporter une aide manuelle quotidienne à des personnes ayant un handicap physique sévère. Par le truchement d'une procédure de façonnement, ces singes apprennent à rendre une foule de services utiles comme rapporter des objets, actionner un interrupteur, nourrir à l'aide d'une cuillère et insérer une cassette dans un magnétoscope. Sur ces photos, Félixe, un singe capucin femelle québécois, est en train de:
a) prendre un livre; b) disposer le livre sur un chevalet; c) ouvrir le livre; d) insérer dans la bouche de la personne le bâton qui sert à tourner les pages du livre. Lorsque la chaîne de comportements est complétée, Félixe reçoit sa récompense préférée, un morceau de raisin vert (non illustré).

La punition positive et l'éducation des enfants

Malgré l'efficacité, à très court terme, de la punition positive, de nombreux théoriciens de l'apprentissage conviennent qu'elle est habituellement indésirable, surtout dans l'éducation des enfants, pour les raisons que voici.

La punition positive ne propose pas une autre forme acceptable de comportement.

La punition positive a tendance à supprimer le comportement indésirable seulement dans les circonstances où son application suit immédiatement le comportement indésirable. Le lien entre le comportement et la punition doit être très clair pour que l'association se fasse. Si, par exemple, un enfant est puni après s'être dénoncé, il risque d'apprendre à se taire, mais pas à amender son comportement.

La punition positive est efficace seulement si elle est constante. Si elle est appliquée selon les caprices des parents, il est fort possible que l'enfant apprenne comment commettre ses méfaits de manière

à éviter d'être puni. Par exemple, il ne faut pas beaucoup de temps aux enfants pour apprendre qu'ils peuvent s'en tirer impunément avec un parent, ou un professeur, et non avec l'autre.

Il est possible de se retirer de la situation où on a été puni. Les enfants sévèrement punis peuvent s'enfuir, manquer des cours ou même décrocher.

La punition positive peut engendrer la colère et l'hostilité. Une punition adéquate supprimera presque toujours le comportement indésirable, mais à quel prix? L'enfant peut exprimer une accumulation de sentiments d'hostilité envers d'autres enfants, ou, à plus forte raison, envers ceux qui le punissent.

La punition positive peut avoir un effet d'entraînement excessif. L'enfant puni sévèrement à cause de sa mauvaise tenue à table peut aussi cesser de manger. La généralisation excessive surviendra probablement lorsque les enfants ne savent pas

exactement pourquoi ils sont punis et quand on ne leur a pas montré d'autres comportements acceptables.

Les enfants punis peuvent apprendre que punir est une méthode de défoulement et répéter des abus dont ils ont peut-être été victimes.

La punition attire l'attention des enfants sur leurs mauvais comportements. Il est généralement préférable de s'attarder à récompenser le comportement désirable des enfants plutôt que de punir leurs comportements indésirables. En ignorant leur mauvaise conduite, ou en utilisant la punition négative, les parents évitent de renforcer la mauvaise conduite de l'enfant. De cette façon, ce dernier n'aura pas été encouragé à réitérer le comportement indésirable.

La punition peut en fait renforcer le comportement qu'on veut faire disparaître. Les enfants punis ont de l'attention de leurs parents, ce qui peut constituer un puissant agent de renforcement positif.

 MYTHE OU RÉALITÉ 4

Il est vrai que l'attention qu'on donne à l'enfant turbulent peut le renforcer dans son comportement déplaisant.

Agent de punition positive
Agent de punition qui, lorsqu'il est présenté, diminue la probabilité d'apparition d'un comportement opérant.

ÉCLAIRCISSEMENT DE L'AMORCE

La punition positive. Dans la punition positive, les organismes subissent un stimulus désagréable en conséquence de leur comportement. Les stimuli désagréables, comme la douleur ou des réprimandes, sont des **agents de punition positive**, car ils diminuent la probabilité de réapparition d'un comportement lorsqu'ils sont infligés à l'organisme.

Au camp d'été, Émilie réduit la fréquence de son comportement «poser des questions», car elle est punie positivement par les signes d'impatience que lui montre Anne. Pour Émilie, les signes d'impatience sont un agent de punition positif. Mais pour certaines personnes, les mêmes signes d'impatience pourraient représenter un agent de renforcement positif, car ils manifestent de l'attention.

La punition positive peut supprimer rapidement un comportement indésirable et elle peut être justifiée dans les cas d'urgence, comme lorsqu'un enfant essaie de courir dans la rue. La punition positive est toutefois peu recommandée dans l'éducation des enfants, comme il en a déjà été question à l'encadré 5.4.

 MYTHE OU RÉALITÉ 5

Il est faux de prétendre que la punition n'est pas efficace. À très court terme, une punition très sévère peut supprimer un comportement indésirable. Toutefois, les psychologues s'interrogent sur la pertinence de la punition en raison de ses limites et de ses effets secondaires à long terme.

La punition négative. Dans la punition négative, au contraire, les organismes sont privés de stimuli agréables en conséquence de leur comportement. Ces stimuli agréables, par exemple

TABLEAU 5.2 LES TYPES DE RENFORCEMENT ET DE PUNITION

RENFORCEMENT	PUNITION
Probabilité accrue d'émettre le comportement	Probabilité réduite d'émettre le comportement
RENFORCEMENT *POSITIF*	**PUNITION *POSITIVE***
Produit par la *présentation* d'un stimulus *agréable* (ex. Un comportement est *renforcé* par la *permission* de sortir avec des amis.)	Produit par la *présentation* d'un stimulus *désagréable* (ex. Un comportement est *puni* par une *corvée supplémentaire* de vaisselle.)
RENFORCEMENT *NÉGATIF*	**PUNITION *NÉGATIVE***
Produit par le *retrait* d'un stimulus *désagréable* (ex. Un comportement est *renforcé* par la *dispense* de la corvée habituelle de vaisselle.)	Produit par le *retrait* d'un stimulus *agréable* (ex. Un comportement est *puni* par le *retrait* de la permission prévue de sortir avec des amis.)

du dessert ou une sortie, sont des **agents de punition négative**, car ils diminuent la fréquence de réapparition d'un comportement lorsqu'ils sont retirés.

Souvent, on confond la punition avec le renforcement négatif. La différence essentielle est la suivante : le renforcement, qu'il soit positif ou négatif, augmente la probabilité d'apparition d'un comportement, alors que la punition, positive ou négative elle aussi, diminue la probabilité d'apparition d'un comportement. Prenons l'exemple de la consommation d'héroïne. Le sevrage entraîne des symptômes extrêmement pénibles (voir le chapitre 4), si bien qu'il arrive souvent que les personnes en thérapie recommencent à consommer cette drogue uniquement pour mettre fin à leurs souffrances. Leur comportement de consommation est alors renforcé négativement parce qu'il entraîne l'élimination d'un stimulus désagréable, soit la souffrance liée au sevrage. Prenons maintenant l'exemple d'un débutant maladroit qui se pique mal et s'infecte au bras. De telles infections peuvent aussi être très douloureuses, assez pour décourager un débutant de recommencer. Étant donné que, dans ce cas, la douleur diminue la probabilité du comportement de consommation, elle doit être considérée comme un agent de punition positive.

Dans cet exemple, la douleur est un agent de renforcement négatif pour les personnes en sevrage, parce que c'est son retrait qui augmente la probabilité de la consommation d'héroïne. La douleur de l'infection est pour sa part un agent de punition positive, parce que le comportement de consommation d'héroïne entraîne l'apparition de cette douleur.

Le conditionnement opérant présente des différences et des similitudes avec le conditionnement classique. Le tableau 5.3 présente une comparaison entre ces deux types de mécanismes d'apprentissage.

• L'EXTINCTION ET LE RECOUVREMENT SPONTANÉ

Les mécanismes d'adaptation aux conditions changeantes de l'environnement s'appliquent au conditionnement opérant comme au conditionnement classique.

Dans le conditionnement opérant, l'extinction résulte de l'exécution répétée d'un comportement opérant sans obtention de renforcement (ou sans évitement du stimulus désagréable). Après un certain nombre d'essais non renforcés, le comportement opérant cesse d'être émis ; on dit alors qu'il s'éteint.

Quand Émilie cesse d'émettre le comportement « aller voir sa boîte aux lettres » après ne pas avoir reçu à quelques reprises l'agent de renforcement positif « lettre », son comportement s'éteint.

Le recouvrement spontané se manifeste aussi en conditionnement opérant. Les comportements opérants éteints tendent à être émis à nouveau si, après un certain temps de repos, un organisme est placé dans une situation où il a auparavant été renforcé. Par exemple, au premier signe du printemps, les gens se réapproprient très vite leurs terrasses, qu'ils avaient pourtant fuies pendant l'hiver.

Agent de punition négative
Agent de punition qui, lorsqu'il est retiré, diminue la probabilité d'apparition d'un comportement opérant.

ÉCLAIRCISSEMENT DE L'AMORCE

TABLEAU 5.3 PARALLÈLE ENTRE LE CONDITIONNEMENT CLASSIQUE ET LE CONDITIONNEMENT OPÉRANT

	CONDITIONNEMENT CLASSIQUE	CONDITIONNEMENT OPÉRANT
NATURE DE LA RÉPONSE	involontaire, réflexe	spontanée, volontaire
STIMULUS	se produit avant la réponse (le SC est associé au SI)	se produit après la réponse (la réponse est suivie d'un stimulus qui agit comme agent de renforcement ou de punition)
RÔLE DE L'ORGANISME	passif (réponse provoquée)	actif (réponse émise)
NATURE DE L'APPRENTISSAGE	association entre les stimuli antécédents	probabilité de réponse modifiée par les conséquences

• LA GÉNÉRALISATION ET LA DISCRIMINATION

Les études sur la courbe de généralisation mesurent combien le renforcement en présence d'un stimulus donné influe sur la tendance à répondre à d'autres stimuli qui lui ressemblent, mais qui n'ont pas été renforcés (Doré, 1983). De telles études permettent notamment de décrire précisément la longueur d'onde des stimuli lumineux auxquels les pigeons sont capables de généraliser leurs réponses, lors d'expérience de conditionnement opérant.

L'apprentissage discriminatif fonctionne de la même manière que le conditionnement opérant. Dans une expérience de Skinner, un pigeon placé dans une boîte doit, pour obtenir une boulette de nourriture, picorer un bouton. Une petite lumière verte est ensuite installée dans la boîte, et elle s'allume et s'éteint à intervalles durant toute la journée. Le coup de bec sur le bouton est renforcé par de la nourriture chaque fois que la lumière verte est allumée, mais non lorsqu'elle est éteinte. Le pigeon apprend très vite qu'il n'obtient rien en picorant le bouton lorsque la lumière est éteinte. La lumière verte devient un **stimulus discriminatif**. Les stimuli discriminatifs servent de signaux : ils procurent de l'information concernant le moment où un comportement opérant (en l'occurrence, le coup de bec sur le bouton) sera renforcé.

Stimulus discriminatif
Dans le conditionnement opérant, stimulus qui signale que l'agent de renforcement est disponible.

Le comportement humain est influencé de nombreuses façons par les stimuli discriminatifs. Par exemple, une personne demandera une hausse de salaire à sa patronne quand celle-ci sera souriante plutôt que de mauvaise humeur. Un voyageur sera attentif à ne pas aller à l'encontre des règles de comportement d'un pays s'il veut profiter de son voyage. La capacité à interpréter correctement les stimuli sociaux discriminatifs (le sourire, le ton de la voix, le langage corporel) constitue un facteur important de l'acquisition d'habiletés sociales.

Dans toutes ses applications, l'apprentissage de la discrimination s'avère donc aussi important pour l'adaptation que le phénomène de la généralisation. Pour bien fonctionner, il faut être en mesure d'effectuer convenablement les généralisations et les discriminations appropriées. Il est rassurant pour une personne de savoir que les feux verts à Montréal ont la même signification qu'à Milan, même s'ils ne sont pas tout à fait identiques; et qu'en revenant à la maison dans la soirée, une personne soit en mesure de discriminer son domicile, c'est-à-dire de le distinguer des maisons semblables.

5.2 LES APPRENTISSAGES DE TYPE COGNITIF

Dans les années 1950 et 1960, on a cru que le conditionnement pouvait expliquer tous les phénomènes d'apprentissage. Autrement dit, on croyait que l'apprentissage concernait strictement l'acquisition de comportements. Ce point de vue a été remis en question par les cognitivistes, qui ont montré que l'apprentissage consiste aussi à acquérir des représentations mentales, autrement dit des connaissances, qui peuvent ne pas se manifester dans le comportement.

5.2.1 L'APPRENTISSAGE PAR INTUITION

Les plus anciennes recherches qui prennent en considération les représentations mentales dans l'apprentissage remontent aux gestaltistes (voir le chapitre 3). Pour les gestaltistes, l'apprentissage est une réorganisation mentale subite qui permet d'acquérir une meilleure vue d'ensemble d'un problème (Forget, Otis et Leduc, 1988). L'élaboration de la théorie gestaltiste de l'apprentissage repose sur les travaux de Wolfgang Köhler avec des chimpanzés, au cours desquels le singe Sultan, illustré à la figure 5.8, apprenait à utiliser un bâton pour ramener les bananes placées en dehors de sa cage. À un moment de l'étude, Köhler a placé la banane hors d'atteinte du bâton et a donné à Sultan deux perches emboîtables. Après des tâtonnements, Sultan a eu une sorte d'éclair de compréhension et a réussi à assembler les deux perches pour attraper la banane. Sultan a compris alors, d'un seul coup et de façon durable, le principe de relation entre l'assemblage des bâtons et la capacité à atteindre des objets éloignés. Köhler a nommé cet éclair de compréhension l'*Einsicht*, que les textes en français traduisent par **apprentissage par intuition** ou par *insight*. Même si l'apprentissage par intuition comprend une phase de tâtonnement, il représente l'inverse du façonnement et de l'apprentissage par essais et erreurs (Murray, 1995). En effet, dans l'apprentissage par intuition, on n'apprend pas peu à peu des réponses partielles, on saisit d'un seul coup tous les aspects d'un problème.

5.2.2 L'APPRENTISSAGE LATENT

À l'époque où le behaviorisme dominait, Tolman a démontré que des rats apprenaient à connaître leur environnement en l'absence de tout renforcement. Son expérimentation consistait à comparer plusieurs groupes de rats placés dans un labyrinthe. Le premier groupe de rats était entraîné à trouver la sortie du labyrinthe pour atteindre de la nourriture (qui servait de renforcement). Le second groupe de rats était placé dans le même labyrinthe pendant plusieurs jours, mais ne recevait aucun renforcement pour apprendre à trouver la sortie. Lorsque Tolman a placé de la nourriture à la sortie du labyrinthe, le chercheur a eu la surprise de voir les rats du second groupe atteindre la nourriture aussi rapidement que les rats renforcés. Le second groupe de rats a donc exploré le labyrinthe et a appris à le connaître sans la présence de renforcement (Tolman et Honzik, 1930).

Pour Tolman, un apprentissage peut se produire même s'il ne se manifeste pas par une performance. Les rats du second groupe ont acquis une **carte cognitive** du labyrinthe (un type de représentation mentale). En effet, même s'ils n'étaient pas motivés à suivre un parcours efficace jusqu'à la sortie, ils ont découvert des chemins rapides pour circuler d'un bout à l'autre du labyrinthe, simplement en errant à l'intérieur de celui-ci. Cet apprentissage est demeuré caché, ou **latent**, jusqu'à ce que les rats soient motivés à le manifester.

Quand Émilie a appris à se servir de la boussole, elle a surtout acquis des connaissances à son sujet. Cet apprentissage est resté latent, jusqu'à ce qu'elle ait l'occasion, au camp d'été, de le manifester par des comportements observables. Il est probable qu'Émilie ait surtout développé sa connaissance de la boussole par observation, dans le cadre d'interactions sociales.

5.2.3 L'APPRENTISSAGE PAR OBSERVATION

Albert Bandura a intégré les concepts cognitifs de l'apprentissage dans son modèle de l'apprentissage social. L'apprentissage social explique que l'individu acquiert des compétences en observant le comportement d'autrui. En portant attention au comportement d'autrui, une personne motivée peut se construire de nouvelles représentations mentales rendant possibles de nouveaux comportements. Ces nouveaux comportements possibles sont retenus en mémoire. L'apprenant peut aussi choisir de les laisser dans un état latent. Par exemple, une personne peut choisir de ne pas imiter un comportement agressif dont elle a eu l'exemple et de recourir

FIGURE 5.8 UN EXEMPLE D'APPRENTISSAGE PAR INTUITION

Ce chimpanzé doit récupérer un bâton à l'extérieur de la cage, puis l'assembler à un bâton semblable pour allonger la portée de son bras. En jouant avec ce genre de bâton dans le laboratoire de Wolfgang Köhler, le chimpanzé Sultan s'est soudain rendu compte que les bâtons pouvaient être assemblés.

Apprentissage par intuition
Forme d'apprentissage fonctionnant par *insight*, c'est-à-dire par une perception soudaine de tous les aspects liés à la solution d'un problème.

Carte cognitive
Représentation ou image mentale des éléments dans une situation d'apprentissage, tel un labyrinthe.

Latent
Apprentissage qui ne se manifeste pas tant qu'il n'est pas sollicité.

ÉCLAIRCISSEMENT DE L'AMORCE

à ce savoir latent uniquement si elle est provoquée. L'interprétation qu'on se fait de nos observations est un élément déterminant des comportements qui vont être adoptés. L'encadré 5.5 présente les travaux de Robert Ladouceur sur plusieurs mécanismes d'apprentissage.

 MYTHE OU RÉALITÉ 6

Il est vrai que lire au lit peut favoriser l'insomnie.

Apprentissage par observation
Acquisition d'opérants en observant les autres les reproduire.

On recourt largement à l'**apprentissage par observation** pour enseigner formellement des connaissances, par exemple à l'école, comme on l'illustre à la figure 5.9. On peut par exemple se faire une idée sur la façon de sauter en parachute, de peinturer un mur au rouleau, d'escalader une pente abrupte ou d'utiliser un four à micro-ondes uniquement en observant quelqu'un effectuer une démonstration.

ÉCLAIRCISSEMENT DE L'AMORCE

Émilie fait beaucoup d'apprentissage par observation lorsqu'elle adopte les comportements et les attitudes des moniteurs plus expérimentés. Il est possible d'apprendre en imitant quelqu'un qui ne cherche même pas à nous enseigner quelque chose. Une large part des comportements humains se transmet par observation et par imitation. L'apprentissage par observation de tâches simples ne comportant qu'une seule action, comme le fait d'ouvrir un coffre à jouets pour en examiner l'intérieur, survient dès l'âge de un an (Abravanel et Gingold, 1985).

 MYTHE OU RÉALITÉ 7

Il est vrai qu'observer peut suffire pour acquérir des compétences.

ENCADRÉ 5.5

Robert Ladouceur, un spécialiste du jeu pathologique et des thérapies cognitives

Robert Ladouceur est un spécialiste réputé du jeu pathologique. Il propose une stratégie pratique pour lutter contre ce fléau qui fait des ravages accrus dans la société québécoise depuis qu'on a ouvert plusieurs casinos et que les machines de vidéo-poker ont proliféré. Les tables de black-jack installées à l'Université Laval par l'équipe de psychologie comportementale de Robert Ladouceur ont d'ailleurs opportunément suscité beaucoup d'intérêt sur le campus au moment où le traitement a été offert expérimentalement à la communauté universitaire.

Le modèle des causes du jeu pathologique que propose Ladouceur repose sur une analyse essentiellement cognitiviste. Selon lui, le comportement de jeu pathologique provient d'une idée fausse selon laquelle le hasard peut être contrôlé. L'excitation physiologique que procure le jeu contribue ensuite à activer la perception illusoire de contrôle voulant que plus on joue, plus on risque de gagner de l'argent. À cause de cette importance des idées illusoires, les joueurs les moins bien prémunis contre cette activité sont aussi ceux qui misent – et perdent – le plus d'argent dans les casinos.

Ladouceur a guéri de nombreux joueurs en utilisant la restructuration cognitive.

Essentiellement, il réfute les idées irrationnelles du joueur et lui fournit des informations sur la notion de hasard. La méthode employée avec succès à la salle de jeu improvisée à l'Université Laval est la pensée à voix haute. Les joueurs invités expriment leurs pensées pendant qu'ils misent, ce qui leur permet d'apprendre à percevoir et à reconnaître leurs croyances erronées. Apprendre à dire non au jeu par un entraînement aux habiletés sociales est également un élément du traitement proposé (Ladouceur et autres, 2001).

Robert Ladouceur s'est aussi fait connaître grâce à d'autres traitements qui visent à régler rapidement des problèmes concrets par des moyens concrets en tenant compte à la fois de principes behavioristes et de principes cognitivistes. Il propose entre autres une thérapie de contre-conditionnement pour vaincre l'insomnie. L'entraînement au sommeil que propose Robert Ladouceur consiste à réaménager convenablement les conditions de son environnement. Selon l'analyse du chercheur, c'est précisément le fait de déployer des efforts pour s'endormir qui conduit à l'insomnie: «[...] plus la personne tente de "contrôler" l'apparition d'un sommeil rapide, long et profond, plus elle risque d'obtenir

l'effet contraire» (Ladouceur, 1993, p. 81). Les insomniaques apportent souvent des livres, de la nourriture ou une radio près de leur lit pour attendre le sommeil. Or, la présence de stimuli incompatibles avec le sommeil est responsable, avec les heures de coucher irrégulières, du maintien de l'organisme dans un état de vigilance indésirable. Ladouceur conseille de se conditionner au sommeil en adoptant des horaires stricts et en éliminant toutes les sources de stimulation à proximité du lit.

SPÉCIALISTE QUÉBÉCOIS

ROBERT LADOUCEUR

5.2.4 L'APPRENTISSAGE PAR CONCEPTS

L'apprentissage par concepts est un travail direct d'élaboration des représentations mentales. Un **concept** est un symbole qui représente un groupe d'objets, d'événements ou d'idées ayant des propriétés communes. Par exemple, le concept *table* correspond à une surface plane montée sur pattes. De nombreux concepts simples, comme *table* et *chien*, peuvent être appris par association. Un adulte peut simplement montrer un chien à un enfant et dire « Chien » ou « C'est un chien ». Les chiens sont considérés comme des exemples positifs du concept chien. Des exemples négatifs, c'est-à-dire des choses qui ne sont pas des chiens, sont ensuite montrés à l'enfant ; l'adulte dit alors « Ce n'est pas un chien ». Ce qui constitue un exemple négatif d'un concept peut être un exemple positif d'un autre. Ainsi, en enseignant à un enfant, l'adulte sera probablement plus porté à dire « Ce n'est pas un chien, c'est un chat » au lieu de « Ce n'est pas un chien ».

Les concepts forment entre eux des réseaux hiérarchisés (voir le chapitre 6). Des concepts plus abstraits, comme *oncle* ou *racine carrée*, doivent être enseignés à l'aide de plusieurs autres concepts. Si l'adulte se contente de montrer à l'enfant des *oncles* (exemples positifs) et des *non-oncles* (exemples négatifs), l'enfant pourra rapidement apprendre que les oncles sont des hommes, ou même qu'ils sont des hommes qui font partie de sa famille élargie. Toutefois, il est improbable que cette méthode lui enseigne que les oncles sont les frères d'un parent. L'explication du concept *oncle* devra faire appel aux concepts plus élémentaires *parent* (ou du moins *maman* et *papa*) et *frère*.

Des concepts encore plus abstraits tels que *justice*, *bonté* et *beauté* peuvent nécessiter la présentation de nombreux exemples positifs et négatifs. Ces concepts sont tellement abstraits et leurs exemples si diversifiés qu'il n'y a pas deux personnes qui s'entendent sur leurs définitions. Si celles-ci coïncident, on se disputera alors à propos de leurs exemples positifs et négatifs. Retarder le paiement de son loyer jusqu'à la fin des réparations peut sembler juste aux yeux du locataire et injuste à ceux du propriétaire. Ce qui apparaît comme une magnifique œuvre d'art à quelqu'un peut laisser complètement indifférent un autre observateur.

Les enfants ne sont pas simplement des récipiendaires passifs d'informations au sujet de la signification des concepts. Ils se lancent dans le processus actif de la **vérification d'hypothèses**, en tentant de découvrir la signification des concepts. Un parent peut montrer un petit poisson dans un aquarium et dire à l'enfant « C'est un guppy ». L'enfant peut formuler l'hypothèse selon laquelle « les choses qui bougent dans l'eau sont des guppys ». Puis le parent montre un gros poisson aux nageoires flottantes et dit « C'est un ange ». L'enfant modifiera son hypothèse sur ce que représente un guppy ou un ange. Il peut s'attarder à la forme, à la grosseur et aux couleurs du poisson, et tenter de généraliser à d'autres poissons en pointant du doigt et en demandant « Est-ce aussi un guppy ? » Le parent répondra « oui » ou « non », et commencera peut-être à expliquer que le guppy est un petit poisson dont la forme ressemble à celle d'un cigare et qui existe en plusieurs couleurs. L'enfant se demandera peut-être alors si le petit poisson en forme de cigare aux rayures noires et blanches est également un guppy et continuera de demander « Est-ce aussi un guppy ? » Lorsque le parent répond « Non, c'est un zèbre », l'enfant limitera peut-être sa conception du guppy aux poissons qui sont gris, ou à ceux qui ont des taches bleues ou rouges. La réponse affirmative ou négative du parent procure à l'enfant une donnée supplémentaire quant à la justesse de son hypothèse.

Concept
Symbole qui représente un groupe d'objets, d'idées ou d'événements ayant des propriétés communes.

FIGURE 5.9   L'APPRENTISSAGE PAR OBSERVATION

Les gens acquièrent une grande variété d'aptitudes au moyen de l'apprentissage par observation.

Vérification d'hypothèses
Dans la formation des concepts, processus par lequel nous tentons de découvrir les significations ou les points saillants des concepts en vérifiant nos hypothèses.

APPRENTISSAGE

comprend

- **apprentissage de type associatif** — qui comporte
  - **habituation et sensibilisation**
  - **conditionnement classique** — explique les réponses involontaires
    - **SI** --- provoque --- **RI**
    - lorsque **SI** associé au **SN** devient **SC** --- provoque --- **RC**
  - **conditionnement opérant** — explique les réponses volontaires
    - **renforcement** — qui augmentent à cause du
      - **positif** (obtention d'un stimulus agréable)
      - **négatif** (retrait d'un stimulus désagréable)
    - **punition** — qui diminuent à cause de la
      - **positive** (obtention d'un stimulus désagréable)
      - **négative** (retrait d'un stimulus agréable)
- **apprentissage de type cognitif** — qui comporte
  - **apprentissage intuitif**
  - **apprentissage latent**
  - **apprentissage par observation**
  - **apprentissage par concepts**

5.1 Les apprentissages de type associatif

1. Les psychologues définissent l'apprentissage comme ce qui concerne les comportements :

   a) acquis ;
   b) innés.

2. Les tenants de l'approche _____ n'étudient que les comportements observables, alors que les tenants de l'approche _____ étudient aussi les représentations mentales.

3. L'apprentissage associatif consiste à établir des liens entre des stimuli de l'environnement et des réponses comportementales. Vrai ou faux ?

4. La _____ est le mécanisme inverse de l'habituation.

5. À quel type (associatif ou cognitif) appartient chacune des formes d'apprentissage suivantes ?

	Apprentissage associatif	Apprentissage cognitif
Habituation		
Apprentissage par observation		
Conditionnement classique		
Apprentissage par concepts		
Conditionnement opérant		

5.1.2 Le conditionnement classique

1. Des enfants partent en camping dans une forêt d'épinettes. Pendant trois jours, il tombe une *pluie glaciale* qui leur donne des *frissons*. Ces enfants en auront pour des années ensuite à avoir des *frissons* dès qu'ils sentiront *l'odeur des épinettes*.

   Quels éléments de cette situation représentent un stimulus inconditionnel (SI), une réponse inconditionnelle (RI), un stimulus neutre (SN), un stimulus conditionnel (SC) et une réponse conditionnelle (RC) ?

   SI_____ , RI_____ , SN_____ ,
   SC_____ , RC_____ .

2. L'extinction consisterait :

   a) à cesser de frissonner à l'odeur des épinettes après plusieurs jours de camping sans pluie glaciale ; ou
   b) à continuer de frissonner à l'odeur des épinettes après plusieurs jours de camping sans pluie glaciale.

3. Le recouvrement spontané consisterait :

   a) à cesser de frissonner lors d'un autre voyage de camping où, dès l'arrivée, on se retrouve dans une forêt d'épinettes où il ne tombe pas de pluie glaciale ; ou

   b) à recommencer à frissonner lors d'un autre voyage de camping où, dès l'arrivée, on se retrouve dans une forêt d'épinettes où il ne tombe pas de pluie glaciale.

4. Comment appelle-t-on le phénomène qui se produirait si les enfants se mettaient à frissonner en entendant le chant des oiseaux qu'ils ont associé à la senteur des épinettes ?

   a) Conditionnement d'ordre supérieur
   b) Courbe de généralisation

5. Si ces enfants frissonnent aussi quand ils sentent l'odeur des sapins, on est devant un cas de _____ .

6. Si ces enfants frissonnent seulement quand ils sentent l'odeur des épinettes lorsque celles-ci sont mouillées, on est devant un cas de _____ .

5.1.3 Le conditionnement opérant

1. Laquelle des quatre situations suivantes présente un cas de *renforcement positif*, un cas de *renforcement négatif*, un cas de *punition positive* et un cas de *punition négative* ?

   a) Un médecin commet une faute professionnelle et il est radié du Collège des médecins. (Il ne commettra plus cette faute.) _____
   b) Un joueur de hockey compte un but et les membres de son équipe le félicitent chaudement. (Ce joueur va faire ce qu'il faut pour compter d'autres buts.)_____
   c) Un auteur publie un mauvais livre et la critique cesse de s'intéresser à lui. (L'auteur ne publiera plus de mauvais livres.)_____
   d) Une reine abdique son trône et les photographes cessent de la harceler. (L'ancienne reine va abandonner ses autres fonctions officielles.)_____

2. L'extinction survient quand on est puni pour un comportement. Vrai ou faux ?

3. Le recouvrement spontané peut survenir à condition qu'on soit à nouveau renforcé pour un comportement. Vrai ou faux ?

4. La généralisation consiste à émettre des réponses similaires face à des stimuli différents. Vrai ou faux ?

5. La discrimination consiste à émettre des réponses similaires face à des stimuli différents. Vrai ou faux ?

5.2 Les apprentissages de type cognitif

1. L'apprentissage intuitif consiste à comprendre subitement tous les aspects d'un problème.
Vrai ou faux ?

2. Lequel de ces énoncés s'applique à la performance et non à la compétence ?

   a) La cause des comportements observables
   b) Un ensemble de représentations mentales
   c) L'objet d'étude des psychologues behavioristes
   d) Un réseau de concepts

3. Lequel de ces mécanismes est un apprentissage spontané qu'on se fait de son environnement (sans renforcement, sans manifestation comportementale) ?

   a) L'apprentissage intuitif
   b) L'apprentissage latent
   c) L'apprentissage associatif
   d) L'apprentissage par habituation

4. L'apprentissage par _____ se produit lorsqu'on voit quelqu'un émettre des comportements nouveaux et qu'on parvient ensuite à les adopter.

5. Utiliser des classifications en catégories pour apprendre des noms d'oiseaux est un exemple d'apprentissage par concepts. Vrai ou faux ?

Pour aller plus loin...

Volumes et ouvrages de référence

DORÉ, F. Y. et P. MERCIER (1992). *Les fondements de l'apprentissage et de la cognition*, Boucherville, Gaëtan Morin ; Lille, Presses universitaires de Lille.
Une synthèse sur l'apprentissage associatif et cognitif.

SKINNER, B.F. (1972). *Par-delà la liberté et la dignité*, Paris, Robert Laffont.
Un ouvrage classique dans lequel Skinner présente ce qu'on nomme le point de vue behavioriste orthodoxe.

Périodiques

BIAIS, J.-M. et D. SAUBABER « Comment on apprend », *L'Express*, n° 2774, 30 août 2004.
Un tour d'horizon des mécanismes d'apprentissage.

Sites Internet

Un site qui passe en revue les principales théories de l'apprentissage :
http://www.fse.ulaval.ca/chrd/Theories.app./index.htm#couv

Un site sur le conditionnement classique :
http://www.geocities.com/natachabedard/classique.html

Films, vidéos, cédéroms, etc.

Apprentissage et comportements (1990). Scénarisation : Georgette Goupil, Catherine Doré ; réalisation : Jacques Archambault, Montréal, Université du Québec à Montréal, Service de l'audiovisuel.

Ensemble de trois vidéocassettes illustrant, dans une vingtaine de dramatiques, les applications des concepts de base du conditionnement opérant (récompense, punition, extinction, etc.).

Orange mécanique. (1971). Scénarisation : Stanley Kubrick.
Un film de fiction qui présente un cas de thérapie basée sur le conditionnement classique.

Chapitre *6*

ALAIN HUOT

La mémoire

PLAN DU CHAPITRE

MYTHES OU RÉALITÉS ?

Pour savoir si ces affirmations sont vraies ou fausses, trouvez les rubriques *MYTHE OU RÉALITÉ*.

1. Le fait que les numéros de téléphone comportent sept chiffres favorise leur mémorisation.

2. Il n'y a aucune limite à la quantité d'informations qu'une personne peut emmagasiner dans sa mémoire à long terme.

3. Lire des notes de cours à plusieurs reprises peut suffire à les graver durablement dans la mémoire.

4. Les souvenirs sont une copie conforme de ce qu'un individu a réellement vécu.

5. Il est plus probable de se rappeler des événements heureux lorsqu'on est heureux et des événements malheureux lorsqu'on est malheureux.

6. L'amnésie d'une personne peut parfois s'exercer uniquement sur des événements récents, sans pour autant que ses souvenirs anciens en soient altérés.

7. Manger dans des casseroles en aluminium peut causer la maladie d'Alzheimer.

CIBLES D'APPRENTISSAGE

Après avoir lu ce chapitre, vous devriez être en mesure :

• de nommer et d'expliquer les trois phases de la mémoire : l'encodage, l'entreposage et le repêchage ;

• de décrire les trois paliers de la mémoire (la mémoire sensorielle, la mémoire à court terme et la mémoire à long terme) ;

• d'expliquer comment les trois phases de la mémoire s'articulent dans les trois paliers de la mémoire ;

• de décrire les types de mémoire à long terme et leur fonctionnement : la mémoire épisodique, la mémoire sémantique et la mémoire procédurale ;

• de décrire les modèles explicatifs de la rétention et de l'oubli.

Samuel participe au programme international Jeunesse Canada Monde. Il a choisi un projet à Lucknau en Inde. Avant de partir, il reçoit des cours accélérés de langue hindi. Il apprend à écrire avec une nouvelle écriture, le devanagari. Chaque soir, un nouveau thème est traité. Samuel a souvent du mal à retenir le vocabulaire s'il se contente de l'entendre. Il faut aussi qu'il transcrive les mots. Il se donne comme objectif de retenir sept nouveaux mots par cours. Il se répète sans cesse les nouveaux mots. Il tente ensuite de s'en servir le plus souvent possible quand il parle un peu de hindi avec l'employé indien du restaurant en face de chez lui. Ces méthodes fonctionnent bien. Quand Samuel essaie d'apprendre des listes de mots par cœur sans les utiliser, il a moins de succès. Il retient les deux premiers et les deux derniers mots de sa liste, puis il oublie les autres avant ses tests. Devant la feuille blanche, il n'arrive pas à répondre à une question. Un mot lui échappe alors que d'autres mots hindis qu'il a appris depuis lui viennent en mémoire. Samuel part pour Lucknau. Il s'aperçoit avec joie qu'il parvient à communiquer en hindi. Cependant, il a plus de difficultés quand il va au Pendjab. Il vit en Inde des expériences extraordinaires qu'il n'oubliera jamais.

Comment la psychologie peut-elle décrire ce que Samuel a enregistré dans sa mémoire ?

La mémoire est une formidable machine à traiter l'information. Elle constitue une dimension primordiale de l'intelligence et elle porte en germe tous les comportements en gardant en réserve les connaissances. Les psychologues d'approche cognitive se sont fait une spécialité de décrire le traitement de l'information effectué par la mémoire, et ils comparent souvent cette dernière à un ordinateur. La grande différence, cependant, entre l'ordinateur et la mémoire humaine est que la mémoire informatique est statique et conserve les informations telles qu'elles ont été entrées. La mémoire humaine, au contraire, transforme constamment l'information qu'elle enregistre, lie avec d'autres informations, structure, interprète et déforme souvent en lui faisant subir des manipulations mentales essentielles à son fonctionnement (Terry, 2000).

Mémoire
Ensemble des opérations mentales permettant de retenir l'information malgré le passage du temps.

Les modèles cognitifs du traitement de l'information permettent de définir la **mémoire** comme l'ensemble des opérations mentales permettant de retenir l'information malgré le passage du temps. Comme on le verra, la mémorisation comporte trois phases de traitement de l'information, et la façon dont s'effectuent ces trois phases est généralement expliquée à partir d'un modèle classique à trois paliers. Par ailleurs, s'interroger sur la mémorisation, c'est en même temps s'interroger sur la question de la rétention et de l'oubli.

6.1 LES TROIS PHASES DU PROCESSUS DE MÉMORISATION

Les trois phases qu'on distingue dans le processus de mémorisation sont l'encodage, l'entreposage et le repêchage, un peu comme ce qui se passe dans le cas de l'ordinateur. Ainsi, comme l'illustre la figure 6.1, lorsqu'un texte est sauvegardé dans la mémoire d'un ordinateur, des séries de lettres sont enregistrées et pourront être récupérées. Pourtant, si on ouvre et qu'on démonte un ordinateur, aucune lettre ne sera visible. L'ordinateur transforme l'information qui lui est transmise en code numérique qui lui permet de l'entreposer. Le texte est ensuite accessible : il peut être décodé et restitué sous forme de lettres sur l'écran.

6.1.1 L'ENCODAGE DE L'INFORMATION

Si on ne prête pas attention à un stimulus, il disparaît définitivement. Prêtons attention brièvement à la suite de lettres suivantes pour tenter de la retenir : LESQUASAIDEVI.

Encodage
Modification d'une information permettant de la placer en mémoire. Première phase du traitement de l'information.

Tout comme l'ordinateur transforme l'information en format numérique pour pouvoir la conserver, la mémoire humaine doit donner à l'information un format psychologique pour pouvoir se la représenter mentalement et l'enregistrer. La première phase du traitement de l'information, qui consiste à lui donner un format psychologique, s'appelle l'**encodage**. Elle

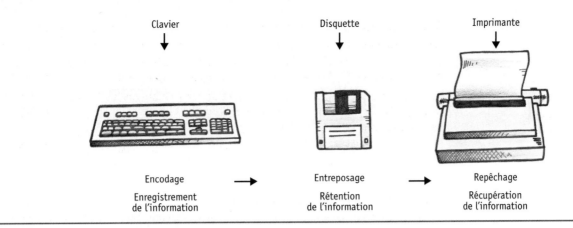

Clavier   Disquette   Imprimante

Encodage   Entreposage   Repêchage

Enregistrement   Rétention   Récupération
de l'information   de l'information   de l'information

FIGURE 6.1   LES TROIS PHASES DE LA MÉMOIRE

Les phases d'encodage, d'entreposage et de repêchage peuvent être comparées au fonctionnement d'un ordinateur.

commence dès les récepteurs sensoriels, qui effectuent la transduction, c'est-à-dire la transformation des stimulations physiques ou chimiques en influx nerveux qui persistent quelques fractions de seconde. Les stimuli auxquels on prête attention peuvent subir un encodage plus élaboré qui facilitera leur rétention.

Trois principaux types de codes peuvent être utilisés par la mémoire humaine pour traiter l'information : des codes visuels, acoustiques et sémantiques. Un **code visuel** consiste à se représenter mentalement une information sous la forme d'une image. Par exemple, tenter de photographier visuellement la série de lettres LESQUASAIDEVI consisterait à l'encoder visuellement. Un **code acoustique** consiste à se représenter une information sous forme de sons. Dans le cas de notre exemple, un encodage acoustique consisterait à tenter de prononcer la série de lettres LESQUASAIDEVI. Le plus élaboré des trois types de codes est le **code sémantique**, qui consiste à se représenter l'information selon son **sens.** Un exemple de code sémantique possible avec ces 13 lettres est de faire correspondre celles-ci à celles de l'**acronyme** LES QUAtres SAIsons DE VIvaldi. Les lettres ont alors un sens. Un exemple légèrement différent de cette méthode d'encodage de l'information est la phrase utilisée pour retenir la position des planètes du système solaire : Mon Vieux, Tu Me Jettes Sur Une Nouvelle Planète (Mercure, Vénus, Terre, Mars, Jupiter, Saturne, Uranus, Neptune, Pluton).

De telles représentations mentales sont activées dans la mémoire à court terme et elles impliquent des connaissances emmagasinées dans la mémoire à long terme.

Pour apprendre un nouveau mot hindi, Samuel peut essayer de photographier mentalement la série de lettres devanagaris क़लम qui le représentent. Il tentera alors d'encoder le mot visuellement. Il peut aussi se répéter mentalement la prononciation de ce mot (qalam), utilisant ainsi un code acoustique. Samuel peut aussi retenir que ce mot signifie « crayon », qu'il est féminin, qu'il a été emprunté à l'arabe par le hindi, etc. Ces informations qu'il évoque lui permettent de retenir le mot par encodage sémantique.

6.1.2 L'ENTREPOSAGE

La deuxième phase du traitement de l'information par la mémoire est l'**entreposage**, c'est-à-dire la **rétention** de l'information à long terme. Pour conserver en mémoire la chaîne des 13 lettres présentées précédemment, on peut par exemple répéter mentalement chacune des lettres. On peut aussi résumer la somme d'information répétée en lisant la suite de lettres sous la forme d'un mot de quatre syllabes ; autrement dit, répéter les quatre syllabes plutôt que les 13 lettres. Dans les deux cas, la répétition aura été la clé de la mise en mémoire. Toutefois, si l'encodage de la liste se fait de manière sémantique, sous forme d'un acronyme, l'entreposage sera probablement instantané et permanent.

Code visuel
Représentation mentale de l'information sous forme d'image.

Code acoustique
Représentation mentale de l'information sous forme d'une suite de sons.

Code sémantique
Représentation mentale de l'information selon sa signification.

Acronyme
Mot formé de la première lettre (ou des premières lettres) des éléments d'un groupe de mots.

ÉCLAIRCISSEMENT DE L'AMORCE

Entreposage
Sauvegarde durable de l'information dans la mémoire. Deuxième phase du traitement de l'information.

Rétention
Conservation de l'information en mémoire.

6.1.3 LE REPÊCHAGE

Repêchage
Localisation de l'information entreposée et son rappel à la conscience. Troisième phase du traitement de l'information.

Après l'encodage et l'entreposage, la troisième phase du traitement de l'information par la mémoire est le **repêchage**, c'est-à-dire la localisation de l'information dans la mémoire et son rappel à la conscience. Quand il s'agit d'une information bien connue, comme le nom d'un ami ou sa profession, le repêchage est souvent facile et immédiat. Mais il en va autrement lorsque le repêchage consiste en une grande quantité d'informations ou encore en une information mal comprise. Pour repêcher l'information emmagasinée dans un ordinateur, la connaissance du nom du fichier contenant l'information recherchée est essentielle. De même, pour repêcher l'information emmagasinée dans la mémoire humaine, on doit utiliser des indices appropriés.

Par exemple, avez-vous déjà vu le mot suivant : LESQASAIDEVI ?

Si vous n'avez utilisé que le seul code acoustique pour mémoriser LESQUASAIDEVI, il a peut-être été difficile de reconnaître que LESQASAIDEVI est écrit sans U. Cependant, si vous avez sémantiquement codé LESQUASAIDEVI comme un acronyme correspondant à la première syllabe de chacun des mots du nom *Les quatre saisons* de Vivaldi, alors vous avez peut-être repéré l'erreur.

L'incapacité de se souvenir de la chaîne de 13 lettres pourrait donc être expliquée soit par un mauvais encodage des lettres, soit par l'omission de procéder à l'entreposage de l'information codée, soit encore par un entreposage de l'information sans les indices appropriés pour la rappeler.

6.2 LE MODÈLE CLASSIQUE DU PROCESSUS DE MÉMORISATION

Le modèle d'Atkinson et Shiffrin (1968) est le plus largement reconnu pour expliquer comment s'effectuent les trois phases du processus de mémorisation. La figure 6.2 illustre ce processus de mémorisation en trois paliers : la mémoire sensorielle, la mémoire à court terme et la mémoire à long terme.

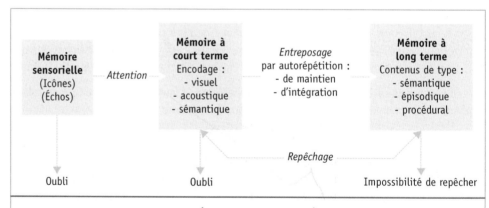

FIGURE 6.2   LES PALIERS DE LA MÉMOIRE SELON LE MODÈLE CLASSIQUE

Illustration de la façon dont les trois paliers de la mémoire selon le modèle classique rendent compte du processus de la mémorisation.

FIGURE 6.3   LA MÉMOIRE ÉCHOÏQUE

La mémoire sensorielle des stimuli auditifs est appelée un écho, et le registre de l'information sensorielle qui retient les échos est la mémoire échoïque. En codant l'information visuelle sous forme d'échos et en répétant ces derniers, l'individu en facilite la mémorisation. Les chanteurs recourent à cette méthode pour mémoriser leur texte.

Mémoire sensorielle
Registre de l'information sensorielle qui retient brièvement les stimuli.

6.2.1 LA MÉMOIRE SENSORIELLE

La **mémoire sensorielle** se rapporte au maintien très bref d'une information par un récepteur sensoriel. Si, par exemple, une diapositive est projetée pendant une fraction de seconde, l'impression visuelle de la diapositive persistera pendant une autre fraction de seconde après la disparition de l'image originale.

George Sperling (1960) a proposé plusieurs études sur le registre visuel de la mémoire sensorielle. Dans l'une de ses expériences, Sperling a démontré qu'une seule fixation oculaire suffit pour retenir la presque totalité d'un affichage de 12 lettres. Mais cette impression s'efface après quelques fractions d'une seule seconde. Après une seconde, toute trace de l'impression visuelle est disparue. Ces impressions visuelles très courtes sont des **icônes.** Le registre de l'information sensorielle qui retient les icônes est appelé **mémoire iconique.**

Les impressions de stimuli auditifs gardées par la mémoire sensorielle sont pour leur part nommées **échos.** On continue à entendre une voix ou une musique. Le registre de l'information sensorielle qui retient les échos est la **mémoire échoïque.** Les échos peuvent durer plusieurs secondes, soit beaucoup plus longtemps que les icônes. La figure 6.3 illustre un usage de la mémoire échoïque. L'écart de durée entre les impressions auditives et les impressions visuelles est probablement imputable aux différences biologiques entre l'oreille et l'œil.

Une conséquence du fonctionnement de la mémoire sensorielle est l'impression de continuité perceptive observable dans les phénomènes impliquant l'écoulement du temps. On perçoit en effet des images en mouvement, alors que ce qui se forme sur notre rétine est une infinité d'images fixes. La conservation très brève des icônes permet aux images rétiniennes de se chevaucher, ce qui procure une vision mobile du monde. De même, on ne perçoit pas des sons hachés, mais des conversations ou des musiques fluides. La conservation des échos est à la base de cette impression de fluidité.

6.2.2 LA MÉMOIRE À COURT TERME

Si on prête attention à un stimulus dans un registre de l'information sensorielle, on pourra le retenir pendant 20 à 30 secondes dans la **mémoire à court terme,** qu'on appelle aussi la **mémoire de travail.** Dans la mémoire à court terme, l'information est déjà devenue une représentation mentale plus ou moins éloignée du stimulus original. Cette représentation se dégrade rapidement si elle n'est pas réactivée. Si on a cherché un numéro de téléphone dans le bottin et qu'on l'a encodé sous forme acoustique, il faudra le répéter après quelques secondes si on ne veut pas l'oublier avant de s'être rendu jusqu'au téléphone.

Avant de poursuivre votre lecture, essayez de retenir les sept lettres suivantes : M - G - X - T - P - N - R.

Si vous fermez maintenant votre manuel, serez-vous en mesure de les réciter?

Maintenant, essayez de retenir la série suivante : R C F - T Q G - R C I - B M O - N U C - S N.

Si vous avez réussi à retenir sans effort la première série alors que la seconde vous semble impossible à mémoriser, c'est que la mémoire à court terme a une capacité limitée. Elle ne peut généralement emmagasiner que sept éléments, ou **tronçons** d'information, à la fois. En fait, la plupart des gens n'éprouvent aucune difficulté à se rappeler cinq tronçons d'information. Certaines personnes peuvent retenir jusqu'à neuf tronçons d'information dans leur mémoire à court terme, mais ces personnes sont rares. La portée habituelle de la mémoire à court terme est donc de sept tronçons, avec un écart de plus ou moins deux (Ebbinghaus, 1885 ; Yu, 1985). Comme l'illustre la figure 6.4, la mémoire à court terme est vite débordée.

On peut comparer la mémoire à court terme à une petite tablette où seulement sept volumes tiendraient. Chaque volume ajouté en délogerait un autre, qui tomberait par terre en raison de l'espace limité. L'encadré 6.1 explique comment se produit le déplacement de l'information dans la mémoire à court terme.

Il est cependant possible de compacter l'information pour maximiser les capacités de la mémoire de travail. Ainsi, la deuxième série de lettres présentée plus haut aurait été plus simple à retenir si les tirets avaient été déplacés d'une lettre vers la gauche, pour obtenir RC-FTQ-GRC-IBM-ONU-CSN, une série de six sigles. Il y aurait alors exactement la même suite de lettres, mais réorganisée en six tronçons différents, c'est-à-dire en six sigles contenant des informations connues donc beaucoup plus faciles à retenir. Le **tronçonnage,** c'est-à-dire le

Icône
Stimulus visuel retenu brièvement dans la mémoire sensorielle.

Mémoire iconique
Registre de l'information sensorielle qui retient brièvement les stimuli visuels.

Écho
Stimulus auditif retenu brièvement dans la mémoire sensorielle.

Mémoire échoïque
Registre de l'information sensorielle qui retient brièvement les stimuli auditifs.

Mémoire à court terme (aussi appelée « mémoire de travail »)
Type de mémoire qui peut retenir l'information pendant 20 à 30 secondes après la dégradation de la trace du stimulus.

Tronçon
Stimulus, ou groupe de stimuli, considéré comme constituant un même bloc d'information.

FIGURE 6.4   LES LIMITES DE LA MÉMOIRE À COURT TERME

L'information contenue dans la mémoire à court terme se dégrade considérablement après seulement une vingtaine de secondes s'il n'y a pas de répétition de stimulus. L'exemple classique : un numéro de téléphone cherché, trouvé et... vite oublié.

Tronçonnage
Technique consistant à regrouper en tronçons l'information à retenir.

ENCADRÉ 6.1
L'oubli dans la mémoire à court terme

Dans une expérience effectuée auprès d'étudiants, Peterson et Peterson (1959) ont démontré comment, en l'absence de répétition, les informations emmagasinées en mémoire à court terme disparaissent très rapidement. Ils ont demandé aux étudiants de se rappeler des combinaisons de trois lettres, comme HGB, trois tronçons d'information faciles à retenir. Ils ont ensuite demandé aux étudiants de compter à rebours par trois, en partant d'un chiffre choisi au hasard, comme 181 (c'est-à-dire 181, 178, 175, 172 et ainsi de suite). Les chercheurs ont demandé d'arrêter le comptage et de réciter la suite de lettres à des intervalles de temps variables. Le pourcentage de combinaisons de lettres rappelées correctement a chuté abruptement en quelques secondes. Après 18 secondes, le comptage avait délogé la suite de lettres dans la mémoire de presque tous ces étudiants.

L'apparition d'une nouvelle information dans la mémoire à court terme entraîne un déplacement de l'ancienne information qui s'y trouvait. Il n'est possible de retenir que quelques bribes d'information à la fois dans la mémoire à court terme.

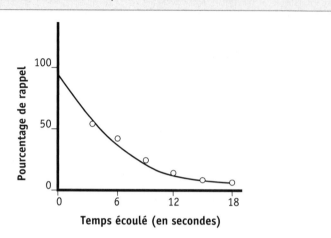

L'EFFET DE L'INTERFÉRENCE DANS LA MÉMOIRE À COURT TERME

Dans cette expérience, des étudiants de niveau collégial retiennent une série de trois lettres pendant qu'ils comptent à rebours par trois en commençant par un chiffre choisi arbitrairement. Après trois secondes à peine, la rétention est réduite de moitié, et la capacité de se rappeler les lettres est presque totalement perdue au bout de 18 secondes.

regroupement logique de l'information, est ainsi un compactage de l'information qui augmente la capacité de la mémoire à court terme.

 MYTHE OU RÉALITÉ 1

Il est heureux, en effet, que les numéros de téléphone n'aient que sept chiffres, nombre magique pour la mémoire à court terme. Il serait plus difficile d'en retenir davantage. Il faudrait alors utiliser le tronçonnage, comme le font sans doute les Français, pour retenir leurs numéros de téléphone à huit chiffres.

Les organisations publiques désirent obtenir des numéros de téléphone faciles à mémoriser, comme le 1 800 668-6868, numéro du service d'aide Jeunesse, J'écoute. Ce numéro est plus facile à retenir à cause des chiffres qui se répètent. La Société de transport de Montréal (STM) possède un numéro de téléphone facile à retenir pour les horaires et les parcours, soit A-U-T-O-B-U-S. Ce type de numéro a pour effet de réduire la tâche de rétention à un seul tronçon d'information dont la signification (code sémantique) est reliée à la nature du service offert, en l'occurrence, au transport en commun « AUTOBUS ».

Si vous aviez reconnu LESQUASAIDEVI comme l'acronyme de la première syllabe de chaque mot du nom *Les quatre saisons de Vivaldi*, vous auriez également réduit le nombre de tronçons d'information à retenir. Ainsi, vous auriez pu considérer l'acronyme comme un premier tronçon d'information et la règle de formation de l'acronyme (première syllabe de chaque mot), comme un second tronçon.

6.2.3 LA MÉMOIRE À LONG TERME

Mémoire à long terme
Type de mémoire capable d'un entreposage assez permanent.

La **mémoire à long terme** structure l'information et la classe de manière dynamique en tenant compte de la valeur contextuelle — émotive ou purement cognitive — de l'information. Contrairement à la mémoire à court terme, elle semble avoir une capacité illimitée, à condition toutefois que l'entreposage s'y effectue efficacement. Et encore là, cela dépend du type de contenu sur lequel elle porte.

MYTHE OU RÉALITÉ 2

Il n'y a aucune limite connue à la quantité d'information qu'un individu peut emmagasiner dans sa mémoire à long terme.

• L'ENTREPOSAGE DANS LA MÉMOIRE À LONG TERME

Une fois l'information encodée et représentée mentalement dans la mémoire à court terme, on peut l'utiliser, par exemple, pour signaler le numéro de téléphone de la pizzeria qu'on a cherché dans le bottin. Les sept chiffres du numéro de téléphone de la pizzeria disparaîtront ensuite rapidement, remplacés par d'autres informations qu'on se représentera ensuite (la liste des condiments, le numéro de la carte de crédit, l'adresse des amis chez qui on commande). À moins qu'on ne choisisse de retenir le numéro de téléphone de la pizzeria dans notre mémoire à long terme pour ne plus avoir à le chercher dans le bottin. On s'engagera alors dans la deuxième phase du traitement de l'information par la mémoire, l'entreposage, c'est-à-dire l'enregistrement de l'information.

Pour faire passer la chaîne de lettres *LESQUASAIDEVI* de la mémoire à court terme à la mémoire à long terme, on peut répéter mentalement chacune des lettres. On peut aussi lire la suite de lettres sous la forme d'un mot de cinq syllabes Les-Qua-Sai-De-Vi. Dans les deux cas, la répétition aura été la clé de la mise en mémoire. Plus les tronçons d'information sont répétés souvent, plus il est facile de les transférer dans la mémoire à long terme (Rundus, 1971). La répétition fréquente de l'information pour l'empêcher de se désintégrer est appelée **autorépétition de maintien**. Elle repose sur des codes acoustiques ou visuels et équivaut à l'apprentissage par cœur. Ce procédé par répétition continue est ennuyeux et peu fiable. Il est utilisé plus efficacement par les enfants, qui acquièrent à l'école des connaissances de base : les 26 lettres de l'alphabet, ou les centaines de caractères de base de l'écriture chinoise. Les adultes qui tentent d'apprendre par cœur des notions de base qu'il est impossible de lier à de l'information déjà apprise éprouvent beaucoup plus de difficultés, ce qui est peut-être lié à une perte relative de la plasticité du cerveau (Harnish, 2002).

Apprendre à partir de zéro un nouveau système d'écriture, comme l'écriture devanagari, qui sert à écrire le hindi, peut être très difficile, même si ce système ne comporte qu'une quarantaine de caractères phonétiques structurés logiquement, car l'apprentissage de ces caractères ne peut initialement reposer que sur l'autorépétition de maintien.

L'autorépétition d'intégration, au contraire, consiste à capitaliser sur l'encodage sémantique en donnant un sens à l'information, c'est-à-dire en liant la nouvelle information à de l'information déjà solidement acquise (Postman, 1975). Ainsi, par exemple, si on associe d'emblée la série de lettres LESQUASAIDEVI au nom d'une pièce musicale, on l'encode de manière sémantique, ce qui peut rendre l'entreposage en mémoire à long terme instantané et permanent.

Craik et Lockhart (1972) ont proposé un modèle du fonctionnement de la mémoire qui peut en fait être considéré comme une explication de l'efficacité de l'autorépétition d'intégration. Pour ces auteurs, ce n'est pas tant le passage d'un palier de traitement de l'information à l'autre qui détermine la fiabilité de l'entreposage en mémoire, mais la richesse des associations que l'on crée entre la nouvelle information et d'autres informations déjà entreposées. L'information se conserve mieux si on y porte beaucoup d'attention et si on l'intègre dans beaucoup de réseaux de connaissances en la retravaillant pour lui donner un sens. Autrement dit, on se souvient mieux de l'information traitée en profondeur. Il arrive que les associations soient trop ténues et que l'information se perde. Il arrive au contraire que des informations soient si inhabituelles qu'on les entrepose instantanément. L'encadré 6.2 détaille ces deux phénomènes.

Autorépétition de maintien
Méthode consistant à répéter mentalement le matériel à apprendre afin d'en permettre la rétention.

ÉCLAIRCISSEMENT DE L'AMORCE

Autorépétition d'intégration
Méthode consistant à associer une nouvelle information à une autre déjà connue afin d'en permettre la rétention.

ENCADRÉ 6.2

Phénomène du mot sur le bout de la langue et des souvenirs enfouis comparé à celui des souvenirs éclairs

Il arrive que les souvenirs soient enterrés sous des masses de matériaux plus saillants. On sent parfois qu'un de nos souvenirs est enfoui quelque part dans notre mémoire, mais qu'on n'arrive pas à le retrouver. Le phénomène du mot sur le bout de la langue désigne cette impression de savoir quelque chose sans pouvoir le dire.

Dans une expérience concernant ce phénomène, Brown et McNeill (1966) définissent des mots inusités à des étudiants, comme le mot *sampan* (embarcation chinoise munie d'un habitacle en forme de dôme). Lors du rappel de ce mot, plusieurs étudiants ont le mot sur le bout de la langue. Les mots qui viennent à l'esprit de certains étudiants sont reliés à «sampan» par le sens (les étudiants pensaient à barque, à chalutier ou à goélette). D'autres étudiants ont à l'esprit des mots ayant une parenté phonétique avec «sampan», comme *siam* ou *sarong*. Les mots utilisés comme stimuli ne sont pas familiers, ce qui empêche l'autorépétition d'intégration. Autrement dit, les étudiants n'ont pas la possibilité d'associer les mots à d'autres informations qu'ils connaissent déjà. Les étudiants font de l'encodage sémantique ou acoustique pour retenir les nouveaux mots d'après leur sens ou d'après leur sonorité.

L'impression du mot sur le bout de la langue reflète également un apprentissage incomplet ou imparfait. Dans ce cas, les réponses peuvent ressembler au mot recherché. Brown et McNeill rapportent que les étudiants participant à des expériences de mots sur le bout de la langue peuvent évaluer le nombre de syllabes des mots qu'ils ne peuvent se rappeler. Les étudiants devinent souvent correctement les premiers sons des mots et reconnaissent parfois des mots qui riment avec les mots recherchés.

Au contraire du phénomène du mot sur le bout de la langue, il arrive aussi que des souvenirs se forment instantanément et de manière durable, par exemple lors d'événements inhabituels et générateurs d'émotions. Ce phénomène est appelé l'effet Von Restorff. Vous souvenez-vous où vous étiez le 11 septembre 2001? Ainsi, une personne se souviendra dans les menus détails de ce qu'elle faisait lorsqu'elle a appris la mort d'un proche. C'est un exemple de souvenir éclair qui conserve les expériences dans les moindres détails (Brown et Kulik, 1977; Thompson et Cowan, 1986).

Pourquoi un tel événement demeure-t-il gravé dans la mémoire? L'un des facteurs responsables est la discrimination de la mémoire. Il est plus facile de discriminer des stimuli qui sont sensiblement différents de ceux qui les entourent. Il s'agit de faits saillants proprement dits, et les sentiments qu'ils engendrent sont également très particuliers. Il est donc assez facile de les retrouver dans l'entreposage des souvenirs. Mais les événements importants, comme l'enlèvement et l'assassinat de personnalités politiques ou le décès d'êtres chers, ont aussi tendance à avoir des conséquences importantes sur la vie des individus. C'est pourquoi ils sont portés à revenir sans cesse et à former des réseaux d'associations avec d'autres bribes d'information.

De nombreuses données appuient le point de vue de Craik et Lockhart. Dans une expérience auprès de jeunes enfants, plusieurs photos d'objets appartenant à quatre catégories (animaux, vêtements, meubles et moyens de transport) ont été placées sur une table (Neimark et autres, 1971). Les enfants avaient trois minutes pour disposer les photos comme ils le désiraient et pour se souvenir du plus grand nombre d'objets possible. Les enfants qui ont davantage travaillé sur les images pour les classer ont montré une meilleure capacité à s'en souvenir. En classant les photos, ils faisaient un encodage sémantique plus approfondi et davantage d'autorépétition d'intégration.

D'autres données proviennent d'une expérience menée auprès de trois groupes d'élèves de niveau collégial, auxquels on a demandé d'examiner la photo d'un salon pendant une minute (Bransford et autres, 1977). Deux groupes ont été informés que des petits *x* étaient dissimulés dans la photo. Le premier de ces groupes devait trouver les *x* en explorant la photo à l'horizontale et à la verticale. On a demandé au deuxième groupe de trouver les *x*, tout en les informant que les *x* se trouvaient dans les coins des objets du salon. En revanche, le troisième groupe devait réfléchir à l'utilisation des objets se trouvant dans le salon. À la suite de ces instructions différentes, les deux premiers groupes (les chercheurs de *x*) ont traité superficiellement l'information concernant les objets de la photo. Mais le troisième groupe a observé les objets en profondeur, c'est-à-dire que ses membres ont pris le temps de réfléchir aux objets en fonction de leur signification et de leur usage. Le troisième groupe s'est souvenu d'un nombre beaucoup plus grand d'objets que les deux premiers.

S'il n'y a aucune tentative de donner une signification à l'information en la reliant à l'apprentissage antérieur, comme avec l'autorépétition d'intégration, l'autorépétition de maintien est loin de garantir à elle seule l'entreposage permanent (Craik et Watkins, 1973). Les étudiants qui relisent superficiellement leurs notes avant un examen peuvent avoir l'impression de retenir beaucoup de choses. Mais la trace de ces informations s'est souvent bien dégradée dans la mémoire quand l'étudiant se trouve devant sa feuille d'examen. L'encadré 6.3 propose des stratégies de mémorisation.

APPLICATION

ENCADRÉ 6.3
Quelques stratégies de mémorisation

Plutôt que de tenter de mémoriser toute la matière d'un cours en bloc, il est plus efficace de répartir l'étude tout au long de la session en divisant le matériel à apprendre. Il est plus facile d'intégrer l'information par petits blocs échelonnés.

Lorsque l'information à mémoriser est divisée en sections, il vaut mieux éviter d'étudier les différentes parties toujours dans le même ordre. En effet, il est préférable d'étudier les différentes sections en commençant parfois par le premier cours, parfois par le deuxième, parfois par le troisième, etc. Si les notes de cours sont toujours étudiées dans le même ordre, il y a risque de mémoriser davantage les premier et dernier cours, et d'oublier la matière contenue dans les autres cours.

Il est également possible de bénéficier des connaissances concernant la mémoire à long terme pour devenir plus efficace dans les études. Le fait de placer l'information dans un contexte aide à faire des associations, donc à traiter le matériel en profondeur. L'invention d'histoires concernant l'information à mémoriser permet de s'en souvenir davantage. De plus, s'il y a intégration d'éléments inhabituels dans ces histoires, la mémorisation en sera d'autant facilitée.

Lorsque vient le temps de mémoriser une grande quantité d'information, il est profitable d'établir une table des matières pour les notes de cours avant d'étudier. Mieux encore : l'apprentissage structuré étant beaucoup plus efficace que l'apprentissage linéaire, l'organisation du matériel à apprendre dans une hiérarchie semblable à celle de la figure 6.7 peut être utile. Cet exercice semble complexe, mais il est très rentable, puisqu'il permet d'épargner du temps d'étude.

MYTHE OU RÉALITÉ 3

Il est faux de penser que lire et relire les notes suffit à les graver durablement dans la mémoire.

• LES TYPES DE MÉMOIRE À LONG TERME SELON LE CONTENU

Les psychologues décrivent trois types de mémoire à long terme, selon le type de souvenirs qui y sont contenus (Brewer et Pani, 1984 ; Tulving, 1972, 1982, 1985) : la mémoire épisodique, la mémoire sémantique et la mémoire procédurale. En plus des caractéristiques psychologiques qui sont présentées plus bas, chacun de ces trois types de mémoire à long terme présente des caractéristiques biologiques, dont quelques-unes ont été étudiées par deux spécialistes de renommée mondiale dont il est question dans l'encadré 6.4.

La mémoire épisodique. Où étiez-vous au mois d'août ? Qu'avez-vous mangé ce matin ? Comment s'est passé le dernier cours auquel vous avez assisté ? La **mémoire épisodique** désigne le souvenir des événements qu'on a vécus. C'est la mémoire de l'expérience personnelle. Tulving (1972) a observé que, lorsqu'on évoque des souvenirs épisodiques, on a tendance à commencer la phrase par « Je me souviens… » comme dans « Je me souviens de mon premier amour ». Par contre, on commencera plutôt une phrase par « Je sais que… » dans le cas où la mémoire sémantique intervient. On pourra dire par exemple, à propos du tableau représentant *La Joconde,* illustré à la figure 6.5 : « Je sais que *La Joconde* a été peinte par… »

La mémoire épisodique est paradoxale. On a l'impression de se souvenir de manière plus fiable des événements qu'on a réellement vécus que des connaissances objectives qu'on a accumulées dans notre mémoire sémantique. Toutefois, l'expérience passée n'est pas directement accessible à la mémoire. Quand on évoque l'expérience, on ne la revit pas, on la reconstruit sans l'appui de catégories abstraites qui pourraient peut-être éviter des déformations. Pourtant, comme le fait la mémoire sémantique, la mémoire épisodique effectue des regroupements d'éléments d'information. Raconter le récit d'un voyage risque de réveiller des éléments de souvenirs qu'on croyait oubliés et qui sont associés à ce voyage. Les regroupements de souvenirs épisodiques sont davantage émotifs que logiques. La valeur émotive des souvenirs épisodiques explique en partie les querelles d'interprétation sur le passé qui surviennent, notamment entre les membres d'un couple, entre les éléments d'une société au sujet des événements historiques, ainsi qu'au sein même des individus, car chacun réévalue sans cesse ses souvenirs chaque fois qu'il les évoque. La figure 6.6 illustre ce caractère reconstructif. Se répéter ses souvenirs et les réinterpréter constamment est d'ailleurs essentiel à leur conservation. L'encadré 6.5 traite des problèmes de fiabilité de la mémoire épisodique.

Mémoire épisodique
Souvenir des événements qui ont été vécus par une personne ou qui sont survenus en sa présence ; mémoire des faits personnels.

FIGURE 6.5   QUI A PEINT LA JOCONDE ?

Pour répondre à cette question, on fait appel à sa mémoire sémantique, car c'est elle qui représente les connaissances générales.

Wilder Penfield et Brenda Milner

Deux spécialistes québécois ont acquis une renommée mondiale par leurs recherches sur la biologie de la mémoire, Wilder Penfield (1891-1976) et Brenda Milner (1918-).

Originaire de Spokane dans l'État de Washington, Penfield vient travailler à l'Hôpital Royal Victoria de Montréal en 1928 et fonde, en 1934, l'Institut de neurologie de Montréal, établissement associé à l'Université McGill et qu'il dirige jusqu'en 1960. Les travaux qu'il y effectue sur l'épilepsie et les autres problèmes dus à des traumatismes cérébraux en font par la suite un scientifique reconnu à l'échelle mondiale, à tel point que le gouvernement du Québec a jugé bon, en 1993, de créer le prix scientifique Wilder Penfield en son honneur.

Les travaux du célèbre neurochirurgien montréalais Wilder Penfield se sont inscrits dans la lignée des premières études sur la biologie de la mémoire qui avaient été menées par Karl Lashley. À la suite d'expériences effectuées sur des rats soumis à une tâche d'apprentissage d'un labyrinthe, Lashley avait conclu que la mémoire n'est pas localisée à un endroit spécifique et que les souvenirs sont répartis dans tout le cortex (Lashley, 1950).

En observant les patients qu'il opérait au cerveau, le docteur Penfield a été amené à remettre en question les conclusions formulées par Lashley (Penfield, 1969). Le cerveau n'étant pas en lui-même sensible à la douleur, le médecin pratiquait ses interventions sans anesthésie, en parlant à ses patients. Ainsi, certains des patients de Penfield lui rapportaient l'apparition d'images (qui donnaient l'impression de souvenirs) lorsque leurs lobes temporaux étaient stimulés électriquement. Penfield a conclu, à l'encontre de Lashley, que les souvenirs sont conservés dans certains endroits spécifiques, notamment le lobe temporal du cerveau.

Première récipiendaire du prix Wilder-Penfield, Brenda Milner, diplômée de Cambridge (Angleterre) en psychologie expérimentale, arrive au Canada en 1944 et obtient, en 1952, un doctorat en psycho-physiologie à l'Université McGill. Elle entre par la suite à l'Institut neurologique de Montréal, où elle fait de la recherche, et à partir de 1970, elle enseigne à l'Université McGill dans le domaine de la neurologie et de la neurochirurgie.

Les travaux de Brenda Milner ont permis des avancées significatives dans la description de la physiologie de la mémoire, et ce, principalement grâce à ses observations effectuées sur des patients. Le plus

BRENDA MILNER (1918-)

WILDER PENFIELD (1891-1976)

célèbre de ceux-ci, H.M., avait subi une section de l'hippocampe. Tout de suite après l'intervention, son fonctionnement cérébral semblait normal. Très vite, cependant, ce patient s'est montré incapable de former de nouveaux souvenirs. Par exemple, deux ans après l'opération, H.M. croyait qu'il avait toujours le même âge qu'au moment où il était arrivé à l'hôpital. À la mort de son oncle, il a éprouvé du chagrin, mais il a ensuite continué à s'informer de sa santé. Chaque fois qu'on lui rappelait le décès de cet oncle, il était chagriné comme la première fois qu'il avait appris la nouvelle. Milner a ainsi découvert que la structure responsable de l'apprentissage (l'hippocampe, dans le système limbique, voir le chapitre 2) n'est pas celle qui est responsable de l'entreposage de l'information (Milner, 1966).

MYTHE OU RÉALITÉ 4

Les souvenirs ne sont pas une copie conforme de ce qu'une personne a vécu réellement. La mémoire a plutôt tendance à reconstruire les images du passé, notamment en fonction de ce qui a été vécu depuis par la personne. La mémoire est donc loin d'être totalement fiable.

La mémoire épisodique contribue au sentiment d'identité en fournissant un lien de continuité entre toutes les dimensions de l'expérience d'un individu. La mémoire fournit par ailleurs les matériaux qui servent dans plusieurs types de psychothérapies. Les psychologues assistent par exemple souvent des personnes qui ont la mémoire chargée par des deuils. Le fardeau du passé peut appauvrir le présent de ces personnes (Rogers, 1974). Les psychologues humanistes voient le deuil comme un processus nécessaire pour croître et s'ouvrir à de nouvelles expériences.

La mémoire sémantique. L'exemple donné plus haut concernant *La Joconde* est un exemple de connaissance encyclopédique typique de celles qu'on garde en **mémoire sémantique**. C'est grâce à la mémoire sémantique qu'on est capable de nommer le compositeur de la pièce musicale *Les Quatre Saisons* ou la capitale de la Roumanie, ou de donner le nom de plusieurs équipes de la Ligue nationale de hockey. Ainsi, le contenu de la mémoire sémantique est moins lié au contexte que la mémoire épisodique, mais son rappel peut néanmoins être facilité par le contexte où on l'a appris.

L'information entreposée dans la mémoire sémantique est organisée par catégories hiérarchisées. On classe par exemple dans la mémoire sémantique les informations sur les érables et sur les sapins, que l'on groupe autour du concept plus général d'« arbre », qui lui-même peut être regroupé dans la catégorie « végétaux », puis dans la catégorie encore plus vaste des « êtres vivants ». L'encodage sémantique et l'autorépétition d'intégration consistent en fait à situer des connaissances dans des réseaux de connaissances déjà existants qu'on élabore et qu'on complexifie par ces ajouts.

Dans une expérience avec des enfants d'âge préscolaire, Lucariello et Nelson (1985) ont proposé à des enfants plusieurs manières de regrouper leurs souvenirs. Ils ont trouvé que ces enfants organisaient leurs souvenirs en groupant les objets qui partagent la même fonction. C'est le cas des « rôties » regroupées initialement avec les « sandwichs au beurre d'arachide » qui, plus tard, ont été classés comme des types d'aliments. Les enfants d'âge préscolaire peuvent associer les chiens et les chats parce qu'ils les trouvent souvent ensemble dans les foyers (Bjorklund et de Marchena, 1984). Toutefois, les chiens et les lapins ne sont habituellement pas classés dans la même catégorie ou, du moins, pas avant que le concept « animal » n'ait été élaboré pour les inclure.

À mesure que les capacités d'abstraction se développent, on perfectionne les catégories hiérarchiques qu'on utilise, comme dans l'exemple illustré à la figure 6.7. Une hiérarchie est un système de catégories servant à regrouper des éléments qui ont des caractéristiques communes. Les catégories supérieures de la hiérarchie sont plus englobantes, ou **dominantes**. Elles regroupent plusieurs catégories moins générales dans le système hiérarchique. Par exemple, la catégorie des « animaux » est dominante par rapport à la catégorie des « mammifères », car elle présente un degré plus élevé de généralité.

Lorsque l'information est bien organisée dans la filière sémantique de la mémoire à long terme, elle est plus précise et plus facile à utiliser. Par exemple, vous rappelez-vous si les baleines respirent sous l'eau ? Si vous ne connaissez rien au sujet des mammifères, la bonne réponse peut dépendre d'une lointaine situation d'apprentissage par cœur. Par contre, sachant que les baleines sont des mammifères, vous pouvez en déduire qu'elles ne respirent pas sous l'eau, comme tous les autres mammifères. L'utilisation de catégories objectives pour structurer l'information rend les souvenirs sémantiques plus solides que les souvenirs épisodiques.

Mémoire sémantique
Type de mémoire à long terme portant sur les faits généraux ; s'oppose à la mémoire épisodique.

Dominant
Relatif à une classe ou une catégorie supérieure (englobante) dans la hiérarchie de la mémoire à long terme.

FIGURE 6.6   RECONSTRUIRE LE PASSÉ

La mémoire à long terme reconstruit subjectivement le passé. Ainsi, en se rappelant les membres de notre parenté, certains procéderont par génération, d'autres par proximité du lien familial, et ainsi de suite.

ENCADRÉ 6.5
Les avocats et leurs « fameuses » questions

APPLICATION

Elizabeth Loftus a révélé combien les souvenirs sont déformés par la façon qu'on a de les encoder et de les organiser dans la mémoire. Dans une étude, Loftus et Palmer (1974) ont montré à des participants un film sur un accident de voiture et leur ont ensuite demandé de remplir un questionnaire, dont l'une des questions concernait la vitesse des voitures au moment de l'impact. La formulation de la question variait d'un groupe de sujets à l'autre : dans un groupe, le mot « hit » (frapper) était utilisé, et dans l'autre groupe, le mot « smash » (fracasser) était utilisé. Or, les participants qui lisaient « smash » évaluaient la vitesse de la collision comme étant plus rapide que ceux qui lisaient « hit ».

Les participants de la même étude ont été interrogés à nouveau une semaine plus tard : « Avez-vous vu du verre brisé ? » Il n'y avait pas de verre brisé dans le film. Chez les participants avec lesquels le terme « hit » avait été utilisé, 14 % seulement répondaient qu'ils avaient vu du verre brisé. Mais 32 % des participants qui avaient traité l'information contenant le terme « smash » croyaient se souvenir d'avoir vu du verre brisé.

Ainsi, à quel point les questions formulées par les avocats lors des procès influencent-elles la mémoire des témoins ?

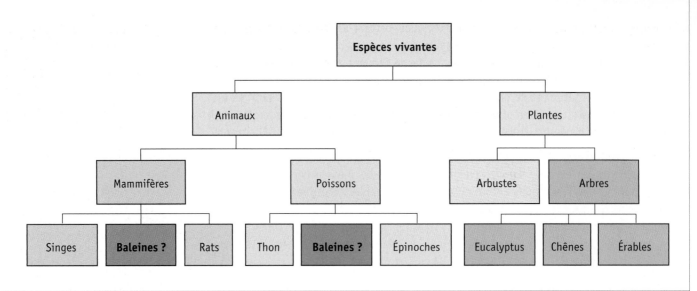

FIGURE 6.7   LA STRUCTURE HIÉRARCHIQUE DE LA MÉMOIRE À LONG TERME

Où sont classées les baleines dans les cases hiérarchiques de la mémoire ? La classification des baleines peut influencer les réponses à ces questions :
Les baleines respirent-elles sous l'eau ? Ont-elles le sang chaud ? Allaitent-elles leurs petits ?

Mémoire procédurale (aussi appelée « mémoire motrice » ou encore « mémoire des savoir-faire »)
Type de mémoire à long terme portant sur les habiletés motrices.

La mémoire procédurale. Le troisième type de mémoire, soit la **mémoire procédurale** — également appelée « **mémoire motrice** ou encore **mémoire des savoir-faire** » — porte sur la capacité à se souvenir comment on exécute des séquences de mouvements. C'est une mémoire motrice, associée à des gestes devenus automatiques. On se souvient comment lacer un soulier, faire de la bicyclette, frapper une balle ou faire de l'aviron. Ces souvenirs ont tendance à persister très longtemps, même s'ils demeurent inutilisés pendant de nombreuses années, ainsi que l'illustre la figure 6.8.

Contrairement à la mémoire sémantique et à la mémoire épisodique, la mémoire procédurale concerne souvent des habiletés qui sont difficiles à décrire par des mots. Un individu éprouve de la difficulté à expliquer, sans recourir à une démonstration pratique, comment il réussit à demeurer à la surface de l'eau lorsqu'il nage, ou comment il lace ses souliers.

ÉCLAIRCISSEMENT DE L'AMORCE

Samuel enregistre dans sa mémoire épisodique tout ce qu'il vit en Inde pendant six semaines : les conversations qu'il a, les rencontres qu'il fait, les aventures qu'il a vécues. Les mots hindis qu'il apprend à cette occasion, les nouveaux faits sur le monde qu'il enregistre, c'est dans sa mémoire sémantique qu'il les enregistre. Samuel enregistre aussi dans sa mémoire procédurale les nouveaux gestes qu'il apprend à faire automatiquement en Inde : comment piloter une petite moto, comment se comporter dans une file d'attente désordonnée où les gens jouent des coudes au guichet d'une gare.

6.3 LA RÉTENTION ET L'OUBLI

La mémoire est bien loin d'enregistrer les événements de manière égale. La mémorisation délibérée est ardue, guidée par des indices arbitraires. De plus, même les souvenirs les plus profondément enfouis dans la mémoire à long terme peuvent se perdre.

6.3.1 FACTEURS INFLUENÇANT LA RÉTENTION

• L'EFFET DE LA POSITION SÉRIELLE

Effet de la position sérielle
Tendance à se rappeler plus précisément les premiers et derniers éléments d'une liste.

Un individu auquel on présente une douzaine de nouvelles personnes presque simultanément risque fort d'oublier tous leurs noms quelques minutes plus tard. Toutefois, dans ses efforts pour les apprendre à mesure qu'ils lui sont nommés, il a plus de chances de retenir les premiers et derniers noms de la série, en raison de l'**effet de la position sérielle**, illustré à la figure 6.9.

De nombreuses recherches portent sur l'effet de la position sérielle. Dans l'une d'elles, on a demandé à des sujets d'apprendre une série de lettres comme T-V-X-L-F-N-T-S-R-K. Dans cet exemple, le T et le V ainsi que le R et le K étaient retenus plus fréquemment. Il semble que les premiers et derniers stimuli d'une série captent plus facilement l'attention. Le modèle du transfert de l'information suggère par ailleurs que les premiers stimuli peuvent être répétés plus facilement, car la mémoire à court terme n'est pas encore saturée. Ces répétitions permettent leur transfert dans la mémoire à long terme. Quant aux derniers stimuli, ils sont souvent encore présents dans la mémoire à court terme au moment du rappel.

FIGURE 6.8   LA MÉMOIRE PROCÉDURALE

La mémoire procédurale est la mémoire des savoir-faire. La conduite d'une bicyclette, le geste d'actionner un commutateur, l'utilisation d'une raquette de tennis, de squash ou de badminton sont autant de souvenirs qui font partie de la mémoire des savoir-faire. Les souvenirs du savoir-faire ont tendance à persister, même s'ils ne sont pas utilisés pendant des années.

FIGURE 6.9   L'EFFET DE LA POSITION SÉRIELLE

Lors d'une soirée, il arrive fréquemment que plusieurs personnes soient présentées simultanément à une autre. Dans ses efforts pour mémoriser leur nom à mesure qu'ils défilent, cette dernière a plus de chances de retenir les premiers et les derniers noms de la série.

L'effet de primauté. Les cognitivistes appellent **effet de primauté** la tendance à se rappeler les premiers éléments d'une liste. Ainsi, les chercheurs en psychologie sociale observent un effet de primauté prononcé au cours de la formation d'une impression à l'égard d'autrui, de sorte que les premières impressions ont tendance à persister (Gergen et Gergen, 1984). L'effet de primauté s'explique par le fonctionnement de la mémoire à court terme : les premiers éléments d'une liste arrivent alors que la mémoire à court terme est vide. Ces éléments peuvent bénéficier d'une autorépétition sommaire.

L'effet de récence. La tendance à se rappeler les derniers éléments d'une liste est appelée **effet de récence.** L'effet de récence s'explique elle aussi par le fonctionnement de la mémoire à court terme. L'apparition plus récente des derniers éléments d'une liste les rendent plus susceptibles d'être encore présents dans la mémoire à court terme au moment où un individu effectue une tâche de rappel.

Quand Samuel tente d'apprendre par cœur des listes de mots hindis, il se souvient mieux des deux premiers mots de la liste (un exemple d'effet de primauté) et des deux derniers mots de la liste (un exemple d'effet de récence).

• LE TYPE DE TÂCHE MNÉMONIQUE

Un des premiers psychologues expérimentaux, Hermann Ebbinghaus (1850-1909), a conçu dans son laboratoire de l'Université de Leipzig les **syllabes sans signification**, une méthode pour étudier la mémoire et l'oubli. Les syllabes sans signification sont des séries de deux consonnes séparées par une voyelle, qui sont prononçables, mais dénuées de sens (par exemple DAL, RIK, RAB et NOX). L'utilisation des syllabes sans signification permet d'étudier les capacités maximales de rétention de l'information par la mémoire lorsque cette dernière

Effet de primauté
Tendance à se rappeler les premiers éléments d'une liste.

Effet de récence
Tendance à se rappeler les derniers éléments d'une liste.

ÉCLAIRCISSEMENT DE L'AMORCE

Syllabe sans signification
Série de deux consonnes séparées par une voyelle et dénuée de sens, servant à étudier la mémoire.

n'utilise pas des méthodes efficaces de compactage et d'arrimage de l'information, comme l'autorépétition d'intégration ou l'emploi d'un code sémantique. Les syllabes sans signification sont utilisées pour mesurer la capacité de mémorisation dans des études portant sur les trois tâches mnémoniques fondamentales : la reconnaissance, le rappel et le réapprentissage. L'étude de ces tâches mnémoniques permet de tirer plusieurs conclusions sur l'oubli.

La reconnaissance. Dans les études sur la **reconnaissance**, les participants lisent une première liste de syllabes sans signification. Ils lisent ensuite une seconde liste de syllabes sans signification et indiquent s'ils reconnaissent des syllabes qu'ils ont vues sur la première liste. Dans cette tâche de reconnaissance, l'oubli est défini comme une incapacité à reconnaître une syllabe lue précédemment.

On mesure aussi la reconnaissance à partir de stimuli visuels. Dans une étude réalisée auprès des finissants d'une école secondaire, Bahrick (1975) a mêlé des photos de camarades de classe avec des photos d'étrangers. Les finissants récents ont correctement reconnu leurs anciens camarades dans 90 % des cas, alors que les participants qui avaient obtenu leur diplôme 40 ans auparavant n'ont reconnu que 75 % de leurs anciens camarades. Le taux de reconnaissance dû au hasard ne pouvait être que de 20 % (une photo sur cinq était celle d'un ancien camarade de classe). Ainsi, même les participants plus âgés ont démontré une capacité de reconnaissance à long terme passablement fiable. On remarquera cependant que les stimuli utilisés dans cette étude avaient un sens pour les participants : les figures des anciens camarades de classe pouvaient être reliées à des expériences personnelles conservées dans la mémoire épisodique des participants. La figure 6.10 présente un exemple de reconnaissance.

La reconnaissance est le type le plus simple de tâche mnémonique : elle fait appel à des indices internes au stimulus. Ainsi, il est plus facile de répondre à des questions à choix multiple dans les examens qu'à celles où on doit remplir un espace vierge. Il est par exemple plus facile de reconnaître les photos d'anciens camarades de classe que de se souvenir de leur nom (Tulving, 1974).

Le rappel. Le deuxième type de tâche mnémonique est le **rappel**, qui consiste à récupérer de l'information dans la mémoire à long terme. Dans l'une de ses études sur le rappel, Ebbinghaus lisait une liste de syllabes sans signification à voix haute, accompagné du son d'un métronome. Il évaluait ensuite le nombre de syllabes dont il pouvait se rappeler. Après avoir lu une liste une fois, il était habituellement capable de se souvenir de sept syllabes sans signification, limite caractéristique de la mémoire à court terme. Notons que la capacité de rappel de l'information augmente avec l'âge (Howard et Polich, 1985). Le rappel est plus difficile que la reconnaissance, puisqu'il fait appel à des indices externes au stimulus.

Comme on peut le voir sur la courbe de l'oubli d'Ebbinghaus, présentée à la figure 6.11, le rappel chute abruptement pendant la première heure après l'apprentissage d'une liste. Les pertes d'apprentissage deviennent ensuite plus graduelles. Alors que la rétention chute de moitié au cours de la première heure, il faut 31 jours pour que la rétention soit encore réduite de moitié. Autrement dit, l'oubli survient plus vite juste après l'apprentissage. On continue d'oublier des informations à mesure que le temps passe, mais à un rythme plus lent.

Il est plus facile pour Samuel de reconnaître un mot hindi qu'il a déjà vu, que de se rappeler un mot qu'il a tenté d'enregistrer dans sa mémoire. Les personnes qui commencent à apprendre une langue ont plus de facilité à la comprendre, surtout si elle est écrite, qu'à la parler. Le rappel est facilité lorsqu'un lien significatif a été établi entre l'élément à retrouver en mémoire, par exemple le mot qalam, et un élément bien connu, par exemple la signification de ce mot en français (crayon).

Le réapprentissage. L'apprentissage est-il plus facile la seconde fois ? Le **réapprentissage** est une troisième méthode d'évaluation de la rétention. Même lorsqu'on ne peut se souvenir du matériel déjà appris, on peut le réapprendre plus rapidement la fois subséquente. Dans la trentaine et la quarantaine, les adultes ont peut-être oublié une bonne partie de ce qu'ils ont

Reconnaissance
Type de tâche utilisée pour mesurer la rétention et basée sur l'identification d'objets ou d'événements rencontrés précédemment.

FIGURE 6.10 LA RECONNAISSANCE

La reconnaissance est le type le plus simple de tâche mnémonique. Dans une étude, on a cherché à connaître le taux de reconnaissance des photos d'anciens camarades chez des finissants de différents âges.

Rappel
(aussi appelé *rappel libre*)
Type de tâche utilisé pour mesurer la rétention et basé sur le simple repêchage.

ÉCLAIRCISSEMENT DE L'AMORCE

Réapprentissage
Type de tâche utilisée pour mesurer la rétention et basée sur la différence entre le nombre d'essais ou le temps nécessaire pour apprendre un matériel une première fois, et le nombre d'essais ou le temps nécessaire pour apprendre le matériel une seconde fois.

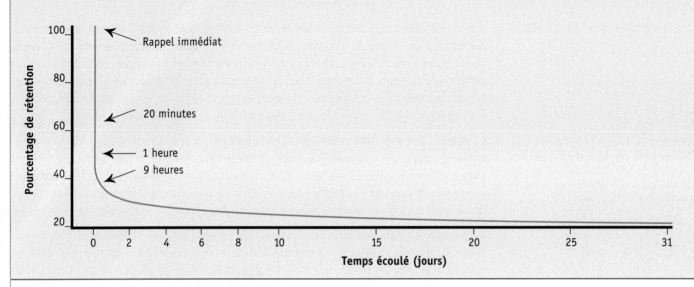

FIGURE 6.11 LA COURBE DE L'OUBLI D'EBBINGHAUS

Le souvenir de listes de mots chute abruptement au cours de l'heure suivant l'apprentissage. Les pertes d'apprentissage deviennent ensuite plus graduelles ; alors que la rétention a chuté de moitié dès la première heure, il a fallu un mois (31 jours) pour perdre l'autre moitié.

appris en géométrie ou en histoire au secondaire. Pourtant, ils peuvent réapprendre plus rapidement ce qui leur a pris des mois et des années à assimiler la première fois.

Pour étudier l'efficacité du réapprentissage, Ebbinghaus (1885) a mesuré le nombre de répétitions nécessaires pour apprendre une liste de syllabes sans signification. Puis, il a noté le nombre de répétitions nécessaires pour réapprendre la liste. Ensuite, il a calculé la différence entre le nombre de répétitions nécessaires, pour obtenir l'économie réalisée. Si une liste doit être répétée 20 fois pour être retenue, et 20 autres fois après une année, il n'y a aucune économie. Le réapprentissage, dans un tel cas, est aussi long que la première fois. Toutefois, si la liste peut être apprise en 10 répétitions seulement après une année, il y a économie de la moitié des répétitions nécessaires à l'apprentissage.

6.3.2 L'OUBLI

• LES EXPLICATIONS DE L'OUBLI

Les psychologues proposent trois théories pour rendre compte de l'oubli : la théorie de l'interférence, la théorie de l'encodage spécifique et la théorie de l'oubli motivé.

La théorie de l'interférence. Selon la **théorie de l'interférence**, on perd des éléments d'information parce que les indices qui permettent de les repêcher perdent de leur caractère distinct. On peut alors confondre les éléments, surtout ceux qui se ressemblent. On distingue deux types d'interférence : l'interférence rétroactive et l'interférence proactive, qui affectent autant les souvenirs sémantiques et épisodiques que les souvenirs procéduraux.

L'interférence rétroactive. Dans le cas de l'**interférence rétroactive**, le matériel récemment appris crée une interférence sur le repêchage de l'ancien matériel. L'étudiant en médecine peut mémoriser le nom des os de la jambe par cœur. Plus tard, il peut constater que l'apprentissage du nom des os du bras rend le repêchage du nom des os de la jambe plus difficile, surtout si les noms ont le même son ou la même position relative sur chaque membre. L'interférence rétroactive survient ainsi quand la mémoire concentre son travail de reconstruction sur le matériel ancien, mais que le matériel récemment appris nuit à ce travail.

L'interférence proactive. Dans le cas de l'**interférence proactive**, le matériel plus ancien entrave la capacité de repêcher le matériel appris plus récemment. Ainsi, rendu à l'examen, l'étudiant en médecine peut avoir de la difficulté à se rappeler correctement les noms des os du bras, car les noms des os de la jambe appris antérieurement créent une interférence proactive.

Théorie de l'interférence
Théorie voulant qu'un individu oublie du matériel stocké à la suite de l'interférence produite par un autre matériel appris.

Interférence rétroactive
Interférence du nouveau matériel sur la capacité de repêcher le matériel appris précédemment.

Interférence proactive
Interférence de matériel ancien sur la capacité de repêcher du matériel appris récemment.

Après avoir appris à se débrouiller en hindi, Samuel quitte Lucknau quelques semaines pour participer à un projet au Pendjab et commence à y apprendre le pendjabi, une langue apparentée au hindi. De retour chez lui, un ami parlant hindi l'appelle, mais Samuel a des problèmes à se rappeler les mots hindi, car les mots pendjabi créent de l'interférence rétroactive ; le lendemain, il rencontre un copain venant du Pendjab, et les mots hindi créent de l'interférence proactive quand il veut parler pendjabi.

Théorie de l'encodage spécifique
Théorie voulant qu'on oublie du matériel à cause d'une défaillance des indices qui permettent de repêcher des éléments entreposés dans la mémoire.

La théorie de l'encodage spécifique. La **théorie de l'encodage spécifique** stipule que l'on oublie du matériel à cause de l'absence d'indices adéquats pour repêcher de l'information entreposée en mémoire. Ces éléments d'information ne sont pas effacés, mais le chemin pour y accéder est parsemé de mauvais indices. C'est ce qui explique l'expérience frustrante du mot « sur le bout de la langue » : savoir quelque chose, mais être incapable de le repêcher.

La mémoire liée au contexte. Le contexte dans lequel s'acquiert l'information joue un rôle important dans le repêchage. Un contexte précis associé à une période particulière de la vie peut faire resurgir en mémoire épisodique des souvenirs qu'on croyait perdus à jamais. Un lieu ou encore une odeur peuvent être les catalyseurs de cette résurgence.

Mémoire liée au contexte
Information dont la capacité de repêchage est supérieure dans le contexte où elle a été apprise.

Ce sont des exemples de **mémoire liée au contexte.** Autrement dit, le fait de se trouver dans le contexte approprié peut considérablement améliorer le rappel (Estes, 1972 ; Watkins et autres, 1976). Un exemple de mémoire liée au contexte provient d'une expérience menée auprès des membres d'une équipe de natation. Ils devaient apprendre une liste de mots pendant qu'ils étaient soit dans la piscine, soit au sec sur le bord de la piscine (Godden et Baddeley, 1975). Les participants qui avaient appris la liste sous l'eau ont démontré ensuite un meilleur rappel lorsqu'ils étaient immergés. Ceux qui ont appris la liste pendant qu'ils étaient au sec ont aussi démontré une meilleure capacité de repêchage sur la terre ferme.

La mémoire liée à l'état. D'autres études ont révélé que les étudiants obtenaient de meilleurs résultats lorsqu'ils étudiaient dans la pièce où avait lieu l'examen (Smith et autres, 1978). Lorsque les policiers interrogent des témoins relativement à des crimes, ils leur demandent de dépeindre verbalement la scène de façon aussi vivante que possible. Les individus qui peuvent mentalement se replacer dans le contexte où ils ont codé et entreposé l'information la repêchent souvent avec plus d'exactitude.

Mémoire liée à l'état
Information dont la capacité de repêchage est supérieure dans l'état physiologique ou émotif où elle a été apprise.

La **mémoire liée à l'état** est un prolongement de la mémoire liée au contexte. Parfois, un individu repêche mieux l'information lorsqu'il est dans un état physique ou émotif semblable à celui dans lequel il a codé et entreposé l'information. Les humeurs peuvent servir d'indices contribuant au repêchage des souvenirs. La sensation d'une vague d'amour peut provoquer l'apparition d'images associées à d'autres moments où un individu a été amoureux. La colère peut déclencher des souvenirs de frustration et de rage. Bower (1981) a réalisé des expériences dans lesquelles des états de bonheur et de tristesse étaient provoqués chez les individus par suggestion hypnotique, après quoi les participants apprenaient des listes de mots. Les individus qui avaient appris une liste au moment où ils étaient dans un état de bonheur ont démontré une meilleure capacité de rappel lorsque cet état était de nouveau provoqué. De même, les individus qui avaient appris la liste en situation de tristesse ont affiché une meilleure capacité de rappel lorsqu'ils ont de nouveau été plongés dans un état de tristesse. Bower prétend que, dans la vie quotidienne, le bonheur porte l'individu à prêter attention aux événements positifs. L'état de tristesse, malheureusement, l'entraînerait à remarquer et à se rappeler les événements négatifs.

 MYTHE OU RÉALITÉ 5

Il est exact qu'on est plus susceptible de se rappeler les événements heureux lorsqu'on est heureux et les événements malheureux, lorsqu'on est malheureux.

La théorie de l'oubli motivé. La psychanalyse insiste sur le sort que font subir aux souvenirs la charge affective qui s'y rattache. Certaines pensées sont insupportables parce qu'elles engendrent de l'angoisse, de la culpabilité ou de la honte. Le refoulement est un mécanisme de défense qui, comme on le verra au chapitre 11, consiste à repousser des pensées hors de la conscience de façon à se protéger de l'angoisse associée à ces pensées (Trempe, 1977). Le refoulement n'est pas nécessairement un processus pathologique. En fait, il est à la base du développement de la vie psychique (Laplanche et Pontalis, 1968). Un refoulement trop puissant peut cependant appauvrir le contenu des souvenirs (Rycroft, 1986).

• L'AMNÉSIE

L'amnésie est une perte de mémoire massive, généralement associée à un choc physiologique ou psychologique. On distingue deux types d'amnésies : l'amnésie antérograde et l'amnésie rétrograde.

L'amnésie antérograde. L'**amnésie antérograde** donne lieu à des trous de mémoire concernant la période qui suit un événement traumatisant, comme un coup sur la tête, une décharge électrique ou une intervention chirurgicale. La capacité d'attention, l'encodage de l'information sensorielle et la performance de l'autorépétition sont affaiblis. Des chercheurs ont associé cette forme d'amnésie à des dommages cérébraux à l'hippocampe (Corkin et autres, 1985 ; Squire et autres, 1984).

Amnésie antérograde
Incapacité à former de nouveaux souvenirs après un traumatisme physique, en raison des effets du traumatisme.

MYTHE OU RÉALITÉ 6

Il est vrai qu'un individu peut être amnésique uniquement pour les événements récemment survenus, sans que ses souvenirs anciens en soient altérés.

L'amnésie rétrograde. Dans le cas de l'**amnésie rétrograde**, la source du traumatisme empêche les individus de se souvenir d'événements survenus avant le traumatisme. Le joueur de hockey qui perd connaissance ou la victime d'un accident de la route peuvent être incapables de se rappeler certains événements ayant eu lieu plusieurs minutes avant le traumatisme. Le joueur de hockey ne se rappellera peut-être pas son arrivée sur la glace. La victime d'un accident de la route ne se souviendra peut-être pas d'être montée dans une automobile. Il arrive aussi que la victime ne puisse se souvenir d'événements qui se sont produits plusieurs années avant l'accident traumatisant.

Dans un cas bien connu d'amnésie rétrograde, un homme subit une blessure à la tête dans un accident de motocyclette (Baddeley, 1982). Lorsqu'il reprend connaissance, il ne se souvient d'aucun événement survenu après l'âge de 11 ans. Au cours des mois suivants, il retrouve progressivement la connaissance de son passé. Il se rapproche du présent une année à la fois, jusqu'à la randonnée cruciale de motocyclette, mais sans jamais se souvenir des événements survenus immédiatement avant l'accident. Il semble que l'accident ait empêché l'information qui se déroulait rapidement sous les yeux de cet homme d'être transférée dans sa mémoire à long terme. Il se peut que les perceptions et les idées doivent être **consolidées**, ou qu'elles doivent reposer pendant un moment, pour pouvoir être transférées dans la mémoire à long terme (Gold et King, 1974).

Amnésie rétrograde
Incapacité de se rappeler les événements qui sont survenus avant un traumatisme physique, en raison des effets du traumatisme.

Consolidé
Fixé dans la mémoire à long terme.

Un des types les plus fréquents d'amnésie est celui qui se manifeste dans la **maladie d'Alzheimer**, dont il est question dans l'encadré 6.6.

Maladie d'Alzheimer
Maladie dégénérative du cerveau associée à la dégénérescence des cellules hippocampiques et corticales. Les symptômes de la maladie d'Alzheimer sont caractérisés par la confusion, l'incapacité de former de nouveaux souvenirs et, dans l'ensemble, par une perturbation progressive des facultés intellectuelles et mentales.

MYTHE OU RÉALITÉ 7

Contrairement à ce qu'on entend souvent, ce n'est pas l'aluminium sous forme solide qui est associé à la maladie d'Alzheimer. Aussi est-il faux de croire que des casseroles en aluminium présentent un danger.

La maladie d'Alzheimer est une maladie dégénérative du cerveau qui afflige surtout les personnes âgées, même si elle ne fait pas partie du processus normal de vieillissement, car le risque d'en être atteint augmente avec l'âge. D'après la Société Alzheimer du Canada (2004), il y aurait environ 55 000 personnes atteintes de la maladie d'Alzheimer au Québec, dont plus du tiers des personnes âgées de 85 ans et plus. Ses causes sont incertaines, mais les chercheurs pensent qu'une combinaison de facteurs entre en jeu. Des prédispositions génétiques, des infections virales précoces et l'accumulation de métaux comme le zinc et l'aluminium dans le cerveau ont jusqu'à présent été reconnus comme des éléments responsables de la maladie (Turkington, 1987).

La maladie d'Alzheimer se manifeste par la dégénérescence des cellules situées dans les deux régions du cerveau associées à la mémoire : l'hippocampe et le cortex associatif (Coyle et autres, 1983). Progressivement, les neurones de ces régions meurent et les déchets cellulaires forment des plaques séniles (Delacourte, 1996). Ces plaques, en nuisant surtout au fonctionnement de l'hippocampe, sont responsables de l'incapacité à consolider un nouvel apprentissage et à la difficulté à s'orienter, principaux symptômes de la maladie d'Alzheimer. Les souvenirs d'événements lointains sont habituellement moins compromis, quoique des cellules du cortex associatif dégénèrent aussi. Les types de souvenirs touchés sont surtout ceux qui concernent les événements (mémoire épisodique) et les connaissances accumulées (mémoire sémantique) (Schacter, 1989).

La maladie se développe au cours d'une période s'échelonnant sur 8 à 20 ans. Les personnes qui en souffrent remarquent d'abord des oublis fréquents et se perdent souvent, même à l'intérieur de leur domicile. À la longue, elles peuvent devenir très désorientées, être incapables de reconnaître les gens, manifester des émotions infantiles et perdre la capacité de s'occuper de leur hygiène personnelle et de s'habiller. À l'heure actuelle, la démence et la mort sont les issues certaines de cette maladie à développement lent. Les individus qui en sont atteints ont des accidents liés à leur état de confusion, comme le cinéaste Claude Jutra, mort noyé dans le fleuve Saint-Laurent.

Même si la maladie d'Alzheimer reste mortelle, la panoplie des traitements disponibles s'améliore considérablement depuis quelques années. Certains d'entre eux visent à ralentir ou à compenser la dégénérescence cellulaire. Par exemple, des médicaments ou des suppléments vitaminiques augmentent l'activité cellulaire (Bartus et autres, 1982). Certaines protéines neuroprotectrices récemment découvertes parviennent à beaucoup ralentir la progression de la maladie (Delacourte, 1996). Un autre traitement consiste à transplanter des cellules productrices dans les zones cérébrales touchées (Kimble et autres, 1986).

Par ailleurs, les différentes sociétés Alzheimer fournissent des conseils pratiques pour aider les personnes souffrant de cette maladie à gérer leur vie quotidienne. L'utilisation d'un bloc-notes pour prendre des notes et de grilles d'horaires pour y inscrire les événements prévus font partie des mesures suggérées. L'utilisation de contenants à médicaments subdivisés en plusieurs compartiments pour chaque jour de la semaine est également suggérée. L'instauration de routines quotidiennes et le recours à des mémos bien en vue aident aussi les individus qui éprouvent de la difficulté à former de nouveaux souvenirs (Skinner, 1983).

LA SOCIÉTÉ ALZHEIMER

La maladie d'Alzheimer affecte plus de 55 000 personnes parmi la population âgée du Québec, mais elle est inconnue dans certaines parties du monde.

MÉMOIRE

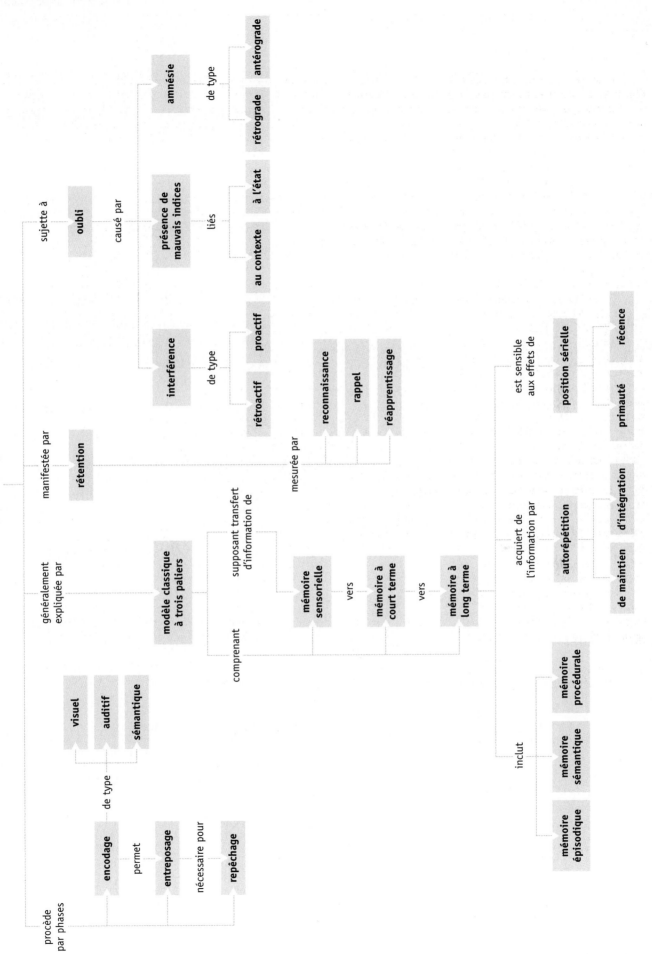

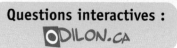
6.1 Les trois phases du processus de mémorisation

1. Auquel des trois types d'encodage (acoustique, visuel ou sémantique) correspond chacune des situations suivantes ?

   a) Se répéter à haute voix la cote d'un livre jusqu'à ce qu'on l'ait trouvé dans les rayons d'une bibliothèque. _____
   b) Fixer des piles pour retenir leur forme précise avant d'aller en acheter au magasin d'articles d'électroniques. _____
   c) Retenir que l'anniversaire d'une amie est le 17 mai en se représentant que cette amie aura précisément 17 ans. _____

2. La mémoire fonctionne comme un ordinateur : elle doit transformer l'information pour la conserver. Vrai ou faux ?

Phrases à compléter

3. L'autorépétition d'_____ consiste à intégrer de l'information nouvelle aux souvenirs déjà présents.

4. L'autorépétition de _____ consiste à tenter de retenir une représentation visuelle ou acoustique.

5. Les indices facilitent le _____ de l'information.

6.2 Le modèle classique du processus de mémorisation

1. Comment nomme-t-on la brève trace que laissent les sons dans le registre auditif de la mémoire sensorielle ? _____

2. Comment nomme-t-on la brève trace que laissent les images dans le registre visuel de la mémoire sensorielle ? _____

VRAI ou FAUX ?

3. Des trois paliers de la mémoire, la mémoire sensorielle est celle qui conserve la représentation la plus fidèle de la réalité. _____

4. C'est la mémoire sensorielle qui permet d'avoir une impression de continuité perceptive. _____

5. La mémoire sensorielle peut conserver environ 7 éléments pendant environ 20 secondes. _____

6. La mémoire à court terme est aussi appelée la mémoire procédurale. _____

7. La mémoire à court terme peut conserver environ 7 éléments pendant environ 20 secondes. _____

8. Le tronçonnage consiste à compacter l'information pour maximiser la capacité de rétention en mémoire à court terme. _____

9. La mémoire à long terme est aussi appelée la mémoire de référence. _____

10. La mémoire à long terme peut conserver indéfiniment une quantité illimitée d'informations. _____

11. La mémoire à long terme fonctionne de manière photographique. _____

12. L'encodage sémantique, le tronçonnage et l'autorépétition d'intégration mettent toutes à contribution la mémoire à long terme. _____

Phrases à compléter

13. La phase d'_____ consiste à faire passer l'information de la mémoire à court terme à la mémoire à long terme.

14. Le repêchage de l'information consiste à faire passer celle-ci de la mémoire _____ à la mémoire _____ .

15. À quel type de souvenir à long terme correspond, d'après son contenu, chacun des exemples suivants ?

   a) L'été passé, vous avez beaucoup transpiré pendant la vague de chaleur. _____
   b) Pour joindre la Hollande, composez d'abord 011-19. _____
   c) À Noël, vous avez fait du ski de fond sur le lac Delage. _____
   d) L'hiver, les lacs sont gelés et il est possible de les traverser en skiant. _____
   e) Savoir skier. _____

16. Lequel des énoncés suivants est inexact ?

   a) La valeur émotive des informations joue un rôle dans leur conservation dans la mémoire épisodique.
   b) La mémoire épisodique conserve des souvenirs indépendants du contexte où on les a retenus.
   c) La mémoire sémantique organise l'information en catégories hiérarchiques.
   d) La mémoire procédurale est la mémoire des savoir-faire.

6.3 La rétention et l'oubli

1. Un professeur de japonais prononce des mots et ses élèves doivent écrire le caractère correspondant. À quel type de tâche servant à mesurer l'oubli correspond ce test ? _____

Phrases à compléter

2. L'effet _____ désigne la facilité à se souvenir du premier élément d'une liste.

3. L'effet _____ désigne la facilité à se souvenir du dernier élément d'une liste.

4. Laquelle des situations suivantes correspond à de l'interférence proactive ?

a) Une femme apprend un poème pour le réciter au cours d'une fête, l'oublie l'année suivante, mais le reconnaît tout de suite lorsqu'un conférencier en cite deux vers.
b) J'apprends à me servir du logiciel de traitement de texte Word, mais les habitudes prises avec WordPerfect me gênent constamment.
c) Depuis que j'ai appris à dévaler les pentes avec une planche, je n'arrive plus à me tenir debout sur des skis ordinaires.

d) Un homme oublie quelques-uns des événements qui se sont produits la semaine avant son opération.
e) Le succès de cette semaine nous fait oublier celui de la semaine passée.

5. Quel type de problème désigne la perte de souvenirs emmagasinés avant un traumatisme ? _____

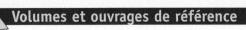

Pour aller plus loin...

Volumes et ouvrages de référence

GAONACH, D. et P. LARIGAUDERIE (2000). *Mémoire et fonctionnement cognitif*, Paris, Colin.
LAPIERRE, N. (1989). *La Mémoire et l'oubli*, Paris, Seuil.
Deux synthèses en français qui présentent beaucoup de données sur le traitement de l'information et sur la neurologie de la mémoire.

Périodiques

BIAIS, J.-M. (2004). «Les secrets de la mémoire», *L'Express*, n° 2776, 13 septembre.
VILLEDIEU, Y. (2004). «Mystérieuse mémoire», *L'Actualité*, 29, n° 7, 1er mai.
Deux articles qui mettent en relief le caractère reconstructif de la mémoire.

DE PRACONTAL, M. (2003). «Mémoire : les dernières découvertes qui changent tout», *Le Nouvel Observateur*, n° 2041, 18 décembre.
FORGET, D. (2004). «Le cerveau, l'ultime frontière», *Découvrir*, 25, n° 3, mai-juin.
Deux articles portant plus spécifiquement sur la physiologie de la mémoire.

Films, vidéos, cédéroms, etc.

CINQ-MARS, P. (1994). *La maladie d'Alzheimer*, Société de radio-télévision du Québec, Trois-Rivières, Productions CEFEM.
Un documentaire qui décrit les aspects médicaux de la maladie.

NICHOLS, M. (1991). *À propos d'Henri*.
NOLAN, C. (2001). *Memento*.
Deux films de fiction illustrant des cas d'amnésie. Dans le premier, un avocat véreux est atteint au cerveau par une balle et ne se rappelle plus qui il était auparavant, illustrant un cas d'amnésie rétrograde ; dans le second, un homme blessé à la tête au cours d'un incident qui a entraîné la mort de sa femme veut se venger, mais ne peut plus créer de nouveaux souvenirs, désormais atteint d'amnésie antérograde.

Sites Internet

Psychologie de l'apprentissage et mémoire :
http://www.univ-tours.fr/desco/LicPsy/Apprent-Memoire.html

Stratégies mnémotechniques :
http://users.skynet.be/fralica/refer/theorie/annex/memoire.htm

Un schéma sur la structure de la mémoire :
http://www.fas.umontreal.ca/com/com3561/bta/appr/page5-2.html

Chapitre 7

ALAIN HUOT

L'intelligence

PLAN DU CHAPITRE

? MYTHES OU RÉALITÉS ?

Pour savoir si ces affirmations sont vraies ou fausses, trouvez les rubriques *MYTHE OU RÉALITÉ*.

1. Deux enfants peuvent répondre correctement aux mêmes éléments dans un test d'intelligence et, pourtant, l'un sera considéré d'intelligence supérieure à la moyenne, tandis que l'autre sera évalué comme étant d'intelligence inférieure à la moyenne.

2. Les génies sont souvent des gens qui frisent la folie.

3. Avant l'âge de six mois environ, les bébés ne savent pas qu'un objet disparu de leur champ perceptif continue malgré tout d'exister.

4. Le QI (quotient intellectuel) d'une personne est une donnée fixe qui ne change jamais au cours de la vie.

CIBLES D'APPRENTISSAGE

Après avoir lu ce chapitre, vous devriez être en mesure :

• d'expliquer en quoi consiste le QI et d'évaluer sa pertinence pour mesurer l'intelligence ;

• de décrire les caractéristiques des échelles de mesure de l'intelligence ;

• de comprendre le modèle du développement de l'intelligence selon Piaget ;

• de comprendre le modèle des intelligences multiples ;

• de comprendre le modèle triarchique de l'intelligence ;

• de résumer et d'évaluer les recherches relatives au rôle des influences de l'hérédité et de l'environnement sur l'intelligence.

AMORCE

Depuis son enfance, Lisa réussit tout ce qu'elle entreprend à l'école. Elle connaît beaucoup de choses. Elle est particulièrement douée en grammaire et en mathématiques. Par contre, elle n'est pas très à l'aise en société. En effet, même si elle aime bien parler, elle est trop timide pour se faire valoir avec des personnes inconnues. Parfois, Lisa va passer la fin de semaine avec sa cousine Nancy. Nancy est tout le contraire de sa cousine. Elle n'a peur de personne et elle est populaire. Par contre, elle réussit moyennement au cégep. Malgré leurs différences de tempérament, Lisa et Nancy se comprennent. Chacune parvient à intéresser l'autre à son monde. Nancy a beaucoup aimé sa visite au musée, quand Lisa l'a un peu forcée à aller voir une grande exposition venue d'Europe. Lisa, elle, a beaucoup apprécié que Nancy lui présente ses amis. Un jour, l'un d'eux, Jonathan Raymond, qui étudie la psychologie, leur demande de servir de sujet d'expérience pour son travail de psychométrie. Il veut leur administrer l'épreuve Barbeau-Pinard d'intelligence générale. Les cousines rient et se demandent laquelle des deux aura le quotient intellectuel le plus élevé.

Dans la vie courante, on est souvent porté à juger les gens d'après leur intelligence, comme s'il s'agissait là d'une qualité facile à évaluer. Pourtant, la définition de l'intelligence constitue un défi de taille pour la psychologie. Snyderman et Rothman (1988) ont interrogé des spécialistes de tous les courants de pensée sur leur définition de l'intelligence. Trois points communs sont revenus dans leurs réponses : le raisonnement ou la capacité de pensée abstraite, l'aptitude à résoudre des problèmes et la capacité à acquérir des connaissances. Quand les psychologues veulent détailler cette définition et préciser la nature de l'intelligence, les controverses surviennent.

Alors que certains psychologues, qu'on appelle les psychométriciens, considèrent que l'intelligence est une faculté unique et stable qu'ils cherchent à mesurer, d'autres, les cognitivistes, conçoivent l'intelligence non comme un trait unique, mais comme un ensemble de facultés dont ils cherchent à décrire le développement et le fonctionnement. La question de savoir dans quelle mesure l'intelligence est déterminée par le bagage génétique ou le milieu est également source de divergences.

7.1 L'APPROCHE PSYCHOMÉTRIQUE : LA MESURE DE L'INTELLIGENCE

Le besoin de mesurer l'intelligence est né avec le développement de systèmes scolaires accessibles à tous. Au début du XXe siècle, le ministère français de l'Instruction publique a démocratisé l'école pour en faire un instrument de promotion sociale basé sur le mérite plutôt que sur la naissance. Il a mis à la disposition des élèves pauvres mais brillants des bourses d'études. Il ne manquait plus qu'un instrument pour sélectionner les élèves à grand potentiel pour leur faire bénéficier de ces bourses.

7.1.1 ALFRED BINET ET L'INVENTION DU QUOTIENT INTELLECTUEL

En 1905, le ministère français de l'Instruction publique a mandaté Alfred Binet (représenté à la figure 7.1) et son collaborateur Théophile Simon pour élaborer un test qu'on a nommé l'échelle Binet-Simon d'intelligence générale. Le but de ces auteurs était strictement pratique : concevoir des questions capables de prédire le rendement scolaire d'enfants (Cattell, 1994). Ce test est cependant devenu le modèle de tous les tests qui ont été développés depuis pour mesurer l'intelligence. Pour les psychométriciens qui ont poursuivi les travaux de Binet et de Simon, la faculté sous-jacente à la capacité d'apprentissage est l'intelligence générale, ou le **facteur g**.

L'échelle Binet-Simon était conçue pour produire une seule valeur globale, afin d'en faciliter l'usage par le système scolaire. Cette valeur était l'**âge mental** (AM), qui indiquait le niveau intellectuel moyen des enfants à un âge donné. L'échelle comportait une série de questions graduées selon leur niveau de difficulté. On peut voir quelques exemples de questions de

FIGURE 7.1   ALFRED BINET (1857-1911)

Facteur g
Symbole qui désigne l'intelligence générale, supposée être un trait hérité qui sous-tend les capacités cognitives.

Âge mental (AM)
Mois de crédit accumulés qu'une personne obtient sur l'échelle Stanford-Binet.

l'échelle Binet-Simon dans le tableau 7.1. Les enfants qui répondaient aux questions de l'échelle Binet-Simon gagnaient des mois de crédit pour chaque bonne réponse. Leur AM était déterminé par l'addition des années et des mois de crédit accumulés.

TABLEAU 7.1 CERTAINS ÉLÉMENTS DE L'ÉCHELLE BINET-SIMON

ÂGE	ÉLÉMENT
3 ans	Être en mesure de montrer son nez, ses yeux, sa bouche.
4 ans	Indiquer une clé, un couteau, un sou.
6 ans	Copier un losange.
8 ans	Compter de 20 à 0.
10 ans	Reconnaître l'élément absurde dans une phrase comme : «On a trouvé hier, sur les fortifications, le corps d'une malheureuse jeune fille coupée en 18 morceaux. On croit qu'elle s'est tuée elle-même.»
12 ans	Deviner le sens de phrases en désordre comme : «Un défend chien bon son maître courageusement.»
15 ans	Résoudre des problèmes de faits divers comme : «Mon voisin vient de recevoir de singulières visites : j'ai vu entrer chez lui tour à tour un médecin, un notaire et un prêtre. Que se passe-t-il donc chez mon voisin?»
Adulte	Définir des différences entre des mots abstraits : «Quelle différence existe-t-il entre un événement et un avènement?»

En 1912, le psychologue allemand Wihelm Stern a inventé une nouvelle valeur plus standardisée que l'âge mental comme résultat d'un enfant à l'échelle Binet-Simon : le **quotient intellectuel (QI)**. Le QI est une valeur unique qui intègre l'âge mental et l'âge réel de l'enfant. La formule du QI est :

$$QI = \frac{\text{Âge mental}}{\text{Âge chronologique}} \times 100, \text{ ou}$$

$$QI = \frac{AM}{AC} \times 100$$

Cette notion de QI a été intégrée à l'adaptation nord-américaine qui a été faite de l'échelle Binet-Simon, adaptation effectuée à Standford par Lewis M. Terman en 1916 et connue sous le nom d'échelle Standford-Binet. Selon cette échelle, l'âge mental correspond à la performance d'un enfant à l'échelle Binet-Simon, et l'âge chronologique est son âge réel. Selon cette formule, un enfant ayant un âge mental de 6 ans et un âge chronologique de 6 ans aurait un QI de 100. Un enfant de 8 ans qui obtiendrait d'aussi bons résultats sur l'échelle Standford-Binet que la moyenne des enfants de 10 ans obtiendrait un QI de 125. Les enfants qui ne répondraient pas correctement à autant de questions que les autres enfants de leur âge obtiendraient un âge mental inférieur à leur âge chronologique, et leur QI serait inférieur à 100.

L'adaptation effectuée par Terman a été suivie de nombreuses autres, dont la plus récente est l'échelle Terman-Merrill, parue en 1937 (Sillamy, 1983). Cette dernière évalue le QI en déterminant dans quelle mesure le rendement des enfants et des adultes soumis au test dévie de celui obtenu par d'autres personnes du même âge. Les personnes qui obtiennent plus de réponses correctes que la moyenne ont un QI supérieur à 100, et celles qui obtiennent moins de bonnes réponses ont un QI inférieur à 100.

Quotient intellectuel (QI)
1. À l'origine, rapport obtenu en divisant l'âge mental d'un enfant dans un test d'intelligence par son âge chronologique, et en multipliant le résultat par 100; 2. en général, résultat obtenu à un test d'intelligence.

MYTHE OU RÉALITÉ 1

Il est exact qu'un enfant peut être considéré comme étant d'intelligence supérieure à la moyenne et un autre, d'intelligence inférieure à la moyenne, et ce, même s'ils ont tous deux répondu correctement aux mêmes éléments dans un test d'intelligence. L'enfant le plus intelligent serait, en fait, le plus jeune des deux.

Fidélité

Constance d'un test en tant qu'instrument de mesure. Un test fidèle devrait donner sensiblement le même résultat chaque fois qu'il est utilisé.

Validité

Valeur de prédiction d'un test quant aux fins qu'il poursuit (s'il mesure vraiment ce qu'il dit mesurer).

7.1.2 LES CARACTÉRISTIQUES DES TESTS D'INTELLIGENCE

L'évaluation des tests d'intelligence (et de tous les autres tests psychologiques) repose sur les critères psychométriques de **fidélité** et de **validité** qui sont présentés au tableau 7.2. La fidélité est la mesure de la constance d'un test. Une même personne devrait obtenir sensiblement les mêmes résultats en passant plusieurs fois le même test. Si les résultats diffèrent significativement lors de chaque passation, ce test ne sera pas jugé fidèle. Pour évaluer la fidélité d'un test, on peut par exemple le faire passer à des groupes de sujets en deux versions différentes et équivalentes.

TABLEAU 7.2 LA FIDÉLITÉ ET LA VALIDITÉ D'UN TEST

	FIDÉLITÉ	VALIDITÉ
Fonction	Obtenir des résultats similaires d'une fois à l'autre.	Mesurer ce qu'il doit mesurer.
Exemple	Une personne obtiendra sensiblement la même valeur si le test est administré à plusieurs reprises.	Une personne ayant obtenu un résultat élevé à un test de QI serait effectivement une personne intelligente.

La validité d'un test se rapporte à sa capacité prédictive. Pour déterminer la validité d'un test d'aptitude musicale, par exemple, l'expérimentateur fera passer son test à des sujets, puis il vérifiera s'il peut effectivement prédire ceux qui pourront vraiment apprendre à jouer d'un instrument. Les tests d'intelligence sont encore considérés comme des prédicteurs valides du succès scolaire, ce qui correspond d'ailleurs à leur usage original. Comme mesures de l'intelligence, par contre, les tests de QI sont loin de faire l'unanimité. Le problème découle en partie du fait qu'on ne s'entend pas sur ce qu'est l'intelligence. Au lieu de l'intelligence, ce serait peut-être l'habileté à manipuler des symboles qui serait mesurée par ces tests (Wagman, 1991; Demetriou et Efklides, 1994).

7.1.3 LES ÉCHELLES D'INTELLIGENCE LES PLUS UTILISÉES

Il existe des tests d'intelligence individuels et des tests collectifs.

• LES TESTS INDIVIDUELS

Il existe de nombreux tests individuels qui servent à mesurer différents aspects de l'intelligence, les plus connus au Québec étant le Standford-Binet, le Wechsler et le Barbeau-Pinard. D'autres tests permettent de mesurer les capacités intellectuelles dans certaines situations spécifiques. Par exemple, certains d'entre eux, comme l'Échelle québécoise des comportements adaptatifs, permettent de détecter des cas de déficience. Les tests peuvent aussi servir à établir des diagnostics neurologiques, par exemple auprès de patients qui ont subi un choc à la tête. Enfin, des tests d'aptitudes générales peuvent servir dans les cas de sélection de personnel. Le Bur, par exemple, est conçu pour sélectionner du personnel administratif et soumet le candidat à plusieurs problèmes de raisonnement logique.

L'échelle Standford-Binet. Le plus ancien des tests d'intelligence, l'échelle Binet-Simon, dont on a parlé plus haut et qui a été adaptée aux États-Unis sous le nom d'échelle Standford-Binet, comporte 15 tests qui mesurent 4 types d'habiletés cognitives : le raisonnement verbal, le raisonnement visuel et abstrait, le raisonnement quantitatif et la mémoire à court terme. L'échelle Standford-Binet est surtout utilisée par les psychologues scolaires pour étayer des diagnostics de douance ou de retard mental dans le cadre de demandes de dérogation à l'âge d'admission scolaire et pour déceler les difficultés d'apprentissage.

Le Wechsler. Les tests d'intelligence les plus utilisés sont les épreuves de type Wechsler. David Wechsler (représenté à la figure 7.2) a élaboré au milieu du XXe siècle une série d'échelles à l'intention des enfants et des adultes. Il existe des échelles Wechsler pour enfants avec des normes en français.

FIGURE 7.2   DAVID WECHSLER (1896-1981)

Chaque sous-test des épreuves de type Wechsler mesure un type différent de tâche intellectuelle. Un sous-test mesure la capacité à définir des mots ; un autre sous-test, la capacité à utiliser des cubes pour construire des formes géométriques, etc. Les échelles de type Wechsler mettent ainsi en relief les forces et les faiblesses relatives des personnes testées, tout en mesurant leur fonctionnement intellectuel global. Les échelles Wechsler permettent de déceler et d'identifier des déficits cognitifs spécifiques qui participent à des diagnostics de troubles neurologiques.

C'est Wechsler qui a introduit en psychométrie le concept du **QI de déviation**. Au lieu d'utiliser les âges mental et chronologique pour calculer le QI, il fonde les valeurs de QI sur la comparaison (ou la déviation) des réponses d'une personne par rapport à celles obtenues par d'autres personnes du même groupe d'âge. Les personnes qui forment le groupe de comparaison sont appelées le **groupe normatif**. Un QI Wechsler est une comparaison de la performance d'un sujet avec les performances moyennes du groupe normatif.

Le Barbeau-Pinard. À la fin de la Deuxième Guerre mondiale, deux professeurs de l'Institut de psychologie de Montréal ont élaboré une échelle de type Wechsler adaptée au contexte québécois. Ce test, qu'on nomme le Barbeau-Pinard, est moins utilisé aujourd'hui qu'il ne l'a déjà été. Il en existe en effet une version mise à jour, l'Épreuve individuelle d'habiletés mentales (EIHM), dont l'usage est de plus en plus répandu.

Comme l'illustre le tableau 7.3, les sous-tests du Barbeau-Pinard sont groupés en deux catégories : les tâches verbales et les tâches non verbales. Les sous-tests verbaux nécessitent la capacité à utiliser le langage, alors que les sous-tests non verbaux, comme ceux qui sont illustrés à la figure 7.3, exigent une connaissance des concepts de relations spatiales.

QI de déviation
QI fondé sur la comparaison de la performance d'un sujet avec les performances moyennes du groupe normatif.

Groupe normatif
Groupe de personnes par rapport auxquelles sont comparées les performances d'un sujet.

TABLEAU 7.3 LES SOUS-TESTS DU BARBEAU-PINARD

ÉCHELLE VERBALE	ÉCHELLE NON VERBALE
1. Information générale Quelle est la date de Noël ? De quoi se nourrit la chouette ? Qu'est-ce qu'une cerise ? Qu'est-ce que le Coran ?	7. Code Faire correspondre des chiffres et des signes.
2. Compréhension générale Pourquoi devons-nous faire des économies ? Que feriez-vous si vous étiez la première personne à vous rendre compte qu'il y a le feu dans une salle de cinéma ?	8. Images à compléter Indiquer ce qui manque à l'image.
3. Raisonnement mathématique Si quelqu'un achète pour 1,50 $ de timbres et donne 5 $ à l'employé, combien devra-t-on lui remettre ? Huit ouvriers peuvent faire un travail en six jours. Combien faudra-t-il d'ouvriers pour faire le même travail en une demi-journée ?	9. Cubes Reproduire un dessin géométrique avec une série de cubes de couleur.
4. Similitudes En quoi un chien et un lion sont-ils pareils ? En quoi un poème et une statue sont-ils pareils ?	10. Classement d'images Placer une série d'images en ordre pour qu'elles forment une histoire.
5. Vocabulaire Que veut dire « turbulence » ? Que veut dire « denrée » ?	11. Assemblage d'objets Réunir les pièces d'un casse-tête.
6. Séries de chiffres Répéter une série de chiffres dans l'ordre et à rebours.	

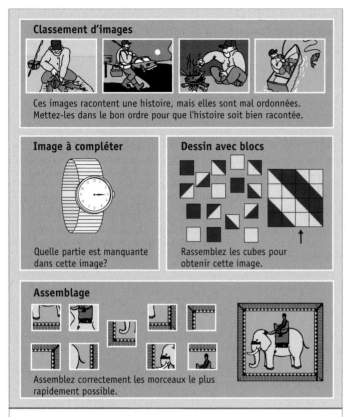

Classement d'images

Ces images racontent une histoire, mais elles sont mal ordonnées. Mettez-les dans le bon ordre pour que l'histoire soit bien racontée.

Image à compléter

Quelle partie est manquante dans cette image?

Dessin avec blocs

Rassemblez les cubes pour obtenir cette image.

Assemblage

Assemblez correctement les morceaux le plus rapidement possible.

FIGURE 7.3   DES ITEMS NON VERBAUX D'UN TEST D'INTELLIGENCE

Cette figure illustre des éléments qui ressemblent à ceux des sous-tests non verbaux de l'échelle d'intelligence conçue par Wechsler et qui sont destinés aux adultes.

• LES TESTS COLLECTIFS

Les tests à administration collective servent surtout pour l'admission d'étudiants et la sélection de personnel.

L'Otis-Ottawa. Le test Otis-Ottawa est une série d'épreuves collectives d'intelligence générale adaptées pour des enfants et des adultes. L'administration de ce test nécessite peu de temps et sa correction peut se faire de façon informatisée ou non. Au Québec, le test Otis-Ottawa est utilisé par les écoles secondaires privées pour sélectionner les étudiants lors de leur admission. Il existe également, pour la sélection de personnel, une version de l'Otis-Ottawa conçue pour une administration rapide (moins de 30 minutes). Elle sert souvent d'examen de présélection pour des postes convoités par un grand nombre de candidats.

Le Scholastic Aptitude Test (SAT). Les universités américaines utilisent à grande échelle le SAT, un test standardisé des aptitudes scolaires, qui porte principalement sur les habiletés mathématiques et sur la maîtrise de la langue. Des séances d'administration du SAT sont organisées partout aux États-Unis et à travers le monde pour les candidats aux universités américaines. Les résultats sont un des critères d'admission pris en compte pour l'entrée aux études de premier cycle, en plus de la moyenne générale des étudiants. Pour les étrangers qui désirent s'inscrire dans une université américaine, le SAT est souvent utilisé avec le TOEFL (Test of English as a Foreign Language, un test d'anglais destiné aux non-anglophones). Il existe des cours très populaires de préparation aux tests SAT et TOEFL.

Le Armed Forces Qualification Test (AFQT). Le AFQT, le test de qualification des forces armées, a été instauré en 1950 par l'armée américaine pour tester ses recrues et repérer, par exemple, les individus susceptibles d'être admis à la formation d'officier. Alors que l'administration de la plupart des tests se fait par écrit, le AFQT peut être administré oralement et, contrairement à la plupart des épreuves de quotient intellectuel, il ne prend pas la vitesse en considération. Le test AFQT comporte quatre sous-tests : vocabulaire, arithmétique, dessins avec blocs et habiletés spatiales (Eitelberg et autres, 1984).

ÉCLAIRCISSEMENT DE L'AMORCE

Il est presque certain que Lisa obtiendra un meilleur score au test Barbeau-Pinard que sa cousine Nancy. En effet, Lisa est douée pour les tâches scolaires, alors que les habiletés de Nancy concernent davantage les relations interpersonnelles. Le QI supérieur de Lisa pourrait donner l'impression qu'elle est plus intelligente, en raison de sa performance aux tests verbaux, mais ce que cette performance indiquerait en fait, c'est qu'elle continuera probablement à bien réussir à l'école.

7.1.4 LA DISTRIBUTION DU QI DANS LA POPULATION

• LA COURBE NORMALE

Comme le résultat d'un individu est déterminé par la comparaison de son résultat avec celui du groupe représentatif de son âge selon la formule,

$$\frac{\text{Résultat d'un individu}}{\text{Résultat moyen du groupe d'âge de l'individu}} \times 100$$

le QI moyen des individus d'un groupe d'âge donné sera forcément égal à 100. Les scores de QI sont de plus traités statistiquement de façon à être distribués selon une courbe normale. Comme l'illustre schématiquement la figure 7.4, cette distribution fait qu'on retrouve, par exemple, 50 %

des personnes dotées d'un QI de 90 à 110; environ 68% des personnes dotées d'un QI de 85 à 115; environ 95% des personnes dotées d'un QI de 70 à 130; et environ 99% des personnes dotées d'un QI de 55 à 145. Aux deux extrémités de la courbe se trouvent les personnes dont le QI traduit une certaine déficience intellectuelle ou, au contraire, des aptitudes intellectuelles qui en font des personnes surdouées.

• LA DÉFICIENCE

On parle généralement de **déficience intellectuelle** dans le cas de personnes ayant un QI inférieur à 70. Les causes de ce type de déficience incluent des facteurs héréditaires, des troubles physiques et des facteurs environnementaux.

Parmi les déficiences pouvant être attribuées à des causes héréditaires, on trouve le **syndrome de Down**, ou **trisomie 21** (autrefois appelé **mongolisme**), qui entraîne une déficience moyenne ou sévère chez les individus qui en sont atteints. Des déformations rares à la tête peuvent aussi occasionner de la déficience.

De toutes les causes de déficience pouvant être liées à des troubles physiques, une des plus fréquentes est imputable aux conditions dans lesquelles s'est effectué l'accouchement, comme un accouchement difficile durant lequel le bébé aurait souffert d'anoxie (manque d'oxygène pendant une période plus ou moins prolongée). Des conditions de vie intra-utérine peuvent également affecter le développement du fœtus. Par exemple, certaines maladies contractées par la mère durant sa grossesse, l'abus de drogues et de médicaments, la consommation abusive d'alcool ou de tabac et une alimentation inadéquate sont autant de facteurs de risque de déficience intellectuelle.

D'autres causes seraient liées au milieu dans lequel se développe l'enfant. Ainsi, certaines déficiences intellectuelles pourraient davantage s'expliquer par l'appauvrissement du milieu caractérisé soit par une mauvaise alimentation, soit par une insuffisance de soins et de stimulations.

Enfin, il existe de nombreux cas de déficience pour lesquels il est difficile de déterminer la cause. Certains auteurs parlent de déficience familiale dans le cas où la déficience touche plusieurs membres d'une même famille (Coon, 1994).

• LA DOUANCE

À l'opposé, les personnes qui obtiennent dans un test un QI significativement supérieur sont considérées comme surdouées. La **douance** concerne les individus qui obtiennent un QI de 140 et plus à un test d'intelligence, ce qui représente seulement 1% de la population générale.

Déficience intellectuelle
Niveau de fonctionnement intellectuel très inférieur à la moyenne, acquis ou congénital.

Syndrome de Down (aussi appelé trisomie 21 ou mongolisme)
Aberration chromosomique où la présence d'un chromosome surnuméraire (sur la paire n 21) entraîne des anomalies physiques caractéristiques et une déficience intellectuelle.

Douance
Niveau de fonctionnement intellectuel très supérieur à la moyenne, caractérisant les personnes dites surdouées. Dans le modèle de Gagné : aptitudes exceptionnelles latentes.

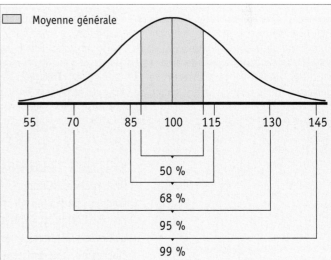

FIGURE 7.4   LA RÉPARTITION APPROXIMATIVE DES RÉSULTATS DE QI

Wechsler a défini le QI de déviation de telle sorte que 50% des résultats se retrouvent dans la moyenne générale (entre 90 et 110). Cette courbe en forme de cloche est considérée comme la courbe de distribution normale par les psychologues. Elle peut être utilisée pour décrire la répartition de nombreux traits autres que le QI, comme la grandeur ou le poids.

FIGURE 7.5   LA DOUANCE
Les enfants surdoués manifestent fréquemment un talent remarquable dans un domaine particulier, comme la musique, entre autres.

Les enfants surdoués sont généralement curieux et manifestent un intérêt pour la résolution de problèmes. Ils apprennent souvent à parler et à lire en très bas âge, et ont fréquemment un talent particulier, en musique par exemple, comme le rappelle la figure 7.5.

Contrairement à la croyance populaire décrivant les personnes surdouées comme des personnes renfermées, inadaptées socialement et plus susceptibles de développer des maladies mentales, il semble qu'elles soient plutôt généralement bien adaptées et moins affectées que la moyenne des gens par la maladie mentale. De plus, loin de correspondre à l'image stéréotypée du gringalet physiquement défavorisé, l'individu surdoué est habituellement plus grand et plus lourd que la moyenne (Terman et Oden, 1947) des individus de son groupe d'âge.

 MYTHE OU RÉALITÉ 2

La croyance populaire voulant que le génie frise la folie est non fondée. En effet, les personnes surdouées ont généralement une santé mentale supérieure à la moyenne des gens.

Créativité
Capacité de produire des solutions inédites aux problèmes.

Certains traits de personnalité sont également associés à la douance, quoique chacun des traits ne se retrouve pas nécessairement chez tous les surdoués. Ces derniers sont généralement sensibles aux émotions des autres, ont un sens de l'observation et un sens de l'humour bien développés, ils font preuve de **créativité** et de flexibilité dans leurs idées, et possèdent fréquemment un vocabulaire riche (Huffman et autres, 2000). Françoys Gagné, un professeur de l'Université du Québec à Montréal, a développé un modèle de la douance qui est présenté dans l'encadré 7.1.

ENCADRÉ 7.1
Françoys Gagné

Comment des talents exceptionnels mènent-ils à accomplir des réalisations exceptionnelles? C'est en répondant à cette question que Françoys Gagné, un professeur de l'Université du Québec à Montréal, a acquis son renom de spécialiste de la douance.

Son modèle différenciateur de la douance et du talent suscite autant de travaux de recherche que d'applications pratiques. Gagné (2004) décrit les douances,

qui sont des aptitudes exceptionnelles mais latentes, que possèdent environ 5% des enfants dans un domaine ou dans un autre. Les talents, eux, sont des douances réalisées, mises en actes. Selon Gagné, le passage de la douance au talent ne se fait pas tout seul. Il faut des catalyseurs pour faire fleurir les talents. Le modèle dresse d'abord la liste des catalyseurs intrapersonnels, comme la motivation et le tempérament, ainsi que la liste

des catalyseurs interpersonnels, c'est-à-dire un environnement adéquat.

Les enfants doués bénéficient dans certaines écoles de classes enrichies ou accélérées, ce qui suscite des controverses. Contrairement à la croyance populaire, les enfants très doués sont plutôt bien adaptés socialement. L'étiquette «surdoué» peut cependant contribuer à marginaliser des enfants (Massé et Gagné, 2001).

SPÉCIALISTE QUÉBÉCOIS

La douance n'est cependant pas une garantie de réussite. L'intelligence est un potentiel qu'il faut réaliser (Coon, 1994). En raison de ce potentiel élevé, plusieurs surdoués peuvent trouver lourdes les pressions de l'entourage par rapport à leur performance, en plus de souffrir de l'étiquette qui leur est apposée. En outre, de nombreux enfants éprouvent des difficultés à fonctionner dans le système scolaire régulier et tendent à s'ennuyer dans des classes où l'apprentissage est trop lent pour eux.

7.2 L'APPROCHE COGNITIVE

Les psychologues cognitifs ont cherché à définir l'intelligence indépendamment des tests de QI développés par les psychométriciens. Ils ont développé des théories qualitatives de l'intelligence sans se soucier de la quantifier. Piaget a décrit le développement de l'intelligence. Gardner et Sternberg ont proposé des théories intégratives de l'intelligence qui incluent des dimensions autres que le raisonnement.

TABLEAU 7.4 LES STADES DU DÉVELOPPEMENT COGNITIF SELON PIAGET

STADE	ÂGE APPROXIMATIF	DESCRIPTION
Sensorimoteur	De la naissance à deux ans.	Le comportement suggère que le langage fait défaut à l'enfant et que ce dernier n'utilise pas de symboles ou de représentations mentales d'objets. La simple réaction à l'environnement (par les comportements réflexes) tire à sa fin et le comportement réfléchi, comme le fait de provoquer des effets intéressants, commence. L'enfant développe le concept de la permanence de l'objet et acquiert les fondements du langage.
Préopératoire	De deux à sept ans	L'enfant commence à se représenter le monde mentalement, mais sa pensée est égocentrique. Il est incapable de tenir compte simultanément de deux aspects d'une situation, et la conservation lui fait donc défaut. L'animisme et l'artificialisme sont des traits caractéristiques de l'enfant à ce stade.
Opérations concrètes	De 7 à 12 ans	À ce stade, les concepts de conservation apparaissent chez l'enfant. Il peut adopter le point de vue des autres, classer des objets en série (par exemple, du plus court au plus long) et démontrer une compréhension des concepts relationnels fondamentaux (comme celui d'un objet étant plus volumineux ou plus lourd qu'un autre).
Opérations formelles	12 ans et plus	La pensée mature, adulte, apparaît. Le raisonnement semble être caractérisé par la logique déductive, la prise en considération de multiples possibilités avant de procéder à la résolution d'un problème, la pensée abstraite (par exemple, l'évaluation philosophique des principes moraux) ainsi que l'élaboration et la vérification d'hypothèses.

7.2.1 LE MODÈLE DE PIAGET

Le psychologue suisse Jean Piaget a proposé que l'intelligence se développe de l'enfance jusqu'à l'âge adulte selon une suite ordonnée de quatre stades. Chaque stade de l'intelligence prépare et annonce les progrès du stade suivant. Le tableau 7.4 décrit ces quatre stades, soit le stade sensorimoteur, le stade préopératoire, le stade des opérations concrètes et le stade des opérations formelles.

• LE CONSTRUCTIVISME ET LES INVARIANTS FONCTIONNELS

Le **constructivisme** piagétien est une théorie selon laquelle l'intelligence se construit à travers des stades qui se succèdent grâce au processus de l'**adaptation**, lequel comporte deux conduites fondamentales : l'assimilation et l'accommodation.

L'**assimilation** consiste à réagir à un nouveau stimulus à partir des **conduites** déjà maîtrisées. Les bébés, par exemple, essaient habituellement de mettre les nouveaux objets dans leur bouche pour les sucer, les sentir ou les explorer. Piaget dirait que l'enfant assimile un nouveau jouet grâce au schème de la succion. Le **schème** est un comportement observable ou une organisation mentale qui intervient dans l'acquisition ou l'organisation de la connaissance. L'assimilation désigne donc une modification du milieu (des objets) par le schème (Legendre-Bergeron, 1980). En ce sens, un enfant qui pousse un bloc de bois en imitant le bruit d'une automobile fait de l'assimilation, puisqu'il transforme le bloc de bois en voiture.

L'**accommodation** est la création de nouvelles façons de réagir à un objet ou de se représenter le monde. Chez les enfants, l'accommodation consiste à transformer des schèmes existants, c'est-à-dire des modèles de comportement ou des façons d'organiser la connaissance, dans le but d'y inclure de nouveaux faits. Les enfants (et les adultes) s'accommodent aux objets et aux situations qui ne peuvent être intégrés aux schèmes existants. Un bébé qui désire prendre un objet, par exemple, devra accommoder le mouvement de sa main en fonction de la grosseur et de la forme de l'objet convoité. Contrairement à l'assimilation, ce sont ici les conduites de l'individu plutôt que l'environnement qui subissent des transformations. La capacité de s'accommoder à une situation nouvelle se développe grâce à l'expérience.

Constructivisme
Théorie qui considère que le développement cognitif s'effectue par une suite structurée de stades adaptatifs.

Adaptation
Fonction générale de l'intelligence. État d'équilibre entre les schèmes du sujet et le milieu environnant. Cet état d'équilibre est atteint par l'interaction entre l'assimilation et l'accommodation.

Assimilation
Inclusion ou incorporation d'un nouvel événement par un schème existant; ou modification du milieu par le schème.

Conduites
Terme correspondant chez Piaget à un comportement typique d'un stade.

Schème
Selon Piaget, mouvements organisés ou opérations mentales qui permettent d'interagir avec l'environnement.

Accommodation
Modification des schèmes au contact de l'environnement.

C'est l'interaction entre l'assimilation et l'accommodation qui permet l'adaptation de l'individu à son environnement. Pour Piaget (1963 ; 1971), le développement de l'intelligence est un processus actif par lequel on assimile des objets et des idées toujours plus complexes, tandis qu'on s'accommode en adoptant des conduites et des capacités de raisonnement toujours plus complexes. La plupart du temps, les nouveau-nés assimilent la stimulation environnementale selon des schèmes de comportement réflexe, même si l'adaptation de la bouche pour recevoir le mamelon est un type primitif d'accommodation. Le comportement réflexe n'est cependant pas caractéristique de l'intelligence, qui ne commence véritablement son développement que lorsqu'elle se met à traiter activement l'environnement (Piaget, 1974).

• LES STADES DE PIAGET

Stade sensorimoteur
Premier stade de développement cognitif défini par Piaget, caractérisé par la coordination de l'information sensorielle et de l'activité motrice, dans l'exploration précoce de l'environnement.

Préhension
Acte par lequel un enfant se saisit d'un objet.

Le stade sensorimoteur. Selon Piaget, le premier stade de développement est le **stade sensorimoteur**, qui concerne les premiers mois de la vie. La maturation neurologique incomplète des bébés naissants rend impossible les représentations mentales. Par contre, les bébés découvrent graduellement leurs sens et leurs facultés motrices. Piaget dira que leurs conduites sont caractérisées par des schèmes sensoriels et des schèmes moteurs. Un exemple de schème moteur est la **préhension** : les bébés apprennent à serrer la main pour prendre un ours en peluche. Ils accommodent les gestes de leurs mains à la forme et au poids de celui-ci, ce qui leur permet de l'assimiler dans leur schème de préhension. Plus les bébés vieillissent, plus leur comportement devient intentionnel. Les bébés apprennent à agir sur leur environnement pour reproduire des sensations intéressantes (comme le son d'un hochet). De tels jeux leur permettent d'explorer les relations de cause à effet qui lient leurs mouvements et les expériences sensorielles qu'ils obtiennent.

Permanence de l'objet
Reconnaissance que les objets soustraits à la perception existent encore.

Étant donné que les bébés de moins de six mois sont encore incapables de se former des représentations mentales, pour eux, les objets qui se trouvent hors de leur champ perceptif cessent d'exister. Un enfant comme celui qui est représenté à la figure 7.6 ne fera aucun effort pour chercher un objet disparu ou placé derrière un écran. C'est à l'âge de 8 à 12 mois que les bébés deviennent capables de se rendre compte que les objets qui ne sont plus perceptibles existent encore. Ils sont devenus capables de se le représenter mentalement. Ils ont acquis la **permanence de l'objet**, qui est le premier schème mental. Ce progrès cognitif rend possible l'acquisition des fondements du langage et l'émergence d'un nouveau stade du développement de l'intelligence.

? MYTHE OU RÉALITÉ 3

Il est vrai qu'avant l'âge de six mois environ, les bébés ne savent pas qu'un objet disparu de leur champ perceptif continue malgré tout d'exister. Ils n'ont pas encore acquis la permanence de l'objet.

Stade préopératoire
Deuxième stade défini par Piaget, caractérisé par l'usage de représentations mentales, de symboles et de mots, et par l'apparition d'une pensée égocentrique, animiste et artificialiste.

Le stade préopératoire. La première enfance (de deux à sept ans environ) est marquée par le **stade préopératoire**, caractérisé par le développement de la fonction symbolique. Les schèmes du stade préopératoire sont des schèmes mentaux : les enfants assimilent des symboles de plus en plus complexes au fur et à mesure qu'ils acquièrent le langage. La pensée préopératoire fonctionne selon une logique différente de celle de l'adulte. Les enfants peuvent employer les mêmes mots que les adultes, mais cela ne signifie pas qu'ils ont la même conception du monde qu'eux (Piaget, 1971). Les enfants au stade préopératoire vivent dans un monde enchanté.

Égocentrisme
Tendance à tout rapporter à soi sans faire de distinction entre soi et la réalité extérieure.

Une caractéristique de la pensée préopératoire est l'**égocentrisme**. Les jeunes enfants sont incapables de concevoir qu'on puisse avoir un autre point de vue que le leur. Par exemple, un jeune garçon de trois ans adore massacrer les plantes vertes. Il n'a pas le droit de s'en approcher. Il trouve une solution : s'approcher des plantes, se fermer les yeux et commencer son massacre. Lorsqu'il se fait disputer, il est tout étonné qu'on l'ait surpris. Comme il ne voyait rien les yeux fermés, il était convaincu que personne ne verrait rien non plus. Les enfants au stade préopératoire perçoivent le monde comme une scène qui a été érigée pour répondre à

FIGURE 7.6   LA PERMANENCE DE L'OBJET

Chez un enfant au début du stade sensorimoteur, ce qui n'est pas perceptible n'existe pas. Dès qu'un écran quelconque est placé entre un bébé et un objet qu'il convoite, le bébé perd tout intérêt pour le jouet. C'est à la suite de ce genre de démonstration que Piaget a tiré la conclusion que l'objet n'est pas mentalement représenté.

leurs besoins. Par exemple, lorsqu'on leur demande «Pourquoi le soleil brille-t-il?», ils peuvent répondre «Pour me garder au chaud.»

Le stade préopératoire est caractérisé par la **pensée magique**. Un des aspects de la pensée magique est l'**animisme**. Les jeunes enfants ont tendance à attribuer une vie et des intentions aux objets inanimés, comme le soleil et la lune. Ils manifestent aussi de l'**artificialisme**, c'est-à-dire qu'ils croient que les traits caractéristiques de l'environnement, comme la pluie et le tonnerre, ont été conçus et construits par des êtres humains. Un enfant de quatre ans à qui on demande pourquoi le ciel est bleu peut répondre «Parce que maman l'a peint». Le tableau 7.5 montre des exemples d'égocentrisme, d'animisme et d'artificialisme.

L'épreuve piagétienne classique du transvasement de l'eau met en relief le caractère illogique de la pensée préopératoire. Dans cette épreuve, représentée à la figure 7.7, deux récipients d'eau similaires sont montrés à un enfant. L'enfant remarque que ces récipients contiennent la même quantité d'eau. Puis, pendant que l'enfant regarde, l'eau est transvidée d'un grand récipient étroit à un récipient plus large. On lui demande ensuite de dire s'il y a encore la même quantité d'eau dans les deux récipients ; si l'enfant répond «non», on lui demande d'indiquer celui qui contient le plus d'eau. Dans une telle situation, le jeune

Pensée magique
Mode de pensée caractérisé, entre autres, par l'animisme et l'artificialisme.

Animisme
Tendance à attribuer une activité intentionnelle aux mouvements physiques. L'animisme est étroitement lié à la pensée magique de l'enfant (Legendre-Bergeron, 1980).

Artificialisme
Croyance voulant que les objets naturels aient été créés par les êtres humains.

TABLEAU 7.5 DES EXEMPLES DE RAISONNEMENT PRÉOPÉRATOIRE

TYPES DE RAISONNEMENT	QUESTIONS TYPES	RÉPONSES TYPIQUES
Égocentrisme (tout rapporter à soi)	Pourquoi fait-il noir ? Pourquoi le soleil brille-t-il ? Pourquoi y a-t-il de la neige ? Pourquoi le gazon est-il vert ?	Pour que je puisse dormir. Pour me garder au chaud. Pour que je puisse y jouer. Parce que c'est ma couleur préférée.
Animisme (attribuer une vie aux objets inanimés)	Pourquoi les étoiles scintillent-elles ? Pourquoi le soleil se déplace-t-il dans le ciel ? Où vont les bateaux la nuit ?	Parce qu'elles sont joyeuses et excitées. Pour suivre les enfants et écouter ce qu'ils disent. Ils dorment comme nous.
Artificialisme (supposer que les traits naturels de l'environnement ont été modelés par les gens)	Pourquoi pleut-il ? Pourquoi le ciel est-il bleu ? Qu'est-ce que le vent ? D'où vient le tonnerre ?	Parce que quelqu'un vide un sceau d'eau. Parce qu'une personne l'a peint ainsi. Un homme qui souffle. D'un homme grognon.

Source : Adaptation de Cowan (1978) ; Turner et Helms (1987).

enfant choisit habituellement le récipient haut et étroit. La hauteur de ce récipient lui saute aux yeux. L'enfant au stade préopératoire s'arrête à la dimension la plus évidente de la situation, en l'occurrence la hauteur plus élevée du récipient étroit. Sa pensée est caractérisée par la **centration**. Pourtant, si on lui demande s'il y a eu addition ou retrait d'eau lors du transvasement, il répondra non, sans hésiter. La contradiction ne gêne pas les enfants. Quand on transvase de l'eau d'un grand récipient à un récipient plus large, il est évident pour un adulte que la quantité d'eau reste la même. Selon le principe de la **conservation**, la quantité d'une substance reste inchangée, même si cette substance a subi un changement d'apparence. Pour maîtriser le principe de la conservation de la quantité, il faut pouvoir reconnaître qu'un changement dans une dimension peut être compensé par un changement dans une autre : un verre d'eau plus haut est aussi plus étroit. Ce progrès cognitif se fait au stade des opérations concrètes.

Le stade des opérations concrètes. Vers l'âge de 7 ans, l'enfant atteint le **stade des opérations concrètes**, stade qui va se poursuivre jusque vers 12 ans. Au cours de ce stade, les enfants acquièrent des schèmes de pensée logiques. Les enfants au stade des opérations concrètes maîtrisent le principe de la conservation. À ce stade, les enfants peuvent se concentrer simultanément sur deux dimensions d'un problème, par exemple à la fois sur la hauteur et sur la largeur d'un récipient d'eau. L'enfant plus vieux, qui est illustré à la figure 7.8, répondrait sans doute que le récipient large contient la même quantité d'eau que le récipient étroit. Si on lui demandait pourquoi, il pourrait répondre : «La forme du verre ne change rien, la preuve, c'est que si on remet l'eau dans le premier verre, on verra qu'on en a encore pareil!» Une telle réponse laisserait transparaître une maîtrise du concept de **réversibilité**, c'est-à-dire la capacité de reconnaître qu'une opération peut en annuler une autre. La maîtrise des opérations concrètes permet aux enfants d'âge scolaire d'être moins égocentriques. Leur pensée est plus flexible. Ils sont capables de se mettre à la place des autres et de percevoir le monde, et eux-mêmes, du point de vue d'autrui. La limite des opérations concrètes est que sa logique ne peut s'appliquer qu'au monde perceptible.

Le stade des opérations formelles. Le dernier stade du développement cognitif tel que défini par Piaget est le **stade des opérations formelles**, lequel débute à la puberté. Les

---

Centration
Fait de porter attention à un seul aspect d'une situation.

Conservation
Reconnaissance que les propriétés des substances, comme la quantité et le poids, demeurent constantes, même si leur apparence peut changer.

Stade des opérations concrètes
Troisième stade défini par Piaget, caractérisé par une pensée logique capable de s'exercer sur les situations concrètes.

Réversibilité
Capacité à pouvoir renverser l'effet d'une action ou d'une opération mentale.

Stade des opérations formelles
Quatrième stade défini par Piaget, caractérisé par la pensée logique capable de s'exercer sur des objets abstraits.

FIGURE 7.7   LA CONSERVATION

L'enfant sur la photo du haut est d'accord pour dire que la quantité d'eau dans deux récipients identiques est égale. L'eau d'un des récipients est ensuite transvidée devant lui dans un récipient plus étroit (photo du bas). Lorsqu'on lui demande si les quantités d'eau dans les deux récipients sont identiques, il répond «non». Il est apparemment impressionné par la hauteur du nouveau contenant et, n'ayant pas encore acquis le principe de la conservation, il ne se centre que sur une dimension de la situation à la fois, en l'occurrence la hauteur du nouveau récipient.

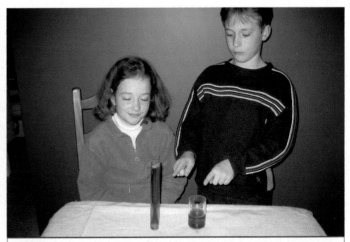

FIGURE 7.8   LE STADE DES OPÉRATIONS CONCRÈTES

Les enfants entrent dans le stade des opérations concrètes à sept ans environ. Au cours de ce stade, ils manifestent les débuts de la logique adulte, mais leur logique a tendance à porter sur des situations concrètes plutôt que sur des idées abstraites. Au stade des opérations concrètes, les enfants peuvent se concentrer sur plusieurs aspects d'un problème à la fois, ce qui facilite la résolution de tâches, comme dans les jeux de société.

ENCADRÉ 7.2
La représentation mentale

Tous les modèles de l'intelligence décrivent la capacité de penser, c'est-à-dire la capacité de manipuler de l'information qu'on se représente mentalement (Cadet, 1998; Richard, 1998). La représentation mentale peut concerner directement des stimuli sensoriels; on parlera alors d'images mentales. On peut, par exemple, se former une image mentale du collège, de l'autobus qu'on a pris le matin ou de la caissière de la cafétéria. Les représentations mentales peuvent aussi être plus abstraites. Les unités de représentation abstraites sont les concepts et les prototypes. Un concept est une catégorie mentale qui comporte des caractéristiques communes. On pourra, par exemple, se représenter mentalement le concept

« oiseau », dont quelques-unes des caractéristiques sont d'être des animaux ovipares qui ont un bec et des ailes. Les concepts sont conservés en mémoire sous forme de structures hiérarchiques, organisées en niveaux croissants de complexité (voir le chapitre 6) : la catégorie « oiseaux » sous la catégorie « animaux »; la catégorie « oiseaux de proie » sous la catégorie « oiseaux ». Un prototype est un exemple typique d'un concept. Pour être un prototype, la représentation mentale devra avoir les caractéristiques moyennes du concept qu'elle représente. L'image mentale d'un moineau pourra constituer un prototype pour le concept oiseau. Une autruche est nettement un moins bon prototype. Ses caractéristiques sont moins conformes au

concept : l'autruche ne vole pas, elle a des ailes rudimentaires, etc.

On peut se représenter consciemment des images mentales, des concepts et des prototypes, par exemple pour générer des hypothèses et solutionner des problèmes. Il est également possible d'activer automatiquement des séquences de modèles mentaux auxquels on ne prête pas consciemment attention. C'est le cas avec les scripts, qui sont des séries de représentations mentales qu'on a apprises par expérience (Kagan, 1984). On activera, par exemple, le script « restaurant » pour guider notre comportement en allant souper. Par le script, on sait comment commander, comment indiquer qu'on veut la facture, comment payer en laissant un pourboire, etc.

---

schèmes de la pensée opératoire concrète suffisent aux problèmes de la vie courante. Piaget lui-même remarquait qu'il n'utilisait la pensée formelle que 15 minutes par jour.

La principale caractéristique de la pensée opératoire formelle est la capacité à manipuler mentalement des abstractions. Les adolescents et les adultes qui ont atteint le stade opératoire formel sont capables de résoudre des problèmes géométriques concernant des cercles et des carrés sans se référer à ce que les cercles et les carrés peuvent représenter en réalité. L'encadré 7.2 présente des précisions sur le raisonnement et les représentations mentales.

Les personnes qui ont atteint le stade des opérations formelles peuvent former des hypothèses et prévoir des solutions en essayant systématiquement plusieurs possibilités. La pensée formelle transparaît dans deux opérations mentales qui consistent à faire des inférences logiques : ces opérations sont la **déduction** et l'**induction**, schématisées à la figure 7.9.

Déduction
Conclusion qu'on applique à un cas particulier en partant de lois générales.

Induction
Loi générale qu'on construit à partir de cas particuliers.

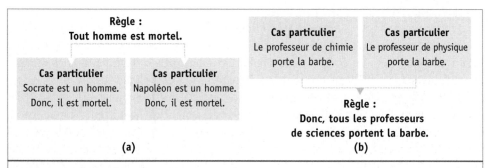

FIGURE 7.9   LA DÉDUCTION ET L'INDUCTION

La déduction et l'induction sont deux types de modes de raisonnement sur lesquels peuvent porter la pensée formelle. (a) Dans la déduction, le raisonnement part d'une règle générale, qui sert à inférer des conclusions portant sur des cas particuliers; (b) dans l'induction, au contraire, le raisonnement est une généralisation consistant à inférer une règle générale à partir de l'observation de cas particuliers.

Une déduction est une conclusion qu'on applique à un cas particulier en partant de lois générales. On apprend par exemple que les chauffeurs de taxi de Rome chantent tous en conduisant (la loi générale). En montant dans un taxi dans cette ville, on pourra déduire que le chauffeur qui le conduit (le cas particulier) devrait donc chanter. Une induction, au contraire, est une loi générale qu'on construit à partir de cas particuliers. On remarque par exemple dans trois restaurants japonais de suite (trois cas particuliers) que les clients s'assoient par terre pour manger. On en induit donc la loi générale que les clients s'assoient par terre pour manger dans tous les restaurants japonais.

Dans le cas d'une déduction constituée par un groupe de propositions unies par des liens logiques rigoureux comportant deux prémisses et une conclusion, on parle de **syllogisme**.

Syllogisme
Forme de raisonnement par lequel une conclusion est tirée de deux énoncés ou prémisses.

7.2.2 LES MODÈLES INTÉGRATIFS DE L'INTELLIGENCE

Deux modèles intégratifs proposent une définition multi-dimensionnelle de l'intelligence : le modèle des intelligences multiples de Gardner et le modèle triarchique de Sternberg.

• LE MODÈLE DES INTELLIGENCES MULTIPLES

Pour Gardner (1993 ; 2000), il n'existe pas une faculté univoque d'intelligence, mais huit types d'intelligence qui impliqueraient des circuits neuronaux distincts.

L'intelligence verbale concerne les aptitudes avec le langage. L'intelligence mathématique concerne les aptitudes avec les nombres et les aptitudes logiques. L'intelligence spatiale concerne la capacité à se représenter l'espace. Les tests de QI feraient surtout appel à l'intelligence verbale et à l'intelligence mathématique, et, dans une moindre mesure, à l'intelligence spatiale. L'intelligence kinesthésique concerne les habiletés corporelles. C'est la forme d'intelligence qui permet de sculpter ou de danser. L'intelligence musicale concerne la sensibilité aux rythmes, aux sons et aux timbres. L'intelligence naturaliste, un ajout plus récent au modèle, concerne la sensibilité à la nature. L'intelligence intrapersonnelle concerne la capacité de se comprendre et de se maîtriser. L'intelligence interpersonnelle concerne la capacité d'empathie et d'écoute d'autrui. Elle dépend largement de l'intelligence intrapersonnelle (Gardner et autres, 1996).

Les personnes qui excellent dans des domaines particuliers, comme ceux qui sont illustrés à la figure 7.10, ont développé l'un ou l'autre des types d'intelligence : les compositeurs et les chanteurs mettent à profit leur intelligence musicale ; les écrivains et conférenciers s'illustrent par leur intelligence verbale ; les athlètes et les comédiens utilisent leur intelligence kinesthésique ; les architectes font valoir leur intelligence spatiale. L'intelligence logique-mathématique est requise des scientifiques. L'intelligence naturaliste est liée à la capacité d'interagir avec la nature. Enfin, un bon psychologue devrait avoir développé son intelligence interpersonnelle (habileté dans les relations sociales) et son intelligence intrapersonnelle (liée à la connaissance de soi) (Walters et Gardner, 1986).

FIGURE 7.10 LES DIFFÉRENTS TYPES D'INTELLIGENCE SELON GARDNER

Jacques Languirand (a) et Michel Tremblay (b) représentent, chacun à leur façon, l'intelligence verbale. La cantatrice Karina Gauvin (c) est un exemple de personne à l'intelligence musicale développée, alors que José Théodore (d) illustre bien l'intelligence kinesthésique.

ÉCLAIRCISSEMENT DE L'AMORCE

Lisa, avec sa facilité à l'école, semble avoir une bonne intelligence verbale et une bonne intelligence mathématique. Sa cousine Nancy, qui se lie facilement avec les gens, a sans doute une intelligence interpersonnelle mieux développée. Elle est aussi plus sûre d'elle, parce qu'elle a une meilleure intelligence intrapersonnelle.

• LE MODÈLE TRIARCHIQUE DE STERNBERG

Modèle triarchique
Modèle du fonctionnement de l'intelligence qui comporte trois composantes.

Sternberg (1985 ; 2000) propose un autre modèle intégratif de l'intelligence : le **modèle triarchique**. Ce modèle regroupe en trois dimensions une multitude d'aspects de l'intelligence. Selon Sternberg, l'intelligence est un ensemble de facultés mentales qui permettent de traiter de l'information (la dimension analytique), d'inventer (la dimension créative) et de maîtriser les aspects concrets et humains des tâches cognitives (dimension pratique).

La **dimension analytique** (ou **compositionnelle**) de l'intelligence est celle qui se rapporte à la capacité de traiter et d'analyser l'information. Elle rend compte des opérations mentales nécessaires pour résoudre un problème d'analogie comme le suivant :

Une péninsule est à un continent ce qu'_____ est à un océan.

1. une rivière   2. un cap   3. un golfe   4. un lac   5. une île

La résolution de ce problème requiert une première opération mentale consistant à reconnaître et à différencier les concepts de *péninsule*, de *continent* et d'*océan*. Une deuxième opération mentale consistera à établir les correspondances qui peuvent exister entre péninsule et continent, afin de déterminer la correspondance qui pourra s'appliquer au terme océan. La dimension analytique de l'intelligence est la plus sollicitée dans les tâches scolaires. Elle rassemble le type d'habiletés que mesurent les tests d'intelligence et aussi les opérations formelles décrites par Piaget. Dans le modèle de Gardner, elle correspond surtout aux intelligences verbale et mathématique.

**Dimension analytique
(ou compositionnelle)**
Aspects de l'intelligence qui se rapportent à la capacité d'appliquer des raisonnements logiques.

APPROFONDISSEMENT

ENCADRÉ 7.3
Créativité et résolution de problème

L'intelligence permet certes de résoudre les problèmes quotidiens, mais un individu créatif peut se montrer plus apte à résoudre des problèmes qui n'offrent pas de solutions toutes faites ni de formules éprouvées.

La créativité est un concept énigmatique. Selon de nombreux psychologues, il s'agit de la capacité à créer des associations inhabituelles et parfois lointaines entre les éléments d'un problème, en vue d'exploiter de nouvelles combinaisons permettant d'atteindre les objectifs fixés. L'un des aspects essentiels de la réponse créatrice est le saut des éléments du problème à la solution inédite (Amabile, 1983). Une solution prévisible n'est pas particulièrement créatrice, même si elle est difficile à atteindre.

Selon Guilford (1959; Guilford et Hoepfner, 1971), la créativité nécessite plutôt une pensée divergente. La pensée convergente consiste à se limiter aux faits actuels, l'individu concentrant ses efforts à découvrir la meilleure solution. Par contre, la pensée divergente amène l'individu à associer avec plus d'aisance et de liberté les divers éléments du problème. Elle permet aux pistes de se déployer dans un champ à peu près illimité, l'individu s'efforçant alors de déterminer si ses gestes se combineront plus tard au besoin. Le remue-méninges (*brainstorming*) est un autre terme qui désigne la pensée divergente, lorsqu'elle est effectuée en groupe.

La résolution efficace de problèmes peut nécessiter aussi bien l'apport de la pensée divergente que l'apport de la pensée convergente. La pensée divergente produit d'abord les nombreuses solutions possibles. La pensée convergente est ensuite utilisée pour choisir les solutions les plus viables et pour rejeter les autres.

Il est possible d'utiliser ces deux types de pensée pour résoudre des problèmes concrets de la vie courante qui semblent, de prime abord, sans solution. On doit d'abord procéder à une session intensive de pensée divergente, seul ou en groupe, consistant à énumérer le plus de solutions (directes ou indirectes, logiques ou illogiques, réalisables ou irréalisables) possible. Cette première étape conduit à envisager des solutions auxquelles personne n'aurait d'abord pensé. Par la suite seulement, un tri dans ces diverses possibilités, faisant cette fois appel à la logique, pourrait conduire à résoudre des problèmes en apparence insurmontables, de façon plus éclairée.

Quels sont les facteurs contribuant à la créativité? Guilford (1959) souligne que les individus créatifs démontrent de la flexibilité, de l'aisance dans la production de mots et d'idées, et de l'originalité. Getzels et Jackson (1962) constatent que les élèves créatifs ont tendance à exprimer leurs sentiments plutôt qu'à les inhiber; ils sont généralement enjoués et autonomes. Conger et Petersen (1984) sont d'accord sur le fait que les individus créatifs ont tendance à se montrer indépendants et non conformistes. Mais l'indépendance et la non-conformité ne rendent pas forcément un individu créatif. Les stéréotypes de la personnalité créative entraînent des abus individuels dans le sens de la non-conformité.

La **dimension créative** (ou **de l'expérience**) est la capacité à inventer ou à créer des associations inhabituelles et parfois lointaines entre les éléments d'un problème. L'encadré 7.3 traite des facteurs qui peuvent favoriser la créativité en rapport avec les situations de résolution de problème, tant dans le domaine des arts que dans celui des sciences.

Le mode de pensée qui consiste à inventer des solutions nouvelles ou originales est nommé la **pensée divergente**. On l'oppose à la **pensée convergente**, qui est une approche logique sans recherche d'éléments de solution à l'extérieur de la donnée d'un problème (Shore et Dover, 1987). La pensée divergente est plus intuitive, alors que la pensée convergente est plus systématique. Un chef cuisinier qui use de la pensée convergente va suivre ses recettes et va s'en tenir aux traditions culinaires. Un chef qui use de la pensée divergente va oser un mélange d'ingrédients nouveau et non conforme à une quelconque tradition.

**Dimension créative
(ou de l'expérience)**
Aspects de l'intelligence qui concerne la capacité d'inventer.

Pensée divergente
Processus de pensée que tend à générer de multiples solutions aux problèmes.

Pensée convergente
Processus de pensée qui tend à réduire les possibilités à une seule solution.

ENCADRÉ 7.4
L'intelligence émotionnelle

La conception de l'intelligence qui a longtemps prévalu est celle des psychométriciens, qui met l'accent sur la logique, sur les capacités de traitement de l'information et sur les tâches scolaires. Des critiques constatent que cette conception de l'intelligence isole quelques habiletés cognitives pour les mesurer et qu'elle néglige d'autres habiletés qui sont pourtant essentielles à l'adaptation : les habiletés qui ont trait à la gestion des émotions. Une personne pourra par exemple être douée pour résoudre des analogies et pour mémoriser des chiffres, ce qui lui vaudra un QI élevé dans un test d'intelligence standardisé. Pourtant, cette personne pourra par ailleurs être incapable de faire confiance à ses coéquipiers ou sentir qu'elle est trop en colère pour continuer une discussion, ou encore ne parviendra pas à se distraire quand elle aura des idées noires.

Daniel Goleman (1994) a proposé le terme d'intelligence émotionnelle pour désigner les habiletés mentales qui concernent la compréhension et la gestion des émotions. Goleman insiste sur le rôle que joue le quotient émotionnel dans les performances cognitives dans le monde réel (plutôt que dans les tests) et sur l'actualisation de toutes les habiletés cognitives. Mayer et Salovey (1997) proposent que l'intelligence émotionnelle comporte quatre composantes.

(1) *La conscience de soi.* Reconnaître ses propres émotions est une habileté introspective aussi importante au fonctionnement cognitif que la mémoire ou la logique. Les émotions fournissent des informations indispensables qui permettent d'éclairer des jugements et de fonctionner dans l'ambiguïté du monde réel.

(2) *La régulation émotive.* Les idées noires, l'inquiétude et la colère peuvent submerger les capacités de jugement et nuire à toutes les facultés cognitives.

(3) *La motivation.* L'habileté à choisir des tâches qui nous tiennent à cœur dépend de la capacité à connaître nos émotions. La persévérance et le succès dépendent ensuite de la capacité à résister à la frustration et aux échecs partiels.

(4) *L'empathie.* La capacité de percevoir ce que ressentent les autres est un outil indispensable du fonctionnement interpersonnel. Elle est une composante centrale de la coopération et du leadership. Elle permet aussi la gestion des conflits. L'empathie est nécessaire à tous les rapports humains, autant au travail que dans le couple ou la famille.

Les trois premières composantes rejoignent l'intelligence intrapersonnelle de Gardner, tandis que la dernière correspond à l'intelligence interpersonnelle. Les quatre composantes de l'intelligence émotionnelle rejoignent par ailleurs plusieurs aspects de la dimension pratique de l'intelligence selon Sternberg.

Des tests ont été élaborés pour mesurer les habiletés émotionnelles. Le résultat de ces tests est appelé quotient émotionnel (QÉ), en référence au QI. Les employeurs prennent en compte l'intelligence émotionnelle en sélectionnant leur personnel. La formation des compétences émotionnelles et interpersonnelles fait partie des disciplines enseignées dans de nombreux cours de formation du personnel.

Dimension pratique (ou contextuelle)
Aspects de l'intelligence qui touchent la capacité de s'adapter au milieu.

Connaissance tacite
Règle non dite ayant trait à une situation donnée, notamment en ce qui concerne les rapports humains.

La **dimension pratique** (ou **contextuelle**) est la capacité à s'adapter au contexte. Cet aspect touche, entre autres, à la maîtrise des **connaissances tacites**, c'est-à-dire des règles non dites qui prévalent, notamment en ce qui concerne les rapports humains. Ainsi, la dimension pratique de l'intelligence rend compte d'habiletés comme celle de saisir quelles farces sont appropriées dans tel contexte, ou celle de pouvoir sentir quand il est temps de mettre un terme à une conversation téléphonique. Des connaissances tacites nous permettent de décoder les limites qu'il ne faut pas dépasser et les signes qui nous indiquent que ces limites sont atteintes. Les facultés qui forment la dimension contextuelle impliquent une maîtrise des émotions et concordent avec ce que Goleman (1994) nomme l'intelligence émotionnelle, décrite dans l'encadré 7.4.

Il va de soi que les trois dimensions de Sternberg se retrouvent à des degrés divers chez la plupart des gens : la dimension analytique sera probablement davantage marquée chez un comptable ou un informaticien ; la dimension créative, chez un artiste ; la dimension pratique, chez un politicien.

On retiendra que les dimensions de Sternberg sont cependant difficiles à mesurer. Elles ne sont d'ailleurs pas conçues pour être quantifiées.

ÉCLAIRCISSEMENT DE L'AMORCE

Nancy Soares possède une intelligence pratique très développée. Elle sait comment prendre sa place et elle connaît les règles tacites qui prévalent dans des milieux aussi différents que sa famille, son groupe d'amis et le cégep. Elle réussit beaucoup de choses parce qu'elle se connaît elle-même, qu'elle connaît ses limites et qu'elle sait comment deviner ce que veulent les gens.

Lisa, au contraire, peut ennuyer les gens sans s'en apercevoir et elle commet souvent des maladresses en parlant trop, ce qui trahit des habiletés pratiques moins développées. Par contre, elle peut traduire fidèlement des textes du portugais au français et elle maîtrise la grammaire des deux langues, ce qui est une habileté de la dimension analytique. Elle montre sa créativité en composant des poèmes en portugais, alors que sa cousine invente des farces qui font rire ses amis.

7.3 LES DÉTERMINANTS DE L'INTELLIGENCE

En même temps qu'ils s'interrogeaient sur la nature de l'intelligence, les psychologues se sont intéressés à la question des déterminants de l'intelligence : dans quelle mesure l'intelligence est-elle un trait dont on hérite ? Et dans quelle mesure est-elle le résultat de conditions de vie favorables ? Les chercheurs qui se sont penchés sur cette question sont surtout des psychométriciens qui ont étudié les déterminants de l'intelligence en utilisant des tests de quotient intellectuel ou diverses tâches d'apprentissage.

7.3.1 LES INFLUENCES GÉNÉTIQUES

Les données disponibles sur l'héritabilité de l'intelligence proviennent d'études menées sur des animaux de laboratoire et d'études sur des jumeaux.

La méthode d'accouplement sélectif d'animaux de laboratoire procure un modèle pratique, mais limité, qui ne peut évidemment être reproduit avec des sujets humains. Rosenzweig (1969) a proposé une expérience avec des rats accouplés sélectivement selon leur capacité d'apprentissage d'un trajet dans un labyrinthe. Les rats brillants ont, de fait, eu tendance à avoir des portées brillantes, alors que les rats lents ont eu tendance à avoir des portées lentes. Mais il faut être prudent en généralisant aux humains les résultats obtenus chez les rats. D'autant plus que les habiletés spatiales supérieures des rats de la lignée brillante n'étaient pas associées à des performances supérieures à d'autres tâches d'apprentissage. Par ailleurs, la capacité d'apprentissage du labyrinthe chez les rats n'est pas comparable aux tâches cognitives complexes qui définissent l'intelligence humaine.

La recherche concernant les influences génétiques sur l'intelligence humaine compare le QI des individus selon leurs liens de parenté. De nombreuses recherches ont été effectuées auprès de jumeaux monozygotes (jumeaux identiques) et dizygotes (jumeaux non identiques), et sur des enfants adoptés. Les chercheurs administrent des tests d'intelligence à des personnes qui ont des liens de parenté proches ou éloignés, et qui ont été élevées ensemble ou séparément. Dans toutes ces études, l'intelligence est donc en fait uniquement définie comme le QI, tel que mesuré par les tests d'intelligence. Selon les chercheurs qui utilisent cette méthode, si l'hérédité intervient dans l'intelligence humaine, les proches parents devraient avoir des QI plus semblables que les parents éloignés ou les étrangers, même s'ils sont élevés séparément.

La figure 7.11 est un sommaire des résultats de 100 études sur le QI et l'hérédité, rapportées par Henderson (1982), Bouchard et McGue (1981) ainsi que par Erlenmeyer-Kimling et Jarvik (1963). Les QI de jumeaux identiques (monozygotes) ont des valeurs plus rapprochées que les QI de toutes les autres paires, même lorsque les jumeaux ont été élevés séparément. Les corrélations entre les QI de jumeaux non identiques (dizygotes), de frères ou de sœurs, et de parents et enfants présentent des variations de faibles à modérées. L'absence de corrélation entre le QI de personnes non apparentées qui sont élevées séparément n'est pas surprenante, puisque ces paires ne partagent ni

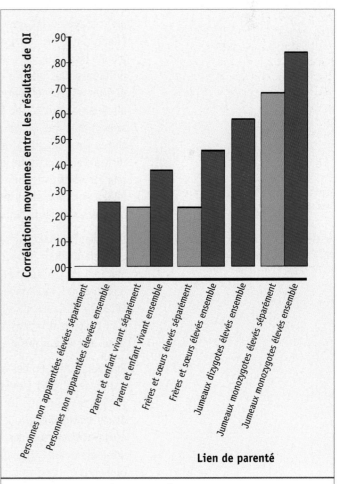

FIGURE 7.11 LES RÉSULTATS D'ÉTUDES SUR LA RELATION ENTRE LE QI ET L'HÉRÉDITÉ

Ces données résultent de la combinaison de centaines d'études. De façon générale, les corrélations s'accentuent chez les personnes qui sont plus étroitement apparentées. Les personnes qui sont élevées ou qui vivent ensemble ont des QI plus rapprochés que les personnes élevées ou vivant séparément. Ces résultats semblent appuyer les hypothèses génétiques et environnementales de l'origine de l'intelligence.

hérédité ni milieu. Les résultats de ces études sont contestés à cause des enjeux politiques et idéologiques qui entourent ces questions.

Dans l'ensemble, ces études semblent démontrer que l'hérédité joue un rôle dans les valeurs de QI. Il faut toutefois souligner que les individus issus de paires génétiques (comme les jumeaux monozygotes) élevés ensemble présentent des corrélations supérieures entre les QI que les individus issus de paires génétiques équivalentes (comme d'autres jumeaux monozygotes) élevées séparément. Ce résultat est valable pour les jumeaux monozygotes, les frères ou sœurs, les parents et enfants ainsi que pour les personnes non apparentées. C'est pourquoi le même groupe d'études tend à démontrer que le milieu peut jouer un rôle dans les valeurs de QI.

7.3.2 LES INFLUENCES DU MILIEU SUR L'INTELLIGENCE

Le milieu, comme déterminant possible de l'intelligence et des capacités d'apprendre en général, a été étudié sous deux angles principaux : d'une part, en tant qu'environnement général où se développe un sujet, d'autre part, en tant que milieu immédiat associé aux conditions où se déroule la passation d'un test.

Le milieu en tant qu'environnement de développement. Les études rapportées au point précédent et menées sur des rates accouplées sélectivement pour leur capacité d'apprentissage du labyrinthe démontrent non seulement l'influence de l'hérédité, mais aussi l'importance de l'environnement. Cooper et Zubek (1958) ont placé dès leur bas âge de jeunes rats issus de parents brillants et d'autres, issus de parents lents, dans des milieux différents. Des rats de chaque groupe ont été élevés dans un milieu « appauvri », c'est-à-dire un milieu ne contenant pratiquement aucun objet pouvant se prêter à l'exploration, alors que d'autres ont été élevés dans un milieu « enrichi », c'est-à-dire des parcs d'amusement pour rats où se trouvaient des rampes, des échelles, des roues et des jouets de toutes sortes. Les rats élevés dans le milieu appauvri ont obtenu des résultats médiocres dans les tâches d'apprentissage du labyrinthe à l'âge adulte, quelle que soit leur lignée. Par contre, les rats élevés dans le milieu enrichi apprenaient le parcours du labyrinthe plus rapidement. Le milieu enrichi a ainsi rétréci l'écart entre le rendement des rats issus de parents brillants et celui des rats issus de parents lents.

Le milieu familial et le type d'éducation semblent influencer le score de QI des jeunes enfants. Les enfants dont les parents sont sensibles sur les plans affectif et verbal, qui procurent le matériel de jeu approprié, qui s'engagent auprès d'eux et qui fournissent des expériences quotidiennes variées pendant les premières années, obtiennent des QI supérieurs plus tard (Bradley et Caldwell, 1976 ; Elardo et autres, 1975). L'organisation et la sécurité familiales sont également reliées à des QI supérieurs à des âges ultérieurs ainsi qu'à un rendement plus élevé aux tests subis au cours de la première année scolaire (Bradley et Caldwell, 1984).

Plusieurs autres études appuient la théorie voulant que le milieu du jeune enfant soit lié à des scores de QI plus élevés ainsi qu'à la réussite scolaire. Par exemple, McGowan et Johnson (1984) révèlent que les bons rapports parent-enfant et l'incitation maternelle à l'indépendance transparaissent dès l'âge de trois ans dans leurs performances aux tests de QI. Quelques études révèlent que des enfants de 24 mois soumis à davantage de restrictions et de punitions présentent par la suite des QI inférieurs (Bee et autres, 1982). Il est également connu que des orphelins élevés en institution voient leur score augmenter lorsqu'ils sont adoptés et qu'ils se mettent à bénéficier d'un environnement enrichi.

Le milieu en tant qu'environnement immédiat. La situation dans laquelle les tests sont administrés peut en partie expliquer les différences de QI associées au contexte socio-économique. Dans une étude menée par Zigler et ses collègues (1982), les expérimentateurs ont fait en sorte que les enfants soient aussi à l'aise que possible durant le test. Au lieu d'être froids et neutres, ils étaient chaleureux et amicaux, et prenaient soin de s'assurer que les enfants comprenaient les directives. L'anxiété des enfants devant le test était donc considérablement réduite et le QI mesuré chez eux était de six points plus élevé que celui d'un groupe témoin traité d'une manière indifférente. Par ailleurs, grâce à cette méthode, les enfants défavorisés ont réalisé des gains plus importants que les enfants de classe moyenne. En rendant les conditions d'évaluation optimales pour tous les enfants, les examinateurs ont pu rétrécir l'écart de QI entre les enfants favorisés et défavorisés, ce qui démontre l'importance des facteurs situationnels dans la mesure du QI.

 MYTHE OU RÉALITÉ 4

Il est faux de prétendre que le QI est une donnée fixe qui ne change jamais au cours de la vie. Comme on l'a vu, tant les conditions de passation du test qu'un développement en milieu enrichi peuvent entraîner des variations dans la mesure du QI.

7.3.3 LES DÉTERMINANTS GÉNÉTIQUES DE L'INTELLIGENCE : UN SUJET À CONTROVERSE

En 1969, Arthur Jensen publie un article intitulé « À quel point pouvons-nous améliorer le QI et la réussite scolaire ? »[1] dans la *Harvard Educational Review* (Jensen, 1969). Il y affirme que 80 % de la variabilité dans les valeurs de QI est héréditaire, ce qui suscite une vive polémique. Jensen est même hué dans ses cours parce qu'il affirme que la différence de QI entre les Américains blancs et les Américains noirs est déterminée génétiquement, prétendant ainsi justifier, sur des bases biologiques, l'aliénation sociale et économique d'une partie importante de la population des États-Unis.

Jensen pousse son argumentation encore plus loin en soutenant que le QI est lié à d'autres traits, comme la couleur de la peau. Il mène en 1976 une grande étude comparative sur le QI de 600 jeunes Noirs et de 600 jeunes Blancs aux États-Unis, pour constater que les Blancs possèdent un QI moyen supérieur de 15 points à celui des jeunes Noirs. Jensen s'est appuyé sur ces résultats pour prétendre que ce sont les QI inférieurs des Noirs qui sont responsables du fait que ces derniers se retrouvent dans des classes socio-économiques moins favorisées, alors que l'on attribue généralement les différences de QI entre Blancs et Noirs au fait que ces derniers proviennent de couches socio-économiques inférieures pour lesquelles les tests de QI sont moins appropriés. Il tente d'ailleurs d'appuyer sa position en se servant des travaux de Cyril Burt, un psychologue britannique connu. Toutefois, après la mort de Burt, les données de ce dernier sont analysées de nouveau et contestées, notamment par Kamin (1974), qui découvre des lacunes dans les travaux de Burt.

ENCADRÉ 7.5
Les enjeux idéologiques de la question de l'intelligence

APPROFONDISSEMENT

Le problème de la détermination des causes de l'intelligence est compliqué par le fait que certaines positions théoriques pourraient s'opposer à certains enjeux idéologiques. Par exemple, des recherches qui mettraient en évidence qu'une race est génétiquement supérieure sur le plan du QI se heurteraient d'emblée à la position de ceux qui, au départ, refusent cette possibilité pour des raisons idéologiques. Francis Galton, cousin de Charles Darwin, fut un des premiers chercheurs à se pencher sur

la question. Il est surtout connu pour avoir fondé l'eugénisme, un projet politique visant l'amélioration du bassin génétique du peuple anglais. Croyant que l'intelligence était entièrement une affaire de gènes, il a proposé que l'État encourage les gens intelligents à se marier entre eux et qu'il paie les gens moins intelligents pour qu'ils ne procréent pas. Ses idées ont eu une grande influence, notamment dans les pays anglo-saxons et scandinaves. Même au Québec, on a stérilisé, jusque dans les années 1960, des

personnes étiquetées comme « déficientes mentales » pour éviter la dissémination de leurs « mauvais » gènes. C'est cependant dans l'Allemagne nazie que les idées eugéniques ont été appliquées à l'extrême, mettant au grand jour les abus auxquels elles peuvent conduire, alors que les personnes jugées porteuses de gènes indésirables ont été systématiquement exterminées.

---

1. Traduction de l'auteur

APPROFONDISSEMENT

ENCADRÉ 7.6
Les tests d'intelligence sont-ils équitables ?

Qu'est-ce qu'un bréviaire ? Qu'est-ce que le droit canonique ? Ces questions mystérieuses font partie du sous-test vocabulaire du test Barbeau-Pinard. Selon les concepteurs du test, une personne intelligente est censée connaître le nom du livre de prières d'un prêtre et celui du code de loi de l'Église. Les personnes qui sont testées aujourd'hui, dans un monde où ces connaissances sont devenues moins importantes, sont comparées avec des échantillons normatifs testés en 1948. Tous les tests d'intelligence mettent de l'avant des valeurs culturelles et des connaissances spécifiques qui peuvent défavoriser des parties de la population. Ainsi, dans les années 1920, des milliers d'immigrants aux États-Unis avaient été estimés déficients sur la base de leurs performances aux tests de QI. Or, beaucoup de ces immigrants ne comprenaient pas encore la langue de ces tests !

Snyderman et Rothman (1988) rapportent qu'une majorité de psychologues et de spécialistes américains en éducation considèrent que les tests d'intelligence ne

sont pas impartiaux envers les membres des classes défavorisées. Les enfants de milieux défavorisés obtiennent des QI de 10 à 15 points inférieurs à ceux des enfants des classes privilégiées. Pire, les enfants noirs ont tendance à obtenir des QI de 15 à 20 points inférieurs à ceux des enfants blancs du même groupe d'âge (Hall et Kaye, 1980 ; Lohlin et autres, 1975). En fait, ces différences de QI reflèteraient un accès inégal à l'éducation.

Le rendement scolaire moins élevé de certains enfants s'explique souvent davantage par des facteurs externes que par une différence confirmée de l'intelligence. Chez les groupes minoritaires, ces facteurs peuvent découler de l'immigration tardive de la famille de l'enfant (qui ne connaît donc pas nécessairement la langue du pays d'accueil) ou provenir des conséquences d'un état de guerre dans le pays d'origine, entraînant des conditions socio-économiques difficiles, une instabilité familiale, et parfois même l'impossibilité de fréquenter l'école (rapporté par Huffman et autres, 2000).

Au Québec, les différences sont peu marquées entre les Québécois d'origine et les immigrants de différents groupes ethniques. En effet, des études effectuées par des commissions scolaires ne révèlent que peu de différences entre le rendement scolaire d'enfants québécois et celui d'enfants néo-québécois. Ces légères différences sont d'ailleurs tantôt en faveur du premier groupe et tantôt en faveur du second. Chouinard (2002) rapporte même que les enfants d'origine vietnamienne surpassaient les enfants francophones dans des épreuves de français. En mathématique, les enfants Québécois d'origine française n'arrivaient qu'au sixième rang. Les résultats supérieurs des étudiants d'origine asiatique pourraient être dus aux valeurs différentes que l'on trouve à la maison. Dans des épreuves d'aptitudes scolaires menées à l'échelle mondiale, les enfants des pays de l'Extrême-Orient surpassent presque toujours ceux des autres parties du monde (Stevenson et autres, 1986).

Comme y fait allusion l'encadré 7.5, les idées de Jensen et Burt refont régulièrement surface, le plus souvent pour soutenir certaines idéologies, et ce, même si la grande majorité des chercheurs sont en désaccord avec les interprétations discriminatoires que Jensen et Burt donnent des résultats obtenus par les Noirs aux tests de QI. Ainsi, contrairement à ce que prétend Jensen, on considère encore que les différences de QI observables entre les races sont imputables à des facteurs d'ordre socio-économique et plus précisément, à la façon dont les tests sont conçus, car celle-ci tend à favoriser la classe blanche moyenne prédominante (Darou, 1992 ; Elliot, 1988 ; Schiele, 1991). L'encadré 7.6 rapporte certaines recherches qui se sont penchées sur la question de savoir si les tests de QI sont équitables d'une classe socio-économique et d'une culture à l'autre.

L'INTELLIGENCE

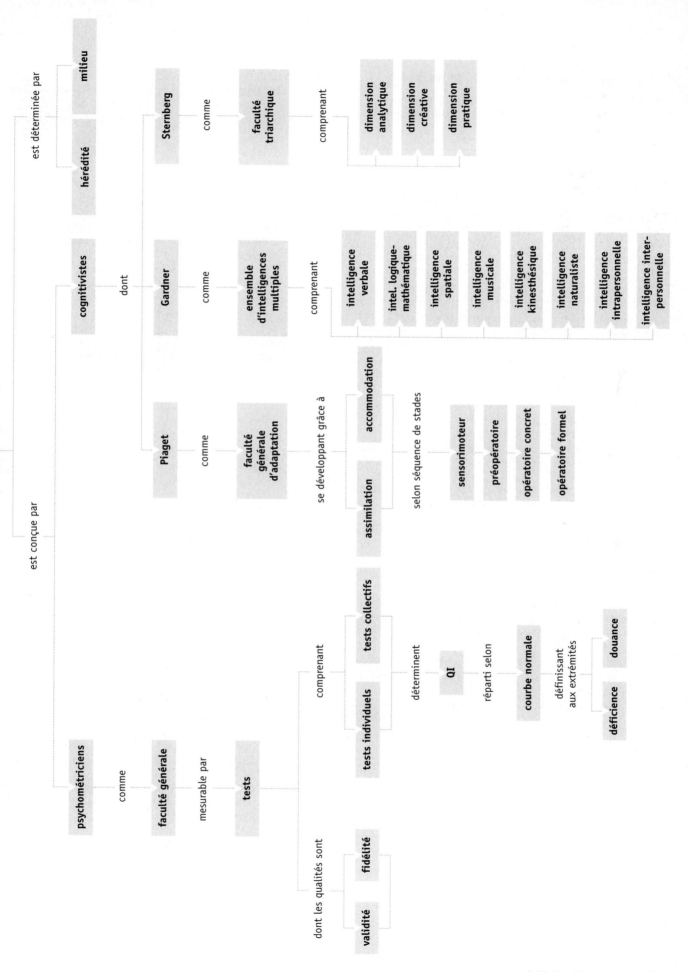

7.1 L'approche psychométrique : la mesure de l'intelligence

1. Associez chaque modèle de l'intelligence avec le concept qui le caractérise.

MODÈLE	CONCEPT
(1) Approche psychométrique	(a) Trois composantes de l'intelligence
(2) Modèle de Piaget	(b) Huit types d'intelligence
(3) Modèle de Gardner	(c) Générale (g)
(4) Modèle de Sternberg	(d) Quatre stades du développement de l'intelligence

2. Lequel de ces énoncés concernant le quotient intellectuel est faux ?

   a) L'âge mental est l'ancêtre du quotient intellectuel.
   b) La formule de Stern prend en compte l'âge mental et l'âge chronologique des enfants.
   c) Le QI de dérivation est une comparaison de la performance d'un enfant à un test avec celle d'un groupe d'enfants du même âge.
   d) Les résultats des tests de type Wechsler rapportent l'âge mental des enfants.

3. Lequel de ces énoncés concernant l'approche psychométrique de l'intelligence est faux ?

   a) L'intelligence est une caractéristique des individus que l'on peut quantifier comme leur taille ou leur degré de myopie.
   b) L'intelligence n'est pas en relation avec la réussite scolaire.
   c) L'intelligence se distribue selon la courbe normale.
   d) L'intelligence est une faculté unique qui sous-tend les performances cognitives.

4. Pour chacun des énoncés suivants, indiquez, en cochant la case appropriée, si l'énoncé concerne la fidélité ou la validité.

	FIDÉLITÉ	VALIDITÉ
(1) Le collège observe que les résultats des candidats à l'admission au test Otis-Ottawa lui permet de prédire quels candidats vont réussir leurs études.		
(2) Si l'administration du test a lieu le matin, les résultats seront les mêmes que si l'administration a lieu l'après-midi.		
(3) Un test peut détecter précocement les étudiants doués.		
(4) Deux formes équivalentes d'un même test génèrent des résultats comparables.		

5. Les personnes dont le QI est supérieur à _____ sont généralement considérées comme étant surdouées, alors que celles ayant un QI inférieur à _____ sont classées comme déficientes sur le plan intellectuel.

7.2 L'approche cognitive

1. Complétez les phrases suivantes.

   a) L'_____ désigne la capacité de connaître un nouvel objet en utilisant des compétences déjà acquises.
   b) L'_____ désigne la transformation des manières de pensée d'une personne.
   c) Un _____ est un type de manipulation motrice ou mentale.

2. Associez chacune des caractéristiques indiquées ci-dessous au stade du développement piagétien approprié.

STADE	CARACTÉRISTIQUE
(1) Le stade sensori-moteur	(a) La maîtrise des schèmes de réversibilité et de compensation
(2) Le stade préopératoire	(b) La maîtrise de la logique abstraite
(3) Le stade des opérations concrètes	(c) Le développement de la fonction symbolique
(4) Le stade des opérations formelles	(d) L'acquisition de l'objet permanent

3. Pour chacun des énoncés suivants, nommez lequel des huit types d'intelligence de Gardner est mis à contribution.

   a) Les contrôleurs aériens doivent pouvoir penser en trois dimensions.
   b) L'étudiant efficace dans l'étude pour son examen de psychologie sait prévoir les parties de la matière qui vont lui causer le plus de problèmes.
   c) En arrivant à Lucknau, mère Saint-Ours a très vite appris les rudiments du hindi.
   d) L'ingénieur Langevin a conçu un nouveau système informatique pour gérer le trafic du métro.

4. Pour chacun des énoncés suivants, nommez laquelle des trois dimensions d'intelligence de Sternberg est mise à contribution.

   a) Une bonne capacité à interagir avec autrui.
   b) À cinq ans, le fils d'un pêcheur gaspésien invente quatre sortes de nœuds.
   c) Madame Carette sait comment parler aux caissières de la caisse populaire pour obtenir les renseignements dont elle a besoin.

7.3 Les déterminants de l'intelligence

Phrases à compléter

1. Les données sur l'héritabilité de l'intelligence proviennent d'études menées auprès de _____.

2. L'_____ est une théorie qui vise à «améliorer» scientifiquement le profil génétique d'une population.

3. Un milieu stimulant peut _____ les performances d'enfants aux tests de QI.

Pour aller plus loin...

Volumes et ouvrages de référence

BUZAN, T. et B. BUZAN (2003). *Dessine-moi l'intelligence*, Paris, Éditions d'organisation.

DORTIER, J-F. (1999). *Le cerveau et la pensée*, Paris, Éditions Sciences humaines.

DUCROCQ, A. (1999). *L'esprit et la neuroscience*, Paris, Éditions JC Lattes.

Quelques synthèses récentes qui présentent, notamment, un point de vue neurologique sur l'intelligence.

Périodiques

VAILLÉ, H. (2004). «Qu'entend-on par intelligence? Peut-on la mesurer? Une ou multiple? Innée ou acquise?», *La revue Sciences humaines*, n° 153, octobre 2004.

Une synthèse facilement accessible sur les problèmes que pose la question de l'intelligence en psychologie.

«Les secrets de l'intelligence : comment votre cerveau produit ses connaissances», *Science et vie*, n° hors série 222, 2003.

Numéro spécial faisant un tour d'horizon intéressant sur l'intelligence, d'un point de vue neurologique.

Sites Internet

Site sur la douance, qui comprend des informations très complètes sur la psychométrie :

http://www.douance.org/qi/intelligence.htm

Site mis en ligne par l'Université de Genève et qui présente des définitions du lexique de Piaget. Beaucoup des définitions proviennent du livre de Legendre-Bergeron, une chercheure de l'Université Laval :

http://tecfa.unige.ch/tecfa/teaching/UVLibre/0001/bin06/piaget/piaget.htm

Quelques sites présentant des tests en ligne :

Des tests de QI : http://www.testdeqi.com/test_de_qe.html

Des tests d'intelligence émotionnelle (QÉ) :
http://www.psychodix.com/testdeqe.html

Des tests de personnalité, de quotient émotionnel et de compétences présentés dans une perspective de choix de carrière :

http://qc.ctest.centraltest.com/esptest/@test/part_liste.php et
http://www.abannonces.com/conseils-modeles-cv/test-qi-test-personnalite-test-psychotechnique.php

Films, vidéos, cédéroms, etc.

TURMEL, G. (2002). *Les intelligences multiples : une idée brillante.*
Un film québécois qui défend le point de vue de Gardner.

OFFICE NATIONAL DU FILM. (1972). *Au seuil de l'opératoire.*
Film présentant quelques expériences classiques de Piaget sur la conservation. Excellent pour illustrer la différence entre les comportements préopératoires et opératoires.

SOCIÉTÉ RADIO-CANADA. (1995). «La douance», série *Enjeux*.
Rappel des divers types d'intelligence suivi de propos sur les problèmes d'adaptation au milieu qui peuvent se poser pour l'enfant surdoué.

Chapitre 8

JOSÉE PARADIS

L'émotion

PLAN DU CHAPITRE

MYTHES OU RÉALITÉS ?

Pour savoir si ces affirmations sont vraies ou fausses, trouvez les rubriques *MYTHE OU RÉALITÉ.*

1. On peut tromper un détecteur de mensonge simplement en se tordant les orteils.

2. Certaines expressions faciales sont universelles.

3. Il a été prouvé que le simple fait de se forcer à sourire peut contribuer à modifier positivement l'humeur d'un individu lorsqu'il se sent déprimé.

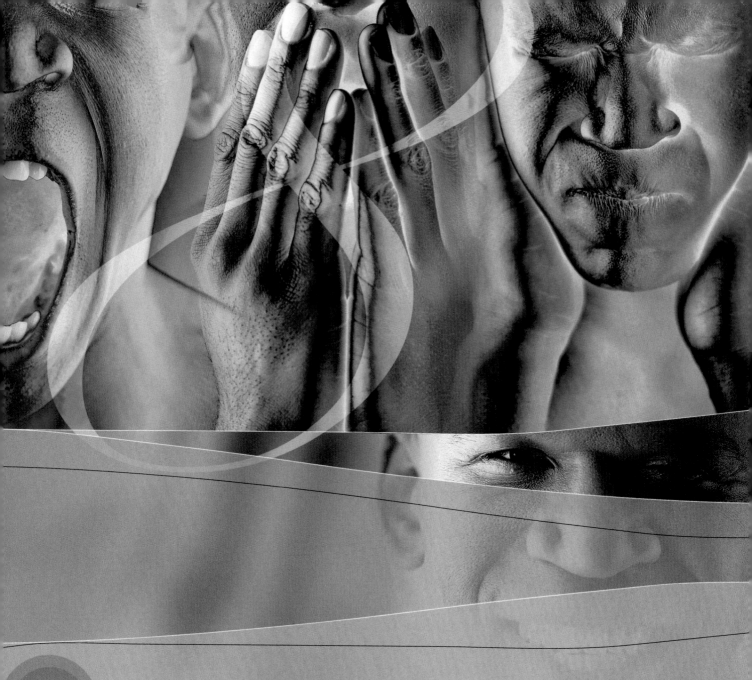

CIBLES D'APPRENTISSAGE

Après avoir lu ce chapitre, vous devriez être en mesure :

• de nommer les principales composantes de l'émotion;

• d'expliquer les résultats de l'expérience de Schachter et Singer;

• de nommer des expressions faciales interprétées universellement de la même façon du point de vue de l'émotion;

• d'expliquer à quel phénomène se rapporte l'hypothèse de la rétroaction faciale;

• de distinguer les éléments de l'expression des émotions suivants : la posture, la gestuelle, la distance interpersonnelle; et de donner un exemple pour chaque cas;

• d'expliquer en quoi la théorie de Plutchik peut être considérée comme une théorie adaptative;

• de nommer différentes émotions et de donner pour chacune des informations sur leurs composantes situationnelles, cognitives et physiologiques.

Depuis quelques jours, Annabelle vit une peine d'amour. Martin a rompu et elle ne s'y attendait pas. Ses amis ont remarqué des changements de comportement : elle a une mine triste, elle parle moins, pleure souvent, même sa démarche est plus lente. Annabelle réfléchit beaucoup à tout ce qu'ils ont vécu ensemble, elle et Martin. Elle a de la difficulté à se concentrer en classe. Hier, en histoire, elle n'était pas attentive et elle n'a pas pris de notes pendant une bonne partie du cours.

Les émotions donnent de la couleur à la vie. L'état affectif d'un individu vient «teinter» sa vie. Ne dit-on pas : «Il était blanc de peur», «Elle est devenue rouge de colère» ou «Il a les bleus aujourd'hui» (mélancolie)? Il existe toute une gamme d'émotions. Les émotions agréables telles que la joie peuvent agrémenter les journées, mais les émotions désagréables comme la tristesse, la peur et la colère peuvent plonger un individu dans le désespoir et rendre son quotidien misérable. L'étude des émotions est passablement complexe, car elle dépend d'un ensemble de facteurs, comme l'illustre la section suivante. Nous verrons d'abord les principales composantes de l'émotion de même que certaines des formes que peut prendre l'expression des émotions. Nous présenterons ensuite une façon de classer l'éventail des émotions, nous nous pencherons sur quelques émotions tirées du quotidien et nous terminerons par un coup d'œil sur le caractère adaptatif des émotions.

8.1 LES COMPOSANTES DE L'ÉMOTION

Émotion
État affectif dont les composantes sont d'ordres physiologique, situationnel et cognitif.

Les chercheurs s'entendent généralement pour dire que l'**émotion** est un état affectif qui comporte trois composantes de base, mais la façon dont ces composantes interagissent pour produire l'expérience émotionnelle a été, et est encore, l'objet de divergences d'opinions.

8.1.1 LES TROIS COMPOSANTES DE BASE

Les trois composantes de base qui interviennent dans l'expérience émotionnelle sont d'ordres situationnel, cognitif et physiologique. Cela peut être illustré par un simple exemple. La vue d'un ours en forêt (situation), si elle est associée à la perception d'une menace et à la conviction d'être en danger (cognition), engendre des réactions physiologiques telles que battements du cœur, respiration rapide, transpiration abondante et tension musculaire élevée (manifestations physiologiques).

• LA COMPOSANTE SITUATIONNELLE

Composante situationnelle
Expression correspondant aux éléments caractérisant une situation susceptible de conduire à une émotion.

Même les auteurs qui mettent l'accent sur les composantes physiologiques ou cognitives (décrites dans les sections suivantes) s'entendent sur un fait : à l'origine d'une émotion, il y a, sauf dans le cas de certaines psychopathologies, un événement ou une situation donnée. C'est ce à quoi on fait référence quand on parle de **composante situationnelle**. Évidemment, la personne doit être en mesure de percevoir l'événement ou la situation, c'est-à-dire que ses organes sensoriels doivent être sollicités et fonctionnels. Voici quelques exemples d'événements, positifs comme négatifs, qui sont susceptibles de déclencher des émotions plus ou moins intenses : une rupture, un deuil, gagner à la loterie, l'achat d'un objet longtemps convoité, une rencontre amoureuse ou, plus simplement, l'écoute d'une chanson ou une ballade en voiture. Il importe ici d'ajouter que l'activation physiologique et les pensées associées aux événements détermineront pour la personne la nature et l'intensité de son émotion.

• LA COMPOSANTE COGNITIVE

Les situations que l'on rencontre dans la vie courante ne provoquent pas toutes une réaction d'ordre émotionnel. Beaucoup d'entre elles sont tout simplement anodines, sans signification particulière pour la personne, ou encore n'entraînent qu'une simple réaction de curiosité ou d'adaptation ; d'autres, par contre, vont amener une émotion particulière. Lors d'une promenade en forêt, par exemple, la vue d'une feuille qui tombe ou celle d'un sentier qui oblique vers la droite ne déclenchera pas une émotion particulière, mais la vision d'un ours au détour d'un sentier peut en provoquer une. La raison en est simple : le cerveau interprète ce stimulus comme doté d'une signification différente de celle d'une feuille ! Et encore là, l'interprétation à donner au stimulus « ours » peut varier : alors qu'une personne sera immédiatement saisie par la crainte, une autre, habituée aux promenades en forêt et à la vie sauvage, sera excitée à la vue de l'animal et éprouvera du plaisir à le regarder évoluer. La nature de l'émotion susceptible d'être éprouvée face à un stimulus dépend donc de l'interprétation qu'on fait initialement de la situation : c'est la **composante cognitive**, dont le rôle est extrêmement important dans la réaction émotionnelle.

• LA COMPOSANTE PHYSIOLOGIQUE

L'émotion comporte également une **composante physiologique**. En effet, lorsqu'une personne est sujette à une émotion telle que la peur ou la colère, la branche sympathique du système nerveux autonome (illustrée à la figure 2.8 du chapitre 2) est activée, ce qui se traduit par un ensemble de réactions physiologiques, dont les plus caractéristiques sont des battements du cœur, une respiration rapide, de la transpiration et une tension musculaire élevée. Ce sont d'ailleurs ces réactions qui sont mesurées par ce qu'il est généralement convenu d'appeler

Composante cognitive
Expression faisant référence au rôle que l'interprétation joue dans l'émotion qui sera ressentie par un individu.

Composante physiologique
Expression faisant référence à l'ensemble des réactions corporelles observées dans toute manifestation d'ordre émotionnel.

ENCADRÉ 8.1
Les détecteurs de mensonge

APPLICATION

Le polygraphe, ou « détecteur de mensonge », est un appareil considéré comme capable de distinguer la vérité du mensonge. Son usage met en lumière le lien théorique entre l'activation du système nerveux autonome et l'émotion mais, comme il sera constaté, sa validité a été mise en doute.

Le polygraphe capte quatre indicateurs d'activation du système nerveux sympathique pendant que le témoin ou le suspect est interrogé : le rythme cardiaque, la tension artérielle, la respiration et la réponse électrodermale (résistance électrique de la peau par la transpiration de la paume de la main, par exemple). Il est parfois utilisé dans le processus d'embauche au sein des entreprises ou pour établir un verdict de culpabilité ou d'innocence devant le tribunal. Cependant, son utilisation est controversée.

Les partisans du polygraphe affirment que le dispositif est efficace dans plus de 90 % des cas (Podlesny et Raskin, 1977), mais des études contradictoires indiquent que ces appareils sont loin d'être aussi efficaces et, surtout, qu'ils sont sensibles à autre chose que les mensonges (Kleinmuntz et Szucko, 1984 ; Lykken, 1981 ; Saxe et autres, 1985). Au cours d'une expérience, les participants ont été capables de réduire le taux d'exactitude du polygraphe de 25 % en pensant à des événements excitants ou troublants durant l'entrevue (Smith, 1971). Dans d'autres études, les participants ont eu encore plus de succès : ils l'ont fait chuter à environ 50 % en se mordant la langue (pour engendrer la douleur) ou en appuyant leurs orteils contre le plancher (pour tendre les muscles) durant l'entrevue (Honts et autres, 1985).

En raison des problèmes de validité, les résultats de tests polygraphiques ne sont maintenant plus admis comme preuves suffisantes devant les tribunaux canadiens. Des entrevues polygraphiques sont encore menées au cours d'enquêtes criminelles et lors d'entrevues pour un emploi, mais ces pratiques sont remises en question.

Un chercheur américain du nom de Lawrence Farwell travaille depuis quelques années à l'élaboration d'un autre type de détecteur qu'il a appelé le « détecteur de vérité » ou *brain finger printing* (Farwell, 1999, 2003 ; *Science Presse*, 2004). La méthode de Farwell vise principalement à démasquer des espions ou des criminels. Pendant plusieurs heures, il soumet ses sujets à des stimulations visuelles dont

certaines rapportent des indices que seule la personne qui a commis un acte répréhensible pourrait connaître, et d'autres qui sont choisies au hasard. Pendant que la personne regarde ces stimuli visuels, Farwell enregistre l'activité électrique du cerveau à l'aide d'un électroenchéphalographe. En examinant le profil des tracés électriques, Farwell prétend qu'il est capable de déterminer si la personne connaissait ou non les détails de la situation. Cependant, les recherches se poursuivent, car selon Farwell lui-même, sa méthode n'arrive pas à faire la différence entre les personnes qui ont été témoin d'incidents et les personnes qui en sont responsables.

**LE POLYGRAPHE,
OU DÉTECTEUR DE MENSONGE**

Plusieurs recherches ont mis en évidence le manque de fiabilité du polygraphe, ce qui a remis son utilisation en question.

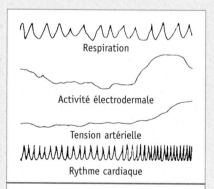

Respiration

Activité électrodermale

Tension artérielle

Rythme cardiaque

TRACÉ OBTENU PAR UN DÉTECTEUR DE MENSONGE

À mesure que l'examinateur pose des questions, la fréquence cardiaque, la tension artérielle, l'activité électrodermale et le rythme respiratoire sont enregistrés. Par la suite, le tracé est analysé. L'analyse tient compte des réponses du sujet et des mesures physiologiques obtenues.

le détecteur de mensonge, dont traite l'encadré 8.1. Par ailleurs, la dépression, caractérisée par une situation de perte, d'échec ou d'inactivité, et par une impression d'impuissance et d'inutilité, fait habituellement intervenir l'activation du système parasympathique. On a cependant pu constater certaines variations d'un individu à l'autre dans une situation donnée. Il n'en demeure pas moins qu'en général, plus l'activation du système nerveux autonome est grande, plus l'émotion est intense (Chwalisz et autres, 1988).

 MYTHE OU RÉALITÉ 1

● *Il est vrai que le simple fait de se tordre les orteils pourrait invalider les résultats du détecteur de mensonge, car la douleur peut influencer les tracés physiologiques obtenus.*

Le tableau 8.1 résume comment interviennent les composantes dont il vient d'être question dans le cas de trois émotions types : la peur, la colère et la tristesse.

TABLEAU 8.1 LES TROIS COMPOSANTES DE BASE DANS QUELQUES EXEMPLES D'ÉTATS ÉMOTIONNELS

| ÉTATS ÉMOTIONNELS | COMPOSANTES | | |
	SITUATIONNELLE	COGNITIVE	PHYSIOLOGIQUE
Peur	Rencontrer un ours dans la forêt	Percevoir l'ours comme une menace	Accélération des rythmes cardiaque et respiratoire, libération de glucose, etc.
Colère	Se faire couper la voie par un autre conducteur	Interpréter l'action de l'autre conducteur comme un acte d'hostilité	Accélération des rythmes cardiaque et respiratoire, tension musculaire élevée, etc.
Tristesse	Échouer à un examen	Percevoir cet échec comme pouvant mettre en péril la réussite du cours	Diminution des rythmes cardiaque et respiratoire, réduction de la tension musculaire, etc.

ÉCLAIRCISSEMENT DE L'AMORCE : *Annabelle vit une peine d'amour. L'annonce de la rupture est la composante situationnelle de ses émotions. Cet événement est à l'origine de sa tristesse. Annabelle «rumine» ses souvenirs des moments vécus avec son ex-copain. C'est la composante cognitive qui accompagne son émotion. De plus, cela affecte d'autres processus cognitifs tels que son attention et sa concentration. Annabelle «manque d'énergie»; c'est la composante physiologique d'une émotion. Dans le cas présent, la tristesse est associée à un ralentissement de l'activité nerveuse, d'où son impression de manquer d'énergie.*

$8.1.2$ INTERACTIONS DES COMPOSANTES ET EXPÉRIENCE ÉMOTIONNELLE

La façon dont les composantes de base interagissent pour donner lieu à l'expérience émotionnelle a généré divers points de vue. Le plus ancien de ceux-ci, exprimé par William James à la fin du XIXᵉ siècle (James, 1890) et repris par la suite par Karl G. Lange (Lange et James, 1967), consistait à dire que ce sont les réactions physiologiques elles-mêmes — vraisemblablement en raison de leur caractère tout à fait manifeste — qui sont génératrices d'émotion. Ainsi, pour James, la peur éprouvée après avoir rencontré un ours est directement provoquée par l'interprétation que nous faisons des réactions physiologiques dues au fait que nous avons couru pour fuir l'ours, d'où la phrase de James devenue célèbre : «J'ai peur parce que je cours.» En somme, les réactions physiologiques ne seraient pas provoquées par les émotions; au contraire, ces dernières surviendraient à la suite des réactions physiologiques, et ce serait les réactions qui provoqueraient les émotions. Autrement dit, selon le point de vue partagé par James et Lange, qu'on désigne généralement comme la **théorie de James-Lange** (voir la figure 8.1), certains stimuli externes (par exemple un ours

Théorie de James-Lange
Théorie selon laquelle les émotions découlent des changements physiologiques survenant lorsque l'organisme réagit à une situation (fuite, attaque, etc.).

ou un incendie) déclenchent des comportements spécifiques d'activation physiologique et d'action, comme le combat ou la fuite. Les émotions qui en résultent seraient alors simplement les représentations cognitives, ou les conséquences secondaires, des réactions physiologiques produites par le système nerveux autonome et des comportements accompagnant ces réactions.

James et Lange laissent entendre qu'un individu peut parfois modifier ses sentiments en changeant son comportement, ce qui peut sans doute s'avérer utile pour modifier certains états d'esprit plutôt négatifs, comme l'état dépressif. En revanche, cette théorie n'explique pas comment certaines modifications physiologiques, telles que l'augmentation du rythme cardiaque chez un individu qui fait de l'exercice, n'induisent aucune émotion ; elle n'explique pas non plus pourquoi, à l'inverse, l'activation physiologique semble être la même dans l'ensemble, quelle que soit l'émotion impliquée (peur ou plaisir). Ces faits semblent donc indiquer que les réactions physiologiques seules ne sont pas suffisantes pour expliquer la présence de l'émotion ou sa nature (peur, plaisir, etc.).

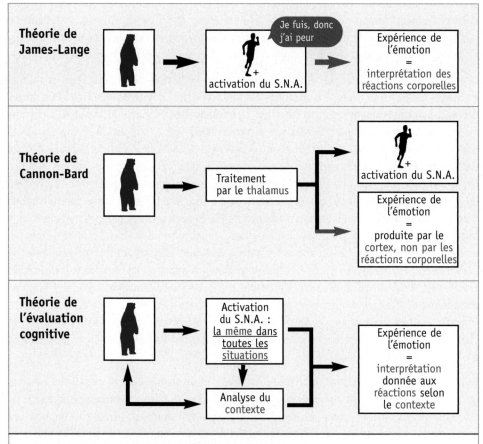

FIGURE 8.1   LES PRINCIPALES THÉORIES DE L'ÉMOTION

Selon James et Lange, les événements déclenchent d'abord une activation physiologique, les émotions découlant de l'évaluation que fait l'individu de ses réactions corporelles. Pour Cannon-Bard, les événements sont d'abord traités par le cerveau, l'activation et les réactions émotives étant ensuite déclenchées simultanément. D'après la théorie de l'évaluation cognitive, finalement, les événements et l'activation sont évalués par l'individu, la réaction émotive provenant de l'interprétation que fait l'individu de la situation et de l'activation, ainsi que du lien qu'il établit entre les deux.

Deux chercheurs, Cannon (1929) et Bard (1934), se sont prononcés en désaccord avec l'explication de James et Lange, soutenant plutôt qu'un événement à la source d'une émotion déclenche simultanément des réactions corporelles (physiologiques et comportementales), d'une part, et, d'autre part, l'expérience subjective d'une émotion. Ainsi, comme l'indique également la figure 8.1, lorsqu'un stimulus est perçu et traité par le cerveau comme représentant une menace à fuir, le cerveau stimule à la fois les activités physiologique et

Théorie de Cannon-Bard
Théorie selon laquelle les émotions et les réactions corporelles sont deux phénomènes séparés s'effectuant en même temps ; les émotions ne sont donc pas produites par des changements corporels, elles les accompagnent.

comportementale appropriées, et l'expérience de l'émotion. Selon cette théorie, dite **théorie de Cannon-Bard**, les émotions ne sont pas produites par des changements corporels, mais elles les accompagnent : que le stimulus soit un ours ou un incendie, les réactions corporelles (par exemple, l'augmentation du rythme cardiaque et la fuite) surviendraient en même temps que l'émotion de peur.

La critique la plus importante à l'égard de la théorie de Cannon-Bard porte justement sur la stimulation simultanée des réactions corporelles et des émotions. Par exemple, tous savent que la douleur ou la perception d'un danger peuvent déclencher une l'activation physiologique chez un individu avant même qu'il ne commence à éprouver de la détresse ou de la peur. Beaucoup d'individus ont connu l'expérience de l'« échapper belle », c'est-à-dire une situation où ils passent à un cheveu d'un grave accident. Comment se fait-il que, sur le coup, ils aient gardé leur calme, pouvant ainsi bien réagir à la situation, alors que, quelques secondes après l'événement, ils se sont mis à trembler et à devenir agités ?

Compte tenu des critiques adressées à l'endroit des théories présentées ci-dessus, deux chercheurs ont proposé une autre façon d'expliquer le phénomène de l'émotion. En raison du rôle particulièrement important que tient l'interprétation dans cette théorie, on l'appelle habituellement la **théorie de l'évaluation cognitive**, et ce, même si les théories de James-Lange et de Cannon-Bard attribuaient déjà, comme on l'a vu, un certain rôle à la composante cognitive.

Théorie de l'évaluation cognitive
Théorie stipulant que, puisque les différentes émotions sont accompagnées d'activations corporelles similaires, l'émotion ressentie dépend de l'évaluation cognitive que l'organisme fait de ses réactions corporelles selon la situation où il se trouve.

Dans une expérience classique, quoique controversée sur le plan méthodologique, Schachter et Singer (1962) ont cherché à démontrer que l'activation physiologique peut être interprétée très différemment selon la situation face à laquelle se trouve un individu. Les chercheurs ont indiqué à des participants que le but de l'expérience consistait à étudier les effets d'une vitamine sur la vision, ce qui était un prétexte. Comme le montre le tableau 8.2, ils ont formé trois groupes expérimentaux et un groupe témoin. Les participants des groupes expérimentaux ont reçu une injection d'adrénaline, une hormone qui augmente l'activation du système autonome, tandis que le groupe témoin a reçu une injection d'une solution saline inactive. Après avoir reçu l'injection d'adrénaline, les participants des groupes expérimentaux ont également subi l'une des trois « manipulations cognitives » suivantes. Le premier groupe, « non informé », n'a reçu aucune information spéciale concernant les effets réels de l'adrénaline. Le deuxième groupe, « mal informé », a quant à lui reçu une information trompeuse, à savoir qu'ils devaient s'attendre à éprouver des démangeaisons, des engourdissements et d'autres symptômes sans aucun rapport avec les effets réels de la substance injectée. Le troisième groupe, « bien informé », a reçu une information exacte au sujet de l'activation physiologique accrue que produit normalement l'adrénaline. Le groupe témoin n'a reçu aucune information.

Après avoir subi les injections, actives ou inactives, et les manipulations cognitives, chaque participant a attendu, en compagnie d'une autre personne faisant apparemment partie de l'expérience, la mise en place du dispositif expérimental destiné à évaluer la vision. Les participants ignoraient que l'individu avec lequel ils attendaient était en fait un complice de l'expérimentateur, dont le but était de modeler leur réaction. Chaque groupe était divisé en deux sous-groupes. Les participants du premier sous-groupe étaient accompagnés d'un complice qui agissait d'une manière joyeuse, lançant des avions de papier en l'air et des boules

TABLEAU 8.2 L'EXPÉRIENCE DE SCHACHTER ET SINGER

GROUPES	INJECTION	MANIPULATION COGNITIVE	COMPORTEMENT DU COMPLICE	COMPORTEMENT DU SUJET
1	Adrénaline	Aucune information	Euphorique ou colérique	Tend à imiter les réactions du complice
2	Adrénaline	Information trompeuse		
3	Adrénaline	Information exacte		Non porté à imiter les réactions du complice
4	Solution saline	Aucune information		

de papier dans la poubelle; les participants de l'autre sous-groupe, d'un complice qui se plaignait de l'expérience, déchirait un questionnaire et quittait la salle d'attente en colère. Pendant que les complices jouaient leur rôle, les chercheurs observaient les participants à travers une glace sans tain afin d'évaluer dans quelle mesure ces derniers étaient portés à réagir émotivement comme le complice qu'on leur avait attribué.

Les participants des groupes expérimentaux « non informé » et « mal informé » ont eu tendance à imiter le comportement du complice. Ceux qui avaient été exposés au complice joyeux se sont comportés d'une manière joviale et satisfaisante, alors que ceux qui avaient été mis en présence du complice fâché ont imité le comportement plaignard et agressif de ce dernier. À l'opposé, les participants du groupe expérimental « bien informé » et ceux du groupe témoin ont été moins influencés par le comportement du complice. Pourquoi ?

Schachter et Singer en sont venus à la conclusion que si les groupes « non informé » et « mal informé » ont réagi comme ils l'ont fait, c'est qu'ils étaient dans une situation ambiguë. Les participants se sentaient activés par l'injection d'adrénaline, mais ils n'avaient aucun fondement pour attribuer cette activation à un événement ou à une émotion ; la comparaison sociale avec le complice les a alors entraînés à attribuer leur activation à la joie ou à la colère, selon l'émotion manifestée par le complice. Le groupe « bien informé », lui, s'attendait à une activation sans conséquence émotive particulière à la suite de l'injection. Les participants de ce groupe n'étaient donc pas dans une situation ambiguë et, en conséquence, n'ont pas été portés à imiter la manifestation de joie ou de colère du complice pour interpréter l'activation ressentie. Quant aux sujets du groupe témoin, qui n'avaient aucune activation physiologique à attribuer à quoi que ce soit, sauf peut-être une activation provoquée par l'observation du complice, ils n'ont pas non plus imité ce dernier. La théorie de l'évaluation cognitive, telle qu'elle a été formulée par Schachter et Singer à la suite de leur expérience, est également schématisée à la figure 8.1.

La méthodologie et les interprétations de Schachter et Singer en regard de leurs résultats ont fait l'objet de nombreuses critiques. En effet, la joie et la colère sont deux émotions très différentes, la joie étant une émotion désirable alors que la colère, pour la plupart des individus, est une émotion indésirable. Pourtant, Schachter et Singer ont affirmé que les différences physiologiques entre ces deux émotions sont si négligeables que des évaluations cognitives opposées de la même situation peuvent entraîner un individu à classer l'activation comme de la joie et un autre individu, comme de la colère. La théorie de Schachter et Singer semble donc se situer à l'opposé de celle de James et Lange, selon laquelle à chaque émotion correspondent des sensations corporelles particulières et facilement reconnaissables. Peut-être les recherches futures démontreront-elles que l'explication véritable se situe quelque part entre ces deux extrêmes. Force est de constater que, pour l'instant, aucune explication ne rend compte de façon satisfaisante du processus à la base de l'expérience émotionnelle.

8.2 L'EXPRESSION DES ÉMOTIONS

Quels que soient les mécanismes qui les génèrent, les émotions peuvent s'exprimer de différentes façons : par l'expression faciale, par la posture et la gestuelle de l'ensemble du corps, ainsi que par la communication verbale.

8.2.1 L'EXPRESSION FACIALE DES ÉMOTIONS

Le visage est une des premières parties du corps à laquelle les chercheurs se sont arrêtés dans leurs études sur les émotions. Ils ont ainsi découvert que certaines expressions sont universelles, et ont même découvert un phénomène qu'ils ont baptisé la rétroaction faciale.

• LE VISAGE, PREMIER REFLET DE L'ÉMOTION

L'expression faciale a longtemps été considérée comme le « reflet » de l'expérience émotionnelle, le visage étant sans aucun doute la partie du corps jouant le rôle le plus important dans l'expression des émotions et dans le décodage de celles des autres. D'ailleurs, cette importance du visage a été mise en évidence même chez les nourrissons (Fantz, 1961). Le sourire se manifeste dès l'âge de six semaines, et le rire est observé dans des situations particulières vers trois ou quatre mois (Malatesta et autres, 1989). Les expressions faciales sont rendues possibles grâce à la combinaison de différents éléments : la bouche (par exemple : amplitude de l'ouverture, exposition ou non des dents), les muscles de la mâchoire et des joues, le regard (mouvement, position des yeux), les sourcils. Par exemple, si les sourcils sont froncés, la mâchoire serrée et la bouche fermée, il se peut que la personne soit fâchée. Si la lèvre inférieure est rabattue vers la bas et les sourcils froncés, la personne boude peut-être. Certaines personnes sont passées maîtres dans l'art de jouer avec ces combinaisons pour simuler des émotions, dont les comédiens (voir à ce sujet l'encadré 8.2 sur les comédiens).

• L'UNIVERSALITÉ DE L'EXPRESSION FACIALE

La question de savoir si les expressions faciales liées aux différentes émotions et la façon de les décoder sont innées et universelles, ou si elles sont apprises et variables d'une culture à l'autre, a été et demeure encore un sujet d'étude riche. Charles Darwin, entre autres, croyait que la reconnaissance universelle des expressions faciales comportait une valeur de survie (Darwin, 1872). Si le fait de montrer les dents, par exemple, était reconnu par tous les peuples comme un signe de colère, cela pouvait aider à reconnaître un ennemi en l'absence de communication verbale.

Le psychologue Paul Ekman est un des premiers chercheurs contemporains à avoir repris la question de l'universalité ou non des expressions faciales et à s'y être penché de façon systématique. Il a pris plusieurs photos d'individus mimant les expressions de la colère, du

ENCADRÉ 8.2

Les comédiens, ces experts des émotions !

L'art de feindre les émotions remonte à très loin dans l'histoire de l'humanité. Préoccupés par la connaissance des émotions, les psychologues ont examiné avec intérêt le travail des comédiens et ont apporté des connaissances qui ont été intégrées dans l'art du jeu.

L'analyse minutieuse des expressions faciales remonte à 1862, alors qu'un médecin français, Guillaume Benjamin Duchesne, de Boulogne, a isolé le mouvement propre à chaque muscle de la face à l'aide d'électrodes, et y a associé une émotion ou un sentiment (Ekman, 1989). Par cette forme de cartographie détaillée des muscles du visage, Duchesne a également observé que certains muscles pouvaient être commandés volontairement et d'autres pas. Par exemple, une lésion dans une partie précise du système limbique, le gyrus préventral, entraîne l'incapacité de sourire volontairement, mais les individus qui en sont atteints peuvent encore sourire spontanément lorsqu'ils éprouvent de la joie.

Le comédien désirant exprimer une émotion doit nécessairement maîtriser certains muscles, mais certains autres continueront d'échapper à sa volonté. Travailler uniquement sur les muscles régis par la volonté ne peut être suffisant pour convaincre véritablement les spectateurs. Les comédiens doivent donc utiliser d'autres techniques afin de pouvoir recréer sur leur visage et sur leur corps les émotions commandées par le texte dramatique.

Dans les années vingt, un grand metteur en scène russe, Constantin Stanislavski, a élaboré une méthode permettant aux comédiens de recréer une émotion. Cette méthode consiste à revivre le plus complètement possible une situation émotionnelle tirée de son vécu (notons ici le lien entre les émotions et la mémoire). Lors des répétitions, l'acteur est invité à se remémorer une scène de son passé correspondant à l'émotion désirée. Par le souvenir détaillé d'un événement malheureux, par exemple, on peut éveiller un sentiment de tristesse. On sait que les émotions négatives ont tendance à faire surgir des souvenirs du même genre. Ici, c'est l'inverse qui est utilisé. Ainsi, l'acteur peut revivre toute la gamme des émotions, pourvu qu'il les ait déjà vécues.

La respiration est une des composantes importantes de l'émotion. Elle semble souvent jouer un rôle central. Les exemples tirés du langage sont très éloquents à ce sujet.

Ne dit-on pas : «Respire par le nez», «Prends de grandes respirations», «J'en ai eu le souffle coupé »?

Ainsi, en reproduisant le plus fidèlement possible les attitudes posturales typiques, les mouvements faciaux et la respiration propres à une émotion donnée, les comédiens arrivent à atteindre l'état émotionnel recherché.

APPROFONDISSEMENT

PATRICK GROULX

Un humoriste comme Patrick Groulx doit souvent exagérer l'expression d'une émotion pour produire l'effet comique voulu.

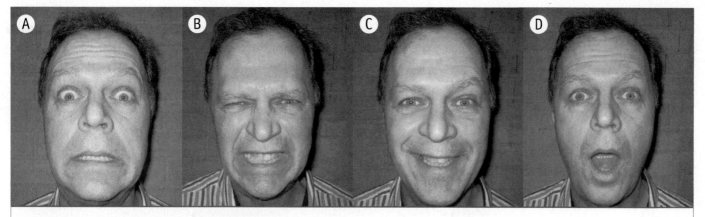

FIGURE 8.2   EXPRESSIONS FACIALES UNIVERSELLES

Voici des expressions faciales quasi universelles : (a) peur ; (b) colère ; (c) joie et (d) surprise.

dégoût, de la peur, de la joie, de la tristesse et de la surprise. Il a demandé à des participants de plusieurs régions du monde d'indiquer les émotions représentées dans ces photos. Parmi les participants, on trouvait des étudiants universitaires européens et les membres d'une tribu isolée d'une région montagneuse de la Nouvelle-Guinée. Tous les groupes, même les membres de cette tribu presque totalement coupée de la culture occidentale, ont reconnu correctement la majorité des émotions illustrées, particulièrement la joie et la colère (Ekman, 1972, 1980, 1989). La figure 8.2 donne quatre exemples d'expressions faciales correspondant à des émotions qui, d'après Ekman, sont universellement reconnaissables. D'autres recherches ont confirmé que le sourire, par exemple, est un signe universel de bienveillance et d'approbation (Ekman et Oster, 1979). Les résultats furent plus mitigés lorsqu'il s'agissait des émotions de peur et de surprise. Ekman et ses collègues (1987) ont obtenu des résultats identiques dans une étude réalisée auprès d'individus de 10 cultures différentes.

 MYTHE OU RÉALITÉ 2

Les expressions faciales de joie et de colère sont reconnues universellement, même dans les régions très reculées du globe.

Avant même qu'Anabelle parle de sa peine d'amour à ses amis, ces derniers avaient remarqué qu'elle était triste, simplement à voir sa physionomie. L'expression faciale est en effet un des premiers signes par lesquels nous exprimons nos émotions, et les amis d'Anabelle ont eu d'autant plus de facilité à lire la tristesse sur son visage que cette émotion est une de celles dont l'expression semble universellement reconnue d'une culture à l'autre. Avant même de savoir de quoi il s'agissait, les amis d'Anabelle ont donc pu l'aborder différemment que si elle avait affichée une mine enjouée et, ainsi, lui offrir un réconfort approprié.

ÉCLAIRCISSEMENT DE L'AMORCE

• LA RÉTROACTION FACIALE

Parmi les études effectuées concernant l'expression faciale, certaines ont mis en évidence le fait, moins prévisible celui-là, que les expressions du visage pouvaient induire, c'est-à-dire provoquer, certaines émotions. C'est ce qu'il est convenu d'appeler la **rétroaction faciale**.

Ekman et ses collègues (1983) ont ainsi observé que le simple fait de demander à des individus de modifier certaines parties de leur visage avait des effets sur leur système nerveux autonome. Lorsque Ekman demandait à des sujets, des comédiens professionnels, notamment, de lever les sourcils, d'écarquiller les yeux et d'étirer horizontalement la bouche comme dans l'exemple de la figure 8.2(a), la température de leur corps s'abaissait et leur rythme cardiaque s'accélérait. Or, c'est précisément ce qui se produit lorsque l'on éprouve de la peur. De même, comme à la figure 8.2(b), un visage où les sourcils sont froncés et qui présente une expression de colère entraîne une augmentation du rythme cardiaque et de la température corporelle, alors qu'un visage ayant une expression de dégoût provoque l'inverse.

Rétroaction faciale

Hypothèse selon laquelle l'observation ou l'imitation d'expressions faciales habituellement associées à des émotions particulières peuvent engendrer ces émotions.

Comment expliquer ce phénomène de la réatroaction faciale? Quels sont les liens possibles entre la rétroaction faciale et l'émotion? Un de ces liens serait basé sur l'activation (composante physiologique) normalement associée à l'émotion. Ainsi, la contraction intense des muscles faciaux, comme ceux employés pour signifier la peur, augmenterait l'activation (Zuckerman et autres, 1981). La sensation d'une activation intensifiée entraînerait ensuite la constatation d'une activité émotive plus intense. D'autres liens feraient intervenir des changements de la température cérébrale et la libération de neurotransmetteurs (Ekman, 1985; Zajonc, 1985). La réaction kinesthésique de la contraction des muscles faciaux pourrait aussi inciter à ressentir une activation émotive plus intense (McCaul et autres, 1982).

De nombreuses études ont confirmé l'hypothèse de la rétroaction faciale. Par exemple, au cours d'une recherche où on présentait des dessins animés à des sujets, les participants incités à sourire ont rapporté avoir éprouvé des émotions positives (Kleinke et Walton, 1982; McCanne et Anderson, 1987) en plus de considérer les dessins animés comme drôles (Laird, 1974, 1984); ceux qui étaient incités à froncer les sourcils considéraient plutôt ces mêmes dessins animés comme agressifs (Laird, 1974, 1984). Lors d'une expérience différente, les participants qui devaient adopter des expressions de douleur ont éprouvé plus de douleur à la suite des décharges électriques qu'on leur administrait que les participants du groupe témoin, soumis aux mêmes conditions (Colby et autres, 1977; Lanzetta et autres, 1976). Ces résultats laissent entendre que les expressions faciales exercent une certaine influence sur les émotions, bien que ces dernières puissent tout de même provenir de la situation comme telle.

L'hypothèse de la rétroaction faciale renseigne les psychologues sur les raisons qui attristent un individu lorsqu'un ami lui fait part de ses chagrins. En plus d'être touché par l'état de son ami (composante cognitive), l'individu, en adoptant certaines expressions faciales, provoquerait peut-être en lui-même des réactions physiologiques entraînant un état de tristesse.

MYTHE OU RÉALITÉ 3

En accord avec l'hypothèse de la rétroaction faciale, on a observé que les individus dépressifs, lorsqu'ils se forçaient à sourire, amélioraient leur état.

8.2.2 L'EXPRESSION ÉMOTIONNELLE SUR L'ENSEMBLE DU CORPS

Comme on a l'a vu au point précédent concernant le rôle du visage dans l'expression des émotions, il est possible de communiquer des émotions sans avoir recours au langage verbal. Par ailleurs, l'ensemble du corps peut également contribuer à exprimer nos émotions de façon non verbale, point qui sera abordé plus loin. Les émotions peuvent en effet être exprimées et décodées tant par la posture et la gestuelle que par ce que les chercheurs ont convenu d'appeler la «distance interpersonnelle».

• LA POSTURE ET LA GESTUELLE

L'observation du langage du corps chez les êtres humains permet de faire bon nombre d'hypothèses sur leurs émotions. Par contre, la méfiance est de rigueur, car il peut y avoir erreur d'interprétation. L'utilisation du langage du corps par les individus n'est pas nécessairement volontaire ou consciente.

Plusieurs émotions passent par la position ou l'attitude du corps, et les observer permet parfois de percevoir l'état émotionnel de la personne. Par exemple, observer quelqu'un qui a les bras croisés durant une conversation peut mener à interpréter qu'il s'y intéresse plus ou moins. Par contre, la même posture peut tout simplement signifier que la personne a un peu froid et qu'elle cherche à conserver sa chaleur. Il est donc extrêmement important d'être prudent dans l'interprétation d'une attitude ou d'une posture. L'enfant qui répond par un haussement d'épaules semble dire qu'il ne comprend pas ou qu'il ne sait pas. Le psychologue

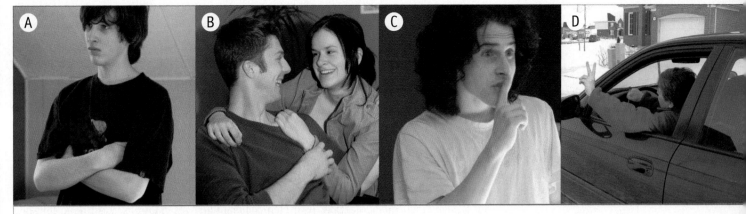

FIGURE 8.3   L'EXPRESSION NON VERBALE DE QUELQUES ÉMOTIONS

Ces cinq photos peuvent correspondre à différentes émotions selon le contexte, et voici une interprétation possible pour chacune d'elles : (a) expression de fermeture ; (b) amour ; (c) signe de garder silence et (d) *peace* (expression de fraternité).

dont le tronc penche légèrement vers l'avant montre à son client qu'il l'écoute attentivement. La figure 8.3 illustre quelques exemples d'expressions non verbales d'émotions.

Les gestes sont des mouvements du corps principalement exécutés avec les mains, les bras ou les jambes. En général, ils sont utilisés volontairement et leurs significations sont connues, du moins dans une culture donnée. Voici quelques exemples. Sur la route, en voiture, vous venez de couper quelqu'un, évidemment par mégarde, mais l'autre conducteur n'entend pas à rire. Il passe près de vous et lève son majeur, vous révélant ainsi son agressivité à l'endroit de votre maladresse. Le petit enfant qui reçoit un cadeau et le sert dans ses bras est visiblement content du présent qu'il a reçu.

• LA DISTANCE INTERPERSONNELLE

Selon Hall (1969), la distance physique que l'on maintient entre soi et une autre personne varie selon le degré de proximité sociale qui existe entre les deux : c'est ce qu'on appelle la **distance interpersonnelle** ou, plus familièrement, la **bulle psychologique**. Hall distingue quatre degrés de distance interpersonnelle : intime, personnelle, sociale et publique.

La **distance intime**, qui va de 0 à 45 cm environ, est réservée aux personnes avec lesquelles nous sommes intimes, émotionnellement liés. C'est le cas, par exemple, des amoureux lorsqu'ils s'enlacent ou des parents lorsqu'ils prennent un enfant dans leur bras pour le consoler. La **distance personnelle** (de 45 cm à 1,25 m) correspondrait, par exemple, à celle qu'on observe habituellement lors d'une conversation privée entre amis ; la **distance sociale** (1,20 m à 3,60 m), à celle qu'on conserve lors d'un échange avec un collègue de travail ; et la **distance publique** (3,60 m et plus), à la distance qu'un orateur invité maintient typiquement entre lui et son auditoire.

En général, lorsqu'une personne « entre dans notre bulle », lorsqu'elle s'approche à une distance interpersonnelle inférieure au degré de proximité que nous ressentons face à elle, nous devenons mal à l'aise. Par ailleurs, la connaissance de ces zones peut influencer l'interprétation de nos observations d'autrui. Si, par exemple, vous observez au cours d'une soirée que les membres d'un couple passent très peu de temps ensemble et que, lorsqu'ils le sont, ils restent à une distance correspondant à la zone personnelle plutôt qu'à la zone intime, vous serez amenés à croire qu'il y a peut-être un froid entre eux.

8.2.3 LA COMMUNICATION VERBALE DES ÉMOTIONS

Même si, comme on vient de le voir, le langage du corps peut à lui seul communiquer des émotions, la communication verbale demeure un moyen privilégié de leur expression. L'émetteur (celui ou celle qui veut transmette un message) doit utiliser un langage clair, un vocabulaire que le récepteur (celui ou celle à qui le message est destiné) pourra comprendre,

Distance interpersonnelle
Distance à laquelle on se tient d'une autre personne en fonction du degré de proximité sociale qui existe entre soi et l'autre.

Bulle psychologique
Appellation courante de la distance interpersonnelle.

Distance intime
Expression faisant référence à une distance interpersonnelle variant de 0 à 45 cm environ.

Distance personnelle
Expression faisant référence à une distance interpersonnelle variant de 45 cm à 1,25 m environ.

Distance sociale
Expression faisant référence à une distance interpersonnelle variant de 1,25 à 3,60 m environ.

Distance publique
Expression faisant référence à une distance interpersonnelle d'environ 3,60 m et plus.

et aussi, choisir les mots appropriés pour dévoiler ses émotions. Tous les individus n'ont pas les mêmes habiletés de communication verbale de leurs émotions. Par exemple, ceux qui ont plus de vocabulaire y parviendront probablement mieux. De plus, certaines personnes expriment volontiers leurs émotions, alors que d'autres préfèrent ne pas les dévoiler. Les psychologues considèrent généralement qu'il est sain d'avoir conscience de ses émotions et de les exprimer, car cela favoriserait le processus de communication, contribuant ainsi à l'harmonie des relations entre les individus.

Il arrive parfois que le récepteur ne capte pas clairement le message que l'émetteur décide d'exprimer, et ce, parce que les deux ne perçoivent pas le sens des mots de la même façon (perception, composante cognitive). Il peut arriver qu'un mauvais choix de mots ou une expression malheureuse (par exemple, «Tu n'es qu'un pauvre débile!») entraîne un dérapage sur le plan de la communication. Pour bien communiquer ses émotions, il est donc conseillé d'exprimer le plus concrètement possible le message plutôt que d'utiliser un langage abstrait (Adler et Towne, 1998). De plus, l'émetteur a plus de succès s'il parle à la première personne, soit en utilisant le «je» plutôt que le «tu». En effet, la formulation au «tu» est souvent perçue (composante cognitive) comme une accusation. Supposons, par exemple, que vous en voulez à votre colocataire. Plutôt que de lui dire «Tu es vraiment paresseux!», ce qui est un message accusateur, une formulation telle que «Je n'aime pas lorsque tu laisses tes livres sur la table le soir et que tu te couches sans les ramasser» lui fera comprendre exactement ce qui vous fâche et ce qu'il faut faire pour corriger la situation.

Il est à noter que, même si le langage non verbal et le langage verbal tendent généralement à véhiculer une même émotion, les deux types de langage s'appuyant alors mutuellement, ce n'est pas toujours le cas. Il arrive en effet que les mots expriment une émotion donnée alors que le langage du corps, pour peu qu'on s'y arrête, exprime une tout autre émotion. Lorsque l'envoi de messages contradictoires devient très accentué chez une personne, certains problèmes peuvent survenir tels qu'un manque de compréhension mutuelle ou des conflits interpersonnels. Ce phénomène est susceptible de nécessiter une psychothérapie chez la personne qui manque d'habiletés de communication.

8.3 L'ÉVENTAIL DES ÉMOTIONS HUMAINES

Il va de soi que l'éventail des émotions humaines va bien au-delà des émotions fondamentales dont il a été question dans les sections précédentes. Il n'est cependant pas aisé d'en établir une classification qui soit à la fois la plus systématique et la plus englobante possible.

Une des tentatives les plus détaillées de classification des émotions a été proposée par Plutchik (1980). D'après cet auteur, il y aurait huit émotions *primaires*. Celles-ci comprendraient les six qui semblent faire le plus consensus parmi l'ensemble des auteurs, à savoir, ainsi qu'on peut le constater en consultant le tableau 8.3 : la peur, la surprise, la tristesse, le dégoût, la colère et la joie. À ces émotions, Plutchik ajoute la confiance et l'anticipation, ce qui complète les huit émotions primaires proposées, lesquelles permettraient de définir toute la gamme des autres émotions.

Comme l'illustre la figure 8.4, dans laquelle les émotions primaires sont réparties en cercle, la combinaison de deux émotions primaires donnerait lieu à des émotions dites secondaires. Ainsi, la *soumission* résulterait de la *confiance* et de la *peur*, comme c'est le cas, par exemple, d'un individu pris en otage qui se soumet à son agresseur parce qu'il ressent de la peur et qu'il accepte, pendant un certain temps du moins, sa situation. De façon analogue, le *mépris* résulterait de la *colère* et du *dégoût*, comme dans le cas d'une personne qui ressent du mépris face à un individu qui a commis un crime provoquant chez lui de la colère et lui inspirant du dégoût. Il est intéressant de noter que, dans la disposition circulaire proposée par Plutchik, on retrouve de part et d'autre du cercle des émotions diamétralement opposées telles que la joie par rapport à la tristesse, la surprise par rapport à l'anticipation, etc.

EKMAN ET FRIESEN (1975)	PLUTCHIK (1980)	IZARD (1984)
Peur	Peur	Peur
Colère	Colère	Colère
Dégoût	Dégoût	Dégoût
Surprise	Surprise	Surprise
Tristesse	Tristesse	Tristesse
Bonheur	Joie	Joie
Mépris	—	Mépris
—	—	Intérêt
—	Anticipation	—
—	Confiance	—
—	—	Culpabilité
—	—	Honte

Au-delà des variantes que présentent les émotions primaires et les émotions secondaires, les émotions humaines peuvent également varier en intensité. Pour tenir compte de cet aspect, Plutchik complète son modèle en ajoutant une dimension qu'on trouve représentée différemment selon les sources, et qui l'est ici par la rosette illustrée à la figure 8.5, dans laquelle les émotions situées près du centre sont les plus intenses et celles qui sont situées à la périphérie, les moins intenses. Ainsi qu'on peut le voir sur la figure — où, pour simplifier, seules les émotions primaires ont été prises en compte —, une émotion comme la colère, par exemple, correspondrait lorsqu'elle est très intense à de la rage, alors qu'elle correspondrait, lorsqu'elle est de faible intensité, à de la simple contrariété. Dans les trois cas, l'émotion serait essentiellement de même nature, les variations de l'expérience subjective de la personne

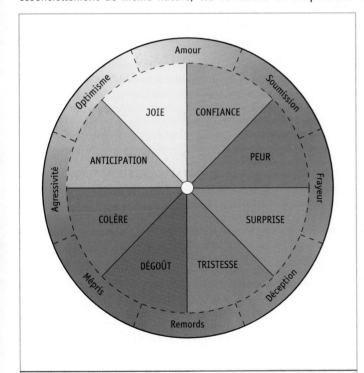

FIGURE 8.4   LE CERCLE DES ÉMOTIONS PRIMAIRES ET SECONDAIRES SELON PLUTCHIK

Les huit émotions primaires (en majuscules et correspondant chacune à une couleur) se combinent pour former des émotions secondaires (en minuscules et mêlant deux couleurs). Par exemple, une émotion comme la frayeur résulterait de la peur et de la surprise combinées.

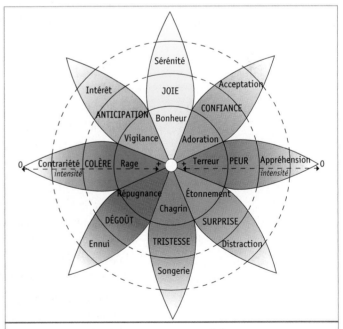

FIGURE 8.5   VARIATION DE L'INTENSITÉ ÉMOTIVE SELON PLUTCHIK

Cette figure illustre un autre volet de la théorie de Plutchik, c'est-à-dire comment, en plus de se combiner, les émotions varient en intensité. Pour simplifier la figure, seules les émotions primaires ont été retenues. On voit ainsi que la colère, par exemple, correspond, à faible intensité (presque 0), à la contrariété, alors qu'à intensité élevée (+), elle correspond à la rage. De même, la peur varie de la simple appréhension (près de 0) à la terreur (+).

correspondant tout simplement à des variations d'intensité de l'émotion primaire qu'est la colère. Il en irait de même pour les autres émotions primaires : la joie par exemple, lorsqu'elle est très intense, tendrait vers le bonheur, alors qu'elle correspondrait à la sérénité lorsque l'intensité est moins forte.

Il est à noter que la classification de Plutchik n'explique pas pourquoi, dans une même situation, les individus vivent parfois des émotions différentes ou d'intensités différentes ; pourquoi, par exemple, l'annonce d'une mauvaise nouvelle telle que la maladie d'un proche suscitera chez l'un de l'affliction et chez l'autre, de la colère ? En dépit de ce fait — qui constitue une lacune de la théorie et non une objection à son endroit —, la théorie de Plutchik demeure intéressante de par la possibilité qu'elle offre de classer d'une façon cohérente une gamme étendue d'émotions.

8.4 REGARD SUR QUELQUES ÉMOTIONS TIRÉES DU QUOTIDIEN

La vie d'une personne est teintée de ses émotions, et celles-ci sont très diversifiées. Comme nous l'avons vu précédemment, les émotions recèlent des composantes d'ordres situationnel, cognitif et physiologique. À la lumière de ce qui a été vu dans les sections précédentes, la présente section jette un bref regard sur quelques émotions qui tiennent une place importante dans notre quotidien.

8.4.1 LA COLÈRE

La colère apparaît en réaction à certaines situations perçues comme inacceptables, telles que, par exemple, une stimulation sensorielle aversive injustifiée. Ainsi, une douleur résultant d'un coup porté par un ennemi qui nous agresse déclenchera la colère, alors qu'une douleur infligée dans le cadre d'un traitement médical n'aura pas le même effet ; de même, une musique très forte pourra être perçue comme agréable, alors qu'elle pourra générer de la colère si elle vient d'un appartement voisin et nous empêche de dormir. La colère peut également survenir à la suite d'une contrainte physique ou d'une frustration (obstacle à l'atteinte d'un but), ou encore lorsque la personne a l'impression d'avoir été trompée ou injustement traitée. L'indignation morale peut également faire naître la colère (Izard, 1991). Comme on l'a vu précédemment, la composante cognitive est déterminante dans l'émotion qui sera éprouvée.

La personne en colère adopte une expression faciale spécifique (figure 8.2b). Par exemple, elle fronce les sourcils, serre les dents, pince les lèvres, etc. Le système nerveux autonome est activé (la pression sanguine et le rythme cardiaque augmentent), la personne peut serrer les poings et avoir envie de crier ou de frapper ; souvent le corps entier est tendu.

Parce qu'elle peut mener à l'agression verbale et même physique, si la personne manque de contrôle, et donc en raison des comportements destructeurs auxquels elle peut conduire, la colère est généralement perçue comme une émotion négative et indésirable, et la plupart des gens s'efforcent de contrôler cette émotion lorsqu'ils la ressentent. D'ailleurs, les enfants apprennent très tôt qu'il existe des règles culturelles à respecter dans l'expression de la colère. Selon la façon dont ils intègrent le processus de socialisation, certains arrivent à mieux respecter ces règles que d'autres (Malatesta et Haviland, 1982).

Cependant, la colère est aussi un moyen affectif de régulation des interactions sociales et son expression est parfois essentielle, du moins pour la personne. En effet, certaines recherches (Bonanno et Singer, 1990 ; Schwartz, 1990 ; Weinberger, 1990) montrent que les gens qui ont l'habitude de réprimer leurs émotions négatives risquent de développer des maladies psychosomatiques.

8.4.2 LA PEUR

La peur est engendrée par un nombre quasi infini de situations, mais celles-ci ont toutes un point en commun : la perception d'un danger ou d'une menace à la sécurité. Voici quelques exemples de situations capables, d'après Izard (1991), d'engendrer la peur : la douleur ou l'anticipation d'une douleur, le fait d'être seul, d'être menacé verbalement ou physiquement, l'inconnu ou l'étrangeté d'une situation, être victime de rejet, les hauteurs, la noirceur, etc. Comme on peut le constater, ce sont toutes des situations susceptibles d'être perçues par une personne comme une atteinte à son intégrité. À l'instar de la colère — et des autres émotions, d'ailleurs —, la peur est ainsi directement liée aux cognitions, la perception d'un danger venant de l'interprétation que fait l'individu de la situation.

L'expression faciale accompagnant la peur est très caractéristique : les sourcils sont légèrement surélevés et rapprochés, les yeux sont grands ouverts, les coins de la bouche sont abaissés et la bouche est légèrement ouverte (voir figure 8.2a). La peur peut donner lieu à différents comportements. La personne peut fuir ou attaquer, se cacher, être atteinte de stupeur, trembler, crier ou chercher le réconfort chez une autre personne. Lorsque la peur est intense, le système nerveux autonome peut être sous très forte tension, ce qui explique pourquoi certaines personnes soumises à une très grande frayeur sont parfois incontinentes.

Il y a lieu de signaler que la plupart des psychologues décrivent la peur comme une émotion très similaire à l'anxiété (Carlson et Hatfield, 1992). Par ailleurs, la peur et l'anxiété, lorsqu'elles se manifestent de façon excessive compte tenu de la situation, peuvent revêtir un caractère pathologique (phobie), ainsi qu'on le verra dans le chapitre 12 sur la psychopathologie.

8.4.3 LA JOIE ET LE BONHEUR

La joie est une émotion positive intense, mais relativement courte et qui est associée à un événement plaisant ou gratifiant. Elle est reliée à des pensées de contentement, de satisfaction (Izard, 1991). Parmi les situations susceptibles d'engendrer la joie, il y a les bons rapports sociaux et intimes, et la satisfaction associée à la réalisation d'une tâche ou l'atteinte d'un but.

La joie s'exprime par le sourire ou le rire, la personne est généralement détendue et les mouvements semblent plus faciles. De plus, outre les manifestations typiques découlant de l'activation générale du système nerveux autonome, plusieurs régions du cerveau ainsi que certains neurotransmetteurs seraient impliqués dans l'expérience de la joie. Les recherches en ce domaine ne permettent cependant pas toujours d'établir s'il est question de joie ou de plaisir. Or, certains théoriciens distinguent la joie du plaisir, ce dernier étant davantage sensoriel, comme le plaisir ressenti au moment de manger et de calmer sa faim, de sentir un parfum ou d'avoir un orgasme.

Le bonheur se définit comme un état de bien-être psychologique et de contentement. Il est associé à la présence d'émotions positives et à l'absence d'émotions négatives (Myers et Diener, 1997). Avoir confiance en soi, aimer la vie, lui donner un sens et se sentir aimé sont associés à l'expérience du bonheur qui, d'après Plutchik, correspond à la joie à son degré d'intensité le plus élevé (revoir la figure 8.5). Des études scientifiques ont révélé que le bonheur n'est pas lié à l'âge, au sexe, au statut socio-économique ou à la race. Les individus qui se disent heureux ont une grande estime de soi et ont le sentiment d'être en plein contrôle de leur vie. Ils sont optimistes et extravertis, font preuve d'une grande spiritualité et privilégient des relations intimes. Comme il s'agit d'études corrélationnelles, il y a lieu de se demander si ce sont ces caractéristiques qui mènent au bonheur, ou si c'est le bien-être psychologique d'une personne qui l'amène à manifester ces conduites. S'il y a causalité, dans quel sens va la relation ? Pour le moment, la question demeure sans réponse.

8.4.4 L'AMOUR ET LA JALOUSIE

Vus tantôt comme des émotions, lesquelles présentent un caractère transitoire lié à une situation donnée au moment où elle survient, tantôt comme des sentiments, qui ont un caractère plus stable et moins lié à un moment en particulier, l'amour et la jalousie sont deux états étroitement associés à l'expérience humaine. Aussi importants qu'ils puissent être cependant — et peut-être en raison de cela —, l'amour et la jalousie ne se prêtent pas facilement à la recherche scientifique…

Les psychologues considèrent que l'amour est un concept complexe où entrent en jeu de nombreux domaines de l'expérience, de natures émotive, cognitive et motivationnelle (Sternberg et Grajek, 1984). Parmi les auteurs qui se sont intéressés à décrire le sentiment amoureux, plusieurs en sont venus à distinguer différents types d'amour. Selon Hatfield et Walster (1978), il y en aurait deux : l'amour passion et l'amour de compagnonnage.

L'amour passion est défini comme un désir intense d'être avec l'autre, désir auquel est associé une joie intense et un état d'activation élevé. Il se traduit par différentes pensées : préoccupation à propos de l'autre, idéalisation de l'autre, désir de connaître l'autre et de se dévoiler. La personne peut essayer de découvrir les pensées de l'autre (l'interroger), elle cherche à maintenir le contact par la parole ou physiquement. Elle peut ressentir certaines sensations telles que mains moites, faiblesse dans les genoux, sensation gastrique inconfortable (papillons dans l'estomac), étourdissements, respiration et rythme cardiaque accélérés. Par ailleurs, la façon d'exprimer le sentiment amoureux dépendra des amoureux eux-mêmes, de leur personnalité respective et des attentes de chacun. C'est pourquoi chaque amour se vit de façon unique. À la différence de l'amour passion, l'amour de compagnonnage est émotionnellement moins intense. C'est un sentiment d'attachement que l'on éprouve envers ceux ou celles qui partagent notre vie plus ou moins étroitement.

Selon Davis (1985), l'amour romantique est caractérisé par deux types de comportements : la passion et l'affection. La passion comprend les sentiments de fascination, comme le démontre la préoccupation pour l'être aimé, l'activation ou le désir sexuel et le désir d'exclusivité (une relation privilégiée avec l'être aimé). L'affection comprend la défense des intérêts de la personne aimée et le don du meilleur de soi-même à l'être aimé, y compris le sacrifice de ses intérêts personnels, le cas échéant. Les amoureux romantiques idéalisent aussi l'autre (Driscoll et autres, 1972) ; ils amplifient les traits positifs de leur partenaire et négligent ses défauts, ce qui n'est pas sans rappeler la célèbre phrase « L'amour est aveugle ».

En ce qui concerne la jalousie, les auteurs la considèrent comme associée à deux autres émotions : la peur et la colère. L'amoureuse ou l'amoureux jaloux se sent menacé ou il sent sa relation avec l'autre menacée (peur). La colère vient du fait que l'individu perçoit un obstacle ou une frustration à recevoir l'amour de l'autre ou son attention exclusive. La jalouse ou le jaloux peut exprimer sa colère envers sa compagne ou son compagnon, mais il ou elle peut décider de diriger sa colère vers une tierce personne. Il semble que la jalousie s'estompe lorsque la relation dure. Dans ce cas, on peut penser qu'avec le temps, la personne est rassurée, qu'elle se perçoit moins menacée et qu'elle rencontre moins d'obstacles à recevoir l'amour de l'autre.

8.5 LE CARACTÈRE ADAPTATIF DES ÉMOTIONS

Au-delà de tout ce qui a pu être dit à leur sujet, il est un point qu'on retrouve dans la plupart des études sur les émotions ; c'est que celles-ci auraient un caractère adaptatif. Ainsi, Plutchik, dont le modèle de classification des émotions a été exposé au point 8.3, présente clairement les émotions comme ayant un caractère adaptatif, chacune d'elles possédant à cet effet une fonction particulière. La peur, par exemple, aurait selon lui une fonction de protection ; le dégoût, une fonction de rejet. Les émotions permettraient ainsi au sujet de s'adapter et de survivre. Toujours selon Plutchik, l'émotion serait issue d'une séquence d'événements, elle serait une réaction en chaîne : d'abord, un déclencheur (situation) survenant dans l'environnement, puis un certain nombre de pensées (cognitions) engendrées chez la personne, pensées donnant ensuite lieu à un état d'esprit ou à une expérience subjective qui correspondrait en fait à l'émotion. Cette émotion inciterait la personne à adopter le comportement qu'elle juge approprié selon la situation.

La théorie de Plutchik se veut donc une **théorie évolutive** en raison du caractère adaptatif que l'auteur reconnaît aux émotions. Prenons, à titre d'exemple, le cas d'une personne affamée désireuse de nourrir sa famille dans un pays dévasté par une famine. Elle fait la file pour obtenir sa ration de nourriture, mais voyant les denrées épuisées (situation), elle peut se dire intérieurement que ce n'est pas possible, que ses enfants ont besoin de manger (cognition), et entrer dans une telle colère (émotion) qu'elle pourra s'en prendre physiquement et verbalement aux gens qui distribuent la nourriture, espérant ainsi en obtenir la prochaine fois. En amenant ainsi les personnes à s'adapter aux situations dans lesquelles elles se trouvent, les réactions émotionnelles assurent la survie de l'espèce et contribuent à son évolution, d'où le caractère évolutif de la théorie de Plutchik.

En un sens, on peut considérer que le caractère adaptatif que Plutchik attribue aux émotions, tant dans leur expression que dans la capacité de les décoder, rejoint le point de vue déjà formulé par Ekman, qui soulignait entre autres que la reconnaissance d'un sourire à une grande distance était éminemment utile à nos ancêtres, puisqu'elle leur permettait de savoir s'ils avaient affaire à un ami ou à un ennemi... et, en conséquence, de s'adapter à la situation !

En conclusion, que retenir de ce que nous avons appris sur l'émotion ? Comme nous l'avons souligné tout au long du chapitre, les réactions émotives sont activées par des facteurs d'ordres situationnel, cognitif et physiologique. Par contre, il n'apparaît pas pertinent de s'interroger sur la prépondérance de l'une ou l'autre des composantes de l'expérience émotionnelle, ni sur le fait que l'une serait plus essentielle que les autres dans l'activation d'une réaction émotive. Ce qu'il importe avant tout de souligner à ce sujet est sans doute le fait que les personnes sont des êtres pensants qui recueillent de l'information de ces trois sources pour déterminer leurs réactions comportementales et pour définir leurs réactions émotives. En somme, ce qu'il y a lieu de garder à l'esprit pour l'instant, c'est qu'aucune des théories abordées ne s'applique à toutes les personnes dans toutes les situations. Les émotions ne sont pas aussi facilement comprises que l'ont prétendu les théoriciens.

Théorie évolutive
Théorie qui tend à expliquer un phénomène comme résultant d'une nécessité de s'adapter à l'environnement afin d'assurer la survie de l'organisme.

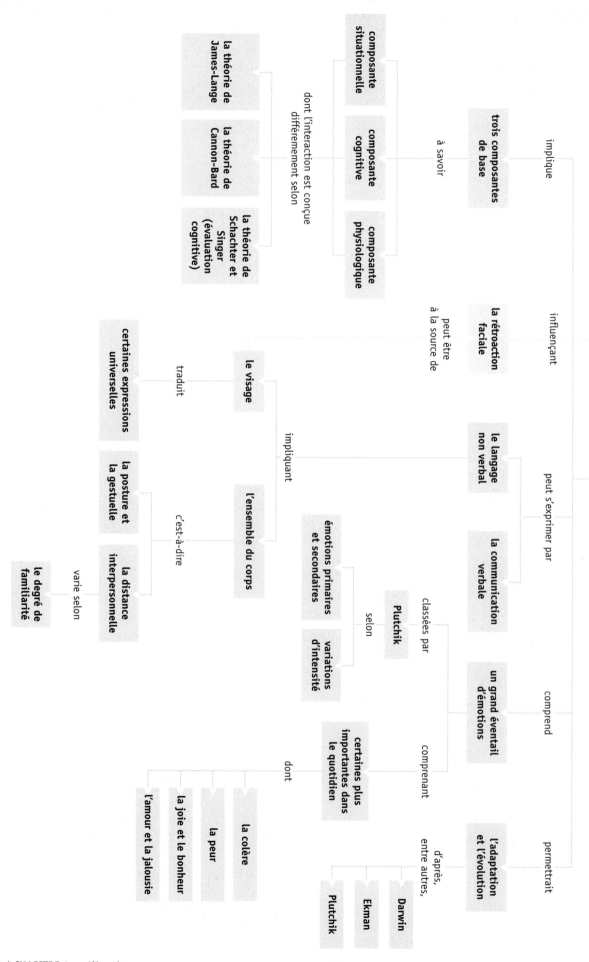

L'ÉMOTION

implique → **trois composantes de base**

à savoir :
- **composante situationnelle**
- **composante cognitive**
- **composante physiologique**

dont l'interaction est conçue différemment selon :
- **la théorie de James-Lange**
- **la théorie de Cannon-Bard**
- **la théorie de Schachter et Singer (évaluation cognitive)**

influençant → **peut s'exprimer par**

peut être à la source de → **la rétroaction faciale**

le langage non verbal
- **la communication verbale**

impliquant :
- **le visage**
  - traduit → **certaines expressions universelles**
- **l'ensemble du corps**
  - c'est-à-dire :
    - **la posture et la gestuelle**
    - **la distance interpersonnelle**
      - varie selon → **le degré de familiarité**

comprend → **un grand éventail d'émotions**

classées par → **émotions primaires et secondaires**

selon **Plutchik**
- **variations d'intensité**

comprenant → **certaines plus importantes dans le quotidien**

dont :
- **la colère**
- **la peur**
- **la joie et le bonheur**
- **l'amour et la jalousie**

permettrait → **l'adaptation et l'évolution**

d'après, entre autres,
- **Darwin**
- **Ekman**
- **Plutchik**

8.1 Les composantes de l'émotion

1. Une émotion est toujours déclenchée par une situation ou un événement survenant dans l'environnement. Vrai ou faux ?

2. Selon James et Lange, dans quel ordre surviendraient les trois éléments ci-après ?

   a) La vue d'un ours, suivie de la fuite, et ensuite de la peur.
   b) La vue d'un ours, suivie de la peur, et ensuite de la fuite.
   c) La vue d'un ours, suivie en même temps de la peur et de la fuite.

3. Erik vient tout juste d'éviter un accident de voiture. Il a dû se ranger sur l'accotement avec sa voiture, car il s'est mis à trembler de tous ses membres. Il réalise maintenant qu'il a eu très peur. L'activation ressentie après l'accident serait en accord avec :

   a) James et Lange ;
   b) Cannon et Bard ;
   c) Schachter et Singer.

8.2 L'expression des émotions

1. Vers quel âge a-t-on mis en évidence le premier sourire chez les nourrissons ?

   a) À la naissance
   b) Vers six semaines
   c) Vers trois mois
   d) Vers six mois

2. Pour Darwin, l'expression des émotions avait une valeur de survie. Vrai ou faux ?

3. Qui a fait des recherches sur l'universalité de l'expression des émotions à différents endroits dans le monde ?

   a) William James
   b) Paul Ekman
   c) Robert Plutchik
   d) Walter Cannon

4. Selon l'hypothèse de la rétroaction faciale, se forcer à sourire, autrement dit adopter une expression faciale joyeuse, entraîne des modifications physiologiques et peut contribuer à augmenter l'intensité de l'émotion. Vrai ou faux ?

5. À propos de la posture, de la gestuelle et de la distance interpersonnelle, il faut être extrêmement prudent lorsqu'on les _____. Il faut tenir compte d'un ensemble d'éléments tels que la situation, la personnalité, la culture, etc.

6. En ce qui concerne la communication non verbale, les _____ sont des mouvements du corps exécutés principalement avec les mains, les bras et les jambes, et qui appuient l'expression des émotions.

7. Selon Hall, la distance interpersonnelle susceptible d'être observée entre deux amis est :

   a) d'environ 30 cm ;
   b) d'environ 90 cm ;
   c) d'environ 1,30 m.

8. En ce qui concerne l'expression des émotions en mode verbal, la _____ doit utiliser un langage clair et adapté au_____ (par exemple on s'adresse différemment à un enfant ou à un étranger qui maîtrise mal la langue). Il est conseillé à la personne qui parle d'être _____ et non abstraite, et de choisir judicieusement ses mots.

8.3 L'éventail des émotions humaines

1. Selon Plutchik, combien y aurait-il d'émotions primaires ?

   a) 4
   b) 6
   c) 8
   d) 10

2. En vous basant sur la théorie de Plutchik sur les émotions, ordonnez les émotions suivantes de l'intensité la plus faible à l'intensité la plus élevée.

   a) Peur, crainte, terreur
      (1) _____ ; (2) _____ ; (3) _____.
   b) Rage, contrariété, colère
      (1) _____ ; (2) _____ ; (3) _____.

8.4 Regard sur des émotions du quotidien

1. Laquelle des situations suivantes est la moins susceptible de faire apparaître la colère ?

   a) Se faire injurier par un étranger très costaud.
   b) Recevoir sa copie d'examen et constater qu'on a une moins bonne note que prévu.
   c) Voir un groupe d'inconnus à l'allure louche se diriger vers soi.
   d) Être pris dans un embouteillage alors qu'on se rend à un rendez-vous important.

2. Laquelle des manifestations suivantes est la plus susceptible d'être observée si la personne est très en colère ?

   a) Activation du système nerveux autonome
   b) Confusion mentale
   c) Serrement des poings et cris
   d) Ulcères d'estomac

3. Les gens qui n'expriment pas leurs émotions négatives sont plus à risque de développer des maladies psychosomatiques. Vrai ou faux ?

4. Qu'est-ce que l'enfant qui ne veut pas se faire vacciner et qui s'enfuit a en commun avec l'élève qui ne se présente pas à un examen parce qu'il ne veut pas échouer ?

   a) L'anxiété et la peur de la douleur
   b) La peur et la fuite
   c) La colère et l'attaque
   d) La confusion mentale

5. L'amour de compagnonnage se distingue principalement de l'amour passion par :

   a) le désir de connaître l'autre et de faire preuve d'ouverture de soi ;
   b) son intensité ;
   c) l'absence de jalousie ;
   d) la durée de la relation.

6. La jalousie est associée à deux émotions : la _____ et la _____.

8.5 Le caractère adaptatif des émotions

1. Selon Plutchik, chaque émotion permet au sujet de s'adapter et de survivre. En ce sens, il est en accord avec Darwin. Vrai ou faux ?

2. En conclusion, on peut dire :

   a) qu'il n'est pas pertinent de s'interroger sur la prépondérance de l'une ou l'autre des composantes de l'expérience émotionnelle ;
   b) qu'aucune des théories abordées ne s'applique à toutes les personnes dans toutes les situations.
   c) que l'expression des émotions présente un caractère adaptatif important pour l'humain ;
   d) que les trois énoncés ci-dessus sont conformes à ce qui a été vu dans le chapitre.

Pour aller plus loin...

Volumes et ouvrages de référence

CLANTON, G. et L.G. SMITH (1987). *Jealousy*, Lanham, MD, University Press of America.
Un volume consacré exclusivement à la jalousie dans différentes situations : rivalité fraternelle, au travail, en amour, etc.

CSIKSZENTMIHALYI, M. (2004). *Vivre : la psychologie du bonheur*, Paris, Laffont.
L'auteur de ce volume est un chercheur qui s'intéresse au bonheur depuis 25 ans. Il présente dans cet ouvrage de vulgarisation les résultats de recherches scientifiques, les siens et ceux d'autres chercheurs. Il explique comment on peut accéder au bonheur en adoptant certaines attitudes et certains comportements, alors que d'autres nous mènent quasi inévitablement vers l'insatisfaction.

LARIVEY, M. (2002). *La puissance des émotions. Comment distinguer les vraies des fausses*, Montréal, Éditions de l'Homme.
Dans ce livre, l'auteure, qui est psychologue, apporte des clarifications sur le rôle et la nature des émotions. Elle présente différentes expériences émotives tirées d'anecdotes et elle informe ceux et celles qui désirent mieux comprendre la vie émotionnelle.

MURPHY, T. (2002). *L'enfant en colère*, Montréal, Éditions de l'Homme.
Ce livre s'adresse principalement aux parents qui font face à un enfant qui semble avoir une tendance à la colère plus que les autres, et ce, depuis sa naissance. Il propose aux parents des méthodes et des stratégies pour aider leur enfant à accéder à des relations harmonieuses et à la satisfaction de soi.

Pour aller plus loin...

Périodiques

***Advance in the Study of Aggression* et
*Aggresive Behavior***
Deux revues scientifiques qui traitent plus
particulièrement de l'agressivité et des recherches
sur le sujet dans différentes circonstances : enfance,
délinquance, conduite automobile, criminalité,
contexte politique ou sociologique, etc.

Biofeedback and Self-Regulation
Une revue intéressante pour quiconque veut en apprendre
davantage sur les recherches portant sur la façon d'utiliser
le *biofeedback* dans le contrôle des aspects physiologiques
de certaines émotions, aspects qui peuvent être très
dérangeants, voire dangereux pour un être humain
(par exemple, arythmie cardiaque ou crise de panique).

Child Development
Une revue qui s'intéresse principalement au
développement des enfants, mais qui publie également
assez régulièrement des articles portant sur le
développement de l'expression émotionnelle et sur
l'apprentissage du contrôle des émotions chez les enfants.

***Journal of Nonverbal Learning* et
*Journal of Verbal Learning and Verbal Behavior***
Pour ceux et celles qui s'intéressent particulièrement à
l'expression des émotions, notamment à ses aspects
verbaux et non verbaux, ces deux périodiques, qui
présentent des expériences scientifiques rigoureuses sur
l'apprentissage de ces deux sujets, seront d'intéressantes
sources d'information.

Motivation and Emotion
Une revue qui constitue «la» référence en matière
d'émotion et de motivation. On y publie davantage les
résultats d'études fondamentales que des études
appliquées.

Sites Internet

Un site qui comprend, entre autres, la présentation
de recherches sur l'influence de la toxicomanie sur la
violence et sur la rage au volant.
Centre for Addiction and Mental Health :
http://www.camh.net

Un site qui présente le rôle du cerveau dans différents
domaines d'étude de la psychologie, par exemple
la mémoire, l'intelligence, l'apprentissage, et aussi
les émotions.
Site de l'Université McGill sur le cerveau et les émotions :
http://www.lecerveau.mcgill.ca

Films, vidéos, cédéroms, etc.

GAGNON, S. et F. CHARRON (1994). «Le plaisir»,
Série *Découverte*, Montréal, Société Radio-Canada.
Un court métrage qui présente ce qu'est le plaisir et son
rôle dans différentes situations. Sans spécifiquement les
définir, il souligne les aspects situationnels, cognitifs et
physiologiques reliés à l'émotion humaine.

Chapitre 9

JOSÉE PARADIS

Motivation

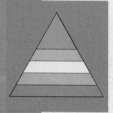

PLAN DU CHAPITRE

MYTHES OU RÉALITÉS?

Pour savoir si ces affirmations sont vraies ou fausses, trouvez les rubriques *MYTHE OU RÉALITÉ*.

1. Certaines publicités peuvent faire apparaître chez l'individu un besoin qu'il n'avait pas auparavant.

2. Chez les animaux, il existe des déclencheurs qui provoquent des réactions similaires chez tous les individus d'une même espèce.

3. Certains athlètes doivent diminuer leur niveau d'activation afin d'offrir de meilleures performances; d'autres, au contraire, doivent l'augmenter.

4. Dans certaines circonstances, offrir des récompenses à des personnes peut diminuer leur motivation au lieu de l'augmenter.

5. Au travail, un besoin de pouvoir élevé et un besoin d'affiliation faible peuvent engendrer la maladie.

CIBLES D'APPRENTISSAGE

Après avoir lu ce chapitre, vous devriez être en mesure :

- de définir et de distinguer les concepts associés à la motivation (besoins, tendances et incitateurs) ;

- de nommer les sources physiologiques de la motivation ;

- d'expliquer le besoin de réduire les tensions et le besoin de stimulation ;

- de décrire ce qu'est le niveau optimal d'activation ;

- de distinguer les motivations intrinsèques des motivations extrinsèques ;

- d'expliquer ce que sont les attributions et leur influence sur le comportement ;

- de nommer et de décrire les besoins sociaux ;

- de nommer et d'expliquer les différents types de conflits de motivation ;

- de nommer et de décrire les besoins de la hiérarchie de Maslow.

Mathieu manque de motivation à l'école. Il va bientôt terminer son premier semestre au cégep et il constate qu'il n'est pas inscrit à un programme d'études qui lui convient. Il étudie en informatique, mais il réalise qu'il n'a pas les aptitudes mathématiques qu'il faut pour réussir dans ce domaine. De plus, il a peu d'intérêt pour les cours de programmation. Ses résultats scolaires sont décevants, car il n'a pas investi beaucoup de temps dans ses études. Quand il pense à son avenir, Mathieu se voit mal passer une partie de ses journées devant un ordinateur. Il aimerait faire une carrière en musique, mais ses parents pensent que la musique est un loisir. Ils croient que peu de musiciens peuvent en tirer un revenu suffisant pour bien gagner leur vie. Mathieu a peur de les décevoir s'il change de programme d'études. Il a cependant déjà participé à plusieurs spectacles. Avec son groupe, il pouvait répéter durant des heures sans se fatiguer. Il repense au plaisir qu'il éprouvait durant ces moments. Mathieu revoit aussi la fin des spectacles ; il se souvient des applaudissements, des commentaires et des félicitations de tous. Il y a quelques jours, un de ses copains musiciens lui a demandé s'il voulait passer une audition pour Cégeps en spectacle. À la seule idée de passer cette audition, Mathieu a senti un regain de vie.

Motivation
État hypothétique au sein d'un organisme qui pousse ce dernier vers un but.

La **motivation** se définit comme un état hypothétique au sein de l'organisme qui pousse celui-ci vers un but en activant le comportement. Comme de nombreux phénomènes en psychologie, la motivation ne peut être directement observée. C'est pourquoi il est question d'états hypothétiques. Ces états ne peuvent être que déduits de l'observation des comportements. Pour savoir ce qui motive un individu, il faut l'observer et lui poser des questions ; il faut aussi le mettre en situation afin de découvrir les motifs qui le poussent vers un but.

Ce chapitre traitera, d'une part, des concepts associés à la motivation et des sources de la motivation, puis, d'autre part, des relations et des interactions qui se tissent entre les différentes motivations.

9.1 LES CONCEPTS ASSOCIÉS À LA MOTIVATION

Les psychologues présument que les comportements ne se produisent pas par hasard, qu'ils sont dirigés vers un but. Mais qu'est-ce qui peut pousser un individu vers un but plutôt qu'un autre ? En psychologie, l'étude de la motivation a mené à l'élaboration de trois concepts permettant de répondre à ces interrogations. Ces concepts sont les besoins, les tendances et les incitateurs. Les sections qui suivent les définissent plus en détail.

9.1.1 LA NOTION DE BESOIN

Besoin
État de manque créant un déséquilibre pouvant être de nature physiologique ou psychologique.

Le terme **besoin** se rapporte à un état de manque qui crée un déséquilibre physiologique ou psychologique. Il existe deux catégories de besoins, soit les besoins physiologiques ou primaires et les besoins psychologiques ou secondaires. Les besoins physiologiques ou primaires sont directement liés à la survie et à la bonne santé physique ; les besoins psychologiques ou secondaires, à l'équilibre psychique et émotionnel.

• LES BESOINS PHYSIOLOGIQUES OU PRIMAIRES

Besoin physiologique (aussi appelé « besoin primaire »)
Besoin lié à la survie de l'individu tel que respirer, se nourrir, boire, éliminer, etc.

Certains **besoins physiologiques**, ou **besoins primaires**, doivent être satisfaits si l'individu veut se maintenir en santé. Il s'agit des besoins d'oxygène, de nourriture, d'eau, de température appropriée, d'évitement de la douleur et d'élimination des déchets. Certains besoins physiologiques sont des états physiques de manque. Par exemple, lorsqu'un individu n'a pas mangé ou bu pendant un certain temps, il ressent la faim ou la soif. Il sera motivé, c'est-à-dire dans un état qui le pousse à trouver à manger ou à boire (son but), tant que ses besoins ne seront pas comblés. Des mécanismes à l'intérieur du corps sont déclenchés lorsqu'un individu est dans un état de manque. Ces mécanismes le motivent, par des sensations comme la faim, la soif ou le froid, à agir pour rétablir l'équilibre, selon le principe de l'**homéostasie**.

Homéostasie
Tendance du corps à maintenir un état d'équilibre.

Le fonctionnement de l'homéostasie s'avère très semblable à celui d'un thermostat. Lorsque la température de la pièce chute sous le point d'équilibre, le système de chauffage se met en marche. Il fonctionne jusqu'à ce que la température atteigne de nouveau le point d'équilibre. Il en est de même pour une motivation comme la faim. Lorsque le « thermostat » détecte un manque de ressources énergétiques, il met en branle les comportements qui vont avoir pour but de rétablir l'équilibre. Ainsi, les systèmes homéostatiques du corps entraînent des interactions fascinantes entre les processus physiologiques et psychologiques. L'encadré 9.1 explique plus en profondeur les mécanismes physiologiques et psychologiques qui régissent les besoins de la soif et de la faim.

APPROFONDISSEMENT

ENCADRÉ 9.1
Les besoins physiologiques : la soif et la faim

Cet encadré présente un approfondissement de deux besoins physiologiques importants chez les êtres humains, soit la soif et la faim.

La soif

Les récepteurs sur les reins et dans l'hypothalamus joueraient un rôle central dans la régulation de la soif. Lorsque le corps est appauvri en liquide, le débit sanguin qui traverse les reins chute. En réaction à cette diminution du débit sanguin, les reins sécrètent une hormone (angiotensine) qui signale à l'hypothalamus la diminution du volume sanguin. Il est également possible que les récepteurs sensibles à cette diminution liquidienne dans l'hypothalamus (osmorécepteurs) détectent cette réduction d'après les changements qui surviennent dans le cerveau. En effet, comme le reste du corps, le cerveau s'appauvrit en liquide, ce qui peut déclencher la soif. Une concentration accrue de sel peut également signaler aux osmorécepteurs que les réserves de liquides organiques sont insuffisantes. Vous êtes-vous déjà demandé pourquoi les barmans sont habituellement heureux de fournir gratuitement à la clientèle des arachides et des bretzels salés ? À mesure que le sel se dissout dans les liquides organiques, les clients deviennent de nouveau assoiffés. L'hypothalamus réagit de deux façons aux signes de déshydratation transmis par les osmorécepteurs : il signale d'abord à l'hypophyse de sécréter l'hormone antidiurétique (cette hormone indique aux reins de réabsorber l'urine, une mesure permettant de conserver l'eau) ; ensuite, l'hypothalamus envoie un signal au cortex cérébral, ce qui se traduit par une sensation de soif.

Les réactions à la soif sont variées et en grande partie apprises. Les individus se distinguent par leurs préférences personnelles : eau, café ou boissons gazeuses. Le moment de la journée et les habitudes sont également des facteurs qui jouent un rôle dans le choix des liquides. Les indices externes peuvent aussi stimuler l'envie de boire ou de manger, même s'il y a absence d'indices internes. Le seul fait de voir quelqu'un presser une orange ou d'entendre le bruit d'un bouchon que l'on dévisse peut déclencher le désir d'un verre de jus d'orange ou d'un pichet de bière. Il peut également y avoir consommation d'alcool non pas par soif, mais simplement pour obtenir l'effet enivrant ou l'approbation sociale des amis.

La faim

De nombreux chercheurs ont tenté de connaître les facteurs de régulation de la faim. Ces recherches ont conduit à la découverte de nombreux mécanismes de régulation, dont le taux de glycémie, les fonctions de l'hypothalamus et même les récepteurs dans le foie. Lorsque l'individu est privé de nourriture, son taux de glycémie (concentration de sucre dans le sang) chute. Ce déficit est aussitôt communiqué à l'hypothalamus (voir chapitre 2), qui lui indique qu'il doit refaire le plein d'énergie en mangeant. L'hypothalamus semble jouer un rôle central dans les sensations de faim et de satiété. Même si de nombreuses parties du corps travaillent de concert pour régulariser la faim, elles ne représentent qu'un aspect de la question. Chez les individus, la tendance à la faim s'avère beaucoup plus complexe. De nombreux facteurs psychologiques et physiologiques y jouent un rôle important.

Le comportement de boire, tout comme celui de manger, est complexe. Cette action peut être motivée par une combinaison d'indices internes et externes tels que des cognitions, des émotions, la présence d'un incitateur dans l'environnement, etc.

LA FAIM ET LA SOIF, DES BESOINS PLUS COMPLEXES QU'IL N'Y PARAÎT

Des processus physiologiques déterminent la faim et la soif, alors que les besoins psychologiques ou acquis influencent les choix.

• LES BESOINS PSYCHOLOGIQUES OU SECONDAIRES

Parmi les **besoins psychologiques**, ou **besoins secondaires**, il y a entre autres les besoins d'accomplissement, de pouvoir, d'estime de soi, d'approbation sociale et d'appartenance. Les besoins psychologiques se distinguent des besoins physiologiques sous deux aspects importants. D'une part, les besoins psychologiques ne sont pas forcément fondés de façon objective sur des états de manque : un individu manifestant un grand besoin d'accomplissement peut avoir des antécédents répétés d'accomplissement. D'autre part, les besoins psychologiques peuvent être acquis par l'expérience ou appris, alors que les besoins

Besoin psychologique (aussi appelé « besoin secondaire »)
Besoin acquis ou appris par l'expérience.

physiologiques résident dans la constitution physique de l'organisme. Comme les expériences d'apprentissage diffèrent, on doit présumer aussi que les humains se distinguent sensiblement dans leurs besoins psychologiques.

9.1.2 LA NOTION DE TENDANCE

Tendance
État d'activation d'un organisme associé à un besoin.

Les besoins s'accompagnent de **tendances**. La faim, un manque de nourriture, provoque chez l'individu une tendance à rechercher de la nourriture. L'individu s'active pour satisfaire sa faim. La tendance est l'état d'activation dans lequel se trouve l'organisme. Les tendances incitent à l'action et elles s'accentuent avec la durée du manque. L'individu privé de nourriture depuis plusieurs heures sera plus activé par la tendance à rechercher de la nourriture que celui qui a mangé il y a quelques minutes.

Des besoins psychologiques tels que l'approbation, l'accomplissement, l'appartenance et le pouvoir donnent également lieu à des tendances. Par exemple, un individu cherchant l'approbation de ses proches fera des choix ou prendra des décisions en tenant compte de son entourage. Dans ce cas, il ne s'agit pas précisément d'un état de manque ressenti; le besoin peut provenir de l'expérience sociale de l'individu. Aussi, on observe chez cet individu un certain état d'activation dirigé vers la recherche d'information concernant les individus qui l'entourent. Ces renseignements lui permettent de s'adapter à leurs demandes ou à leurs attentes et ainsi d'obtenir l'approbation voulue.

9.1.3 LA NOTION D'INCITATEUR

Incitateur
Objet, individu ou situation perçue comme étant capable de satisfaire un besoin.

Les **incitateurs** sont des objets, des individus ou des situations considérés par l'individu comme pouvant combler un besoin. La nourriture, des compliments d'un individu admiré, une sortie entre amis peuvent servir d'incitateur et être à l'origine de certains comportements. Il existe donc une grande variété d'incitateurs possibles. Il arrive que des situations génèrent un besoin. Par exemple, observer une mère avec un jeune enfant ou un couple d'amoureux peut provoquer un besoin de tendresse ou d'amour, que l'individu cherchera à satisfaire à sa façon. Les experts en marketing ou en publicité sont passés maîtres dans l'utilisation des incitateurs pour convaincre et persuader les consommateurs les plus avisés. Le plus souvent, ils ont recours à la manipulation émotionnelle sous diverses formes : par exemple, la peur, le conformisme, la nécessité, la crédibilité de l'expert et l'estime de soi. Tout individu qui veut éviter d'être manipulé doit développer son sens critique et être à l'écoute de ses émotions et de ses besoins.

Les besoins et les incitateurs peuvent agir réciproquement pour influer sur la force des tendances. Des besoins forts combinés à des incitateurs alléchants engendrent les tendances les plus puissantes. Toutefois, un individu ayant mangé plus qu'à sa faim lors d'un buffet à volonté pourrait, même s'il est complètement rassasié, à l'arrivée de nouveaux desserts alléchants et qu'il apprécie particulièrement, aller s'en chercher un (ou même deux!) et le manger entièrement. Par ailleurs, un employé ayant un besoin élevé d'accomplissement et d'approbation suivra à la lettre les consignes de sa directrice et fera preuve de zèle s'il sait qu'un poste d'adjoint à la direction sera bientôt vacant. Le tableau 9.1 présente deux exemples illustrant le lien entre besoins, incitateurs et tendances, tout en tenant compte des aspects physiologiques et psychologiques.

? MYTHE OU RÉALITÉ 1

En effet, les publicités ciblent une clientèle particulière dotée de caractéristiques spécifiques et présentent dans leurs messages l'incitateur (l'objet ou la situation à obtenir) ainsi que le besoin à combler. L'incitateur, présenté de façon alléchante, peut faire naître chez l'individu un besoin qu'il n'éprouvait pas auparavant. L'information crée alors le besoin.

TABLEAU 9.1 BESOINS, INCITATEURS ET TENDANCES

	BESOINS PHYSIOLOGIQUES	BESOINS PSYCHOLOGIQUES
Besoin État de manque ressenti par l'organisme	Ex. : «J'ai faim.» Mon système biologique m'informe qu'il manque de nourriture.	Ex. : «J'ai le goût de rencontrer quelqu'un.» Je me sens seul en ce moment.
Incitateur Objet, individu ou situation pouvant satisfaire un besoin	Ex. : Une bonne pizza double fromage perçue comme un objet susceptible de combler mon besoin.	Ex. : Un party de fin de semestre organisé au cégep par le programme de sciences humaines perçu comme une bonne occasion de rencontrer des gens.
Tendance État d'activation orienté vers le comportement destiné à satisfaire un besoin	Ex. : État d'activation m'amenant à me commander la pizza désirée.	Ex. : État d'activation m'amenant à me rendre au party et à aller vers les gens.

9.1.4 L'ASPECT CYCLIQUE DE LA MOTIVATION

Comme nous venons de le constater, la motivation est un état interne dont l'origine est un besoin physiologique ou psychologique. Cet état interne déclenche une tendance qui amène l'organisme à émettre un comportement : chercher l'objet, la personne ou la situation nécessaire à la satisfaction de son besoin. Cet aspect cyclique est illustré par la figure 9.1 dans le cas d'une motivation fondamentale, celle liée à la faim. Ainsi, le besoin de manger chez un touriste, par exemple, va créer une activation (tendance) qui l'amènera à chercher un restaurant et à y consommer un repas qui va satisfaire sa faim… jusqu'à ce qu'il ait faim à nouveau, quelques heures plus tard.

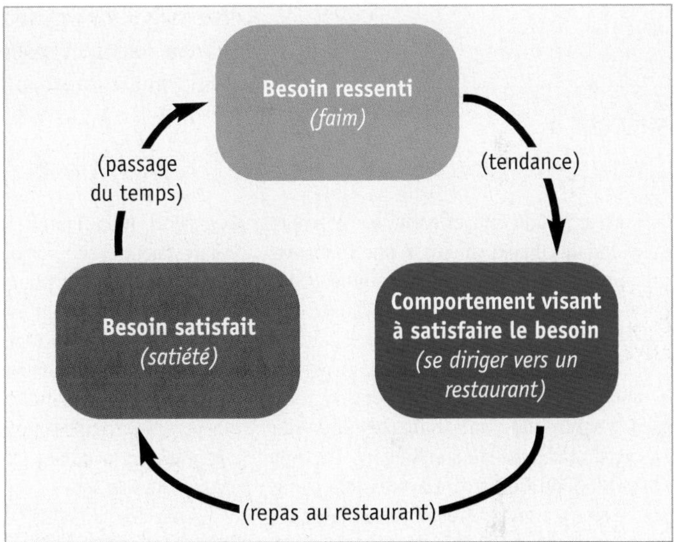

9.2 LES SOURCES DE MOTIVATION

La littérature scientifique mentionne de nombreuses sources de motivation. Bien que les psychologues s'entendent sur le rôle central que joue la motivation dans le comportement des humains et des espèces animales, ils ne s'entendent pas sur ses origines. Malgré ces divergences d'opinion, on peut regrouper les sources de motivation en deux grandes catégories : les sources physiologiques, parmi lesquelles on retrouve l'instinct, le besoin de réduire les tensions et la recherche de sensations, et les sources psychologiques, notamment les motivations intrinsèques et extrinsèques, les attributions, les besoins sociaux et les besoins inconscients.

FIGURE 9.1   L'ASPECT CYCLIQUE DE LA MOTIVATION

Selon le cycle de la motivation, le besoin engendre un comportement visant à satisfaire le besoin, lequel est satisfait jusqu'à ce qu'il soit à nouveau ressenti : le cycle recommence alors.

9.2.1 LES SOURCES PHYSIOLOGIQUES

• L'INSTINCT

L'observation d'animaux par les **éthologistes** a révélé qu'il pouvait exister des comportements typiques et communs à tous les individus d'une espèce donnée. Un jeune couple d'hirondelles, au moment de construire son nid pour la première fois, le fera pareil à celui de ses parents, sans avoir bénéficié d'un enseignement de leur part. Les hirondelles reçoivent génétiquement cette disposition et manifestent au moment opportun ce comportement particulier à l'espèce. Des oiseaux élevés isolément et n'ayant jamais observé un autre oiseau construire un nid ni même vu un nid, en construisent un durant la saison des amours. Il existe plusieurs comportements instinctifs. La figure 9.2, où on peut apercevoir un chiot nager, en donne un exemple : si un jeune chien tombe à l'eau, il saura nager instinctivement sans avoir eu à l'apprendre, ce qui n'est pas le cas chez les humains. Comme on peut le constater, les comportements instinctifs sont propres à une espèce donnée.

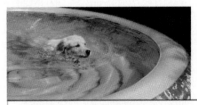

FIGURE 9.2   LES COMPORTEMENTS INSTINCTIFS

Lorsqu'ils tombent à l'eau, les chiots savent nager instinctivement, sans avoir bénéficié d'un apprentissage préalable. Ils héritent génétiquement de cette aptitude.

Éthologiste
Scientifique qui étudie les comportements caractéristiques des différentes espèces dans leur habitat naturel.

Instinct (aussi appelé « schème d'action prédéterminé »)

Disposition héréditaire à l'origine de comportements se manifestant à un certain moment du développement de l'espèce. Comportement typique et commun à tous les membres de l'espèce.

Déclencheur

Stimulus qui déclenche un instinct ou un schème d'action prédéterminé.

Phéromone

Sécrétion externe produite par un organisme, qui stimule une réponse physiologique ou comportementale chez un autre membre de la même espèce.

De tels comportements sont spontanés et ne dépendent d'aucun apprentissage. Ces **instincts**, ou **schèmes d'action prédéterminés**, sont des dispositions héréditaires qui activent des comportements particuliers conçus, semble-t-il, pour atteindre des buts précis et favoriser la survie de l'espèce. Ainsi, les araignées tissent leurs toiles dans le but de piéger leurs proies, alors que les abeilles « dansent » pour indiquer aux autres abeilles l'emplacement des champs à butiner. Ces comportements sont uniformes et universels par rapport à l'espèce ; ils sont innés et génétiquement transmis d'une génération à l'autre.

Les instincts se manifestent en réaction à des stimuli appelés **déclencheurs**. Les représentants masculins de nombreuses espèces, par exemple, sont sexuellement excités par les **phéromones** que sécrètent les femelles. À titre d'exemple, les phalènes femelles, de grands papillons nocturnes, ont des glandes abdominales qui sécrètent des phéromones que les mâles repèrent à plusieurs kilomètres. C'est ainsi que les phéromones « déclenchent » le schème d'action prédéterminé de la réponse sexuelle des mâles de cette espèce.

L'instinct semble s'appliquer davantage à certaines espèces animales qu'aux humains. L'encadré 9.2 fait état des nombreuses preuves selon lesquelles les comportements dits « maternels » sont plutôt appris qu'innés. Mais pour certains autres thèmes tels que l'instinct de survie, l'instinct sexuel ou l'instinct grégaire chez l'humain, le sujet reste controversé.

ENCADRÉ 9.2

L'« instinct maternel » existe-t-il vraiment ?

Un aspect du comportement que plusieurs considèrent comme soumis à une tendance primaire est le comportement maternel. C'est en effet un lieu commun que d'affirmer que les femmes sont naturellement des mères.

En revanche, les hommes sont perçus comme maladroits dans le soin des enfants, qu'il s'agisse de faire faire les rots, de changer la couche ou simplement d'attirer l'attention de l'enfant. L'expression « Une mère sait s'y prendre » témoigne du fait qu'il est généralement attendu d'une mère qu'elle sache comment élever ses enfants. Qu'en est-il exactement ? Les mères le « savent-elles » vraiment ? Dans ce cas, comment ont-elles acquis ce « savoir » ? Le comportement maternel reflète-t-il une tendance primaire chez les êtres humains, ou est-ce une tendance acquise ?

Chez de nombreuses espèces animales, le comportement parental est inné et réglé par les hormones. Par exemple, le comportement maternel chez les rates semble principalement commandé par des hormones, dont l'œstrogène, la progestérone et la prolactine. Les hormones sont transportées par la circulation sanguine. Lorsque le sang d'une rate qui a récemment donné naissance à des petits est transfusé dans une autre femelle, cette dernière manifeste également des comportements maternels (Terkel et Rosenblatt, 1972).

Chez les chimpanzés, l'apprentissage joue un rôle plus déterminant. À l'Université du Wisconsin, le couple Harlow et ses collègues (Harlow et Harlow, 1966 ; Ruppenthal et autres, 1976) ont élevé des femelles rhésus en

isolement. À la maturité, les guenons ne manifestaient aucun comportement sexuel ou social normal. Si elles donnaient naissance à des petits, elles manifestaient souvent de l'impatience et un manque d'intérêt à leur égard. Ce comportement d'abus et de négligence semble indiquer que, chez les primates, les composantes du comportement maternel sont acquises, dont un grand nombre, en très bas âge.

Chez les humains, considérés comme les primates les plus avancés, les comportements maternels doivent aussi être appris. Elizabeth Badinter (1980) a démontré que les soins apportés aux enfants par la mère tels qu'on les connaît aujourd'hui ne constituent pas une pratique qui a toujours eu cours. Par exemple, aux XVIIᵉ et XVIIIᵉ siècles, le soin des enfants était confié dès la naissance aux nourrices. Les mères éprouvaient plutôt de l'indifférence envers leurs rejetons. Ce n'est qu'au XIXᵉ siècle qu'un mouvement philosophique a créé le concept d'amour maternel, qui a pris de plus en plus d'importance jusqu'à nos jours. Badinter rappelle que ce mouvement découle de raisons économiques et démographiques beaucoup plus qu'humanitaires.

Il semble donc que l'expression « instinct maternel » chez les êtres humains soit peu appropriée, car il s'agit d'un comportement qui se manifeste de façon variable chez les femmes, et ce, en fonction des époques et des milieux dans lesquels elles évoluent.

Si les comportements maternels sont appris, pourquoi l'éducation des enfants semble-t-elle naturellement revenir aux

femmes et non aux hommes ? Dans la société occidentale, des poupées sont habituellement offertes aux filles en très bas âge, et ces dernières sont guidées vers des jeux qui les préparent aux rôles de maternage que les parents prévoient qu'elles assumeront à l'âge adulte. La société s'attend aussi à ce que les filles, plus que les garçons, contribuent aux soins des plus jeunes et gagnent de l'argent en gardant des enfants. Étant donné les nombreuses années de cet apprentissage, il n'est pas étonnant que les femmes semblent plus « naturellement » portées sur le maternage.

L'HOMME PEUT-IL ÊTRE UNE « BONNE MÈRE » ?

MYTHE OU RÉALITÉ 2

● *Il est vrai qu'il y a des déclencheurs spécifiques à certaines espèces animales qui provoquent des réactions similaires d'un individu à l'autre. Par exemple, la présence de phéromones chez les femelles déclenche les réactions sexuelles chez les mâles.*

• LE BESOIN DE RÉDUIRE LES TENSIONS

Une **tension** se définit comme la perception d'un état d'inconfort dont l'origine est psychologique, physiologique ou les deux. Selon la **théorie de la réduction des tensions**, un individu qui éprouve une tension physique qu'il attribue à la faim cherchera à réduire cette tension. Dans ce cas, la réduction de la tension ressentie est le mobile de l'action. La nourriture, une fois obtenue, réduit la tension. L'homéostasie contribue à l'équilibre des systèmes physiologiques du corps humain. La réduction des tensions est en lien étroit avec cette tendance biologique d'équilibre. Le désir de réduire les tensions est donc à l'origine de la motivation ou des comportements motivés. En général, les stimuli ou les situations qui réduisent les tensions sont perçus comme agréables, car ils diminuent ou éliminent l'état d'inconfort que perçoit l'individu. Ainsi, selon la théorie de réduction des tensions, telle que l'a formulée Clark Hull, de l'Université Yale, dans les années quarante, les récompenses sont agréables parce qu'elles atténuent les tensions (Hull, 1943).

La réduction des tensions s'applique également à des tensions qui sont perçues par les individus comme étant d'origine psychologique. À l'annonce d'une nouvelle réconfortante, un individu inquiet sera rassuré et ressentira une diminution de la tension, voire sa disparition. Un individu ayant un grand désir de s'acheter une voiture ressentira une réduction de la tension et probablement de la satisfaction une fois qu'il aura obtenu l'objet convoité. Ainsi, bon nombre d'individus réduisent leurs tensions liées à la consommation en achetant les articles qui les provoquent.

La plupart du temps, on adopte les comportements qui nous permettent de réduire l'inconfort attribuable aux tensions qu'on éprouve. Par contre, il arrive parfois qu'on agisse de façon à augmenter les tensions qui nous assaillent au lieu de les réduire. C'est de cette façon qu'on explique, par exemple, le comportement d'une personne qui s'adonne au parachutisme, à la course automobile ou à toute autre activité qui augmente le niveau de tension au lieu de le réduire. Ce comportement à première vue paradoxal répond en fait à un autre besoin de l'être humain : le besoin de stimulation.

• LE BESOIN DE STIMULATION

Certains psychologues ont émis l'hypothèse selon laquelle il existe des tendances à rechercher des stimulations sensorielles. Dans ce cas, le but de l'organisme est d'augmenter la quantité des stimulations qui l'affectent. Il semble en effet que les individus et de nombreux animaux aient une tendance très prononcée à la stimulation sensorielle. La figure 9.3 montre à quel point certaines personnes sont avides de sensations fortes. Cependant, le niveau et la nature des stimulations sensorielles recherchées varient considérablement d'un individu à l'autre. Par exemple, certains choisissent des vacances tranquilles à la plage, d'autres s'organisent un voyage d'escalade ou de descente de rivière dans un endroit sauvage et isolé ; les uns s'installent devant le téléviseur toute la soirée, d'autres jouent au football, au hockey ou au soccer plusieurs fois par semaine. En d'autres mots, d'un côté se trouvent des individus avides de sensations fortes et, de l'autre, des individus cherchant systématiquement à les éviter.

Besoin d'exploration et de manipulation. Certains comportements semblent motivés par un besoin d'exploration et de manipulation. Ainsi, lorsqu'ils sont placés dans un nouveau milieu, nombre d'individus et d'espèces animales semblent démontrer une tendance innée à adopter un comportement exploratoire. Nouvellement adopté, un chaton se cachera peut-être sous un sofa ou un lit pendant quelques heures puis, un peu plus tard, il commencera à explorer tous les coins de son nouvel environnement.

Tension
État d'inconfort d'origine physiologique ou psychologique, ou les deux à la fois, dont la disparition ou la réduction sert de mobile à l'action ou au comportement.

Théorie de la réduction des tensions
Théorie selon laquelle l'organisme apprend à adopter des comportements dont l'effet est de réduire les tensions.

FIGURE 9.3   LA RECHERCHE DE SENSATIONS FORTES

Certains sports populaires tels que la planche à neige, le vélo de montagne ou le bungee sont considérés par certains comme des activités de loisir agréables et excitantes alors que, pour d'autres, ils relèvent de la pure folie.

FIGURE 9.4   L'EXPLORATION

Des faits historiques démontrent que les humains ont une tendance à l'exploration.

Une fois familiarisés avec leur environnement, il semble que les individus et les espèces animales soient habituellement motivés à chercher une stimulation nouvelle. Par exemple, une fois rassasiés, des rats ont tendance à visiter les sentiers inconnus d'un labyrinthe plutôt qu'à aller droit au but (source de nourriture). Les singes, comme les jeunes enfants, apprendront à manipuler différents dispositifs si ce comportement leur procure la possibilité d'expérimenter une stimulation nouvelle. À ce sujet, les parents sont parfois déconcertés par cette tendance qu'ont les jeunes enfants à toucher à tout lorsqu'ils sont dans les magasins. De plus, il arrive qu'un parent perde son enfant dans un centre commercial : se sentant en confiance et en sécurité, l'enfant explore tout simplement les lieux. C'est peut-être cette même motivation qui a incité de grands explorateurs tels que Christophe Colomb et Jacques Cartier à partir de l'Europe à la découverte de nouveaux continents tout comme, de nos jours, les astronautes se lancent à la conquête de l'espace, tel que l'illustre la figure 9.4.

Les individus et les animaux cherchent-ils à explorer et à manipuler l'environnement parce que ces activités contribuent à réduire leurs tendances primaires ? Entreprennent-ils ces activités pour leur simple plaisir personnel ? En général, les psychologues croient que ces activités stimulantes servent de renforçateurs pour l'organisme. Par exemple, même si l'activité ne leur procure manifestement pas de nourriture ni d'affection, des individus peuvent s'amuser à manipuler des objets pendant un long moment. Pensons aux longues conversations téléphoniques pendant lesquelles l'individu fait des gribouillis ; ou encore aux personnes qui déchiquettent « machinalement » leurs verres de styromousse.

D'un point de vue adaptatif, les individus et les espèces animales motivés à connaître et à manipuler l'environnement sont plus susceptibles de survivre. La connaissance de l'environnement augmente la prise de conscience des ressources et des dangers potentiels, alors que la manipulation permet de modifier l'environnement de manière profitable. L'apprentissage et la manipulation accroissent chez les individus leurs chances de survie jusqu'à la maturité sexuelle, donc jusqu'à la transmission des codes génétiques aux générations suivantes.

La recherche du niveau optimal de l'activation. Afin de fonctionner de façon efficace dans diverses situations, l'individu possède un niveau personnel d'**activation optimale**. La figure 9.5 présente sous forme graphique le lien entre le niveau d'efficacité d'une performance et le niveau d'activation de l'individu. Selon ce modèle, si le niveau d'activation est trop faible ou trop élevé pour une activité donnée, le niveau de la performance sera faible. Par contre, lorsque le niveau d'activation est adaptée à la tâche ou à l'activité, la performance peut atteindre un optimum, soit devenir la meilleure performance possible. Par exemple, arrivée sur les lieux d'un accident où il y a des blessés, la personne qui panique se retrouve dans un état d'activation très élevé ou de suractivation. La personne est alors très fébrile et désorganisée cognitivement. Dans ce cas, il est probable qu'elle n'arrive pas à poser des gestes qui pourraient sauver la vie des individus blessés. Donc, dans cet exemple, la performance est inefficace ou faible. De même, le joueur de golf qui arrive nonchalant sur le terrain, ce qui correspond à un état d'activation faible, n'offrira peut-être pas une très bonne performance, car il manque de vigilance.

Selon ce modèle, le niveau d'activation ressenti ou perçu (faible à élevé) est propre à chaque individu. Ainsi, une personne qui vise une performance optimale doit rechercher son niveau d'activation optimal, c'est-à-dire le niveau d'activation où elle se sent le mieux et avec lequel elle fonctionne le mieux. Par exemple, lors d'un examen, l'élève qui veut obtenir une note optimale, soit la plus haute note possible selon ses capacités et les heures

Activation optimale

Niveau d'activation où l'organisme se sent le mieux et fonctionne le plus efficacement.

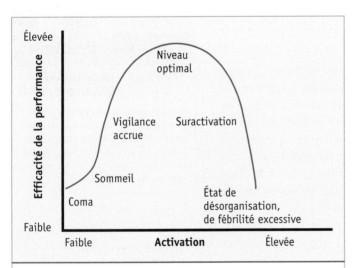

FIGURE 9.5   LA RECHERCHE DU NIVEAU OPTIMAL DE L'ACTIVATION

Le niveau d'activation est lié à l'efficacité de la performance. Le niveau d'activation peut varier de l'état de sommeil à l'état de panique. Les individus dont le niveau optimal d'activation est élevé rechercheront une plus grande stimulation que ceux dont le niveau d'activation est faible.

d'étude qu'il y aura consacrées (à ne pas confondre avec la note la plus élevée du groupe), devrait chercher, tout au long de l'examen, à avoir ou à ressentir un niveau d'activation optimal. Se faisant, il évitera probablement la suractivation ou le manque de vigilance.

Selon les événements et la performance visée, il semble que les individus augmentent ou diminuent leur niveau d'activation s'il est trop bas ou s'il est trop élevé (Maddi, 1980). Par exemple, la plupart des conducteurs, lorsque les conditions météorologiques sont mauvaises (tempête de neige ou orage), diminuent leur vitesse et diminuent en même temps leur niveau d'activation, ce qui peut leur permettre de faire le trajet sans incident. Cependant, on observe des différences individuelles. Certains conducteurs réduiront considérablement leur vitesse et d'autres, moins. Le niveau d'activation qui convient à un individu lui est propre. Aussi, pour une même activité, il se peut que le niveau d'activation soit perçu comme élevé ou faible selon l'individu. Reprenons l'exemple de la conduite automobile par mauvais temps. Un individu qui perçoit la situation comme dangereuse ressentira probablement une forte activation, alors qu'un autre pourrait ne pas être alarmé. Ainsi, le niveau d'activation ressenti est en lien avec la perception ou l'interprétation donnée à la situation ou à l'activité.

L'apprentissage peut également jouer un rôle. La personne qui a déjà eu un accident dans des conditions météorologiques similaires pourrait ressentir une très grande activation. Si cette activation n'est pas contrôlée, elle pourrait mener à un état de panique qui réduirait de beaucoup l'efficacité de la personne à la tâche. Par contre, le conducteur qui a plusieurs années d'expérience dans des conditions variées a probablement appris, au fil des ans, à contrôler son état d'activation de façon à maintenir le niveau nécessaire pour atteindre une efficacité optimale. Donc, l'apprentissage peut être un facteur important dans la recherche de l'activation optimale.

Il existe de grandes différences individuelles. Les individus dont le niveau optimal d'activation est relativement bas préféreront sans doute une vie calme et routinière; à l'opposé, ceux dont le niveau optimal est élevé chercheront plutôt des activités comme le parachutisme, la planche à neige ou la résolution de problèmes complexes tels que les énigmes ou des mots croisés difficiles. Quant au choix d'activités par lequel les préférences personnelles s'expriment, il est souvent en relation avec la situation géographique ou la classe sociale. Un résident de la Californie a moins de chances de faire de la planche à neige; il fera plutôt du surf. De même, faire du parachutisme n'est pas accessible à toutes les bourses.

En plus de dépendre des différences individuelles, le niveau d'activation optimale dépendrait également, d'après la **loi de Yerkes-Dodson** illustrée à la figure 9.6, du degré de difficulté de la tâche. Selon cette loi, un niveau élevé d'activation augmente la performance

Loi de Yerkes-Dodson
Principe selon lequel un niveau élevé d'activation ou de motivation augmente l'efficacité de la performance dans une tâche relativement simple, alors qu'un niveau plus faible d'activation ou de motivation permettrait une meilleure performance dans une tâche complexe.

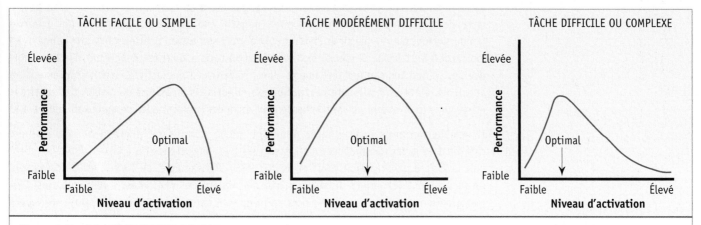

Figure 9.6   LA LOI DE YERKES-DODSON
Une tâche simple peut être facilitée par un niveau élevé d'activation. Cependant, une tâche complexe comme des mouvements d'une routine de gymnastique ou la résolution de problèmes mathématiques nécessite qu'on tienne compte de plusieurs variables simultanément. C'est pourquoi une tâche complexe est habituellement réalisée plus efficacement lorsqu'elle est associée à un faible niveau d'activation.

dans une tâche relativement simple, qu'il s'agisse de jouer au bingo ou de résoudre une série de problèmes mathématiques simples. Quand une tâche est complexe, il semble au contraire utile de garder son activation à un niveau relativement faible. C'est le cas, par exemple, du gymnaste qui, pour exécuter ses mouvements à la perfection, doit éviter une activation physiologique trop grande, car cela risquerait de nuire à sa performance. De la même façon, la performance d'un élève à un examen peut être moins bonne si le degré d'activation devient trop élevé : la peur de l'échec peut en effet amener un état de désorganisation tel que l'élève ne pourra répondre correctement aux questions.

La perception du niveau de complexité d'une tâche peut varier selon les individus. Ainsi, pour l'un, une tâche donnée est considérée comme facile ; pour l'autre, elle s'avère difficile ou complexe. La perception du niveau de complexité est en relation avec l'expérience ou l'apprentissage. Par exemple, un individu qui en est à ses premières expériences de conduite automobile trouvera la tâche difficile alors que, quelques mois plus tard, il la trouvera beaucoup plus facile.

 MYTHE OU RÉALITÉ 3

Il est exact que certains athlètes doivent diminuer leur niveau d'activation afin de mieux fonctionner, alors que d'autres, au contraire, doivent l'augmenter.

9.2.2 LES SOURCES PSYCHOLOGIQUES

• LES MOTIVATIONS INTRINSÈQUES ET EXTRINSÈQUES

Motivation intrinsèque
Désir de s'adonner à une activité pour le seul plaisir de la chose. La motivation est dérivée de la satisfaction inhérente au comportement en question.

Motivation extrinsèque
Désir de s'adonner à une activité en raison de récompenses externes ou afin d'éviter une punition. La motivation n'est pas inhérente au comportement en question.

Étudier six heures de suite en vue d'un examen de psychologie peut relever d'une **motivation intrinsèque** ou d'une **motivation extrinsèque**. L'élève qui étudie parce que la psychologie le passionne et parce qu'il éprouve un réel plaisir à acquérir des connaissances dans ce domaine a une motivation intrinsèque. Il s'adonne à cette activité pour le seul plaisir que cela lui procure. Il s'agit d'un motif interne. L'élève qui étudie par crainte d'échouer ou pour obtenir un résultat supérieur à la moyenne, et ainsi hausser sa cote de rendement au collégial, a une motivation extrinsèque à l'étude. Il s'adonne à cette activité parce qu'il veut éviter une conséquence négative ou obtenir un bénéfice. Il s'agit d'un motif externe. Il est également possible qu'une personne agisse sous l'influence simultanée d'une motivation intrinsèque et d'une motivation extrinsèque. Par exemple, le musicien qui s'exerce durant des heures peut le faire pour le plaisir de perfectionner son art, mais aussi dans le but d'obtenir une bourse d'études.

Selon les conséquences ou les événements associés aux comportements, une motivation de nature intrinsèque au départ peut devenir de nature extrinsèque. Par exemple, l'introduction d'un système de boni au pourcentage de vente dans une entreprise pourrait avoir un effet positif chez certains employés, mais un effet négatif chez d'autres. L'employé qui travaille principalement pour le plaisir et l'intérêt qu'il porte à son travail peut ressentir une baisse de sa motivation intrinsèque et voir sa motivation extrinsèque augmenter. Cependant, il est possible que ses ventes augmentent réellement. Donc, s'adonner à une activité sans raison extérieure apparente relève de motifs internes, personnels et auxquels on associe du plaisir ; s'adonner à la même activité et obtenir une récompense peut diminuer le plaisir que l'on éprouvait auparavant.

Il semble toutefois que l'intérêt pour une tâche donnée ne diminue pas de manière significative si les récompenses sont associées à la compétence ou à la performance plutôt qu'à la simple participation (Deci et Ryan, 1985). Par exemple, au soccer, en fin de saison, on récompense les jeunes enfants en leur distribuant des médailles, soulignant ainsi leur participation. Ce geste peut avoir pour conséquence de les faire adhérer au sport, mais peut miner la motivation de ceux ou celles qui étaient motivés de façon intrinsèque à jouer pour le plaisir, et non pour recevoir une médaille de participation. Pour les plus vieux qui ont déjà adhéré au sport, des trophées sont attribués selon la compétence en attaque, en défense ou en tant que gardien de but. Ces récompenses associées au mérite ou à la compétence, en plus d'induire un sentiment de fierté, peuvent inciter l'individu à vouloir répéter l'expérience et à dépasser ses limites. Quoi qu'il en soit, les liens entre les récompenses et la motivation intrinsèque et extrinsèque sont complexes et méritent une attention particulière ; ils invitent même à la prudence.

Mathieu est motivé de façon intrinsèque à faire de la musique, alors qu'étudier en informatique est une motivation extrinsèque. Mathieu s'est inscrit en informatique pour avoir un métier qui lui apportera une certaine sécurité financière et aussi parce que ses parents sont inquiets de son avenir et croient que la musique n'est pas un choix convenable.

ÉCLAIRCISSEMENT DE L'AMORCE

 MYTHE OU RÉALITÉ 4

Offrir des récompenses à un individu qui était motivé au départ de façon intrinsèque peut avoir comme effet de diminuer sa motivation. L'introduction d'un renforçateur peut modifier la perception de l'individu à faire la tâche ou à s'adonner au comportement seulement pour le plaisir.

• LES ATTRIBUTIONS

Selon le cognitiviste Weiner (1986), les causes qu'un individu attribue à ses expériences sont déterminantes sur ses comportements. Un événement peut motiver des comportements totalement différents selon le sens qui lui est attribué. Prenons par exemple deux étudiantes qui ont échoué à un cours d'arts plastiques. La première attribue son échec à son manque de talent et décide de ne plus jamais s'inscrire à un cours d'arts. La deuxième considère qu'elle a échoué parce que le professeur n'appréciait pas son style. Elle est convaincue d'avoir du talent et va persévérer dans ses études en arts, mais dans une autre école. Selon la **théorie des attributions**, c'est donc l'interprétation que les individus font des causes des événements qui influe sur leur comportement.

Il semble que les **attributions causales** varient selon trois dimensions. La première dimension consiste à déterminer le *lieu*, interne ou externe, associé à la cause des événements. La première élève croit que son manque de talent est à l'origine de son échec, ce qui est une cause interne, alors que la deuxième élève attribue son échec à la sévérité du professeur, ce qui correspond à une cause externe. La deuxième dimension des attributions causales est l'interprétation du degré de *stabilité* des causes. Le manque de talent auquel la première élève attribue son échec est une cause stable, dans la mesure où l'élève considère que ses aptitudes ne changent pas d'un examen à l'autre ; la sévérité du professeur, source d'échec selon la deuxième élève, est une cause variable car, selon elle, les autres professeurs ne sont pas aussi sévères. Enfin, la troisième dimension des attributions concerne le degré de *contrôlabilité* des causes. La première élève n'a pas l'impression de pouvoir modifier la situation, alors que la deuxième élève croit qu'en demandant de suivre le cours avec un autre professeur, ou en changeant d'école, elle arrivera à percer dans le domaine des arts. Cette dernière perçoit donc un certain degré de contrôle. Le tableau 9.2 présente un exemple d'événement auquel peuvent être associées différentes attributions. Cet exemple permet de comprendre comment les différentes dimensions des attributions et les cognitions qui s'y rattachent influencent les comportements.

Théorie des attributions
Théorie selon laquelle les comportements sont motivés par l'identification des causes des événements.

Attribution causale
Le fait d'attribuer des causes à des événements en tenant compte des dimensions de lieu, de degré de stabilité et de degré de contrôlabilité.

L'encadré 9.3 présente une spécialiste québécoise et son modèle de la motivation scolaire. Ce modèle est associé à la théorie des attributions. Il met en évidence les déterminants de la motivation scolaire ainsi que les comportements.

Mathieu attribue ses mauvais résultats scolaires à plusieurs causes. Premièrement, il ne se perçoit pas comme étant bon en mathématiques ; c'est une cause interne et stable. Deuxièmement, il est conscient qu'il a mis peu de temps et d'efforts à faire ses tâches scolaires ; cette cause serait contrôlable.

ÉCLAIRCISSEMENT DE L'AMORCE

• LES BESOINS SOCIAUX

L'agressivité, la recherche d'argent, de réussite, d'approbation sociale et de pouvoir constituent des exemples de tendances sociales. Les **besoins sociaux** se distinguent des besoins primaires par le fait qu'ils sont acquis par l'apprentissage social. Ils ne visent donc

Besoin social
Besoin acquis par l'apprentissage et qui vise l'adaptation psychologique de l'individu à son milieu.

pas le maintien des fonctions vitales de l'organisme, mais bien l'adaptation psychologique de l'individu à son milieu. Tout comme les autres besoins, ils activent et provoquent un comportement axé vers un but.

Le psychologue Henry Murray (1938) de l'Université Harvard a été l'un des premiers chercheurs à s'intéresser au domaine des besoins sociaux. Il a présenté les « tendances sociales » comme des besoins psychologiques et a dressé une liste de 21 besoins psychologiques importants, dont les besoins d'accomplissement, d'affiliation, d'agressivité, d'autonomie, de domination et de compréhension. Étant donné que chaque individu possède des expériences d'apprentissage qui lui sont propres, les besoins psychologiques sont vécus à des degrés divers selon les individus et leurs priorités respectives. La section suivante présente des recherches plus récentes concernant les besoins d'accomplissement, d'affiliation et de pouvoir, ainsi que les circonstances qui les engendrent.

Besoin d'accomplissement Besoin d'accomplir des tâches jugées difficiles.

Besoin d'accomplissement. Tous connaissent des individus qui s'efforcent sans relâche d'aller de l'avant, de réussir dans la vie, de gagner de grosses sommes d'argent, d'inventer et d'accomplir l'impossible. Ces individus ont un besoin élevé d'accomplissement. Les individus ayant un **besoin d'accomplissement** élevé obtiennent généralement de meilleures notes que les individus dotés d'aptitudes d'apprentissage comparables, mais ayant un besoin d'accomplissement inférieur. Ils sont également davantage susceptibles d'être promus et de toucher des salaires plus élevés que les individus éprouvant un besoin d'accomplissement inférieur et dotés des mêmes aptitudes. Ils ont tendance à choisir des tâches comportant un degré de difficulté moyen, donc présentant un certain défi et offrant des chances élevées de succès. En général, ils s'attribuent les causes de leurs réussites comme de leurs échecs. En outre, leur rendement est supérieur dans les problèmes mathématiques et de déchiffrage d'anagrammes (comme « rsta », qui peut former les mots rats, arts et star). Toutefois, il est important de toujours garder à l'esprit que si ce besoin est un élément important de la réussite, il n'en est pas le seul facteur.

TABLEAU 9.2 EXEMPLES DE COGNITIONS SELON LES DIMENSIONS DE L'ATTRIBUTION CAUSALE ET LEURS INFLUENCES POSSIBLES SUR LE COMPORTEMENT

ÉVÉNEMENT	DIMENSIONS		EXEMPLES DE COGNITION	INFLUENCES POSSIBLES SUR LE COMPORTEMENT
Alors que vous êtes en voiture, vous percutez l'arrière de la voiture qui vous précède, car son conducteur s'est brusquement immobilisé à un feu jaune, alors qu'il semblait vouloir franchir l'intersection.	Lieu	Interne Cause liée à soi-même	« C'est moi qui n'ai pas réagi assez vite. »	« La prochaine fois, je vais me préparer à réagir plus rapidement. »
		Externe Cause liée à la chance, au hasard ou à une autre personne	« C'est l'autre conducteur qui s'est décidé trop tard à s'arrêter. »	« Je n'ai pas à changer ma façon de conduire. »
	Stabilité	Variable Cause ne sera pas toujours présente	« Ce genre d'accident ne m'arrive pas souvent. »	« Je n'ai pas à craindre que ça m'arrive à nouveau[1]. »
		Stable Cause sera toujours présente	« C'est la troisième fois que j'ai ce type d'accident cette année. »	« Je vais redoubler d'attention pour que cela ne se reproduise plus[1]. »
	Contrôlabilité	Contrôlable Pouvoir sur la cause	« J'aurais pu éviter l'accident en gardant une plus grande distance. »	« Je vais m'habituer à garder une plus grande distance entre ma voiture et celle qui me précède. »
		Incontrôlable Pas de pouvoir sur la cause	« Je n'ai pas de pouvoir sur la conduite des autres conducteurs. »	« Je n'ai rien d'autre à faire que d'espérer que cela ne m'arrive plus. »

1. À noter que l'exemple d'influence possible sur le comportement suppose que la personne s'est attribué la responsabilité de l'accident. Il en aurait été autrement si la personne avait attribué la responsabilité à l'autre conducteur.

Denise Barbeau

SPÉCIALISTE QUÉBÉCOISE

La chercheure québécoise Denise Barbeau et ses collègues Angelo Montini et Claude Roy ont élaboré un modèle de la motivation scolaire (Barbeau, 1994; Barbeau, Montini et Roy, 1997). Madame Barbeau, maintenant à la retraite, a enseigné la psychologie au niveau collégial pendant plusieurs années. Durant ses années d'enseignement, elle a complété un doctorat sur les perceptions cognitives. Elle a appliqué ses connaissances au domaine de la motivation scolaire. Cet encadré présente le modèle qu'elle a élaboré avec ses collègues. Avant de lire la présentation du modèle, répondez aux questions suivantes. Elles vous aideront à mieux comprendre votre motivation ou votre niveau de motivation.

1. Quels buts poursuivez-vous dans vos études?
2. Vous considérez-vous comme intelligent?
3. Lorsque vous réussissez, à quoi attribuez-vous votre succès?
4. Lorsque vous échouez, à quoi attribuez-vous votre échec?
5. Trouvez-vous vos tâches scolaires importantes?
6. Vous percevez-vous comme compétent à apprendre et à utiliser vos connaissances?
7. Trouvez-vous important de faire des études collégiales et de les réussir?

Les réponses que vous avez fournies devraient vous renseigner sur les déterminants de vos motivations scolaires. Ainsi, selon Barbeau, Montini et Roy (1997), l'attitude des élèves face aux buts de leurs études et face à leur propre intelligence détermine en partie leur motivation. L'élève qui assiste à ses cours pour acquérir de nouvelles connaissances (but d'apprentissage) diffère de celui qui se présente en classe principalement pour avoir de bonnes notes (but de performance) ou pour être tout simplement avec ses amis (but social).

Devant le résultat à un examen, bon nombre d'élèves se posent spontanément la question suivante : pourquoi ai-je obtenu cette note? Autrement dit, à quoi puis-je attribuer ma réussite ou mon échec (selon le cas)? La réponse dépend des attributions. Prenons par exemple Isabelle, qui a échoué à un examen en économie. Si elle attribue son résultat à un manque d'étude, la cause est interne (c'est sa faute); la cause peut être modifiable (elle peut étudier plus la prochaine fois); la cause peut être globale ou particulière à cet examen (si l'échec ne s'est produit que dans ce cours et non dans

tous les autres); enfin, la cause peut être contrôlable, car Isabelle aura l'occasion d'étudier davantage la prochaine fois (par opposition à une cause incontrôlable). Cependant, l'attribution est différente si Isabelle considère que son échec est dû à son enseignant, si elle juge que ce dernier est trop sévère (cause externe). Lors du prochain examen, cet enseignant n'aura pas changé et sera encore sévère (cause stable). De plus, si Isabelle perçoit tous les enseignants du cégep comme sévères et exigeants (cause globale pouvant s'appliquer à beaucoup d'autres examens), elle ne pensera pas pouvoir exercer de contrôle sur ceux-ci (cause incontrôlable). Ainsi, les causes qu'Isabelle attribue à ses résultats scolaires peuvent en grande partie déterminer son comportement futur face à ses études et, évidemment, sa motivation.

En général, l'élève peu motivé accorde peu de valeur aux études, perçoit les travaux scolaires exigés comme inutiles et vides de sens, et manifeste souvent un manque de motivation à les réaliser. De plus, il doute de sa compétence à acquérir et à utiliser ses connaissances scolaires, ce qui influence ses choix d'activités et son degré d'effort et de persistance face aux tâches scolaires.

Par contre, l'élève motivé valorise les études collégiales, trouve ses apprentissages significatifs ou utiles, y perçoit un défi et possède une perception élevée de l'importance de la tâche. Il se distingue par son engagement dans ses études, c'est-à-dire par la qualité et la quantité d'efforts qu'il déploie, par sa participation en classe ou dans ses travaux scolaires, et par sa persistance devant les difficultés rencontrées.

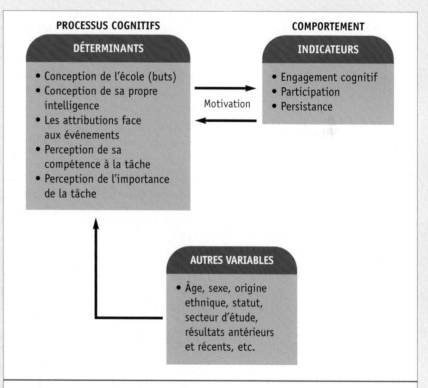

MODÈLE DE LA MOTIVATION SCOLAIRE

Selon le modèle de la motivation scolaire de Barbeau, Montini et Roy (1997), le comportement d'une personne motivée est associé à différents indicateurs, soit son engagement cognitif (l'effort et les stratégies d'étude utilisées), sa participation et sa persistance. Plusieurs processus cognitifs déterminent la motivation et le comportement : la conception des buts de l'école et celle de sa propre intelligence, de même que les attributions face aux événements, la perception de sa compétence face aux tâches scolaires et l'importance accordée à celles-ci.

Source : Adapté de Barbeau, Montini et Roy (1997). *Tracer les chemins de la connaissance : la motivation scolaire*, Montréal, Association québécoise de pédagogie collégiale, p. 7.

Selon les résultats des études de McClelland et Pilon (1983), il est probable que les enfants encouragés à faire preuve d'autonomie et de sens des responsabilités à un âge précoce par des parents réagissant avec enthousiasme à leurs efforts, développent un besoin d'accomplissement élevé.

ÉCLAIRCISSEMENT DE L'AMORCE

Mathieu exprime un certain besoin d'accomplissement, car il veut réussir sa vie. Cependant, il pense que l'informatique n'est pas le moyen idéal pour lui de se réaliser. Selon lui, la musique représente un incitateur plus adapté à sa personnalité et qui comblera son besoin d'accomplissement.

Besoin d'affiliation
Besoin d'être en relation avec autrui, de se sentir associé à un individu ou à un groupe d'individus.

Besoin d'affiliation. Le **besoin d'affiliation** incite l'individu à se faire des amis, à se joindre à des groupes et à faire des activités avec d'autres plutôt que seul, de même qu'à recevoir, donner partager. Le besoin d'affiliation contribue au tissu social qui engendre les familles et les communautés. À ce sujet, Schachter (1959) établit un lien entre la sollicitude et l'attention des parents envers leur enfant et leur besoin d'affiliation futur. Les premiers nés ayant été l'objet de plus d'attention et de sollicitude que les enfants suivants développeraient un besoin d'affiliation plus élevé (Godefroid, 1991). De même, il semble que les individus qui vivent ensemble une expérience difficile manifestent un besoin d'affiliation plus élevé. Certains individus qui ont traversé une situation de vie pénible diront que cela les a rapprochés. Cependant, l'inverse est également possible.

Besoin de pouvoir
Besoin d'exercer une influence sur les organisations et les autres individus.

Besoin de pouvoir. Le **besoin de pouvoir** correspond au besoin d'exercer une certaine influence sur les organisations et les autres individus. Les élèves de niveau collégial ayant un besoin élevé de pouvoir sont plus portés que d'autres à devenir membres de comités importants et à occuper des postes clés au sein des organisations étudiantes (Beck, 1978). En outre, ils sont plus enclins que les individus ayant un faible besoin de pouvoir à participer à des sports de contact violents et à se diriger vers des professions caractérisées par la concurrence, comme le milieu des affaires.

Le besoin de pouvoir peut être positif ou négatif, car le pouvoir peut être utilisé à bon escient ou, au contraire, à des fins répréhensibles. Dans une étude récente, on a constaté que les meneurs de groupe ayant un besoin élevé de pouvoir peuvent entraver la prise de décision collective, en évitant d'encourager une discussion complète de tous les faits relatifs à une situation et en ne favorisant pas l'entière considération des propositions soumises par les membres du groupe (Fodor et Smith, 1982). À l'opposé, le policier qui tente de convaincre un homme armé et barricadé dans son logis ou l'intervenant en ligne avec une personne suicidaire ont en commun un besoin de pouvoir qui est mis à contribution dans la société.

Notons que les personnes ayant un besoin d'affiliation faible et un besoin de pouvoir élevé, ce qui constitue une combinaison appelée « syndrome de la tendance au leadership », s'exposent beaucoup à des maladies liées au stress. En effet, sur le plan physiologique, le besoin de pouvoir est souvent lié à l'activation prolongée de la branche sympathique du système nerveux autonome, ce qui peut entraîner de l'hypertension et une dégradation du système immunitaire de l'organisme (McClelland et autres, 1982), comme il en sera question au chapitre 10.

 MYTHE OU RÉALITÉ 5

Il est vrai qu'au travail, un besoin de pouvoir élevé et un besoin d'affiliation faible peuvent engendrer la maladie.

• LES BESOINS INCONSCIENTS

Besoin inconscient
Besoin issu de l'inconscient et provenant d'une pulsion ou d'un contenu refoulé.

Pour les psychanalystes, les motivations proviennent de **besoins inconscients** correspondant à l'ensemble des pulsions et des contenus refoulés dans l'inconscient (Rycroft, 1972). Selon Freud, toute énergie provient des pulsions, et il en distingue deux groupes conflictuels : la pulsion de vie (*Eros*) et la pulsion de mort (*Thanatos*). La pulsion de vie correspond aux pulsions sexuelles et aux pulsions d'autoconservation, tandis que la pulsion de mort agit à l'inverse et correspond aux pulsions d'agression et d'autodestruction. L'agressivité serait la projection de cette pulsion de mort vers l'extérieur.

Toujours selon Freud, l'individu recherche la satisfaction de ses pulsions, cette quête correspondant à la motivation et étant à l'origine de ses comportements. Par exemple, selon cette théorie, ce sont les pulsions sexuelles qui poussent l'individu à adopter des comportements de quête amoureuse. Quant aux pulsions d'autoconservation, elles font en sorte qu'un individu perdu en forêt ou sur une île déserte cherche à survivre par tous les moyens, parfois jusqu'à la limite de ses forces.

D'après cette théorie, lorsque les personnes rencontrent de nombreux obstacles à la satisfaction de leurs pulsions, elles éprouvent de l'anxiété et recourent à des mécanismes de défense dont le fonctionnement sera mieux compris dans le cadre de la théorie de la personnalité de Freud, qui sera présentée au chapitre 11. Retenons pour l'instant de cette vision de la motivation que celle-ci est principalement déterminée par l'inconscient.

9.3 RELATIONS ET INTERACTIONS ENTRE MOTIVATIONS

La première partie de ce chapitre a défini la motivation comme étant un état hypothétique qui pousse l'individu à s'engager dans une activité dont le but est de répondre à ses différents besoins fondamentaux, qui sont de nature physiologique et psychologique. Or, une motivation vient rarement seule. Qu'arrive-t-il lorsque plusieurs motivations se manifestent en même temps? Quels sont les liens qu'elles entretiennent entre elles? Quels sont les effets de cette simultanéité sur l'individu et sur les choix qu'il aura à faire? Et, enfin, le mécanisme de la motivation vise-t-il simplement la réduction des tensions associées aux besoins fondamentaux? Pour répondre à ces questions, la suite de ce chapitre présentera la notion de conflits de motivation, d'une part, et, d'autre part la perspective humaniste de la motivation.

9.3.1 LES CONFLITS DE MOTIVATION

Il arrive que de multiples sources de motivation entrent en jeu simultanément et que l'individu doive choisir de répondre à un besoin plutôt qu'à un autre. C'est ce qu'on appelle un **conflit de motivation**. On distingue plusieurs types de conflits de motivation, plus ou moins difficiles à résoudre selon le cas. Ils sont expliqués ci-après et illustrés à la figure 9.7.

Le **conflit approche-approche** survient quand l'individu est placé face à deux alternatives positives. Luc est au restaurant et doit choisir entre les deux desserts offerts avec la table d'hôte et qu'il trouve aussi alléchants l'un que l'autre. Quel dessert choisira-t-il? Quel que soit son choix, une satisfaction s'ensuivra; il s'agit ainsi du type de conflit le moins complexe à résoudre.

Conflit de motivation
État d'un organisme confronté à une situation comportant différentes alternatives incompatibles, ou un choix comportant des aspects à la fois positif(s) et négatif(s).

Conflit approche-approche
Conflit de motivation dans lequel l'individu doit choisir l'une ou l'autre de deux possibilités ayant des conséquences intéressantes.

FIGURE 9.7   ILLUSTRATION DES CONFLITS DE MOTIVATION

Dans le conflit approche-approche, les deux buts sont désirables, mais le rapprochement de l'un nécessite l'exclusion de l'autre. Dans le conflit évitement-évitement, les deux buts sont indésirables, mais l'évitement de l'un nécessite le rapprochement de l'autre. Dans le conflit approche-évitement, le même but a des effets désirables et indésirables. Dans le conflit approche-évitement multiple, les buts (deux ou plusieurs) ont à la fois des effets désirables et indésirables, le choix de l'un excluant les autres.

Conflit évitement-évitement

Conflit de motivation dans lequel l'individu doit choisir l'une ou l'autre de deux possibilités ayant des conséquences désagréables.

Conflit approche-évitement

Conflit de motivation dans lequel l'individu doit choisir ou non d'adopter un comportement impliquant des conséquences à la fois positive(s) et négative(s).

Conflit approche-évitement multiple

Conflit de motivation dans lequel l'individu doit choisir l'une ou l'autre de plus de deux possibilités, chacune ayant des conséquences à la fois positive(s) et négative(s).

ÉCLAIRCISSEMENT DE L'AMORCE

Hiérarchie des besoins de Maslow

Selon cette théorie humaniste, l'individu doit combler des besoins précis selon un ordre prédéterminé. À la base, on retrouve les besoins physiologiques, ensuite, les besoins liés à la sécurité suivis des besoins liés à l'appartenance et à l'amour. En dernier lieu viennent les besoins liés à l'estime de soi et ceux liés à l'actualisation de soi.

Besoins fondamentaux

Type de besoins qui, selon Maslow, comprennent à la fois les besoins physiologiques et les besoins liés à la sécurité.

Besoins de croissance personnelle

Type de besoins qui, selon Maslow, comprennent à la fois les besoins liés à l'appartenance et à l'amour, les besoins liés à l'estime de soi et ceux liés à l'actualisation de soi.

Le **conflit évitement-évitement** implique quant à lui deux alternatives négatives. Julie est inscrite à un cours de littérature anglaise. Après quelques semaines, elle réalise son manque d'intérêt pour la matière et elle désire se retirer du cours, mais ne voudrait pas non plus subir un échec parce que la date limite d'abandon est passée. Julie va-t-elle continuer ce cours qu'elle n'aime pas ou accepter d'avoir un échec en l'abandonnant malgré tout ? Dans un tel cas, la décision est, de toute évidence, plus difficile à prendre que dans le cas précédent.

Dans le cas du **conflit approche-évitement**, un choix comporte à la fois un aspect positif et un aspect négatif. Martin est invité à une fête. Il a vraiment le goût de s'y rendre, car la plupart de ses amis y seront (aspect positif). Par contre, son ex-copine y sera également, et il tient à l'éviter pour le moment (aspect négatif). Martin ira-t-il à la fête ? Tout comme pour le conflit évitement-évitement, la décision est ici plus difficile à prendre que dans le cas du conflit approche-approche.

Le dernier cas, le **conflit approche-évitement multiple**, est la forme la plus complexe de conflit. L'individu est placé devant plus de deux alternatives, et chacune de ces possibilités comporte à la fois des aspects positifs et des aspects négatifs. Jacinthe termine ses études en sciences humaines. Elle hésite entre l'enseignement au primaire, l'étude de l'histoire et la psychologie. Elle trouve des avantages et des inconvénients à chacune de ces professions. Que choisira-t-elle ?

Mathieu fait face à un conflit approche-évitement. S'il quitte le programme en informatique, il sait que ses parents seront déçus. S'il poursuit ses études dans ce domaine, il sera malheureux.

9.3.2 LA PERSPECTIVE HUMANISTE

Puisque la survie d'une espèce dépend de la satisfaction de ses besoins fondamentaux, on pourrait croire que les êtres humains sont mus par le même mécanisme de motivation que celui qui anime les animaux. Pourtant, au contraire de ces derniers, il semble que l'être humain s'engage dans des activités qui, à première vue, ne sont pas liées à sa survie. La perspective humaniste s'est intéressée à ce phénomène.

La conception humaniste de la motivation intègre à la fois des sources physiologiques et psychologiques de motivation. Abraham Maslow, l'humaniste à l'origine de cette perspective, aimait demander à ses étudiants combien parmi eux, à leur avis, connaîtraient une carrière glorieuse. En les interrogeant ainsi, Maslow cherchait à les inciter à se dépasser, parce qu'il croyait que les personnes sont capables d'accomplir beaucoup plus que de simplement chercher à réduire leur tension ou suivre leur instinct. Selon cet humaniste, le comportement est motivé par le désir conscient de croissance personnelle. L'être humain se distingue des autres espèces animales par sa recherche d'actualisation de soi, ce qui correspond au besoin de s'accomplir et de développer ses potentiels uniques de façon optimale. En fait, Maslow considère l'actualisation de soi comme un besoin humain aussi essentiel que la faim. Il présente donc un modèle hiérarchique des besoins humains (Maslow, 1970).

La **hiérarchie des besoins de Maslow** est présentée à la figure 9.8 sous la forme d'une pyramide ayant à la base des **besoins fondamentaux**, qui comprennent les besoins physiologiques et les besoins liés à la sécurité, lesquels correspondent respectivement au premier et au deuxième palier. Les trois paliers supérieurs sont nommés **besoins de croissance personnelle** et incluent, dans l'ordre, les besoins liés à l'appartenance et à l'amour, les besoins liés à l'estime de soi et ceux liés à l'actualisation de soi.

Les besoins physiologiques correspondent aux besoins de respirer, de boire, de manger, d'éliminer, de dormir, etc. De façon générale, ce type de besoins correspond aux besoins physiologiques, ou primaires, et sont essentiels à la survie. Tous les jours, nous devons satisfaire nos besoins physiologiques. Tant que ceux-ci ne sont pas comblés, l'organisme va chercher à les satisfaire en priorité, avant de passer aux besoins des paliers supérieurs. Par exemple, la personne qui a de la difficulté à respirer à cause d'allergies aura peine à se

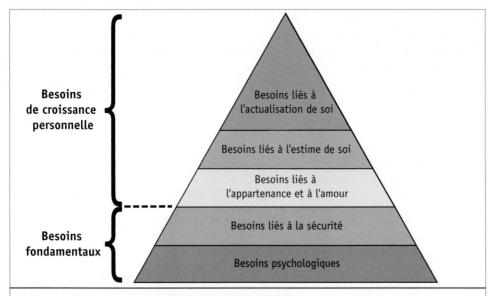

Figure 9.8   LA HIÉRARCHIE DES BESOINS DE MASLOW

Selon Maslow, la personne progresse vers des besoins psychologiques élevés une fois que ses besoins fondamentaux de survie sont satisfaits.

concentrer sur une autre tâche tant que son besoin de respirer correctement ne sera pas comblé. Ce n'est qu'ensuite que, selon Maslow, la personne dont les besoins physiologiques auront été comblés sera en mesure de satisfaire ses besoins liés à la sécurité.

Les **besoins liés à la sécurité**, deuxième palier de la pyramide, correspondent aux besoins de protection face à l'environnement, tels que se protéger du froid ou de la chaleur, se loger, se vêtir, se soustraire à la douleur, à la souffrance physique et à la souffrance psychologique. Que ce soit lors de grands froids ou par temps de canicule, les êtres humains recherchent un certain niveau de confort. Si l'inconfort est trop grand, ils seront motivés à trouver une solution, soit en s'achetant des vêtements plus chauds ou encore en faisant l'acquisition d'un système de climatisation, selon le cas.

Selon Maslow, lorsque les besoins de sécurité sont satisfaits, les **besoins liés à l'appartenance et à l'amour** peuvent se manifester. Entrer en relation avec autrui, établir des relations intimes et gratifiantes, et se sentir accepté dans un groupe relèvent tous de ce type de besoins. Qu'est-ce qui pousse les gens à faire des sorties de groupe et à fêter entre eux ? C'est sans aucun doute le besoin d'être ensemble et le sentiment d'être un membre du groupe, que ce soit un groupe d'amis ou la famille. Les amoureux cherchent à combler leur besoin d'amour en se liant l'un à l'autre ; ils s'échangent de l'affection et établissent une relation intime. Ce faisant, ils contribuent l'un et l'autre à combler leurs besoins respectifs.

Viennent ensuite les **besoins liés à l'estime de soi** tels que se sentir compétent, avoir confiance en soi, être reconnu des autres et mériter leur respect. Les besoins d'estime peuvent se manifester, entre autres, au travail. L'employé qui se sent apprécié par ses patrons et ses collègues comble son besoin d'estime. De même, l'écolier qui reçoit son bulletin et qui a obtenu de bonnes notes se sent valorisé. Ce succès contribue à développer sa confiance en lui, qui est associée aux besoins d'estime.

Au sommet de la pyramide se trouvent les **besoins liés à l'actualisation de soi**. Ils se traduisent par l'accomplissement d'un **potentiel unique**, que ce soit intellectuel, affectif, social, artistique ou moteur. Ainsi, selon Maslow, les individus sont motivés à s'accomplir selon leur potentiel propre. Les personnes n'ayant pas toutes les mêmes possibilités, c'est à chacun de décider de se développer dans un seul domaine ou dans plusieurs à la fois. L'encadré 9.4 présente les caractéristiques de la personne actualisée telle que la conçoit la théorie humaniste de Maslow.

Besoin lié à la sécurité
Selon Maslow, besoin fondamental de protection face à l'environnement, tel que se protéger du froid ou de la chaleur, se loger, se vêtir, se soustraire à la douleur, à la souffrance physique et à la souffrance psychologique.

Besoin lié à l'appartenance et à l'amour
Selon Maslow, besoin d'entrer en relation avec autrui, de faire partie d'un groupe.

Besoin lié à l'estime de soi
Selon Maslow, besoin de se sentir compétent, d'avoir confiance en soi, d'être reconnu des autres et de mériter leur respect.

Besoin lié à l'actualisation de soi
Selon Maslow, besoin de s'accomplir et de développer ses potentiels uniques de façon optimale.

Potentiel unique
Selon la théorie humaniste, correspond aux possibilités de développement de l'individu dans un ou plusieurs domaines : intellectuel, affectif, social, artistique, moteur, etc.

Les caractéristiques de la personne actualisée selon la théorie humaniste

Selon Maslow (1970), les besoins fondamentaux d'un individu doivent être comblés pour que celui-ci puisse accéder aux besoins de croissance personnelle, et un individu sur 10 est animé par des besoins d'actualisation de soi. La personne traverse la hiérarchie des besoins au cours de sa vie, et ce, tant qu'elle ne rencontre pas d'obstacles sociaux ou environnementaux insurmontables. Cependant, au dire de Maslow, une grande partie de la population est principalement occupée à combler des besoins de sécurité, d'appartenance ou d'estime. Cette réalité est attribuable en partie aux impératifs de la vie moderne tels que l'absence de sécurité affective, de sécurité d'emploi ou de reconnaissance de la valeur des individus. Ce chercheur demeure toutefois optimiste face à la nature humaine : alors que certains psychologues croient aux pulsions agressives, celui-ci juge que les personnes se comportent d'une manière agressive seulement lorsque des besoins ne peuvent être comblés, particulièrement les besoins d'affection et d'approbation.

Voici les caractéristiques de la personne actualisée.

1. Elle est ouverte à l'idée de tenter de nouvelles expériences. Cette attitude se traduit par une conscience accrue de son environnement et par une certaine tolérance à l'ambiguïté.

2. Étant en relation directe avec ses perceptions internes, elle reconnaît clairement ses besoins et ses émotions. Elle sait ce qui lui convient sans que cela n'émane d'une autorité ou d'une source externe reconnue.

3. Elle fait preuve d'une certaine spiritualité, suggérant ainsi une approche de l'expérience humaine allant au-delà de la simple expérience objective, mais elle tient également compte de sa subjectivité.

4. Elle est créative. L'ouverture au monde intérieur et extérieur lui permet de libérer sa créativité et d'aborder les concepts et les éléments d'une manière innovatrice, inattendue ou autres, peu importe le domaine.

5. Elle fait appel à son jugement. Elle a une grande habileté à évaluer les gens tels qu'ils sont et distingue avec précision le vrai du faux.

APPROFONDISSEMENT

La perspective humaniste se heurte à des opposants, car elle n'arrive pas à expliquer certaines variations individuelles. En effet, certaines personnes dont les besoins physiologiques, de sécurité et d'appartenance sont satisfaits montrent peu d'intérêt envers des besoins d'estime de soi, comme tenter d'obtenir une promotion. D'autres, à la recherche de l'actualisation de leur plein potentiel d'alpiniste, par exemple, veulent escalader une montagne réputée tout en s'exposant à de grands dangers pouvant porter atteinte à leur intégrité physique. Ils choisissent cette activité malgré le fait qu'il est possible que leurs besoins physiologiques ou de sécurité soient mis en péril. Enfin, certains artistes, musiciens et écrivains se consacrent totalement à leur art, même si, dans certains cas, la pauvreté fait en sorte qu'ils ne peuvent satisfaire leurs besoins physiologiques pourtant fondamentaux selon Maslow. Malgré cela, le modèle de Maslow demeure un outil d'analyse fort utilisé dans le marketing, la publicité et dans le domaine des relations de travail, sans doute parce qu'il rejoint une certaine réalité dans le quotidien.

ÉCLAIRCISSEMENT DE L'AMORCE : *Pour le moment, les besoins fondamentaux de Mathieu sont comblés, principalement par ses parents. Ceux-ci croient qu'en étudiant en informatique, leur fils pourra lui-même combler ses besoins physiologiques et de sécurité à long terme. Mathieu, lui, pense davantage à son besoin d'estime : il veut réussir et se sentir compétent dans le métier qu'il exercera.*

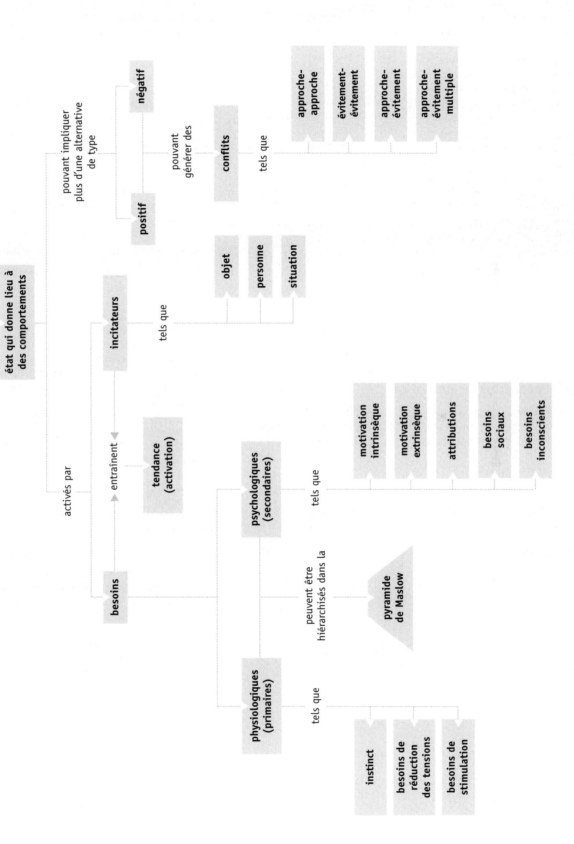

MOTIVATION

est un

état qui donne lieu à des comportements

pouvant impliquer plus d'une alternative de type

positif

négatif

pouvant générer des

conflits

tels que

approche-approche

évitement-évitement

approche-évitement

approche-évitement multiple

activés par

incitateurs

tels que

objet

personne

situation

entraînent

tendance (activation)

besoins

psychologiques (secondaires)

tels que

motivation intrinsèque

motivation extrinsèque

attributions

besoins sociaux

besoins inconscients

peuvent être hiérarchisés dans la

pyramide de Maslow

physiologiques (primaires)

tels que

instinct

besoins de réduction des tensions

besoins de stimulation

9.1 Les concepts associés à la motivation

1. La motivation se définit comme :

   a) une tendance à l'action dirigée vers un but;
   b) un état hypothétique poussant l'organisme vers un but en l'activant;
   c) un besoin secondaire important lié à un but;
   d) une recherche d'activation orientée vers un but.

2. Les besoins _____ sont associés à un état de _____ de l'organisme et sont relativement semblables d'un individu à l'autre. Les besoins _____ sont _____ et différents d'un individu à l'autre.

3. Un individu désire depuis longtemps se procurer un téléviseur. Justement, cette semaine, le magasin XYZ offre des rabais hors du commun. Indiquez le rôle possible des rabais dans cette situation.

   a) Le rôle d'un besoin
   b) Le rôle d'une tendance
   c) Le rôle d'un incitateur
   d) Le rôle d'émotions

9.2 Les sources de motivation

1. Certains comportements sont génétiquement transmis d'une génération à l'autre sans qu'aucun apprentissage ne soit nécessaire. Comment les nomme-t-on?

   a) Des instincts
   b) Des phéromones
   c) Des éthologistes
   d) Des déclencheurs

2. Marc a choisi le deltaplane comme loisir. Choisissez la théorie avec laquelle cette décision concorde.

   a) La stimulation sensorielle
   b) La réduction des tensions
   c) La recherche de sensations
   d) Les instincts mâles

3. Selon la loi de Yerkes-Dodson, déterminez le niveau d'activation permettant une performance maximale d'un individu lors d'une tâche simple.

   a) Faible
   b) Moyen
   c) Élevé
   d) Toutes ces réponses sont inexactes

4. Qualifiez la motivation d'un élève désirant devenir psychologue pour plaire à ses parents.

   a) Intrinsèque
   b) Extrinsèque
   c) À potentiel bas
   d) Toutes ces réponses sont inexactes

5. Il semble que les attributions causales varient selon trois dimensions : _____, _____, _____.

6. Les besoins sociaux correspondent à des états de manque personnel. Vrai ou faux?

7. Pour la psychanalyse, la motivation correspond essentiellement à :

   a) une pulsion de vie;
   b) une pulsion de mort;
   c) la recherche de satisfaction de ses pulsions, qui sont principalement inconscientes;
   d) toutes ces réponses sont bonnes.

9.3 Relation et interaction entre motivations

1. Charles et Annette sont au cinéma. Ils doivent choisir un film parmi deux qui les intéressent également. Cela correspond à un conflit de type :

   a) approche-approche;
   b) approche-évitement;
   c) évitement-évitement;
   d) approche évitement multiple.

2. Valérie s'est blessée à la cheville. Son médecin lui conseille de cesser toute activité physique pendant six semaines. Elle veut guérir, mais il y a la finale de basket-ball demain. Elle voudrait jouer pour aider son équipe à gagner. Valérie vit un conflit :

   a) approche-approche;
   b) approche-évitement;
   c) évitement-évitement;
   d) approche évitement multiple.

3. Ce soir, Gabriel se prépare à sortir. Il aimerait bien rencontrer quelqu'un d'intéressant. Il espère que Caroline, une fille qui l'intéresse depuis quelques semaines, sera là. Gabriel manifeste, selon la pyramide de Maslow un :

   a) besoin physiologique;
   b) besoin de sécurité;
   c) besoin d'appartenance et d'amour;
   d) besoin d'estime de soi.

4. Selon Maslow, les besoins de croissance personnelle correspondent à l'accomplissement de ses potentiels uniques sur le plan intellectuel, affectif, social, artistique et moteur. Vrai ou faux?

Pour aller plus loin...

Volumes et ouvrages de référence

BARBEAU, D., A. MONTINI et C. ROY (1999). *Sur les chemins de la connaissance*, Montréal, AQPC.
Ce volume a été élaboré à la suite d'une recherche sur la motivation scolaire. C'est un document rédigé pour aider l'étudiant qui s'interroge et cherche des solutions à propos de sa motivation scolaire. Le livre contient plusieurs exercices de réflexion et des travaux pratiques.

SORRENTINO, R.M. et E.T. HIGGINS (1986) *Handbook of Motivation and Emotion. Foundations of Social Behavior*, New York, Guilford Press.
Les lecteurs qui ont trouvé de l'intérêt à lire les sections portant sur les sources psychologiques, notamment la section sur les attributions, trouveront dans ce livre des compléments d'information.

Périodiques

MCCALL, R.B. (1994). «Academic Underachievers», *Psychological Science*, 3.
Un article qui présente les caractéristiques des personnes qui manquent de motivation ou qui sont improductives malgré des aptitudes dans certains domaines.

Motivation and Emotion
Une revue scientifique, déjà présentée dans le chapitre précédent, qui publie les résultats des plus récentes recherches, surtout fondamentales, dans le domaine de la motivation et des émotions.

Sites Internet

L'adresse Internet suivante de l'Université du Québec à Chicoutimi donne accès à des notes de cours concernant la motivation. Elle est reliée au cours de psychologie de la motivation. Plusieurs théories présentées dans ce chapitre sont détaillées dans les différents documents.
http://www.uqac.uquebec.ca/dse/3psy206/varapp/motb2.html

Le site de la revue française *Psychologie* offre une fonction de recherche. En faisant une recherche avec le mot «motivation», on obtient plusieurs articles qui donnent des réponses concrètes à des problèmes de motivation de type : «Pourquoi est-ce que je n'ai plus envie d'aller à mon travail?»
http://www.psychologies.com/cfml/qr/c_qr.cfm?id=1133

Films, vidéos, cédéroms, etc.

ZEMECKIS, R. (2001). *Seul au monde*, 2 h 25 min.
Un long métrage qui met en vedette Tom Hanks. L'histoire présente un gestionnaire très performant et motivé à son travail qui, après un accident d'avion, se retrouve seul sur une île déserte et inhospitalière. Il lutte pour sa survie et pour combler tous ses besoins...

Chapitre 10

PIERRE CLOUTIER ET GUY PARENT

Le stress et la santé

PLAN DU CHAPITRE

? MYTHES OU RÉALITÉS ?

Pour savoir si ces affirmations sont vraies ou fausses, trouvez les rubriques *MYTHE OU RÉALITÉ*.

1. Un voyage d'agrément dans le Sud peut engendrer du stress.

2. Le fait d'exprimer sa colère augmente le stress chez l'individu qui s'emporte.

3. Le cancer peut être causé par le stress.

4. Une trop grande tension musculaire provoque des maux de tête et des migraines.

5. Les gens qui font de l'exercice physique vivent en moyenne une dizaine d'années de plus que les personnes sédentaires.

6. Dans certaines thérapies, on utilise le rire comme moyen pour diminuer le stress.

7. La vie conjugale a un impact négatif sur la santé des hommes; mieux vaut être célibataire.

CIBLES D'APPRENTISSAGE

Après avoir lu ce chapitre, vous devriez être en mesure :

• de nommer les différentes sources de stress et de donner un exemple pour chaque catégorie ;

• de décrire les trois phases du syndrome général d'adaptation ;

• de décrire et d'expliquer les liens entre le stress et le système immunitaire ;

• de nommer certaines maladies dont le développement peut être affecté par le stress ;

• de décrire les principales stratégies d'adaptation permettant de faire face au stress selon qu'elles sont axées sur l'hygiène de vie en général ou sur les cognitions ou comportements liés plus directement aux situations stressantes.

FIGURE 10.1 LES TRACAS DE LA VIE QUOTIDIENNE

On définit les tracas de la vie quotidienne comme étant les conditions et les expériences observables du quotidien et qui sont contrariantes, menaçantes ou même dangereuses pour le bien-être de l'individu.

tracas de la vie quotidienne — dont la figure 10.1 illustre deux exemples —, c'est-à-dire les expériences quotidiennes considérées comme contrariantes, menaçantes ou même dangereuses pour le bien-être d'un individu (Lazarus, 1984), font partie de ce type de stress. Lazarus et ses collègues (1985) ont élaboré une échelle qui permet de mesurer les tracas de la vie quotidienne et leur contraire, les bons moments. Ils ont découvert que les tracas pouvaient être groupés de la façon suivante.

1. Les tracas ménagers. Par exemple, la préparation des repas, les emplettes et l'entretien ménager.

2. Les tracas de santé. Par exemple, la maladie physique, les inquiétudes au sujet de soins médicaux et les effets secondaires des médicaments.

3. Les tracas temporels. Par exemple, avoir un horaire trop chargé, cumuler trop de responsabilités et manquer de temps.

4. Les tracas personnels. Par exemple, être enceinte à 15 ans et se demander si la grossesse doit être menée à terme.

5. Les tracas interpersonnels. Par exemple, les relations difficiles entre les membres d'une famille, d'un couple, d'un groupe d'amis, etc.

6. Les tracas environnementaux. Par exemple, le crime, la détérioration du voisinage et le bruit de la circulation automobile.

7. Les tracas financiers. Par exemple, les préoccupations quant aux dettes découlant de prêts aux étudiants ou celles liées à la recherche d'un emploi d'été pour payer ses études.

8. Les tracas professionnels. Par exemple, l'insatisfaction au travail, ne pas aimer ses tâches et les conflits interpersonnels avec des collègues.

9. Les tracas de sécurité à long terme. Par exemple, les inquiétudes au sujet de la sécurité d'emploi, les préoccupations quant à la possibilité d'être refusé à l'université dans la discipline de son choix.

Selon Blankstein et Flett (1992), le niveau de contrariétés quotidiennes perçu est un facteur important d'adaptation personnelle. Leur étude, effectuée auprès d'élèves de niveau collégial, démontre que la perception des contrariétés est corrélée de façon significative à la dépression et à l'anxiété chez les jeunes. Les tracas quotidiens sont aussi reliés à des troubles psychologiques comme la nervosité, l'inquiétude, l'incapacité de s'activer, les sentiments de tristesse, de solitude, etc. Camil Bouchard, un chercheur québécois dont il

Tracas de la vie quotidienne
Conditions et expériences quotidiennes considérées comme contrariantes ou menaçantes, ou même dangereuses pour le bien-être d'un individu.

Camil Bouchard, un cri d'alarme à propos des jeunes

Violence, décrochage, toxicomanie, suicide... les jeunes Québécois semblent être l'objet d'une malédiction qui ne fait qu'empirer depuis 30 ans. Camil Bouchard, psychologue enseignant à l'Université du Québec à Montréal, s'est beaucoup penché sur ce problème. Considérant qu'il est inadmissible de se résigner à une situation qui lui semble aussi désolante qu'anormale, il a participé, en tant que coauteur, à la rédaction d'un rapport publié en 1991 par le gouvernement du Québec. Intitulé *Un Québec fou de ses enfants*, ce rapport sombre et retentissant guide encore aujourd'hui l'action de nombre d'intervenants.

Dans ce rapport, Camil Bouchard fait état de trois types de problèmes qui touchent les jeunes Québécois. D'abord, les enfants sont trop souvent victimes de négligence et d'abus, qui vont de la violence verbale à l'abandon, en passant par les agressions sexuelles. Ensuite, les enfants, et

plus encore les adolescents, présentent ce que Bouchard nomme des «problèmes d'externalisation»: délinquance, violence, difficulté de contrôle du comportement et grossesses précoces. Enfin, l'auteur attire l'attention sur le décrochage qui, sous plusieurs formes, constitue une autre spécialité québécoise, puisque les décrocheurs représentent 40 % de la population chez les jeunes, réalité encore plus présente chez les garçons que chez les filles.

Devant ce sombre tableau, Camil Bouchard insiste sur le fait qu'il faut blâmer non pas les parents, mais bien les situations stressantes que ces derniers traversent, notamment en ce qui concerne le milieu familial. On sait en effet qu'au Québec, près de la moitié des mariages se soldent par un divorce et qu'il existe près de 250 000 familles monoparentales, la plupart de ces dernières étant dirigées par des femmes qui reçoivent souvent peu de soutien financier

et psychologique, voire aucun, et dont le revenu moyen n'atteint pas le tiers du revenu moyen de l'ensemble des ménages québécois. Ainsi, plus que jamais, la famille est éclatée, les individus sont isolés et les rituels sociaux comme l'entraide familiale ne sont plus là pour assurer un sentiment de continuité et de stabilité. À cela s'ajoutent d'autres stresseurs qui nuisent à la qualité de vie: appartements insalubres ou trop petits, impossibilité de prendre des vacances, maladie. Face à de telles conditions de vie, la patience des parents à l'égard de leurs enfants est moins grande, de sorte que les cas de violence et de négligence sont davantage susceptibles de se produire.

Source : Bouchard, C. et autres (1991). *Un Québec fou de ses enfants : rapport du Groupe de travail pour les jeunes,* **Québec, Ministère de la Santé et des Services sociaux.**

est question dans l'encadré 10.1, a contribué à lancer un cri d'alarme pour qu'on s'attaque sans tarder au problème du stress issu des tracas de la vie quotidienne et qui peut avoir des conséquences sociales graves chez les jeunes : décrochage, délinquance, suicide, etc.

Signalons, en terminant ce point, que même si les bons moments sont définis par Lazarus (1984) comme le contraire des tracas, la recherche n'a pas démontré qu'ils sont bénéfiques à la santé. Autrement dit, les gens qui éprouvent davantage de bons moments ne présentent pas forcément moins de problèmes de santé (DeLongis et autres, 1982 ; Zarski, 1984).

10.1.2 LES CHANGEMENTS DE VIE

Selon Holmes et Rahe (1967), tout changement de vie qui oblige l'organisme à s'adapter peut être une source de stress, et cela est vrai, que le changement ait une portée ou une signification positive ou négative. La figure 10.2 illustre deux cas typiques à cet effet : le mariage est un exemple type d'événement éminemment heureux (donc positif); la perte d'un être cher, un exemple type d'événement malheureux (donc négatif). Ainsi, pour Holmes et Rahe, un excès de changements, même positifs, peut rendre malade. Une personne croira peut-être qu'épouser le conjoint idéal, dénicher un emploi prestigieux et déménager dans un quartier plus huppé au cours de la même année la propulseront au septième ciel. Cela est possible, évidemment, mais ces événements successifs pourraient aussi provoquer des maux de tête, de l'hypertension et d'autres troubles physiologiques. Malgré leur nature agréable, ils entraînent tous des changements de vie importants, pouvant de ce fait devenir des sources de stress supplémentaire.

 MYTHE OU RÉALITÉ 1

● *Même s'il constitue un événement positif en soi, un voyage d'agrément dans le Sud peut effectivement engendrer du stress, dans la mesure où il implique beaucoup d'éléments à gérer, comme la préparation des bagages, l'obtention du passeport, la crainte qu'un événement puisse retarder le vol, etc.*

FIGURES 10.2 LES CHANGEMENTS DE VIE

Les changements de vie diffèrent des tracas de la vie quotidienne dans la mesure où ils sont épisodiques. Les changements, qu'ils soient positifs ou négatifs, peuvent être une source de stress.

Les changements de vie se distinguent des tracas quotidiens sous deux aspects importants : 1) de nombreux changements de vie sont positifs et désirables, alors que tous les tracas sont, par définition, négatifs ; 2) les tracas énumérés dans la section précédente ont tendance à se répéter quotidiennement, tandis que les changements de vie sont des événements relativement rares. Pour des gens victimes d'un incendie, d'une inondation ou d'un autre malheur de ce genre, l'événement se présente comme un tracas supplémentaire de la vie quotidienne (problèmes de santé ou difficultés financières, par exemple) en plus d'engendrer des changements de vie (disputes de plus en plus nombreuses avec le conjoint, licenciement, etc.).

Holmes et Rahe (1967) ont conçu une échelle d'évaluation de l'ajustement social permettant de mesurer l'impact des changements de vie. Après avoir établi une liste de 43 événements représentant un changement susceptible de survenir dans la vie d'un individu, ils ont demandé à 394 personnes de toutes les conditions sociales de coter chacun de ces changements en évaluant l'amplitude du rajustement que cet événement exigerait s'il survenait. Les personnes devaient faire leur évaluation en prenant le mariage comme référence et en supposant que le rajustement au mariage demandait 50 unités de changement. Depuis 1967, l'échelle mise au point par Holmes et Rahe, qu'on retrouve au tableau 10.1, a été modifiée à plusieurs reprises.

Il semble raisonnable de s'attendre à ce que les tracas de la vie quotidienne et les changements de vie, surtout les changements de vie négatifs, puissent avoir un effet psychologique sur l'humain, lui causer des inquiétudes et le déprimer. Ce qui est peut-être moins prévisible, c'est que ces mêmes sources de stress, notamment les tracas de la vie quotidienne (Kanner et autres, 1981), semblent également jouer le rôle d'indicateurs de maladies physiques. Or, Holmes et Rahe avaient constaté, en demandant aux participants de leur recherche d'additionner les unités de chacun des changements survenus au cours de la dernière année, que les individus dont l'échelle comptait 300 unités ou plus de changement de vie en une année présentaient un risque plus élevé de maladie. En tout, 8 personnes sur 10 éprouvaient des problèmes de santé, comparativement à seulement 1 sur 3 chez les gens dont le total annuel d'unités était inférieur à 150. D'autres chercheurs ont découvert des liens entre, d'une part, un nombre élevé d'unités de changement de vie amassées au cours d'une année et, d'autre part, une foule de problèmes physiques et psychologiques aussi diversifiés que la maladie cardiaque, le cancer, les accidents, l'échec scolaire et les rechutes chez les personnes démontrant un comportement anormal tel que la schizophrénie (Lloyd et autres, 1980 ; Perkins, 1982 ; Rabkin, 1980 ; Thoits, 1983).

RANG	SITUATION	UNITÉS DE CHANGEMENT	RANG	SITUATION	UNITÉS DE CHANGEMENT
1	Décès du conjoint	100	23	Enfant qui quitte le foyer	29
2	Divorce	73	24	Ennuis avec la parenté	29
3	Séparation	65	25	Réalisation personnelle remarquable	28
4	Emprisonnement	63	26	Conjoint nommé à un nouveau poste ou licencié	26
5	Décès d'un membre de la famille immédiate	63	27	Rentrée des classes ou fin des classes	26
6	Blessure ou maladie	53	28	Changement des conditions de vie	25
7	Mariage	50	29	Transformation des habitudes de vie	24
8	Licenciement	47	30	Ennuis avec un patron	23
9	Réconciliation avec le conjoint	45	31	Modification de l'horaire ou des conditions de travail	20
10	Retraite	45	32	Déménagement	20
11	Changement de l'état de santé d'un membre de la famille	44	33	Changement d'école	20
12	Grossesse	40	34	Changement d'activités récréatives	19
13	Troubles d'ordre sexuel	39	35	Changement d'activités religieuses	19
14	Ajout d'un nouveau membre à la famille	39	36	Changements d'activités sociales	18
15	Changement d'ordre professionnel	39	37	Hypothèque ou prêt inférieur à 10 000 $	17
16	Changement d'ordre financier	38	38	Modification des habitudes de sommeil	16
17	Décès d'un ami intime	37	39	Modification de la fréquence des rencontres familiales	15
18	Changement d'activité professionnelle	36	40	Modification des habitudes alimentaires	15
19	Augmentation de la fréquence des disputes avec le conjoint	35	41	Vacances	13
20	Hypothèque excédant 10 000 $	31	42	Noël	12
21	Saisie d'un bien hypothéqué ou récupération d'un prêt	30	43	Infractions mineures aux lois	11
22	Changement de responsabilités professionnelles	29			

Par ailleurs, il semble que les changements de vie positifs soient peut-être moins troublants, à moyen et à long terme, que les changements de vie négatifs, même si leur nombre d'unités est élevé (Lefcourt et autres, 1981 ; Perkins, 1982 ; Thoits, 1983 ; Nadeau, 1989). De plus, il importe de considérer la signification qu'un individu attribue à un événement, qu'il soit positif ou négatif, car cela influera sur le degré de stress ressenti (Lazarus et autres, 1985 ; Blankstein et Flett, 1992).

Quoique les liens entre les tracas de la vie quotidienne, les changements de vie et la maladie semblent être corroborés par de nombreuses études, il subsiste un certain nombre de réserves à ce sujet. Tout d'abord, les liens découverts sont corrélationnels et ne permettent donc pas d'établir des liens de cause à effet (Dohrenwend et autres, 1982 ; Monroe, 1982). De plus, même si la conclusion selon laquelle les tracas de la vie quotidienne et les changements de vie seraient responsables de certaines maladies semble logique, l'inverse pourrait tout aussi bien être vrai. Par exemple, la maladie peut, avant même d'être diagnostiquée, contribuer aux problèmes sexuels, aux disputes avec le conjoint, aux changements des habitudes de sommeil, etc. Ainsi, les maladies physiques peuvent à la fois être une conséquence du stress et une source de stress.

Signalons qu'en relation avec les changements de vie, les changements liés au fait de poursuivre des études comportent aussi des exigences auxquelles l'individu doit faire face.

À l'aide de questions telles que : «Quel degré de stress avez-vous éprouvé au cours de la dernière année?», Luc Chiasson, un chercheur québécois enseignant au niveau collégial, a dressé une liste d'événements sources de stress dans la vie d'un cégépien (au collège seulement, sans tenir compte de sa vie familiale, affective ou autre). Parmi ceux-ci, on compte les événements *stressants positifs* tels que le fait de réussir à un examen ou d'avoir des amis au cégep. On compte aussi des événements *stressants négatifs* comme de se préparer ou de répondre à un examen, la solitude ou les échecs scolaires et, enfin, les événements *stressants positifs* et *négatifs* qui comprennent le choix de carrière, l'attente des résultats d'un examen et la compétition dans les cours (Chiasson, 1988).

10.1.3 LA DOULEUR ET L'INCONFORT PHYSIQUES

La douleur et l'inconfort physiques peuvent également être des sources de stress. Supposons que vous ayez subi un étirement au mollet et que vous deviez étudier au même moment pour vous préparer à un examen important. Bien que sans influence en tant que telle sur vos capacités intellectuelles, votre douleur au mollet suffirait pour engendrer un stress risquant d'atténuer votre capacité de concentration. Il en va de même chez certains athlètes dont la performance peut être gênée par une douleur ou un inconfort physique qui ne devrait pourtant pas influencer leur capacité de courir. Comme veut l'illustrer la figure 10.3, avoir un mal de gorge le jour d'un marathon n'affecte pas les muscles des jambes, mais constitue néanmoins un inconfort qui peut affecter la performance.

Richter (1957) s'est intéressé aux répercussions de la douleur et de l'inconfort sur la capacité d'adaptation d'un organisme. Dans son expérience, Richter a d'abord obtenu des données de base en enregistrant la durée maximale au cours de laquelle les rats pouvaient garder la tête hors de l'eau dans un bassin. Dans l'eau, à la température ambiante, la plupart des rats pouvaient garder la tête hors de l'eau pendant environ 80 heures. On a ensuite traumatisé les rats en leur coupant les moustaches. Les rats d'un premier groupe ont alors été immédiatement jetés à l'eau. Certains d'entre eux n'ont réussi à surnager que quelques minutes, bien que le fait d'avoir les moustaches coupées n'ait pas affecté directement leur capacité de nager. Les rats du deuxième groupe ont eu la possibilité de se rétablir du traumatisme dû à la coupe de leurs moustaches pendant plusieurs minutes avant d'être jetés à l'eau : ils ont surnagé pendant les 80 heures habituelles.

Puisque le fait de ressentir un inconfort physique peut engendrer un stress qui, à son tour, devient un obstacle à l'accomplissement de certaines tâches, les psychologues recommandent d'espacer les tâches ou les travaux exaspérants. Ainsi, l'inconfort ne s'accumule pas au point d'engendrer du stress et, éventuellement, d'affaiblir le rendement.

10.1.4 LA FRUSTRATION ET LES CONFLITS

Une autre source importante de stress réside dans la **frustration**. Celle-ci est un état de tension engendré soit par la rencontre d'un obstacle ou d'une contrariété dans une démarche pour atteindre un but, soit par un conflit de motivation tel que ceux qui ont été décrits au chapitre précédent (conflit approche-évitement, conflit évitement-évitement, etc.). Évidemment, toutes les personnes éprouvent de la frustration à un moment ou à un autre.

Une importante source de frustration liée au quotidien de la vie moderne provient des nombreuses situations où l'on se retrouve, comme l'illustre la figure 10.4, dans une file d'attente qui n'avance que très lentement et où l'on se sent quasi immobilisé pendant de longs moments. Pour l'élève, ce pourrait être dans une simple file d'attente au magasin de livres scolaires au début d'une session, alors qu'il ne reste que cinq minutes avant le début d'un cours. Le même phénomène est encore beaucoup plus marqué lors des déplacements liés au travail à l'heure de pointe. La distance, la durée et les conditions routières sont alors autant d'obstacles qui séparent un individu de sa destination. De nombreuses personnes, en effet,

FIGURE 10.3 LA DOULEUR ET L'INCONFORT PHYSIQUES

La douleur et l'inconfort perturbent le rendement et la capacité d'adaptation. Les athlètes signalent que la douleur entrave leur capacité de courir, même lorsque la source de la douleur ne les affaiblit pas directement.

FIGURE 10.4 LA FRUSTRATION

Les effets de la frustration sont très perceptibles lorsqu'on se trouve coincé dans une file d'attente.

Frustration
État de tension engendré soit par la rencontre d'un obstacle ou d'une contrariété dans une démarche pour atteindre un but, soit par un conflit de motivation.

se retrouvent sur des autoroutes encombrées ou bien s'entassent dans le métro ou l'autobus pendant de longues minutes, voire des heures, avant que leur journée de travail commence. Or, bien que pour la plupart des gens, le stress du déplacement soit léger mais constant (Stokols et Novaco, 1981), la conduite prolongée sur des autoroutes encombrées est néanmoins associée à une hausse du rythme cardiaque et de la tension artérielle, ainsi qu'à d'autres signes de stress, notamment les douleurs thoraciques.

Une source de frustration fréquente chez les adolescents provient des situations où des adultes leur disent qu'ils sont « trop jeunes » pour conduire une voiture, s'engager dans une activité sexuelle, dépenser de l'argent, boire ou travailler. L'âge est l'obstacle qui les oblige à retarder la satisfaction de leurs besoins. Adulte, l'individu peut s'imposer lui-même des frustrations si ses objectifs sont trop élevés ou si ses exigences personnelles sont irrationnelles. Comme le souligne Ellis (1977, 1987), si une personne essaie d'obtenir l'approbation des autres à tout prix, ou si elle vise la perfection dans tout ce qu'elle entreprend, elle se condamne à l'échec, donc à une frustration génératrice de stress.

L'anxiété et la crainte peuvent aussi devenir des barrières émotives et empêcher une personne d'agir efficacement pour atteindre ses objectifs. Par exemple, un finissant de niveau secondaire qui désire étudier dans un cégep d'une autre région aura peut-être peur de quitter la maison et ressentira de la frustration devant la difficulté d'atteindre son objectif. Un jeune adulte n'osera peut-être pas inviter une personne séduisante pour une sortie par crainte d'un refus.

La capacité à supporter ou à tolérer la frustration peut fluctuer d'un individu à l'autre, mais aussi chez la même personne en fonction du contexte ou de son état physiologique. De plus, l'accumulation de stress peut atténuer la tolérance à la frustration. Il est certes possible de rire d'une crevaison quand la journée est belle, mais s'il pleut ou si le réveille-matin n'a pas sonné, la crevaison peut devenir la goutte qui fait déborder le vase. Les personnes qui ont connu des frustrations et qui ont appris qu'il est possible de surmonter les obstacles sont plus tolérantes à la frustration que celles qui ne l'ont jamais éprouvée ou encore qui ont connu trop de frustrations.

10.1.5 LES CROYANCES IRRATIONNELLES

Le psychologue new-yorkais Albert Ellis constate que les croyances au sujet des événements, autant que les événements proprement dits, peuvent devenir une source de stress (Ellis, 1977, 1985, 1987). Si l'on considère le cas d'un individu devenu anxieux et déprimé après avoir été congédié, il peut sembler logique de penser que la perte d'emploi est responsable de toutes ses souffrances. Toutefois, Ellis fait remarquer comment les croyances au sujet de cette perte d'emploi peuvent aggraver les souffrances.

Ainsi, pour Ellis, une situation telle que celle qui est mentionnée ci-dessus peut être schématisée comme suit :

Événement (A)	Croyances (B)	Conséquences (C)

La perte d'emploi constitue ici l'événement activant (A), et ce qui en découlera sur les plans financier, social et autres correspond aux conséquences (C). Toutefois, entre l'événement activant (A) et les conséquences (C) résident, toujours selon Ellis, une série de croyances (B) telles que : « Cet emploi était la chose la plus importante de ma vie », « Je ne suis qu'un échec lamentable », « Ma famille crèvera de faim », « Je ne trouverai jamais un autre emploi aussi bon », « Je n'y peux rien », etc. Les croyances de ce genre aggravent les conséquences de l'événement, favorisent l'impuissance et détournent de la planification et de la prise de décision concernant l'avenir. Par exemple, la croyance « Je n'y peux rien » encourage l'impuissance et la passivité ; la croyance « Je ne suis qu'un échec lamentable » intériorise le blâme et constitue une exagération fondée sur le perfectionnisme ; la croyance « Ma famille crèvera de faim » est probablement aussi une exagération.

Comme le laisse voir l'exemple ci-dessus, les croyances qu'on a face à un événement peuvent augmenter la réaction émotive à cet événement, encourager le sentiment d'impuissance et affaiblir la capacité d'adaptation. Alors que certaines croyances vis-à-vis d'un événement donné peuvent être fondées, d'autres le sont moins ou ne le sont pas du tout. Les croyances que nous attachons aux événements varient d'un individu à l'autre, mais certaines d'entre elles sont plus répandues. Ellis en a relevé 10 — présentées dans l'encadré 10.2 — qui se retrouveraient chez beaucoup d'entre nous et qu'il qualifie de **croyances irrationnelles** parce qu'irréalistes, même si elles sont susceptibles de générer des insatisfactions, donc de constituer des ouvertures à la détresse. Ces croyances auraient deux types de conséquences nuisibles : elles pourraient provoquer des problèmes qui n'étaient pas présents, d'une part, et, d'autre part, en présence d'un problème, elles pourraient empêcher leur résolution efficace, tout en augmentant la réaction émotive.

Croyance irrationnelle
Idée irréaliste de nature émotive menant inévitablement à des conclusions erronées qui nous empêchent de bien fonctionner.

APPROFONDISSEMENT

ENCADRÉ 10.2
Les 10 croyances irrationnelles relevées par Ellis

Ellis considère qu'il existe 10 croyances irrationnelles responsables de notre détresse.
1. Je dois être aimé en tout temps.
2. Je dois être parfaitement compétent, à la hauteur et performant, ou au moins posséder un talent véritable dans un domaine important.
3. Tout doit aller comme je le désire. La vie se révèle épouvantable, abominable et horrible quand je n'atteins pas tous mes objectifs.
4. Les autres doivent traiter tout le monde équitablement. Lorsque des gens agissent injustement ou de manière immorale, ils sont affreux et méchants.
5. Lorsqu'il y a un danger ou une crainte dans mon univers, je dois m'en préoccuper et en être bouleversé.
6. Les gens et les objets devraient s'avérer

meilleurs qu'ils ne le sont. C'est épouvantable et atroce quand je ne trouve pas rapidement de solutions aux tracasseries de la vie.
7. Ma détresse émotive provient presque uniquement de pressions externes sur lesquelles je n'ai pas de prise. À moins que ces pressions ne changent, ma détresse demeurera.
8. Il m'est plus facile d'éviter les responsabilités et les problèmes de la vie que de les affronter et de développer des formes plus stimulantes de discipline personnelle.
9. Mon passé m'a beaucoup influencé, et il doit donc continuer de déterminer mes sentiments et mon comportement actuels.
10. Je peux atteindre le bonheur par l'inertie et l'inaction, ou en vivant au jour le jour.

La plupart du temps, ces croyances sont entretenues de façon inconsciente. Ces idées sont présentes, presque stagnantes, et sont activées en situation de menace, réelle ou perçue. Ellis souligne par exemple qu'il est normal de rechercher l'approbation des autres, mais qu'il est irrationnel pour un individu de croire qu'il ne peut survivre sans elle. De même, il serait agréable pour un individu d'être compétent dans tout ce qu'il entreprend, mais déraisonnable de s'attendre à une telle performance. Ainsi, l'étudiant qui devient très anxieux et stressé lors de chaque examen, même s'il s'est bien préparé, est possiblement victime de la pensée irrationnelle à l'effet qu'il ratera probablement son examen, comme si cela devait chaque fois avoir des conséquences irrémédiables sur son avenir.

10.1.6 LE COMPORTEMENT DE TYPE A

Un dernier facteur qui peut constituer une source importante de stress réside dans la façon d'agir de certains individus, façon d'agir que l'on qualifie de **comportement de type A** et qui se caractérise par un sentiment d'urgence et de compétitivité, ainsi que par une tendance à l'emportement (Matthews et autres, 1982 ; Holmes et Will, 1985). Vous connaissez certainement de ces gens très fonceurs, compétitifs, impatients, impulsifs et ambitieux. Ils se sentent constamment bousculés et sous pression, et ils ont l'œil rivé sur l'horloge. Non seulement sont-ils ponctuels, mais ils arrivent souvent en avance aux rendez-vous (Strahan, 1981). Ils mangent, marchent et parlent rapidement, et deviennent impatients si les autres travaillent lentement (Musante et autres, 1983). Ils essaient de dominer les discussions en groupe (Yarnold et autres, 1985). Les individus de type A éprouvent aussi de la difficulté à partager le pouvoir (Miller et autres, 1985 ; Strube et Werner, 1985). En conséquence, ils sont souvent peu disposés à déléguer les responsabilités au travail et augmentent ainsi leur charge de travail. Ce sont des gens qui « accentuent les aspects négatifs » d'une situation : ils sont implacables dans leur autocritique lorsqu'ils ont raté leur coup (Brunson et Matthews, 1981) et ils recherchent des critiques négatives d'eux-mêmes dans le but de

Comportement de type A
Comportement caractérisé par un sentiment d'urgence et de compétitivité, ainsi que par une tendance à l'emportement.

s'améliorer (Cooney et Zeichner, 1985). Même dans le sport, ils trouvent leur motivation principalement dans la compétition et la performance, ce qu'illustre éloquemment la figure 10.5. En somme, les agissements des individus de type A semblent fondés sur la croyance irrationnelle selon laquelle ils doivent être parfaitement compétents et performants dans tout ce qu'ils entreprennent.

À l'opposé des personnes caractérisées par un comportement de type A, celles présentant un **comportement de type B** se détendent plus facilement et accordent plus d'importance à leur qualité de vie. Elles sont moins ambitieuses et plus mesurées ; elles considèrent que le temps passe moins vite que ne le perçoivent les personnes de type A ; elles sont moins impatientes et travaillent moins rapidement (Yarnold et Grimm, 1982). À intelligence égale, les personnes de type B obtiennent des notes moins élevées et sont moins bien rémunérées que celles de type A (Glass, 1977). Elles se lancent aussi de moins grands défis que celles de type A (Ortega et Pipal, 1984). Dans le sport, par exemple, contrairement au type A, c'est davantage l'aspect participatif et ludique qui lui procure du plaisir.

Comportement de type B
Comportement caractérisé, contrairement au comportement de type A, par un sentiment dénué d'urgence et de compétitivité, ainsi que par une faible tendance à s'emporter.

TABLEAU 10.2 COMPARAISON SCHÉMATIQUE DES COMPORTEMENTS DE TYPES A ET B
Pour chaque caractéristique, l'individu peut se situer plus ou moins près de l'un des pôles mentionnés, ou même se situer à mi-chemin entre les deux.

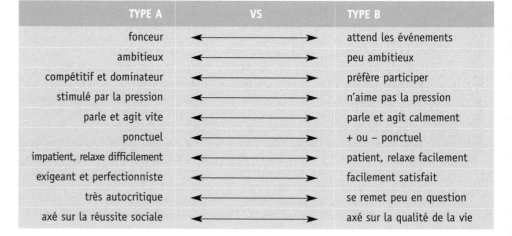

TYPE A	VS	TYPE B
fonceur	← →	attend les événements
ambitieux	← →	peu ambitieux
compétitif et dominateur	← →	préfère participer
stimulé par la pression	← →	n'aime pas la pression
parle et agit vite	← →	parle et agit calmement
ponctuel	← →	+ ou – ponctuel
impatient, relaxe difficilement	← →	patient, relaxe facilement
exigeant et perfectionniste	← →	facilement satisfait
très autocritique	← →	se remet peu en question
axé sur la réussite sociale	← →	axé sur la qualité de la vie

Comme nous le verrons dans la section traitant des troubles cardiovasculaires, on a beaucoup associé, au début des années quatre-vingt, le comportement de type A à une propension à souffrir de maladies cardiaques, étant donné le style de vie qui y est rattaché (Bernardo et autres, 1985 ; Cohen et Reed, 1985 ; DeBacker et autres, 1983 ; Groupe de collaboration français-belge, 1982 ; Weiss et Richter-Heinrich, 1985). Par contre, cette corrélation est aujourd'hui remise en question, puisqu'il semble que ce soit plutôt l'hostilité et le négativisme présents chez certains individus de type A qui soient en lien avec l'affaiblissement du système cardiovasculaire (Barefoot et autres, 1983 ; Chesney et Rosenman, 1985 ; Fischman, 1987 ; Friedman et Ulmer, 1984 ; Shekelle et autres, 1983 ; Wright, 1988). Toutefois, pour que cette hostilité ait des effets négatifs, il faut qu'elle soit réprimée. Il n'y a en effet rien de mauvais pour la santé physique à exprimer ouvertement sa colère (Dembroski et autres, 1985 ; Spielberger et autres, 1985). Au contraire, exprimer explicitement, mais de façon diplomatique, son hostilité et sa colère s'avère bénéfique.

FIGURE 10.5 LE COMPORTEMENT DE TYPE A

Une athlète comme Chantal Petitclerc doit adorer la compétition pour réussir comme elle le fait et amasser autant de victoires.

 MYTHE OU RÉALITÉ 2

● *Il n'est pas exact de prétendre que le fait d'exprimer sa colère augmente automatiquement le stress chez l'individu qui s'emporte. Il semble au contraire que ce soit bénéfique, dans la mesure où l'expression de cette colère est appropriée à la situation.*

Il importe de souligner en terminant que les descriptions qui ont été faites des comportements de types A et B, non seulement correspondent à des extrêmes, mais peuvent varier selon le domaine d'activité, certains individus pouvant adopter un type de comportement dans le travail et un autre type de comportement dans le sport.

ÉCLAIRCISSEMENT DE L'AMORCE

On peut se rendre compte que plusieurs sources de stress sont actuellement présentes dans la vie de Marie-Pier. Les nombreuses heures de travail qu'elle effectue chez son employeur, les conflits interpersonnels qu'elle vit dans son milieu de travail, de même que les soucis de santé associés à sa visite chez le médecin constituent autant de sources de tracas quotidiens susceptibles de générer du stress chez elle. La réponse qu'elle n'a pas encore reçue de l'université est frustrante par moments, car Marie-Pier a hâte de savoir à quoi s'en tenir à ce sujet. Cette frustration s'ajoute à celle provoquée par la fin de la relation avec son ex-petit ami. Évidemment, la réponse de l'université et les informations que le médecin lui donnera sur sa santé pourront éventuellement l'amener à des changements de vie potentiellement stressants. L'influence de tous ces facteurs risque d'être amplifiée dans la mesure où Marie-Pier semble présenter, en raison de son besoin de devenir une archéologue de renom, un comportement de type A.

10.2 LES RÉACTIONS PHYSIOLOGIQUES FACE AU STRESS

Comment se fait-il que trop de changements positifs, ou encore la douleur, l'inconfort ou la frustration, peuvent rendre malade ? Pourquoi les individus de type A ont-ils une tension artérielle plus élevée que ceux du groupe B ? Personne ne possède encore toutes les réponses à ces questions, mais celles déjà trouvées indiquent que le corps, en période de stress, ressemble à une horloge dotée d'un système d'alarme qui ne se déclenche que lorsque son niveau d'énergie est dangereusement bas.

Dans la recherche d'une réponse à ces questions, nous verrons d'abord ce qu'on appelle le syndrome général d'adaptation, soit la réponse globale de l'organisme aux situations stressantes, puis nous examinerons quelques-unes des répercussions que le stress entraîne sur la santé, notamment sur la maladie.

10.2.1 LE SYNDROME GÉNÉRAL D'ADAPTATION

La réaction de l'organisme à différents stresseurs reste sensiblement la même, que le stresseur soit une invasion bactérienne ou une blessure physique, un danger perçu, un changement de vie important ou une frustration. Selye (1976) a qualifié cette réaction de **syndrome général d'adaptation (SGA)**. Le syndrome général d'adaptation comprend trois phases : la phase d'alarme, la phase de résistance et la phase d'épuisement.

• LA PHASE D'ALARME

La **phase d'alarme** est déclenchée par la perception d'un stresseur. Cette réaction mobilise et stimule l'organisme en préparation de la défense face au stresseur. La réaction d'alarme comprend plusieurs changements corporels déclenchés par le cerveau et commandés par le système sympathique, une division du système nerveux autonome (SNA), de concert avec le système endocrinien. Le rôle de ces deux systèmes de l'organisme est décrit dans les paragraphes suivants.

Lorsqu'un stresseur est perçu, le système sympathique déclenche les réactions physiologiques caractéristiques qu'on observe sous le coup d'une émotion (accélération du rythme cardiaque et de la respiration, hausse de la tension artérielle, etc.) en même temps que le système endocrinien libère certaines hormones qui vont entraîner d'autres réactions dans l'ensemble du corps.

Deux hormones jouent un rôle majeur dans la réaction d'alarme : l'adrénaline et la noradrénaline. L'action conjointe de ces deux hormones prépare l'organisme à affronter les menaces et

Syndrome général d'adaptation (SGA)
Terme employé par Selye pour qualifier la réaction physiologique d'un organisme au stress, laquelle serait composée de trois phases : l'alarme, la résistance et l'épuisement.

Phase d'alarme
Première phase du syndrome général d'adaptation déclenchée par l'impact d'un stresseur. Elle se caractérise par l'activation du système nerveux sympathique (accélération du rythme cardiaque et de la respiration, hausse de la tension artérielle, etc.) et la sécrétion d'hormones (par exemple, l'adrénaline, la noradrénaline et le cortisol) par le système endocrinien.

le stress en accélérant le rythme cardiaque et en provoquant la libération de sucre par les muscles et le foie. De l'énergie est donc libérée pour la lutte ou la fuite, et le corps entier est prêt à agir. Cette réaction physiologique remonterait au temps où l'homme devait combattre ou fuir ses prédateurs. À l'origine, ces changements corporels étaient provoqués par un bruit dans un sous-bois ou la présence d'un prédateur. Toutefois, aujourd'hui, cette réaction peut aussi être provoquée par une contravention injustifiée, un retard causé par un embouteillage ou la perte d'un être cher. Cette réaction physiologique se serait en quelque sorte généralisée avec le temps.

Outre l'adrénaline et la noradrénaline, d'autres hormones sont libérées pour aider l'organisme à réagir au stress en combattant, entre autres choses, l'inflammation et les réactions allergiques. Ce sont principalement les stéroïdes, dont en particulier le cortisol.

Toutes les hormones ainsi libérées ne s'éliminent que très lentement, de sorte qu'un individu qui vit fréquemment des stress présente un taux anormalement élevé de ces hormones s'accumulant dans son sang et son urine. Dans leurs recherches, les psychologues se servent souvent de la quantité de cortisol dans la salive ou l'urine, et de la quantité d'adrénaline dans l'urine comme mesures objectives du stress (Brantley et autres, 1988).

• LA PHASE DE RÉSISTANCE

Phase de résistance (aussi appelée phase d'adaptation)
Deuxième phase du syndrome général d'adaptation caractérisée par une activation du système sympathique moindre que lors de la phase d'alarme, mais plus élevée qu'en situation normale.

Si la réaction d'alarme mobilise l'organisme et si le stresseur n'est pas éliminé, l'individu entre dans la **phase de résistance** du syndrome général d'adaptation, souvent appelée phase d'adaptation, au cours de laquelle l'organisme tente précisément de s'adapter à l'agent stressant. Lors de cette phase, le degré d'activité du système endocrinien et du système sympathique n'est pas aussi élevé que dans la phase d'alarme, mais il est tout de même plus élevé que la normale, même s'il peut sembler être revenu au même niveau que celui qui avait cours avant la phase d'alarme. Toutefois, la résistance à l'agent stresseur implique un coût, et l'organisme consomme une bonne partie des ressources énergétiques qu'il avait accumulées. Cette mise en branle des ressources fait que l'organisme peut alors se révéler plus résistant à la maladie qu'en temps normal, mais cela n'est que temporaire : si la situation perdure, elle peut entraîner une vulnérabilité accrue à la maladie.

• LA PHASE D'ÉPUISEMENT

Phase d'épuisement
Troisième phase du syndrome général d'adaptation caractérisée par l'affaiblissement de l'énergie et de la résistance de l'organisme au stress pouvant entraîner de graves perturbations physiques, et même la mort.

Si la phase de résistance se prolonge, ce qui peut varier beaucoup d'un individu et d'une situation à l'autre, et que la lutte à l'agent stressant s'avère infructueuse, l'individu entre dans la **phase d'épuisement**, c'est-à-dire la troisième phase du syndrome général d'adaptation. Durant cette phase, les muscles deviennent fatigués et les ressources restantes ne sont plus suffisantes pour combattre le stress. La division parasympathique du système nerveux autonome peut alors prédominer. Par conséquent, les rythmes cardiaque et respiratoire ralentissent et de nombreuses réactions de l'organisme qui avaient caractérisé l'activité sympathique sont inversées. Il peut sembler que l'individu profite d'un répit, mais il est encore en période de stress. Cela peut entraîner des malaises physiques comme des allergies, de l'urticaire, des ulcères, une maladie coronarienne et même la mort.

10.2.2 LES PRINCIPALES RÉPERCUSSIONS DU STRESS SUR LA SANTÉ

Plus la recherche avance, plus on constate que le stress a des répercussions importantes sur la santé et, par surcroît, plus on se rend compte de la complexité des liens entre le stress et la santé. Afin d'en donner un aperçu et, éventuellement, de mieux comprendre les liens entre les divers facteurs psychologiques et les maladies physiques, nous aborderons dans la présente section les effets du stress sur le système immunitaire de l'organisme avant d'en étudier les répercussions sur le développement de certaines maladies.

• L'AFFAIBLISSEMENT DU SYSTÈME IMMUNITAIRE

Étant donné la complexité de l'organisme et le rythme rapide des progrès scientifiques, il est courant de considérer la population comme très dépendante des professionnels compétents que sont les médecins pour affronter la maladie. Pourtant, chacun accomplit la plus grande partie de ce travail au moyen de son **système immunitaire**, qui a trois fonctions principales : reconnaître les agents pathogènes (bactéries, virus, etc.), les détruire par l'entremise des globules blancs, et produire de l'inflammation pour empêcher l'entrée de bactéries. Or, ce système est depuis peu l'objet d'un nouveau champ d'études qui traite des relations entre les facteurs psychologiques, plus particulièrement ceux induisant le stress, et le système immunitaire : la **psycho-immunologie** (Schindler, 1985).

Au cours d'une étude menée auprès d'étudiants en médecine dentaire, ces derniers ont démontré un fonctionnement plus faible du système immunitaire, mesuré par un taux d'anticorps plus faible dans la salive, durant les périodes scolaires stressantes que durant la période suivant les vacances (Jemmott et autres, 1983). Une autre étude, également effectuée auprès d'étudiants, a révélé que le stress des examens inhibe la réaction du système immunitaire au virus d'Epstein-Barr, qui provoque la fatigue et d'autres problèmes (Kiecolt-Glaser et autres, 1984).

Ces résultats s'expliqueraient par la sécrétion de stéroïdes consécutive au stress. En effet, les stéroïdes nuisent au bon fonctionnement du système immunitaire. Lorsque les stéroïdes sont sécrétés par intermittence, leurs effets sur le système immunitaire sont négligeables. En revanche, une sécrétion continue de stéroïdes affaiblit le fonctionnement du système immunitaire en réduisant l'inflammation et en empêchant la formation d'anticorps (Neveu, 1989). En conséquence, la sensibilité à diverses maladies augmente. Le nombre d'étudiants victimes de la grippe ou d'autres maladies en période d'examens témoigne aussi de l'affaiblissement du système immunitaire provoqué par le stress.

Il reste maintenant à examiner quelques-unes des maladies physiques pouvant découler du stress ainsi qu'à établir quelques stratégies permettant de mieux affronter ou prévenir le stress.

• LE DÉVELOPPEMENT DE CERTAINES MALADIES

Une recherche longitudinale publiée par Eysenck (1993) effectuée auprès d'individus étudiés pour la première fois en 1972, puis en 1982 et de nouveau en 1993, constitue une des premières études à établir clairement une relation entre le stress et le développement de maladies coronariennes ou du cancer. C'est donc le lien entre le stress et la maladie qui est traité dans la présente section ; on y aborde ainsi les relations entre les facteurs psychologiques et certaines maladies comme l'hypertension et les troubles cardiovasculaires, le cancer, les ulcères, l'asthme, les maux de tête et les migraines.

L'hypertension et les autres troubles cardiovasculaires. On parle d'hypertension pour désigner une tension artérielle plus élevée que la normale, résultat d'une activation de la division sympathique du système nerveux autonome également plus élevée que la normale. D'après Statistique Canada (2005a), plus de 10 % des Canadiens auraient été affectés par ce trouble cardiovasculaire en 2000-2001, comme nous le rappelle la figure 10.6. Par ailleurs, lorsqu'elle tend à se maintenir chez un même individu, et ce, quelle qu'en soit la raison, l'hypertension prédispose celui-ci à d'autres **troubles cardiovasculaires** comme l'artériosclérose, les crises cardiaques et les troubles du système circulatoire, dont le plus fréquent est l'accident vasculaire cérébral (AVC), c'est-à-dire un problème lié à la circulation du sang au cerveau (souvent causé par la présence d'un caillot sanguin au cerveau). Or, on sait maintenant qu'en plus de dépendre de facteurs tels que les antécédents familiaux, le tabagisme, l'obésité, un taux élevé de **cholestérol** dans le sang ou un mode de vie sédentaire, le développement des troubles cardiovasculaires, responsables d'environ 36 % des décès survenus au Canada en 1997 (Statistique Canada, 2005b), est étroitement lié à la présence d'agents stressants.

Parmi les stresseurs susceptibles de contribuer au développement des troubles cardiovasculaires, certains tiennent au mode de vie, tels que des conditions de travail stressantes, un horaire surchargé, le travail à la chaîne et l'exposition à des demandes contradictoires (Jenkins, 1988). Des relations interpersonnelles entraînant une tension émotive constante peuvent également contribuer au développement de troubles cardiovasculaires. De plus, certaines

Système immunitaire
Système au sein de l'organisme qui reconnaît et détruit les agents pathogènes au moyen des globules blancs.

Psycho-immunologie
Domaine qui étudie les relations entre les facteurs psychologiques, plus particulièrement ceux induisant le stress, et le système immunitaire.

FIGURE 10.6 LES TROUBLES CARDIOVASCULAIRES

Comme le signale Statistique Canada, plus de 10 % des Canadiens auraient été affectés par des troubles cardiovasculaires en 2000-2001.

Trouble cardiovasculaire
Terme général utilisé pour désigner l'ensemble des problèmes liés au cœur et au système circulatoire sanguin, dont font principalement partie la cardiopathie (couramment appelée maladie cardiaque), l'hypertension et l'artériosclérose.

Cholestérol
Substance grasse qui se trouve dans la plupart des tissus de l'organisme ; elle provient des aliments et est synthétisée par l'organisme.

caractéristiques liées à la personnalité semblent également favoriser le développement de problèmes cardiovasculaires. On sait par exemple que les personnes ayant tendance à refouler les sentiments de colère, plutôt qu'à les exprimer, ont tendance à faire plus d'hypertension que l'ensemble de la population (Diamond, 1982 ; Harburg et autres, 1973).

Concernant la personnalité, le comportement de type A est un des aspects qui a été le plus étudié en rapport avec le stress et la maladie physique. Ainsi, des études longitudinales menées au Massachusetts et échelonnées sur 8 et 10 ans ont révélé que les hommes et les femmes qui affichaient un comportement de type A étaient, dans l'ensemble, environ deux fois plus susceptibles que leurs homologues de type B de contracter des maladies coronariennes (Haynes et autres, 1980, 1983). En revanche, d'après une étude de Ragland et Brand (1988), qui ont suivi 12 700 hommes de 1973 à 1982, les sujets de type A couraient un risque moindre de crises cardiaques répétées que les sujets de type B. En fait, pour cinq sujets de type B décédés, on en comptait trois de type A.

Donc, comme on peut le constater, il est difficile d'expliquer d'une manière satisfaisante les divergences dans les études portant sur les risques cardiovasculaires du comportement de type A. Il se peut que le concept de personnalité de type A, qui comprend des caractéristiques aussi bien protectrices qu'affaiblissantes à l'égard des cardiopathies (appelées couramment «maladies cardiaques»), soit trop large. Tel qu'il a été mentionné auparavant, les dernières recherches tendent à miser sur l'hostilité et la colère réprimée, de même que sur la méfiance à l'égard d'autrui, pour expliquer la fréquence plus élevée de troubles cardiovasculaires chez les personnes de type A.

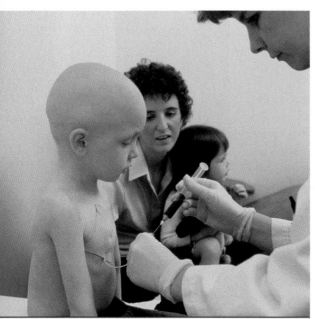

FIGURE 10.7 LE CANCER

Le cancer est un désordre physique, mais on ne doit pas négliger les facteurs psychologiques qui interviennent dans son développement.

Le cancer. Le terme *cancer* ne s'applique pas simplement à une maladie, mais à plusieurs troubles qui affligent aussi bien les plantes et les animaux que les êtres humains. Ces maladies qui, comme le rappelle la figure 10.7, n'affectent pas seulement les adultes, présentent la caractéristique commune du développement de cellules mutantes qui se reproduisent rapidement et privent l'organisme d'éléments nutritifs. Les cellules cancéreuses peuvent prendre racine partout, comme dans le sang (leucémie), les os, le tube digestif, les poumons et les organes génitaux. Si elles ne sont pas réprimées tôt, les cellules cancéreuses peuvent se métastaser, c'est-à-dire établir des foyers ailleurs dans l'organisme.

Comme dans le cas des troubles cardiovasculaires et d'autres maladies, les individus peuvent hériter de dispositions génétiques au cancer (Moolgavkar, 1983). Toutefois, plusieurs comportements augmentent considérablement le risque de cancer, comme le tabagisme, la consommation exagérée d'alcool, surtout chez les femmes, l'ingestion de graisses animales et les bains de soleil, qui provoquent le cancer de la peau en raison des rayons ultraviolets (Levy, 1985).

Au cours des dernières années, les chercheurs ont commencé à découvrir des liens entre le stress et le cancer (Justice, 1985). Par exemple, une étude menée auprès d'enfants cancéreux par Jacob et Charles (1980) a révélé qu'un pourcentage important d'entre eux avaient subi des changements de vie majeurs au cours de l'année du diagnostic, soit le décès d'un être aimé ou la perte d'une relation intime. Cette corrélation entre le stress et le cancer suggère que plus les enfants subissent des changements de vie importants au cours d'une année, plus il est probable qu'ils en viennent à souffrir d'un cancer. Par contre, il faut demeurer prudent sur ce point et se garder de conclure à un lien de cause à effet entre ces deux variables : d'autres facteurs pourraient être responsables de la maladie.

D'autres recherches, effectuées auprès d'adultes cette fois, ont suggéré un lien entre les événements de vie stressants et l'apparition du cancer. Ces études ont cependant été critiquées, car elles ont tendance à être rétrospectives (Krantz et autres, 1985). Autrement dit, les patients cancéreux sont interrogés sur des événements précédant leur diagnostic et sur leur bien-être psychologique avant l'apparition de la maladie. Or, les comptes rendus ne sont pas exempts de problèmes de mémoire et d'autres inexactitudes. En outre, il est difficile d'établir un rapport de cause à effet dans de telles recherches. En effet, le développement d'une maladie pourrait avoir précipité plusieurs événements stressants. En d'autres mots, le stress pourrait découler de la maladie plutôt qu'en être la cause.

Pour établir un lien de cause à effet, il faut utiliser la recherche expérimentale, ce qui, évidemment, ne peut être fait avec des humains sur un sujet tel que le cancer. C'est pourquoi les recherches de ce type sont effectuées avec des animaux. La façon de procéder consiste alors à injecter à des animaux soit des cellules cancéreuses, soit des virus qui causent le cancer, et à exposer ensuite les animaux à diverses conditions pouvant mettre en jeu des agents stresseurs. De cette façon, le chercheur peut déterminer les conditions qui exercent une influence sur la possibilité que le système immunitaire de l'animal soit en mesure de combattre ou non la maladie.

Dans une étude, par exemple, on a implanté chez des rats de petites quantités de cellules cancéreuses de sorte que leur système immunitaire ait une chance de les combattre efficacement (Visintainer et autres, 1982). Certains rats ont ensuite été soumis à des décharges électriques inévitables, alors que d'autres ont été exposés à des décharges évitables, et d'autres encore, à aucune décharge. Chez les rats exposés à la condition la plus stressante, la décharge inévitable, la capacité de repousser le cancer était réduite de moitié comparativement à celle des autres rats, et ils étaient deux fois plus susceptibles d'en mourir.

Dans une recherche où il a utilisé des souris, Riley (1981) a étudié les effets d'un virus provoquant le cancer, transmissible de la mère à la progéniture au moyen de l'allaitement. Ce virus produit habituellement le cancer du sein chez la progéniture femelle, au moment où elle atteint l'âge de 400 jours. Riley a placé un groupe de rejetons femelles à risque de cancer dans un environnement stressant, constitué de bruits assourdissants et d'odeurs nocives. Un autre groupe a été placé dans un environnement moins stressant. À l'âge de 400 jours, 92 % des souris qui ont grandi dans des conditions stressantes ont été victimes du cancer du sein, comparativement à 7 % dans le groupe témoin. En outre, les souris très stressées ont révélé une hausse du taux de stéroïdes, lesquelles inhibent, comme on l'a indiqué plus haut, le fonctionnement du système immunitaire de l'organisme et réduisent le taux d'anticorps servant à combattre la maladie. Fait étonnant, après 600 jours de ce traitement, les souris moins stressées ont presque rattrapé leurs congénères très stressées dans l'incidence du cancer. C'est donc dire que le stress semble influer sur la vitesse d'apparition du cancer, et non sur la probabilité pour les souris d'en être atteintes.

MYTHE OU RÉALITÉ 3

Il est vrai que de nombreuses études démontrent qu'il existe un lien entre le stress et le développement du cancer, mais le stress ne provoquerait pas le cancer. En fait, il semblerait plutôt que le stress accélère l'apparition du cancer chez un individu susceptible, de toute façon, de développer cette maladie.

Les ulcères. Les ulcères peuvent affliger une personne sur 10 et provoquer plus de 10 000 décès par année aux États-Unis (Whitehead et Bosmajian, 1982). Même si l'hérédité peut contribuer au taux de pepsinogène — une composante du suc gastrique qui participe à la digestion des protéines alimentaires — (Mirsky, 1958), les personnes victimes d'ulcères en période de stress ont souvent un taux de pepsinogène plus élevé que les autres personnes (Weiner et autres, 1957). La recherche sur des rats de laboratoire indique qu'un conflit approche-évitement intense peut également contribuer au développement des ulcères (Sawrey et autres, 1956 ; Sawrey et Weisz, 1956).

FIGURE 10.8 LES MAUX DE TÊTE

Les maux de tête figurent parmi les troubles physiques les plus courants liés au stress.

L'asthme. L'asthme est un trouble respiratoire qui se traduit par une contraction des principaux conduits de la trachée et des bronches, ce qui rend la respiration difficile. Les crises d'asthme peuvent être déclenchées par une allergie, le stress, des réactions émotives comme la colère, et même par le fait de trop rire (Brody, 1988). Dans la plupart des cas, la crise d'asthme découle d'une infection respiratoire (Alexander, 1981). Les personnes asthmatiques peuvent éprouver une crise à la simple idée de manquer d'air (Luparello et autres, 1971), ce qui laisse supposer que l'inquiétude au sujet d'une crise éventuelle peut provoquer celle-ci.

Les maux de tête et les migraines. Les maux de tête, considérés dans leur ensemble, représentent l'un des troubles physiques liés au stress les plus répandus. Selon Bonica (1980), 45 millions d'Américains souffrent de maux de tête graves.

Le type le plus fréquent de mal de tête est caractérisé, comme le suggère la figure 10.8, par une douleur sourde et constante de chaque côté de la tête, ainsi que par une sensation d'oppression ou de compression. Il est provoqué par une tension musculaire résultant vraisemblablement d'un stress prolongé qui amène l'individu à contracter les muscles des épaules, du cou, du front et du cuir chevelu au cours des deux premières phases du syndrome général d'adaptation. La persistance du stress entraînerait alors, généralement de façon progressive, la contraction continue de ces muscles, occasionnant de ce fait les maux de tête ressentis.

ÉCLAIRCISSEMENT DE L'AMORCE

Il se peut très bien que le mal de tête de Marie-Pier provienne de tensions musculaires dues au stress qu'elle vit depuis quelques semaines, mais il est aussi possible que ce stress ait affaibli son système immunitaire et qu'elle ait effectivement contracté une grippe.

Migraine

Type particulier de mal de tête se manifestant par l'apparition soudaine d'une douleur lancinante d'un côté de la tête et d'origine vasculaire, c'est-à-dire provenant de changements dans l'approvisionnement sanguin au cerveau.

La **migraine**, un type particulier de mal de tête affligeant quelque 8 % des Canadiens de 12 ans et plus (Statistique Canada, 2004), se manifeste par l'apparition soudaine d'une douleur lancinante d'un côté de la tête. Elle peut également être accompagnée d'une sensibilité accrue à la lumière, d'une perte d'appétit, de nausées et de vomissements, de troubles sensoriels et moteurs, comme la perte d'équilibre, et de changements d'humeur. Elle s'accompagne souvent de signes précurseurs qui se caractérisent par des problèmes visuels, un dérangement olfactif (perception d'odeurs inhabituelles) ou par une grande fatigue. À la différence du type précédent de mal de tête, la migraine est d'origine vasculaire, c'est-à-dire qu'elle provient de changements dans l'approvisionnement sanguin au cerveau.

 MYTHE OU RÉALITÉ 4

Il est vrai qu'une trop grande tension musculaire peut provoquer les maux de tête caractérisés par une lourdeur et un sentiment d'oppression à la tête. Les migraines, par contre, étant d'origine vasculaire, découlent plutôt d'une modification dans l'apport de sang au cerveau.

Les sources précises de la migraine ne sont pas encore clairement comprises. Bien que certains facteurs pouvant la provoquer soient connus comme par exemple, les stimulants tels que le café et le chocolat, les boissons alcoolisées ou les changements hormonaux des périodes prémenstruelle et menstruelle, le stress en serait également responsable, parce que la migraine est d'origine vasculaire et que le système cardiovasculaire peut lui-même, comme on l'a vu plus haut, être influencé par le stress.

Quels que soient le type et l'origine du mal de tête, l'individu qui en souffre peut involontairement se propulser dans un cercle vicieux : la douleur du mal de tête, résultant du stress original, devient un stresseur additionnel pouvant accentuer la tension musculaire ou la tension vasculaire provoquant le mal de tête.

Autres maladies en relation avec le stress. Les psychologues de la santé étudient également le rôle du stress chronique dans les maladies inflammatoires comme l'arthrite, le syndrome prémenstruel, les maladies digestives comme la colite, et même les maladies métaboliques comme le diabète et l'hypoglycémie. Les relations entre les modèles de comportement, les attitudes et la maladie sont complexes et font l'objet d'études approfondies. Dans le cas de certaines maladies, il se peut que le stress détermine si la personne contractera la maladie. Pour d'autres types de maladies, il est possible qu'un environnement optimal ne fasse que retarder l'inévitable, ou qu'un environnement stressant accélère l'apparition de ce qui, de tout façon, est inévitable. Toutefois, comme il vaut mieux prévenir que guérir, il importe de connaître et d'adopter certaines stratégies permettant de mieux faire face au stress ; c'est ce dont il sera question dans la section qui suit.

10.3 LES STRATÉGIES PERMETTANT DE FAIRE FACE AU STRESS

Il serait illusoire d'espérer régler définitivement le problème du stress en enrayant toute source de stress de notre vie. Évidemment, il ne s'agit pas ici de s'attaquer à l'eustress qui, comme on l'a déjà mentionné, est positif, puisqu'il permet de fonctionner de façon optimale. Le stress auquel on pense lorsqu'on parle de stratégies, c'est le dystress, qui empêche de bien fonctionner et peut même, comme on l'a également vu, entraîner de graves maladies physiques. Or, il existe différents moyens pour parvenir à mieux faire face à ce stress indésirable.

Lazarus et Folkman (1984) ont suggéré différentes stratégies basées les unes sur le problème générant un stress, les autres sur les émotions engendrées par ce stress. Martelli et autres (1987) proposent quant à eux d'y ajouter des stratégies axées sur l'hygiène de vie. S'inspirant de ces auteurs, le texte qui suit présente la gestion du stress comme un problème à résoudre et adopte pour ce faire la démarche classique de résolution de problème : (1) déterminer la (les) source(s) de stress ; (2) faire l'inventaire des solutions possibles ; (3) retenir et mettre en pratique celle(s) qui semble(nt) la (les) plus appropriée(s) ; et, finalement, (4) évaluer l'efficacité de la (des) solution(s) mise(s) en pratique.

10.3.1 DÉTERMINER LA SOURCE DU STRESS

Pour être en mesure de contrer le stress le plus efficacement possible, il importe d'en déterminer la source. S'agit-il de tracas quotidiens apparemment de peu d'importance, comme un horaire quotidien surchargé, ou de tracas plus sérieux, comme des problèmes de santé ou des conflits avec des personnes de l'entourage ? S'agit-il d'un important changement de vie tel que la perte d'un emploi ou l'échec à l'obtention d'un diplôme scolaire ? S'agit-il d'un inconfort physique, d'une frustration due à des heures passées sur des autoroutes encombrées ? S'agit-il de croyances irrationnelles qui exagèrent les répercussions d'un événement sur la vie de l'individu, d'une tendance à adopter un comportement de type A susceptible d'entraîner une tension continuelle imputable à la volonté de fournir une performance maximale ?

En fait, même s'il est possible qu'un stress puisse provenir d'une seule source ayant des répercussions importantes, les origines du stress sont généralement multiples, le stress pouvant même résulter de la combinaison de plusieurs sources qui, prises une à une, pourraient sembler de peu d'importance. Il importe donc, lorsqu'on veut régler un problème de stress, de passer en revue toutes les sources susceptibles de contribuer au stress vécu, et non seulement une source dont l'influence semble la plus évidente. Lors de cette phase, il est un écueil important à éviter : il faut se garder d'éliminer une source de stress simplement parce qu'on refuse d'y faire face. Par exemple, un individu qui destine un revenu provenant d'un emploi secondaire à payer son voyage dans le Sud en hiver pourrait refuser de reconnaître que cet emploi surcharge son horaire au point de provoquer un stress générant chez lui de l'hypertension.

10.3.2 EXPLORER DIFFÉRENTES STRATÉGIES SUSCEPTIBLES DE CONTRER LE STRESS

Différentes stratégies peuvent être utilisées pour aider à gérer son stress. On les regroupe ci-après en deux grandes catégories : d'une part, celles qui sont basées sur des habitudes générales liées à l'hygiène de vie et, d'autre part, les stratégies cognitives et comportementales axées sur les situations stressantes et les facteurs susceptibles d'en amortir les effets.

• LES STRATÉGIES BASÉES SUR L'HYGIÈNE DE VIE

La majorité des stratégies basées sur l'hygiène de vie relèvent essentiellement de choix sains : bien se nourrir, dormir suffisamment, faire de l'exercice et apprendre à se détendre.

Il va de soi que *bien se nourrir* et *dormir suffisamment* favorisent l'adaptation de l'individu au stress. Une bonne alimentation permet au corps d'obtenir tous les nutriments essentiels pour renforcer le système immunitaire et ainsi éviter de contracter certaines maladies. Quant au sommeil, il permet à l'organisme de récupérer son énergie et de se régénérer, donc d'être plus efficace.

FIGURE 10.9 LE VÉLO, UN EXCELLENT ANTISTRESS

Le vélo, surtout s'il est pratiqué loin du bruit de la ville, constitue un excellent moyen de combattre les effets du stress.

L'activité physique contribue également à faire face au stress et à maintenir une bonne santé mentale, comme le souligne depuis longtemps le proverbe *Un esprit sain dans un corps sain*[1]. Des études démontrent en effet que, comparativement aux gens sédentaires, ceux qui font de l'exercice sont moins dépressifs, anxieux et tendus (Blumenthal et McCubbin, 1987) ; ils sont moins susceptibles, de façon générale, de subir les tensions découlant du stress. Plus encore, lorsqu'ils se retrouvent en situation de stress, les individus qui pratiquent régulièrement une activité physique comme la course à pied, la natation, la marche et la bicyclette — ce qu'illustre la figure 10.9 — présentent un rythme cardiaque et une tension artérielle moins élevés comparativement aux gens qui ne font pas d'exercice régulièrement (Blumenthal et autres, 1990 ; Holmes et McGilley, 1987). Pour rendre compte de ces observations, diverses raisons ont été évoquées, dont le fait que l'activité physique, en plus d'atténuer les tensions musculaires et d'augmenter l'efficacité du système cardiovasculaire, protège des maladies physiques en favorisant le bon fonctionnement du système immunitaire. Quoi qu'il en soit, la pratique régulière d'activités physiques, en plus d'améliorer les conditions de vie quotidienne, serait bénéfique au point d'améliorer la longévité. En effet, des études auraient démontré que les gens qui pratiquent régulièrement une activité physique vivent en moyenne deux ans de plus que les personnes sédentaires (Chevalier, 2005). On comprend mieux, dès lors, que bon nombre de programmes de gestion du stress mettent l'accent sur l'importance de pratiquer régulièrement une activité physique.

 MYTHE OU RÉALITÉ 5

Il est faux que les gens qui pratiquent régulièrement une activité physique vivent en moyenne une dizaine d'années de plus que les personnes sédentaires. En fait, la différence serait plutôt d'environ deux ans. Cela n'est peut-être pas beaucoup, mais ce sont deux années où l'individu jouit d'une qualité de vie supérieure à celle de l'individu sédentaire, qui est moins en forme.

La *relaxation*, quelle que soit la forme sous laquelle elle est pratiquée, constitue une autre stratégie efficace pour réduire l'activation excessive souvent associée au stress. Elle peut en outre permettre à l'individu d'agir sur ses réactions physiologiques avant même que le stress ne s'enclenche. Une étude menée auprès de personnes âgées a d'ailleurs permis de constater qu'en combinant l'apprentissage de la relaxation et l'apprentissage de techniques d'adaptation au stress, le fonctionnement du système immunitaire s'était amélioré (Kiecolt-Glaser et autres, 1984). Il importe cependant que le type de relaxation auquel on s'adonne

---

1. Du latin *Mens sana in corpore sano*

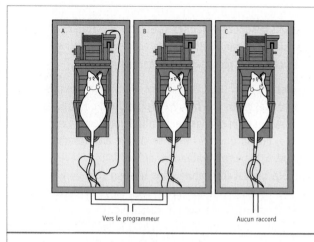

FIGURE 10.10 L'INSTALLATION EXPÉRIMENTALE DANS L'ÉTUDE DE WEISS SUR LE DÉVELOPPEMENT D'ULCÈRES CHEZ LES RATS

Le rat à gauche est averti avant de recevoir une décharge électrique : il peut arrêter celle-ci en tournant la roue. Le rat au centre reçoit une décharge d'intensité et de durée égales, mais il n'est pas averti de son arrivée et ne peut pas l'arrêter. Le rat à droite ne reçoit ni signal ni décharge.

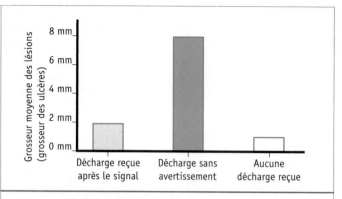

FIGURE 10.11 LES EFFETS DE LA PRÉVISIBILITÉ ET DE LA CAPACITÉ DE RÉPRIMER UN STRESSEUR SUR LE DÉVELOPPEMENT D'ULCÈRES CHEZ LES RATS

Les rats qui n'ont reçu ni signal ni décharge n'ont guère développé d'ulcères par la suite. Ce sont les rats ayant reçu une décharge sans avertissement ni possibilité de l'arrêter qui ont développé le plus grand nombre d'ulcères. Les rats qui ont été avertis de l'arrivée imminente d'une décharge et qui pouvaient l'arrêter ont développé plus d'ulcères que les rats n'ayant reçu aucune décharge, mais moins que les rats qui ne pouvaient prédire l'arrivée de la décharge.

respecte certaines conditions, à savoir : (1) choisir un environnement calme et paisible ; (2) faire le vide mentalement ; et (3) choisir une position confortable offrant un minimum de tension musculaire.

• LES STRATÉGIES COGNITIVES ET COMPORTEMENTALES

Les différentes stratégies cognitives et comportementales sont des stratégies axées sur nos façons de penser et de nous comporter face aux situations stressantes. Les principales d'entre elles sont présentées ci-après.

Développer sa capacité à prévoir les stresseurs. Il semble que la **prévisibilité**, c'est-à-dire la capacité de prédire l'apparition d'un stresseur, modère ses répercussions sur l'individu en donnant à ce dernier la possibilité de rassembler ses forces face à l'inévitable et, dans de nombreux cas, de planifier des moyens de le surmonter. Par exemple, les individus qui possèdent une connaissance exacte des procédures médicales et de ce qu'ils ressentiront surmontent la douleur plus efficacement que les gens dépourvus d'une telle connaissance (Shipley et autres, 1978 ; Staub et autres, 1971). À l'encontre, la nouveauté serait un des facteurs situationnels tendant à augmenter le degré de stress associé à une situation (Lazarus et Folkman, 1984). Ainsi, lorsqu'une situation est totalement nouvelle pour un individu, elle est par définition une source de stress et elle lui demande une adaptation rapide, ce qui rend le dénouement de la situation plutôt imprévisible. Lors de leur première semaine passée dans une nouvelle école, par exemple, la majorité des élèves ressentent un certain stress dû à la nouveauté et à l'imprévisibilité de nombreux facteurs : contenu des cours, style de l'enseignant, etc.

La recherche animale a tendance à confirmer les avantages associés à la prévisibilité (Weinberg et Levine, 1980). Lors d'une étude portant sur l'arrivée prévisible d'un agent stresseur, et dont les conditions sont schématisées dans la figure 10.10, Weiss (1972) a comparé les effets du stress chez trois groupes de rats : un premier groupe a pu apprendre à éviter l'arrivée d'une décharge électrique en faisant tourner une roue à la suite d'un signal ; un deuxième groupe a reçu les mêmes décharges que le premier groupe, mais sans recevoir le signal qui aurait permis d'apprendre à éviter le choc ; un troisième groupe (le groupe témoin) n'a reçu ni signal ni décharge. Le chercheur a par la suite constaté, comme on le voit dans la figure 10.11, que les rats qui avaient reçu des décharges sans avoir la possibilité d'apprendre à les éviter ont développé beaucoup d'ulcères, alors que les rats qui avaient pu apprendre à éviter les décharges à partir du signal en ont développé beaucoup moins ; ils en ont malgré

Prévisibilité
Capacité de prédire l'apparition d'un stresseur.

tout développé davantage que ceux du groupe témoin, chez qui certains ulcères sont néanmoins apparus. L'étude de Weiss laisse supposer que les stresseurs inévitables sont peut-être moins nocifs lorsqu'ils sont prévisibles et que l'individu a la possibilité d'agir sur eux dès leur apparition en rassemblant ses forces et en planifiant une réaction efficace.

Améliorer son degré d'attente d'efficacité. Les théoriciens de l'apprentissage social (Bandura, 1982) affirment que le **degré d'attente d'efficacité** d'un individu, autrement dit la perception qu'il a de ses capacités à provoquer un changement, influe grandement sur sa capacité de résister au stress. Par exemple, quand une personne se trouve en présence d'objets provoquant la peur, il a été démontré expérimentalement qu'un degré élevé d'attente d'efficacité est accompagné d'un faible taux d'adrénaline dans le sang (Bandura et autres, 1985). Or, une telle baisse d'adrénaline est souhaitable, car un taux élevé de cette hormone entraîne, entre autres réactions, une accélération du rythme cardiaque, ce qui, en présence d'un agent stresseur indésirable, peut amener la personne à éprouver une faiblesse, à «avoir les jambes molles» ou à vivre un sentiment de nervosité. Qui plus est, la surstimulation produite par l'adrénaline peut, en augmentant la motivation bien au-delà du taux optimal et en détournant la personne de la tâche du moment, affaiblir la capacité de résoudre les problèmes complexes liés au stress. Cela risque ainsi de conduire à un cercle vicieux dont il importe de prévenir l'apparition, si possible dès le départ, en jouant sur le degré d'attente d'efficacité.

De fait, les personnes chez qui on provoque expérimentalement un degré plus élevé d'attente d'efficacité (en les amenant à croire qu'elles pourront réussir une tâche prévue) remplissent plus efficacement la tâche que des personnes ayant une compétence comparable, mais un degré plus faible d'attente d'efficacité. De plus, les individus ayant un degré plus élevé d'attente d'efficacité démontrent une stimulation émotive plus faible au cours de leur travail, ce qui leur permet de mieux se concentrer sur la tâche à accomplir. Il semble donc que, à intelligence et aptitudes égales, les individus ayant un degré supérieur d'attente d'efficacité sont plus efficaces dans la résolution de problèmes et se remettent plus facilement d'un échec. En ce sens, il se peut que les défis de la vie soient moins stressants pour eux.

Éliminer certaines croyances irrationnelles. S'il nous est impossible de modifier ou d'agir directement sur une situation stressante, ce qui est forcément le cas lorsque celle-ci est imprévisible, on peut tenter de modifier nos perceptions et notre évaluation à l'égard de cette situation pour en réduire le plus possible les répercussions émotionnelles et les tensions qui en résultent. Par exemple, on peut essayer de prendre conscience des croyances irrationnelles qui nous envahissent et tenter par la suite de les modifier. Cela fait, on est davantage susceptible d'envisager plus objectivement la situation et de «passer à l'action», c'est-à-dire de mieux réagir au stress.

Modifier certains comportements de type A. Pour bien gérer son stress, il faut aussi essayer de changer son comportement de type A. Des études indiquent que les programmes qui modifient les modèles de comportement de type A aident à réduire le risque de crise cardiaque, même chez les gens qui en ont déjà été atteints (Friedman et Ulmer, 1984 ; Roskies et autres, 1986 ; Avard, 1984). Or, un des points liés au comportement de type A concerne le sentiment d'urgence qui pousse l'individu à se bousculer constamment, comme s'il n'allait jamais avoir assez de temps pour concilier toutes les tâches liées à ses différents rôles (parent, employé, bénévole, etc.). Il peut donc être bénéfique pour lui de gérer son emploi du temps de façon réaliste, de ne pas s'obliger à tout faire ce qu'il «aurait aimé faire», de se forcer à prendre régulièrement des temps d'arrêt et des moments de loisir. Le développement de telles stratégies l'amènera également à diminuer son impatience, ou même son hostilité, vis-à-vis des autres qui, selon lui, ne sont pas assez efficaces. Ce faisant, il sera moins tendu, moins stressé et donc moins vulnérable aux problèmes d'ordre physique.

Cultiver la force psychologique. La **force psychologique** est un autre facteur qui peut aider les gens à résister au stress. D'après Kobasa (1979) et ses collègues, qui ont étudié des gestionnaires d'entreprise ayant résisté à la maladie malgré le stress intense, l'audace

Degré d'attente d'efficacité
Perception qu'a un individu de ses capacités à provoquer un changement.

Force psychologique
Caractéristique psychologique se manifestant essentiellement par l'audace, plus précisément par : (1) un niveau d'engagement élevé dans tout ce que l'individu entreprend ; (2) un degré élevé de goût du défi face aux changements ; ainsi que (3) une tendance à posséder un lieu de contrôle interne.

serait une manifestation de base de la force psychologique, les cadres audacieux se distinguant des cadres timides de trois façons importantes (Kobasa et autres, 1982) :

1. Les individus audacieux ont un niveau d'engagement élevé, c'est-à-dire démontrent une tendance à s'engager dans tout ce qu'ils font.

2. Les individus audacieux manifestent un degré élevé de goût du défi : ils considèrent le changement comme un stimulant intéressant de croissance personnelle et non comme une menace pour leur sécurité.

3. Les individus audacieux ont tendance à posséder un **lieu de contrôle interne**, c'est-à-dire à considérer que c'est en eux que réside le contrôle de leur vie (Rotter, 1966), ce qui les amène à se sentir et à se comporter comme s'ils étaient influents, plutôt qu'impuissant face aux multiples récompenses et punitions de la vie.

Lieu de contrôle interne
Tendance à considérer que c'est en soi que réside le contrôle de sa vie, ce qui amène l'individu à se sentir et à se comporter comme s'il était influent, plutôt qu'impuissant face aux multiples récompenses et punitions de la vie.

Selon Kobasa, les personnes audacieuses sont plus résistantes au stress parce qu'elles considèrent qu'elles ont choisi leurs situations génératrices de stress. Elles interprètent également le stress comme un aspect qui rend la vie plus intéressante, et non comme une aggravation des pressions auxquelles elles sont soumises. Leur perception d'avoir un contrôle sur leur vie leur permet de régulariser, dans une certaine mesure, le degré de stress auquel elles feront face à tout moment (Maddi et Kobasa, 1984). Des trois aspects de la force psychologique qui aident les individus à résister au stress, Hull et ses collègues (1987) soutiennent que l'engagement et le sentiment de contrôle sur sa vie sont ceux qui ont le plus d'importance. Pour Kobasa et Pucetti (1983), la force psychologique aiderait les individus à résister au stress en procurant des « amortisseurs » entre eux et les événements stressants de la vie.

Développer le sens de l'humour. Longtemps, les bienfaits de l'humour — un divertissement très populaire au Québec actuellement, comme en fait foi la figure 10.12 — ont été surtout spéculatifs et anecdotiques. Dans un livre relatant son histoire personnelle, Cousins (1979 ; 2003) signalait que 10 minutes de rire aux éclats avait un effet analgésique puissant sur sa douleur liée à une rare maladie ressemblant à l'arthrite. Cela lui permettait de dormir au moins deux heures sans analgésique. Cette découverte a conduit certains chercheurs à se demander si le rire pouvait stimuler la production d'endorphines dans l'organisme. Par ailleurs, une étude psychologique importante a été réalisée auprès d'étudiants universitaires par Martin et Lefcourt (1983) concernant l'effet modérateur de l'humour sur le stress, en vue d'établir un lien entre les événements négatifs de la vie et le taux de stress, taux évalué par les perturbations de l'humeur de ces étudiants. Les chercheurs on constaté qu'en général, il y avait un lien de corrélation positif entre les événements de vie négatifs et les scores de stress : une accumulation élevée d'événements négatifs présageait un degré plus élevé de stress. Cependant, les étudiants qui avaient un plus grand sens de l'humour et qui usaient d'humour dans des circonstances difficiles étaient moins touchés par les événements négatifs que les autres étudiants.

FIGURE 10.12 L'HUMOUR, UN EXCELLENT TONIQUE

L'humour, même dans des circonstances difficiles, nous aide à surmonter le stress.

MYTHE OU RÉALITÉ 6

Il est vrai que le rire, en raison de son effet relaxant, est utilisé dans certaines thérapies comme un moyen efficace de diminuer le stress.

Utiliser un réseau social. Il existe plusieurs façons d'utiliser un réseau social pour réduire le stress (House, 1981, 1985 ; Fiore, 1980). On peut les regrouper en trois catégories : la recherche d'aide, la participation à des activités sociales, l'apport de soutien à d'autres.

En premier lieu, on peut utiliser le réseau social pour *obtenir de l'aide*, que ce soit sous forme d'aide matérielle ou, ainsi que l'illustre la figure 10.13, de réconfort psychologique

FIGURE 10.13 LE SOUTIEN SOCIAL

La recherche démontre que le soutien social modère les effets du stress, que ce soutien provienne de la famille, d'amis ou de collègues de travail.

provenant d'organismes ou d'amis. Le soutien social aurait alors pour effet d'«amortir» l'impact du stress (Cohen et Wills, 1985 ; Pagel et Becker, 1987 ; Rook et Dooley, 1985). Ainsi, différentes recherches démontrent que le soutien social modère les effets du stress dans des situations aussi diversifiées que les problèmes au travail ou les désastres technologiques. L'accident nucléaire survenu à la centrale de Three Mile Island, en Pennsylvanie, en constitue un exemple. Les résidents du voisinage qui pouvaient compter sur un réseau social solide, c'est-à-dire sur des proches parents et des amis avec lesquels ils pouvaient partager leur expérience, ont signalé moins de stress que ceux qui ne disposaient pas d'un pareil réseau (Baum et autres, 1982). En deuxième lieu, on peut profiter de son réseau social pour rompre sa solitude, en *participant à des activités sociales* de toutes sortes (participation à des clubs sociaux, soirées de cartes, sorties au grand air en groupe, etc.). En troisième lieu, on peut également s'engager dans une activité de soutien social, lequel consiste non pas à recevoir mais à *apporter du soutien*. Il s'agit ici de s'impliquer dans des activités où l'on se trouve à l'écoute des problèmes des autres et où l'on a l'occasion d'exprimer des sentiments de sympathie, d'affection, de compréhension et de réconfort à l'endroit d'autres personnes aux prises avec des problèmes. Ainsi, le fait d'apporter du réconfort tend à amortir le stress dû à ce que l'on a soi-même vécu.

Les études concernant le soutien social comme facteur pouvant servir à réduire le stress demeurent souvent difficiles à interpréter, en raison de la difficulté de mener des recherches expérimentales sur la question. Il s'agit habituellement d'études corrélationnelles où les différents aspects en jeu sont difficiles et parfois même impossibles à isoler. Ainsi, les personnes qui reçoivent un soutien social vivraient plus longtemps (Berkman et Syme, 1979 ; Berkman et Breslow, 1983 ; House et autres, 1982). Dans l'une de ces études (House et autres, 1982), des adultes ont été suivis pendant 12 ans, et le taux de mortalité s'est avéré considérablement plus faible chez les hommes mariés qui assistaient régulièrement à des réunions d'associations bénévoles et qui participaient souvent à des activités sociales récréatives que chez ceux qui ne présentaient pas ces caractéristiques. Malheureusement, il est impossible d'établir si la longévité supérieure constatée est attribuable au fait d'avoir été marié, d'avoir fait du bénévolat ou encore d'avoir participé à des activités sociales récréatives.

 MYTHE OU RÉALITÉ 7

On ne peut prétendre que la vie conjugale a un impact négatif sur la santé des hommes. On pourrait même se demander si ce n'est pas le contraire, les hommes mariés ayant tendance, d'après certaines études, à vivre plus vieux que les célibataires. Comme on l'a mentionné cependant, les études à cet effet n'ont pas pu établir si c'était bien le fait d'être marié qui était responsable de leur longévité supérieure, ou si celle-ci n'est pas plutôt le résultat de certains facteurs liés à d'autres aspects de la vie sociale.

10.3.3 RETENIR ET METTRE EN PRATIQUE LES STRATÉGIES LES PLUS APPROPRIÉES

Une fois qu'on a relevé les stratégies susceptibles de contrer le stress, il y a lieu de déterminer celles qu'on choisira de retenir et de mettre en pratique. En effet, certaines d'entre elles peuvent s'avérer impossibles à appliquer, comme renoncer à un emploi pour lequel on a signé un contrat pour la prochaine année. On doit donc évaluer dans quelle mesure les stratégies possibles peuvent réellement être appliquées. Par ailleurs, les sources de stress étant souvent multiples, on ne doit pas oublier qu'il est généralement approprié de combiner plus d'une stratégie. Un étudiant dont l'horaire est surchargé pourra, par exemple, décider de travailler moins et de consacrer quelques heures à une activité sportive de type participative, ce qui lui permettra de libérer des toxines et d'être plus dispos pour ses études.

10.3.4 ÉVALUER L'EFFICACITÉ DES SOLUTIONS RETENUES

Quel que soit le soin avec lequel on choisit et met en pratique certaines stratégies destinées à contrer le stress, il n'est jamais assuré que les solutions retenues soient efficaces. Il importe donc d'en évaluer constamment l'efficacité afin, le cas échéant, d'adopter d'autres stratégies qui, de prime abord, avaient pu sembler moins appropriées ou plus difficiles à mettre en pratique. En somme, la gestion du stress fait appel à une mise au point presque continuelle des situations que l'on vit quotidiennement.

ÉCLAIRCISSEMENT DE L'AMORCE

On pourrait aider Marie-Pier en faisant avec elle le tour des éléments qui, dans sa vie présente, semblent constituer des sources de stress. Ensuite on pourrait l'aider à choisir des stratégies susceptibles d'en amortir les effets. Par exemple, l'emploi du temps de Marie-Pier constitue sûrement un agent stresseur important, et elle aurait intérêt à en alléger les effets en travaillant moins chez le disquaire, ne serait-ce que pendant un certain temps. En ce qui a trait à la relation difficile avec son confrère de travail, elle pourrait envisager différentes stratégies, telles que l'inviter au restaurant pour discuter de leurs désaccords et tenter de trouver un terrain d'entente. Elle pourrait enfin essayer de développer son sens de l'humour afin de dédramatiser les incidents stressants, et faire attention aux croyances irrationnelles, qui peuvent l'amener à se dévaloriser parce que son ex-copain l'a quittée pour une autre, ou à s'imaginer tout de suite le pire, comme avoir développé une maladie grave et incurable. Sachant que le soutien social peut aider à amortir l'effet stressant de beaucoup de situations, elle ne devrait pas hésiter à parler de ce qui l'inquiète aux personnes de son entourage en qui elle a confiance. Finalement, même si elle n'a pas beaucoup d'appétit, elle devrait s'assurer de maintenir une bonne hygiène de vie en s'alimentant correctement et en s'accordant des heures suffisantes de sommeil, tout cela afin de rester physiquement en forme, afin également d'éviter d'affaiblir son système immunitaire et, ultimement, de devenir trop vulnérable aux maladies. Il sera évidemment important pour Marie-Pier de s'assurer que les stratégies adoptées sont efficaces, quitte à les modifier ou à les compléter si nécessaire.

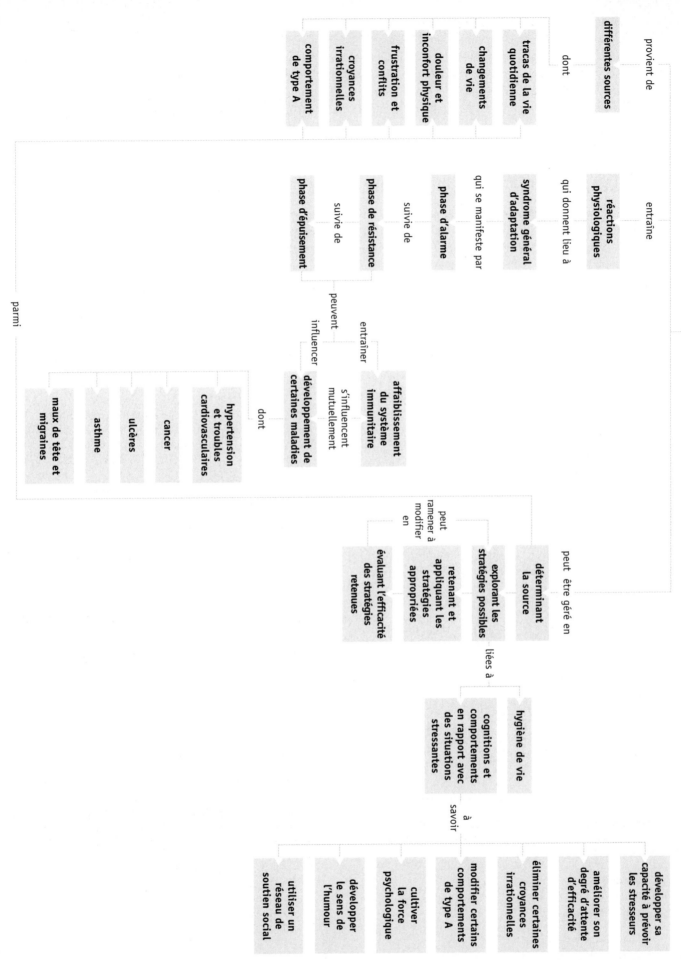

STRESS

provient de

entraîne

peut être géré en

différentes sources

dont

réactions
physiologiques

qui donnent lieu à

syndrome général
d'adaptation

qui se manifeste par

tracas de la vie
quotidienne

changements
de vie

douleur et
inconfort physique

frustration et
conflits

croyances
irrationnelles

comportement
de type A

phase d'alarme

suivie de

phase de résistance

suivie de

phase d'épuisement

peuvent
influencer

entraîner

s'influencent
mutuellement

affaiblissement
du système
immunitaire

développement de
certaines maladies

parmi

dont

hypertension
et troubles
cardiovasculaires

cancer

ulcères

asthme

maux de tête et
migraines

déterminant
la source

explorant les
stratégies possibles

retenant et
appliquant les
stratégies
appropriées

évaluant l'efficacité
des stratégies
retenues

peut
ramener à
modifier
en

liées à

hygiène de vie

cognitions et
comportements
en rapport avec
des situations
stressantes

à
savoir

développer sa
capacité à prévoir
les stresseurs

améliorer son
degré d'attente
d'efficacité

éliminer certaines
croyances
irrationnelles

modifier certains
comportements
de type A

cultiver
la force
psychologique

développer
le sens de
l'humour

utiliser un
réseau de
soutien social

1. Parmi les événements suivants, lequel pourrait représenter le mieux un *eustress* dans la vie d'une cégépienne ?

   a) Elle vient d'être victime d'un accident de la route.
   b) Son grand-père, qu'elle aimait, est décédé dernièrement.
   c) Elle n'a pas vraiment d'amis au cégep.
   d) Elle se sent fébrile à l'idée de commencer un nouvel emploi dont elle rêvait depuis longtemps.
   e) Elle s'interroge beaucoup quant à son choix de carrière.

2. Complétez la phrase ci-dessous.

   La psychologie de la santé étudie les relations entre, d'une part, les _____ _____ et la _____, et, d'autre part, la _____ de même que le _____ de la maladie physique.

10.1 Les sources de stress

1. Parmi les événements suivants, lequel ne fait pas partie des tracas de la vie quotidienne définis par Lazarus et ses collaborateurs ?

   a) Manquer de temps pour faire ses travaux scolaires.
   b) Se préoccuper du remboursement d'un prêt étudiant.
   c) Se marier.
   d) Faire des emplettes.
   e) Craindre d'être refusé dans le domaine de son choix à l'université.

2. Parmi les caractéristiques du comportement de type A, lesquelles ont été associées à un plus grand risque de souffrir de troubles cardiovasculaires ?

   a) La colère et l'hostilité non exprimées.
   b) L'esprit compétitif et fonceur.
   c) La ponctualité et la rapidité d'exécution du travail.
   d) La vitesse à laquelle les individus de type A mangent et parlent.
   e) Toutes ces réponses sont exactes.

3. Complétez la phrase ci-dessous.

   La _____ est une source de stress caractérisée par un état émotif déplaisant causé par la rencontre d'un obstacle dans la satisfaction d'un _____.

10.2 Les réactions physiologiques face au stress

1. Durant quelle phase du syndrome général d'adaptation le système immunitaire est-il plus efficace qu'en temps normal pour combattre la maladie ?

   a) Lors de la phase d'alarme
   b) Lors de la réaction de fuite
   c) À la phase de résistance
   d) À la phase d'épuisement
   e) Aucune de ces réponses

2. Complétez la phrase ci-dessous.

   Dans le syndrome général d'adaptation, la phase d'épuisement peut influer sur la capacité du _____ à combattre la maladie et peut même mener à la _____.

3. Parmi les facteurs de risque suivants, lequel n'est habituellement pas associé aux maladies cardiovasculaires ?

   a) Les antécédents familiaux
   b) L'origine ethnique
   c) Le tabagisme
   d) La surcharge de travail
   e) Le manque d'exercice physique

4. Lequel des énoncés suivants concernant le lien entre le stress et la maladie physique est vrai ?

   a) Aucune étude ne démontre actuellement qu'il y a un lien entre le stress et les maladies physiques.
   b) Seules les prédispositions héréditaires sont responsables des maladies physiques.
   c) Les maladies physiques peuvent être à la fois une conséquence du stress et une source de stress.
   d) Un individu qui peut prévoir la venue d'un stress risque davantage de souffrir d'ulcères que celui qui ne peut la prévoir.
   e) Les migraines, et non les maux de tête, sont directement liées au stress.

5. Complétez la phrase ci-dessous.

   Les _____ sont responsables de 36 % des décès au Canada.

10.3 Les stratégies permettant de faire face au stress

1. Lequel des éléments suivants est représentatif d'une stratégie d'adaptation au stress axée sur l'hygiène de vie ?

   a) L'humour
   b) La relaxation
   c) La rationalisation
   d) La démarche de résolution de problèmes
   e) Aucune de ces réponses

2. Pierre vit une période difficile actuellement : échecs scolaires, rupture amoureuse, manque d'argent, etc. Il décide d'appeler quelques-uns de ses amis pour leur en parler, et ces derniers l'aident alors à y voir plus clair. À quoi est reliée la stratégie qu'il a décidé d'utiliser ?

   a) Au degré d'attente d'efficacité
   b) Au sens de l'humour
   c) À la prévisibilité
   d) Au soutien social
   e) À la force psychologique

3. En ce qui concerne la force psychologique ou le fait pour un individu d'être audacieux, lequel des énoncés suivants est faux ?

   a) L'individu a plus de chances d'être de type A.
   b) L'individu sera plus résistant au stress.
   c) L'individu présentera un niveau d'engagement plus élevé dans tout ce qu'il fait.
   d) L'individu peut considérer les changements comme positifs et stimulants.
   e) L'individu aura tendance à posséder un lieu de contrôle externe.

4. Les stratégies d'adaptation au stress axées sur les _____ misent sur la façon de percevoir la situation stressante, alors que les stratégies qui misent sur _____ ___ _____ comprennent l'exercice, le sommeil réparateur, une saine alimentation, etc.

Pour aller plus loin...

Volumes et ouvrages de référence

CHIASSON, L. (1988). *Les événements stressants de la vie du cégépien : construction d'une échelle de mesure*, Lauzon, Cégep de Lévis-Lauzon.
S'inspirant des échelles de mesure du stress, dont celle mise au point par Holmes et Rahe (1967), l'auteur de cet ouvrage a mis au point une échelle adaptée en fonction des événements stressants dans la vie du cégépien.

COUSINS, N. (2003). *Comment je me suis soigné par le rire*, Paris, Éditions Payot et Rivages.
Une étude de cas intéressante, même si les effets réels de l'humour sur le stress demeurent encore à approfondir.

SEYLE, H. (1974). *Stress sans détresse*, Montréal, La Presse.
et
SEYLE, H. (1975). *Le stress de la vie*, Paris, Gallimard.
Deux classiques de celui qui a introduit le concept de stress dans la littérature et souligné que le stress peut être bon et nécessaire à la survie.

Périodiques

DUMONT, M., D. LECLERC et R. LALANDE (2003).
«Ressources personnelles et détresse psychologique en lien avec le rendement scolaire et le stress chez des élèves de quatrième secondaire», *Revue canadienne des sciences du comportement*, 35.
Une recherche effectuée par des chercheurs de l'UQTR concernant les stresseurs chez les élèves du secondaire.

CHOUCHAN, D. (1999). «Stress, les voies de la recherche et de la prévention», *Travail & Sécurité*, n° 580.
Un article sur les directions de recherche appliquée concernant le stress au travail, un des domaines où le stress est actuellement le plus étudié.

NÉRON, S. et B. FORTIN (1993). «Vivre avec le cancer : stratégies d'adaptation pour le malade et pour les aidants naturels», *Perspectives psychiatriques*, 39.
Un article à l'intention des personnes affectées par les situations stressantes causées par la maladie, particulièrement le cancer, concernant les effets du stress affectant non seulement les personnes malades, mais également celles qui vivent dans leur entourage.

Sites Internet

Un site dont le contenu provient de Sérapis, une association à but non lucratif qui vise à vulgariser pour le public et les acteurs du système de santé certains sujets comme les dépendances psychologiques, le stress, l'électromyographie ou l'électrothérapie, ainsi que l'esthétique. Le site fournit une foule de renseignements à la portée du grand public sur le stress, ses causes et les moyens d'y faire face.
http://www.sante.cc/stress/

Un site géré par l'Université d'Ottawa dans lequel, après avoir défini ce qu'est le stress, on présente différentes façons de le gérer. On y offre également des hyperliens à d'autres sites traitant du stress et de la santé mentale.
http://www.uottawa.ca/sante/information/stress.html

Films, vidéos, cédéroms, etc.

RADIO-QUÉBEC (1990). «Vivre le stress»,
série *Omni Science*.
Un excellent documentaire qui traite du stress à travers des situations de la vie quotidienne.

SUVA (2002). *Le stress*, format vidéo ou DVD, 12 min.
Un documentaire qui présente des scènes réalistes en vue d'illustrer comment le stress en entreprise peut rendre malade, réduire la qualité du travail et augmenter le risque d'accident. Il fournit également des pistes de discussion sur la façon de lutter contre le stress avec l'aide du personnel.

Chapitre 11

LUCE MARINIER

Les théories de la personnalité

PLAN DU CHAPITRE

❓ MYTHES OU RÉALITÉS?

Pour savoir si ces affirmations sont vraies ou fausses, trouvez les rubriques *MYTHE OU RÉALITÉ*.

1. Selon les psychanalystes freudiens, la personnalité est marquée par des fixations acquises au cours de l'enfance.

2. Le psychanalyste Erikson soutient que l'adolescence constitue l'étape la plus importante du développement humain.

3. Père du behaviorisme, Watson affirmait qu'il pouvait créer la personnalité des enfants en contrôlant leur milieu.

4. Selon le gestaltiste Perls, des «affaires non liquidées» empêchent l'individu d'être en contact avec lui-même, d'où ses difficultés.

5. Le psychologue humaniste Rogers affirme qu'une personne sera congruente dans la mesure où on lui fait confiance et où on la respecte.

6. Psychologue s'inspirant du cognitivisme, Ellis soutient que ce sont les pensées de l'individu qui expliquent qui il est, et non la réalité objective qui l'entoure.

CIBLES D'APPRENTISSAGE

Après avoir lu ce chapitre, vous devriez être en mesure :

• de définir le concept de personnalité ;

• de traiter des concepts élaborés par Freud au sujet des trois niveaux de conscience, des trois instances de la personnalité et de la théorie du développement psychosexuel ;

• d'expliquer les concepts relatifs à la psychanalyse culturaliste élaborée par Erikson ;

• de décrire comment les behavioristes Watson et Skinner voient la personnalité ;

• d'expliquer les concepts néobehavioristes importants pour l'étude de la personnalité, notamment ceux élaborés par Bandura et Rotter ;

• d'exposer la conception de la personnalité du gestaltiste Perls ;

• de décrire les concepts élaborés par les psychologues humanistes Maslow et Rogers dans l'étude de la personnalité ;

• d'expliquer la théorie cognitive de la personnalité élaborée par Ellis.

Gregory Charles[1], qu'on reconnaît à la figure 11.1, naît le 12 février 1968, à Sainte-Thérèse, en banlieue de Laval. Sa mère est Québécoise et son père, originaire de Trinidad. Gregory grandit au Québec dans les deux cultures. Il s'estime chanceux d'être issu d'un couple «noir et blanc». Il apprécie autant la musique classique que sa mère écoute que celle, beaucoup plus éclatée, de son père. Celui-ci est boulanger, contrairement aux autres pères de la rue sur laquelle le jeune Gregory habite, qui travaillent tous pour la General Motors à Boisbriand. Très tôt, Gregory se sent différent et il apprend à composer avec la discrimination. Ça ne l'empêche pas d'être extrêmement fonceur dès l'école primaire. Gregory réussit aussi bien dans les disciplines sportives que dans les matières scolaires. Mais ce sont les arts de la scène qui l'attirent le plus. Il chante dans des mariages dès l'âge de six ans. À 9 ans, il débute avec Les Petits Chanteurs du Mont-Royal, pour y rester 10 ans. Il affirme que chanter devant 2 000 personnes l'aide à contrôler sa gêne et son trac. Pendant plusieurs années, ensuite, il anime des messes. Il se dit d'ailleurs croyant. Comme pianiste concertiste, chanteur classique, choriste, musicien de jazz et de musique populaire, Gregory Charles joue avec des orchestres de renom dans plusieurs pays. À 21 ans, Gregory Charles apparaît au petit écran dans le téléroman Chambre en ville. L'année suivante, il se joint à l'équipe des Débrouillards afin de montrer aux jeunes combien la science peut être intéressante. Depuis 1987, il assume la direction musicale de deux chœurs, l'un masculin, Les Petits Chanteurs de Laval, et l'autre féminin, Les Voix boréales. En novembre 2004, après avoir connu un énorme succès partout au Québec, il présente son spectacle Noir & Blanc à New York.

FIGURE 11.1 GREGORY CHARLES, UNE PERSONNALITÉ AUX MULTIPLES FACETTES

Souriant, énergique, convaincu et articulé... Qu'est-ce qui explique la personnalité de Gregory Charles? Qu'est-ce qui le pousse à s'accomplir sur tous ces plans? Pourquoi tout semble-t-il lui réussir? Différentes théories offrent des éléments de réponse : les théories psychanalytiques basées sur l'apprentissage, humaniste, cognitives et de la gestalt.

11.1 LES THÉORIES PSYCHANALYTIQUES

Comme il a été dit au chapitre 1, selon la psychanalyse, la personne est animée de forces inconscientes telles que les pulsions de vie (sexuelles) et de mort (agressives) qui sont en lutte constante entre elles et face aux exigences sociales. La **personnalité** est donc dynamique, c'est-à-dire en mouvement. C'est pourquoi certains auteurs parlent de «théories psychodynamiques».

Personnalité
Ensemble de caractéristiques relativement stables dans la manière d'être d'un individu et dans sa façon de réagir aux situations.

La figure 11.2 montre Freud en visite aux États-Unis en compagnie de collègues dont Jung, qui écrira de nouvelles théories moins axées sur la sexualité. Un autre courant psychanalytique se développe aux États-Unis dans la lignée des travaux d'Anna Freud (la fille de Freud), qui s'intéresse davantage à l'influence de la culture et accorde une prévalence à l'adaptation grâce aux mécanismes de défense du moi, notamment la psychanalyse culturaliste représentée par Erik Erikson, dont la notoriété est encore très grande en Amérique du Nord.

Depuis plus d'un siècle, les théories de Freud sont critiquées, approfondies et remaniées par différents auteurs, parmi lesquels on trouve Melanie Klein, Jacques Lacan ainsi que Françoise Dolto, dont un aperçu des idées est présenté dans l'encadré 11.1.

11.1.1 LA PSYCHANALYSE FREUDIENNE

La psychanalyse freudienne est une théorie très vaste englobant plusieurs concepts. Ici sont exposés les trois niveaux de consience, les trois instances de la personnalité et la théorie du développement psychosexuel.

• LES TROIS NIVEAUX DE CONSCIENCE

FIGURE 11.2 VISITE DE FREUD À L'UNIVERSITÉ CLARK AU MASSACHUSETTS AUX ÉTATS-UNIS EN 1909

On retrouve Freud à la première rangée à gauche, Hall à ses côtés, puis Jung à droite. Debout à gauche on voit Brill, puis Jones et, à droite, Ferenczi.

Freud se spécialise d'abord en neurologie. Très tôt dans sa pratique, il est surpris de constater que des individus subissent des pertes de sensation ou des paralysies sans qu'il soit possible d'y rattacher une cause physique. En cherchant à soigner ses malades, Freud

---

1. Les informations concernant Gregory Charles ont été tirées de Buisson (2004) et Trudel (2004).

ENCADRÉ 11.1

Françoise Dolto : une grande psychanalyste

Au cours de sa carrière en pédiatrie, Françoise Dolto acquiert des connaissances cliniques très larges sur le développement et les modes de communication des enfants. En France, elle contribue à la diffusion de la psychanalyse freudienne en participant à une tribune téléphonique. Elle répond d'une manière toute simple aux questions des auditeurs, fait rare chez les psychanalystes.

Dolto met l'accent sur l'importance du langage chez l'enfant. Elle présente l'enfant comme un être de désirs plus qu'un être de besoins. À ce sujet, elle démontre que les enfants auxquels on donne des soins corporels dépourvus de tendresse ne survivent pas ou dépérissent, la communication verbale entre le parent et l'enfant étant essentielle. Les recherches de Dolto démontrent aussi que le parent doit tenir compte des sentiments et des désirs de l'enfant. Les paroles, surtout celles exprimées par la mère, le nourrissent sur le plan émotif.

La théorie de Dolto, comme celle de Lacan, révèle que les paroles vraies adressées à l'enfant lui permettent de mettre de l'ordre dans ses perceptions, autant à l'égard de l'extérieur qu'à l'égard de l'intérieur. Convaincue que même le jeune enfant comprend ce qu'on lui dit, elle démontre que le parent qui parle à son enfant et nomme la nature des états physiques ou émotifs de celui-ci contribue à son développement psychique. Cette responsabilité devient lourde de conséquences, car elle implique que le parent peut imposer ses propres émotions plutôt que celles de l'enfant, ou encore lui transmettre ses angoisses ou s'abstenir de lui parler. Dans ces cas, le développement de l'enfant s'en ressent et en est appauvri.

Dolto croit que la parole a aussi pour fonction d'ouvrir l'enfant au monde social. Ouverture à la liberté, le langage permet à l'enfant de sortir de la relation avec sa mère dans laquelle il est pris. Dolto insiste beaucoup sur l'importance de dire à l'enfant qu'il est né de la rencontre de trois désirs : le sien, celui de la mère et celui du père. Lorsque la famille est désunie, Dolto est persuadée qu'il faut informer l'enfant de ce qui advient de ses parents. C'est ainsi que l'enfant peut faire son deuil du parent manquant ou des deux parents, et se remettre à vivre. Privé de ce deuil, l'enfant est captif de sa peine, et il ne pourra pas avoir d'emprise sur elle.

Ainsi, Dolto croit qu'on peut tout dire à un enfant dès sa naissance, le non-dit étant ce qui blesse, ce qui bloque, ce qui tue. Elle avance aussi que, de toute façon, les jeunes enfants se rendent compte de ce qui se passe ; leur détresse psychologique et leur corps malade témoignent de ce savoir inconscient.

Un autre concept central de la théorie de Dolto est celui des «castrations» humanisantes venant marquer la fin d'un stade du développement psychosexuel. Par «castration», elle entend limitations du plaisir, perte, confrontation à un interdit, à une règle ; en d'autres termes, la rencontre avec une réalité frustrante. Dolto affirme que ces castrations sont des morts qui, lorsqu'elles sont acceptées, permettent à l'enfant de vivre. Si elles sont refusées, l'enfant meurt, physiquement ou psychologiquement. En renonçant aux pulsions orales et anales, l'enfant accède à la culture qui, à son tour, lui permet d'exprimer ce qui est refoulé.

Dolto est d'accord avec la théorie du développement psychosexuel, les zones érogènes étant les endroits privilégiés du corps autour desquels se tissent des liens affectifs. Le désir de l'enfant de rester dans les bras de sa mère et de continuer à avoir avec elle des rapports intimes par le changement des couches, par exemple, se bute à un interdit, et l'image de son corps s'en trouve transformée. C'est toujours par la verbalisation respectueuse et affectueuse que l'enfant peut supporter cette épreuve. C'est également lorsqu'il constate que l'adulte aussi doit s'interdire et sublimer ses pulsions qu'il devient plus autonome. La castration n'est donc pas un traumatisme négatif : au contraire, elle est pour lui l'occasion de se développer.

LA PSYCHANALYSTE FRANÇOISE DOLTO (1908-1988)

élabore une théorie qui tente d'expliquer l'apparition de ces symptômes. Il constate qu'ils disparaissent lorsque les patients se remémorent et verbalisent des événements bouleversants et les sentiments de culpabilité ou d'angoisse qui y sont liés. Dissimulés sous le seuil de la conscience, mais au cœur de la personnalité de l'individu, ces événements et ces sentiments ont la propriété d'apparaître sous d'autres formes : symptômes physiques, lapsus, actes manqués, rêves, etc.

C'est à la suite de ce type de constatations cliniques que Freud (1922) tire la conclusion que l'esprit humain peut être représenté par un iceberg. Comme le montre la figure 11.3, seule la pointe de l'iceberg, le conscient, s'élève au-dessus du niveau de l'eau, alors que sa plus grande «masse», l'inconscient, demeure tapie dans les profondeurs. Freud établit une distinction entre les pensées et les perceptions du niveau conscient, auxquelles l'individu est sensible et accède directement, et celles qui sont préconscientes ou inconscientes. Le niveau préconscient est un niveau intermédiaire où sont entreposées des connaissances (liées au langage) et des souvenirs non conscients, mais qui sont susceptibles de le devenir si on fait l'effort d'y prêter attention.

Conscient

En psychanalyse, ce qui est perceptible aux sens, ce que la personne connaît ou observe directement du milieu, ou encore d'elle-même, au moment présent.

Préconscient

En psychanalyse, matériel non conscient (souvenirs et connaissances) qui peut être amené à la conscience par l'attention. Le préconscient se situe entre le conscient et l'inconscient.

Refoulement

En psychanalyse, mécanisme de défense qui protège la personne de l'angoisse en maintenant les idées et pulsions anxiogènes hors du champ de la conscience.

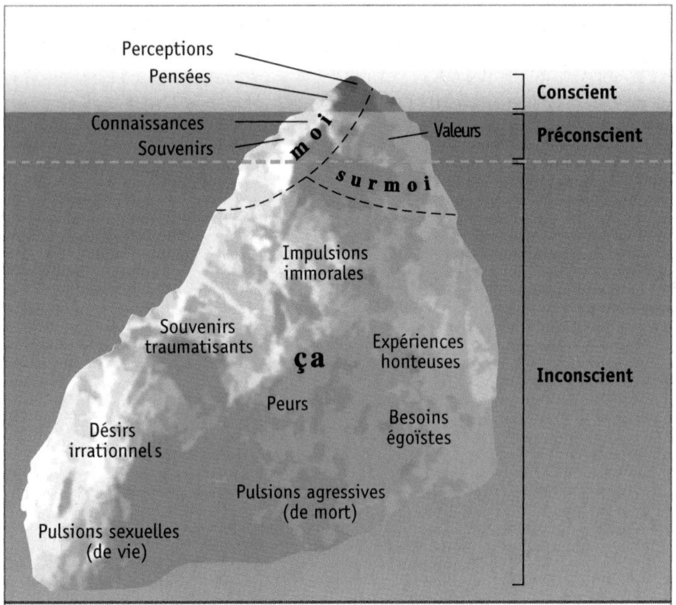

FIGURE 11.3 LES NIVEAUX DE CONSCIENCE SELON SIGMUND FREUD

Selon la théorie psychanalytique, seule une toute petite partie de la personnalité humaine est consciente : c'est la pointe de l'iceberg. Le matériel préconscient peut devenir conscient si la personne y prête attention : selon les mouvements des vagues, ses souvenirs et ses connaissances se manifestent plus ou moins. Mais l'inconscient demeure enveloppé de mystère : il est toujours sous le niveau de l'eau. La majorité des souvenirs, pulsions et sentiments sont inconscients ; ils sont au cœur de la personnalité.

Appareil psychique

En psychanalyse, structure mentale où se déroulent les processus inconscients.

Ça

En psychanalyse, la plus importante des trois instances de l'appareil psychique, présente à la naissance, qui est entièrement inconsciente ; réservoir des pulsions sexuelles et agressives innées, de même que des contenus refoulés acquis.

Principe de plaisir

En psychanalyse, recherche de la satisfaction immédiate des pulsions (plaisir) et évitement du déplaisir ; principe directeur du ça.

Moi

En psychanalyse, deuxième instance de l'appareil psychique à se développer, caractérisée par la conscience de soi. Le moi tente de satisfaire les demandes du ça et les exigences du surmoi tout en faisant face à la réalité. Dans sa partie inconsciente, le moi est responsable de l'utilisation des mécanismes de défense.

Il existe d'autres contenus mentaux inconscients ou inaccessibles à la conscience dans la plupart des circonstances. Certains souvenirs, certains désirs et certaines pensées génèrent de la souffrance parce que tous trois sont liés à des pulsions intolérables. Malgré elles, les personnes sont amenées à les rejeter hors du champ de leur conscience pour échapper aux sentiments d'angoisse, de culpabilité et de honte qu'ils provoquent. Le **refoulement** est un processus inconscient et incontrôlable qui a pour fonction de maintenir les idées anxiogènes hors du champ de la conscience. Il protège en quelque sorte la personne en l'empêchant de ressentir des pulsions qu'elle perçoit comme menaçantes pour son équilibre.

Ce qui est inconscient n'est pas lié à la volonté. Il est donc impossible de ramener volontairement à la conscience des contenus inconscients, même si on le souhaite intensément. Par exemple, une adolescente peut refouler un sentiment de jalousie et d'agressivité à l'égard de sa sœur. À la question : « Éprouves-tu de la jalousie et de l'agressivité à l'égard de ta sœur ? », elle répondra par la négative, puisque ces deux sentiments sont hors du champ de sa conscience. Elle pourrait même affirmer qu'elle est contente de l'avoir comme sœur ou être très fâchée qu'on lui pose une telle question. Le chapitre 12 présente comment la thérapie psychanalytique cherche à amener ce qui est inconscient au niveau de la conscience.

Pour Freud, la personne sait tout sans le savoir, c'est-à-dire qu'il existe en chacun de nous un savoir non pensé. L'inconscient est une pensée séparée de la conscience qui détermine la personnalité, les actions, les désirs et les émotions. Il constitue le fondement de la pensée humaine. La personnalité apparaît comme le lieu d'un conflit entre les pulsions inconscientes et la réalité externe contraignante qui confronte l'individu à autrui, aux limites et aux interdits. Le fonctionnement psychologique et physique de chacun résulte de ce conflit.

• LES TROIS INSTANCES DE LA PERSONNALITÉ

Pour expliquer la structure de la personnalité, Freud (1933) élabore un modèle à l'aide du concept d'**appareil psychique**, qu'il utilise pour désigner les forces présentes au cœur de la personne, ces forces ne pouvant ni être vues ni être évaluées directement ; elles peuvent être signalées par le langage, les émotions et le comportement. Freud suppose l'existence de trois instances psychiques, le ça, le moi et le surmoi, toutes trois des entités psychiques, et non des structures biologiques repérables dans le cerveau.

Le ça. Selon Freud, le **ça** est présent à la naissance : c'est l'instance la plus primitive, le noyau de la personne à partir duquel le moi et le surmoi se développent. On peut comparer le ça à une marmite dans laquelle les pulsions de vie (sexuelles) et de mort (agressives) bouillonnent et s'affrontent. Le ça est chaos non maîtrisable, la partie obscure et la plus inaccessible de la personnalité ; il est totalement inconscient. Freud insiste sur son caractère insaisissable : une force étrangère chez la personne qui, à son insu, détermine ses pensées et ses actions. Des expressions telles que : « C'est plus fort que moi », « Ça me fait souffrir », « Ça me prend tout d'un coup » et « Ça bouge » illustrent cette idée (Tamisier, 1999). Le ça fonctionne selon ce que Freud appelle le **principe de plaisir**, qui exige une satisfaction immédiate des désirs sans tenir compte de la réalité externe, c'est-à-dire d'autrui, des règles et des coutumes. L'activité psychique a donc pour but d'éviter le déplaisir et, à l'opposé, de procurer le plaisir.

Le moi. À la différence du ça, le **moi** n'est pas présent à la naissance : il se développe à partir du **principe de réalité** et de ce qui, dans le monde extérieur, ne comble pas les désirs inconscients du ça. Bien que la personne puisse faire appel à l'imaginaire (au **fantasme**) pour contourner la réalité, elle doit faire face aux frustrations du milieu familial et social. Le moi a pour tâche de considérer ce qui est possible et convenable, tout en répondant aux pulsions du ça. Il agit ainsi à titre de médiateur entre la réalité et le plaisir.

Dans la théorie freudienne, c'est le moi qui apporte la conscience de soi. Il agit surtout de façon inconsciente. Le moi utilise des mécanismes de défense pour arriver à un équilibre entre les exigences du surmoi et les pulsions du ça. Lorsque le moi sent que des pulsions dérangeantes veulent franchir le seuil de la conscience, il peut utiliser des défenses psychologiques pour les empêcher de faire surface. Le refoulement est le mécanisme de défense par excellence. Ces mécanismes caractérisent la personnalité de tout individu et, lorsqu'ils sont sollicités de façon répétitive et rigide, ils donnent lieu à certains troubles psychologiques. On décrit et on illustre les principaux mécanismes de défense au tableau 11.1.

Le surmoi. Comme le moi, le **surmoi** n'est pas présent à la naissance : il se développe lorsque le complexe d'Œdipe est résolu (voir plus loin) par l'intériorisation des interdits et des exigences morales que l'enfant perçoit et imagine chez ses parents et d'autres figures d'**identification** importantes. Le surmoi est une instance répressive qui assure le bon équilibre du moi, car il s'oppose aux pulsions sexuelles et agressives du ça. À ce titre, il apparaît comme un censeur, un policier interne, qui tend vers un idéal du moi, et qui dicte ce qui est bien et ce qui est mal. Il inonde le moi de sentiments de culpabilité et de honte lorsque le

Principe de réalité

En psychanalyse, prise en considération des conditions imposées par le monde extérieur dans la satisfaction des pulsions ; principe directeur du moi.

Fantasme

Production de l'imagination par laquelle le moi cherche à échapper à l'emprise de la réalité.

Surmoi

En psychanalyse, troisième instance psychique qui assume le rôle d'un censeur moral et qui établit des idéaux élevés de conduite.

Identification

En psychanalyse, mécanisme inconscient par lequel un individu assimile un aspect d'une autre personne et se transforme selon le modèle de celle-ci. C'est l'utilisation de ce mécanisme à l'égard de différents modèles qui permet la construction de la personnalité.

TABLEAU 11.1   LES PRINCIPAUX MÉCANISMES DE DÉFENSE SELON LA PSYCHANALYSE

MÉCANISME DE DÉFENSE	DÉFINITION	EXEMPLES
Refoulement	Rejet et maintien de contenus anxiogènes dans l'inconscient.	Un élève oublie qu'il doit se présenter à un examen difficile. Un patient en thérapie oublie d'assister à une rencontre alors qu'il devait commencer à aborder des souvenirs désagréables.
Régression	Retour, en période de stress, à une forme de comportement caractéristique d'un stade antérieur de développement.	Un adolescent se met à pleurer lorsqu'on lui interdit d'utiliser la voiture familiale. Un adulte devient très dépendant de ses parents après une rupture conjugale.
Rationalisation	Élaboration d'une explication cohérente d'une action, d'une idée ou d'un sentiment dont les motifs véritables sont inacceptables.	Une élève remet un travail en retard. Elle justifie son retard par un bris d'imprimante. Un homme justifie une fraude qu'il a commise dans sa déclaration de revenus en déclarant : « Tout le monde le fait. »
Déplacement	Transfert d'idées et de pulsions menaçantes ou inopportunes à des situations, des personnes, ou des objets moins menaçants.	Un client insulte un vendeur après avoir reçu une contravention. Un homme frappe son ordinateur après s'être querellé avec son fils.
Projection	Attribution à un individu ou à une chose des qualités, des sentiments méconnus ou refusés en soi.	Un individu hostile perçoit les gens comme dangereux. Un homme attiré par une femme interprète son sourire et sa politesse comme des avances sexuelles.
Formation réactionnelle	Attitude qui s'oppose à un désir refoulé et qui se développe en réaction contre celui-ci.	Une femme en colère envers un parent est extrêmement polie à son égard. Un homme attiré par les hommes ridiculise un chanteur homosexuel.
Déni	Refus de reconnaître la véritable nature d'une réalité.	Une adolescente n'utilise pas de contraceptif, car elle est convaincue qu'elle ne peut pas tomber enceinte. Un homme refuse d'admettre que sa femme ne l'aime plus.
Sublimation	Canalisation de pulsions vers des activités bien vues et acceptées par la société.	Une pianiste compose une mélodie romantique et passionnée. Un joueur de football s'entraîne afin de pouvoir écraser ses adversaires.

verdict est négatif, et de sentiments de fierté et d'amour de soi si le bilan est positif. Comme le moi, le surmoi est en partie conscient, chacun pouvant exprimer ses valeurs morales. Il est cependant surtout inconscient. Par exemple, les sentiments de culpabilité et de honte peuvent apparaître sans que l'on soit conscient de leur fondement.

La situation du moi est difficile, puisqu'il est en quelque sorte coincé entre le ça et le surmoi. Le moi s'efforce de satisfaire les désirs du ça tout en tenant compte de la répression du surmoi. Prenons un exemple imagé où le ça exhorte le moi : « Tu en a assez de lire ce livre », tandis que le surmoi le met en garde : « Tu dois bien étudier afin de réussir. » Le moi doit veiller à ce que le ça et le surmoi soient au moins en partie satisfaits. Lorsqu'il réussit à créer ce fragile équilibre, la santé mentale est relativement équilibrée. Si le ça n'est pas suffisamment contrôlé, les pulsions prennent le dessus au détriment de la réalité, de la personne et d'autrui. Si le surmoi se révèle impitoyable, le moi est envahi par les pulsions de mort et n'arrive plus à être en contact avec ses désirs.

• LA THÉORIE DU DÉVELOPPEMENT PSYCHOSEXUEL

Freud (1905, 1962) affirme que les pulsions sexuelles et leur assouvissement sont essentiels au développement de la personnalité au cours de l'enfance. Aujourd'hui encore, comme au début du siècle dernier, plusieurs s'opposent à ce point de vue. Cette théorie de la sexualité en tant que force fondamentale de vie se retrouve au cœur des critiques adressées à Freud.

En psychanalyse, il faut voir la sexualité comme une expérience de plaisir au sens large, surpassant le plaisir génital. Elle implique le corps et, surtout, l'activité mentale (le fantasme). Pour Freud, la sexualité est liée à la pulsion de vie, qu'il surnomme « éros », parce qu'elle favorise la vie dès le début. Cette énergie fondamentale, la **libido**, est investie de diverses façons à partir d'échanges que l'enfant entretient avec son entourage. Dans sa relation amoureuse avec les parents, l'enfant privilégie certaines parties de son corps. À un stade particulier du développement, ces **zones érogènes** constituent le lieu privilégié des tensions sexuelles et du plaisir. Les activités et les contacts physiques de ces zones du corps sont associés à des représentations propres à la vie fantasmatique de l'enfant et donnent lieu à un mode de satisfaction qui marquera le développement de sa personnalité. Différents stades se succèdent dans le **développement psychosexuel** : oral, anal, phallique, latent et génital.

Stade oral. Au cours de la première année de l'enfance, la bouche constitue la zone érogène privilégiée. C'est par elle que l'enfant apprivoise son univers et qu'il établit un contact avec son entourage. Comme l'illustre la figure 11.4, tout ce qu'il perçoit, bruits, sons, regards, contacts physiques, etc., passe par ce canal. C'est le **stade oral**. Freud soutient que les activités orales comme la succion, l'ingestion et le mordillement procurent à l'enfant une satisfaction sexuelle, c'est-à-dire un bien-être fondamental. En fait, ce qui est au dehors, passe au dedans. L'enfant se façonne par la nourriture qu'il ingère, par les paroles, les caresses et les regards qu'il perçoit.

Au cours de la vie intra-utérine, l'enfant est en symbiose avec sa mère ; rien ne les sépare. À la naissance, le bébé ne différencie pas l'intérieur de l'extérieur. D'une part, il est très dépendant et, telle une éponge, il absorbe tout. D'autre part, il fait la loi, impose ses désirs, notamment par ses pleurs. Cet échange de gestes, de paroles et d'humeurs façonne sa personnalité.

L'enfant est dominé par son ça, seule structure de sa personnalité présente à ce stade. À ses yeux, la satisfaction immédiate de ses besoins est vitale. C'est pourquoi la disponibilité de sa mère et de son entourage déterminera le bien-être qu'il ressent. Mais l'enfant ne pourra jamais être pleinement satisfait, compte tenu des exigences de la réalité et de la personnalité de sa mère. L'entourage, aussi attentionné soit-il, ne peut parfaitement satisfaire l'enfant. L'enfant vivra alors ses premières frustrations : il aura faim, mais n'aura ni biberon ni sein pour assouvir son besoin exactement au moment où celui-ci se manifestera. Cette forme de déplaisir s'avère saine dans la mesure où l'enfant constate qu'il est séparé de sa mère, que ses désirs n'ont pas force de loi et qu'ils ne font pas apparaître comme par magie la satisfaction : l'enfant constate qu'il n'est pas tout-puissant. Cette forme de déplaisir

Libido
En psychanalyse, énergie psychique des pulsions sexuelles qui s'expriment sous forme de désirs, d'attractions et d'aspirations amoureuses, et qui poussent l'individu vers un objet ou un partenaire pour tenter de trouver une satisfaction. Liée à la survie, la libido est une pulsion de vie.

Zone érogène
Partie du corps dont la stimulation procure du plaisir.

Développement psychosexuel
En psychanalyse, processus par lequel l'énergie libidinale est investie dans différentes zones érogènes au cours des cinq étapes du développement de la personnalité.

Stade oral
Premier stade du développement psychosexuel durant lequel la satisfaction est obtenue principalement par la bouche, l'absorption du monde environnant et la symbiose avec la mère.

FIGURE 11.4 LE STADE ORAL

Pour Freud, durant la première année de vie, tout passe par la bouche.

se trouve à l'origine de la formation du moi. Trop grande, l'insatisfaction aura pour effet de laisser des «cicatrices psychologiques», c'est-à-dire des traits de caractère qui marqueront à vie la personnalité de l'enfant. Freud parle dans ce cas de **fixations** orales, qui émergent lorsque l'enfant est trop ou insuffisamment frustré. En effet, en devançant continuellement les besoins de l'enfant, les parents l'empêcheront d'éprouver son désir et d'effectuer les activités mentales qui, normalement, lui permettraient de supporter l'attente.

Au cours du sevrage, l'alimentation solide éloigne l'enfant de sa mère. Cette séparation est éprouvante pour les deux. De plus, l'enfant constate qu'il n'est pas l'unique source de désir de la mère, vu la présence du père.

Toutes les personnes peuvent manifester des fixations à l'un ou l'autre des stades. Elles forment leur personnalité et leur mode d'interaction avec les autres. En soi, on ne considère pas les fixations comme anormales. Cependant, lorsqu'elles sont extrêmes, elles peuvent constituer une source d'une grande détresse, voire de troubles psychologiques, dont il sera question au chapitre 12.

Aux yeux de Freud, l'adulte aux prises avec une fixation orale éprouve des envies exagérées d'«activités orales» ou, à l'inverse, refusent catégoriquement ces activités. L'anorexie et la boulimie en constituent des exemples, tout comme boire avec excès ou développer une toxicomanie. Par ailleurs, comme le bébé, dont la survie même est à la merci d'un parent, l'adulte qui a des fixations orales peut être enclin à avoir des relations interpersonnelles qui se caractérisent par la dépendance ou le refus d'être intime avec un partenaire. Selon les psychanalystes, dans les cas extrêmes, l'impossibilité de faire face à la réalité et un arrêt du développement psychologique aboutissent à la schizophrénie.

 MYTHE OU RÉALITÉ 1

Il est vrai que les psychanalystes freudiens croient que la personnalité est marquée par plusieurs fixations acquises au cours de l'enfance.

Stade anal. Aux alentours de deux ans, l'enfant devient en mesure de contrôler ses sphincters permettant l'élimination et la rétention, et ce sont eux qui constituent alors la zone érogène privilégiée comme source de plaisir et de gratification. Il prend alors plaisir à retenir et à relâcher ses selles : c'est le **stade anal**, où la libido se déplace de la bouche vers l'anus. L'enfant éprouve alors de la fierté, car il devient un peu plus autonome et fait preuve d'un peu plus de maturité, ne portant plus de couche. Ce stade constitue aussi une autre séparation avec la mère, dont il a de moins en moins besoin. Cette nouvelle étape dans la vie de l'enfant s'avère difficile à accepter par certaines mères.

Selon Freud, les selles sont un objet d'échange affectif entre l'enfant et ses parents. L'enfant conçoit ses excréments comme une partie qui se détache de lui-même et comme une récompense qu'il offre à ses parents, s'il juge qu'ils ont été suffisamment bons et aimables à son égard, ou qu'il refuse de leur donner, dans le cas contraire.

En exerçant un contrôle sur son propre corps, l'enfant comprend qu'il a du pouvoir sur ses parents : c'est le début de la manipulation. Lors de cette phase, l'enfant veut montrer, en disant «non» à plusieurs de leurs demandes, qu'il est différent de ses parents, qu'il existe à part entière et qu'il ne veut plus être soumis passivement à leurs désirs : c'est d'ailleurs pourquoi on appelle typiquement cette phase, la «phase du non».

Au stade anal, où se rencontre la «phase du non», les demandes de l'enfant deviennent un peu plus raisonnables si les parents exercent sur lui une autorité sensée, l'amenant ainsi à respecter les règles de base, tout en le laissant devenir plus maître de lui-même. Si les parents exigent de l'enfant de contrôler ses sphincters trop tôt, il éprouvera un sentiment d'angoisse, se sentira dépossédé de son propre corps et craindra d'en perdre le contrôle. L'attitude de ses parents s'avère donc cruciale, et un savant dosage de leurs exigences lui

Fixation

En psychanalyse, liaison privilégiée de la libido à l'endroit d'objets, d'images ou de types de satisfaction d'un stade du développement psychosexuel en particulier. La fixation explique les conduites et les pensées répétitives dont la personne réussit difficilement à se défaire.

Stade anal

Deuxième stade du développement psychosexuel durant lequel la satisfaction est obtenue grâce à la rétention et à l'expulsion des selles et, d'une manière plus large, au contrôle de soi et des autres.

permettra de bien se développer. À l'opposé, un mauvais dosage du contrôle sur l'enfant et du souci de propreté, comme des exigences irréalistes, pourrait porter à conséquence. L'enfant s'exposerait alors à des fixations anales : il pourrait être obsédé par la propreté et la perfection ou, au contraire, être négligent quant à l'hygiène et à l'ordre, et faire montre d'un grand laisser-aller. Qui plus est, il pourrait devenir manipulateur et entêté, ou ne pas s'affirmer du tout. L'enfant pourrait aussi devenir matérialiste ou collectionneur, être agressif, éprouver un malin plaisir à blesser, faire du mal et humilier autrui. Tous ces comportements sont des manifestations du stade anal.

Par ailleurs, la créativité est liée au stade anal dans la mesure où l'enfant produit quelque chose. Elle porte une marque personnelle, elle a quelque chose d'unique, qu'elle s'inscrive dans un cadre conventionnel, professionnel ou artistique. Il s'agit d'élaborer quelque chose d'unique sans se soumettre complètement aux demandes de l'autre.

Stade phallique. Vers trois à six ans, ce sont les organes génitaux qui deviennent les zones érogènes sources de plaisir, et l'enfant entre alors dans ce que Freud appelle le **stade phallique**. C'est au cours de ce stade qu'il réalise pleinement que la différence sexuelle se situe au niveau des organes génitaux et se ramène essentiellement à l'absence ou à la présence de pénis. Au cours de cette période, l'enfant fait preuve, selon Freud — ce en quoi il a choqué et choque encore beaucoup de gens — d'un **désir incestueux**, c'est-à-dire d'un désir sexuel envers le parent du sexe opposé, et d'un sentiment de jalousie et de haine envers le parent du même sexe, lequel est perçu comme un rival dont il souhaite inconsciemment la mort : c'est ce que Freud appelle le **complexe d'Œdipe**[2]. Plusieurs gestes séducteurs à l'égard du parent du sexe opposé apparaissent, alors que les conduites hostiles se multiplient envers le parent du même sexe. Pour comprendre pourquoi Freud donne à ce complexe le nom du personnage de la mythologie grecque qu'est Œdipe, reportez-vous à l'encadré 11.2.

Le plaisir associé aux organes génitaux et les sentiments d'amour et de haine que l'enfant ressent envers ses parents amènent de la culpabilité chez l'enfant, ce qui développe chez lui un **complexe de castration**. Chez le garçon, ce complexe se manifeste par la crainte que le père le punisse en le castrant, car il a l'impression que la fille a déjà eu un pénis, mais qu'elle l'a perdu, et il est angoissé de perdre le sien. La fille, quant à elle, a l'impression qu'elle a déjà subi cette castration, c'est-à-dire qu'elle a déjà eu un pénis, mais qu'elle l'a perdu, et elle a envie de le retrouver, ce que Freud désigne comme l'**envie du pénis**. En acceptant cette absence de pénis, la petite fille pourra éprouver un désir vis-à-vis les hommes, ceux-ci pouvant lui offrir ce qu'elle n'a pas.

L'enfant éprouve alors des difficultés à assumer ces pulsions sexuelles et celles liées à l'agressivité et à la jalousie. C'est ainsi qu'il fait des cauchemars, éprouve des peurs terribles et est souvent maussade. Freud estime que ce sont là des manifestations des conflits inconscients auxquels l'enfant est confronté. Pour échapper à ces tourments, ce dernier renonce à ses désirs œdipiens par crainte de ne pouvoir rivaliser avec le parent du même sexe, en plus de perdre son amour.

En constatant qu'il est le petit d'un homme et d'une femme adultes d'une autre génération, et qu'il ne peut être le partenaire amoureux du parent du sexe opposé (interdit de l'inceste), l'enfant s'identifie particulièrement au parent du même sexe et à d'autres figures parentales (oncles, tantes, enseignants, etc.). À travers ce processus d'identification, le surmoi apparaît et l'enfant se met à la recherche d'une place parmi ceux de son âge. Il peut ainsi découvrir son rôle sexuel et les valeurs inhérentes au bien et au mal essentielles à son insertion dans la grande civilisation humaine. Pour Freud, le complexe d'Œdipe est donc fondamental en ce qui touche la structuration de la personnalité et l'orientation du désir.

Stade phallique
Troisième stade du développement psychosexuel caractérisé par le déplacement de la libido vers les organes génitaux. L'enfant voit la différence sexuelle sous forme d'absence ou de présence du pénis. Le complexe d'Œdipe en constitue l'enjeu central.

Désir incestueux
Désir sexuel ayant pour objet un proche parent.

Complexe d'Œdipe
Lors du stade phallique, désir sexuel éprouvé inconsciemment envers le parent du sexe opposé, et sentiment de jalousie et de haine envers le parent du même sexe, lequel est perçu comme un rival.

Complexe de castration
En psychanalyse, conséquence principalement inconsciente de la différence anatomique des sexes, conséquence qui conduit, chez le garçon, à la peur de perdre le pénis et, chez la fille, à l'envie du pénis qu'elle aurait perdu.

Envie du pénis
En psychanalyse, désir éprouvé par la fille de posséder un pénis, comme le garçon.

---

2. Certains psychanalystes utilisent, à la suite de Jung, un des disciples de Freud, le terme *complexe d'Électre* pour désigner la version féminine du complexe d'Œdipe. Freud n'a repris ni cette idée ni ce terme (Laplanche et Pontalis, 1967).

Les réactions de l'entourage, surtout celles des parents, déterminent comment l'enfant, garçon ou fille, percevra son corps sexué, combien il l'assumera et combien il l'aimera. Les positions inconscientes du père et de la mère face à la féminité et la masculinité, et leurs désirs réciproques constitueront les bases sur lesquelles l'identité sexuelle de leur enfant se construira. Le fait d'être « biologiquement homme » ou « biologiquement femme » ne suffit pas pour que l'individu acquière une identité sexuelle. Celle-ci doit aussi se développer, d'une manière profonde et inconsciente appartenant à l'un ou l'autre sexe.

Période de latence. Cette étape, habituellement appelée **période de latence** par les auteurs, à commencer par Freud lui-même, survient entre 6 et 11 ans, environ. À cette étape, les pulsions sexuelles sont mises en veilleuse, ce qui entraîne leur **sublimation** dans le travail scolaire, les amitiés, la pratique des sports et les arts. Après avoir été curieux, et peut-être même amoureux, l'enfant est rebuté par le sexe opposé. Il est aussi très pudique. C'est là le rôle du surmoi réprobateur. D'ailleurs, Freud affirme que le refoulement de la sexualité infantile est si puissant qu'il provoque une perte de mémoire et un refus de son existence, d'où l'incapacité de la plupart des gens de se souvenir de leurs propres activités sexuelles infantiles et d'accepter celles de leurs enfants. Néanmoins, cette période de repos s'avère nécessaire pour permettre au moi de se développer et de se renforcer avant d'affronter la prochaine crise : la puberté.

Si l'enfant est trop coupé de ses pulsions, il perdra plaisir à apprendre, à créer et à interagir. Si le moi est encore aux prises avec les pulsions des stades phallique, anal ou oral, il ne sera pas disponible pour effectuer ces activités essentielles à l'épanouissement de l'enfant.

Stade génital. Avec l'arrivée de la puberté, le moi ne réussit plus à refouler les pulsions sexuelles. Elles s'imposent et exigent satisfaction à travers ce corps qui devient biologiquement mûr, c'est-à-dire apte à la reproduction. C'est le début du **stade génital.** Contrairement à l'enfant au stade phallique, l'adolescent désire avoir une relation sexuelle avec une personne du sexe opposé. Les organes génitaux sont investis entièrement. Le pénis appelle l'organe complémentaire du sexe féminin, qui devient autre chose que l'absence de pénis. Le vagin, l'utérus,

Période de latence
Quatrième étape du développement psychosexuel caractérisée par le refoulement des pulsions sexuelles et leur sublimation dans des activités scolaires, sociales et culturelles.

Sublimation
En psychanalyse, mécanisme de défense selon lequel des pulsions sexuelles inacceptables sont transformées et orientées vers des objets socialement acceptables.

Stade génital
Cinquième et dernier stade du développement psychosexuel caractérisé par l'expression de la libido au moyen de relations sexuelles avec une personne du sexe opposé.

APPROFONDISSEMENT

ENCADRÉ 11.2

Qui donc est Œdipe ?

Héros légendaire de la tragédie grecque *Œdipe roi*, du poète Sophocle, Œdipe est devenu l'une des principales figures de la psychanalyse. Sophocle n'a pas uniquement eu recours à des dieux pour expliquer le destin des hommes. Il a également mis en lumière des facteurs psychologiques dans l'histoire de ses héros. Sa tragédie *Œdipe roi* raconte comment Œdipe ne parvint jamais à échapper à un destin implacable, ce qui, selon Freud, est le lot de tous les humains.

Laïos est roi de Thèbes. Un prophète qu'il consulte se prononce : « Ton fils tuera son père et épousera sa mère. » Terrifiée, la reine Jocaste abandonne son enfant dès sa naissance. Elle lui perce les jarrets et le perd dans la montagne. Mais des bergers le trouvent, et le roi de Corinthe l'adopte comme son propre fils. Devenu adulte, Œdipe apprend de nouveau par un devin la terrible prophétie. Pour tenter à son tour de conjurer la malédiction, il quitte Corinthe et fuit ceux qu'il croit être ses parents. Sur sa route, il rencontre un homme, se querelle avec lui et le tue. Cet homme est Laïos, son père biologique.

Plus loin, Œdipe rencontre le Sphinx, un monstre qui terrorise Thèbes en dévorant ceux qui ne réussissent pas à répondre à son énigme : « Quel est l'animal qui marche sur quatre pieds le matin, sur deux à midi et sur trois le soir ? » Œdipe répond : « C'est l'homme : il rampe quand il est enfant, marche quand il est adulte, et s'aide d'une canne durant sa vieillesse. » Par dépit, le monstre se jette en bas de son rocher, et les habitants de Thèbes, libérés, font d'Œdipe leur roi. Il épouse alors la reine, Jocaste, sa vraie mère, veuve de l'ancien roi. Ensemble, ils ont quatre enfants.

La prophétie est accomplie. La peste s'abat sur la ville. Œdipe mène une enquête afin d'élucider le mystère entourant l'assassinat de Laïos, car il croit que ce drame est à l'origine du malheur qui frappe son royaume. Horrifié, il découvre alors qu'il est lui-même l'assassin ! Jocaste se pend. Œdipe se crève les yeux, et, chassé par ses fils, quitte Thèbes pour errer dans la campagne accompagné de l'une de ses filles, Antigone. Un jour, les dieux le prennent en pitié et le font disparaître au milieu des éclairs et du tonnerre.

ŒDIPE ET LE SPHINX

les seins et le clitoris ont leur place et affichent toute la complexité de la sexualité féminine. Les organes sexuels féminins et masculins sont liés à l'acte sexuel et à la procréation.

La libido n'est pas fixée à une seule zone érogène ; elle procure plusieurs types de plaisirs et témoigne des fixations acquises au cours du développement psychosexuel. L'érotisme de chacun raconte cette histoire.

Freud affirme que les désirs œdipiens sont réactivés à l'adolescence, en ce sens que la réalité œdipienne est reprise là où l'enfant l'avait laissée. Mais le tabou de l'inceste interdit la satisfaction de ce type de désirs, qui s'expriment néanmoins dans le choix du partenaire amoureux dont l'attrait, le plus souvent, est en résonance inconsciente avec le parent du sexe opposé. Soit que l'on cherche une personne qui lui ressemble beaucoup, ou le contraire. Dans les deux cas, c'est la relation avec le parent qui dicte le choix.

11.1.2 LA PSYCHANALYSE CULTURALISTE D'ERIKSON

Psychanalyste américain d'origine allemande, Erik Erikson, que l'on voit à la figure 11.5, rencontre la psychanalyste Anna Freud à la fin des années vingt. Sous son influence, il étudie à l'Institut viennois de psychanalyse, où il se spécialise en psychologie de l'enfant. À Londres, Erikson collabore avec Anna Freud ; tous deux travaillent dans une école pour enfants en traitement psychanalytique. Par la suite, Erikson émigre aux États-Unis, où il enseigne et exerce sa profession. Il s'intéresse surtout aux adolescents.

Alors qu'il étudie les problèmes des Amérindiens aux États-Unis, Erikson (1982) élabore des explications différentes de celles que propose la psychanalyse freudienne. Le déracinement, la rupture entre le mode de vie des Amérindiens et leur histoire sont davantage liés au moi, à la culture et aux interactions sociales qu'aux pulsions sexuelles. Il met davantage l'accent sur le moi conscient que sur les forces inconscientes du ça. Selon Erikson, la personne peut faire de véritables choix. À l'opposé, Freud avance que les humains pensent faire des choix parce qu'il leur est insupportable de croire qu'ils ne sont pas les maîtres de leur vie. Rappelons que Freud est convaincu que les forces inconscientes expliquent la personnalité.

FIGURE 11.5 ERIK ERIKSON (1902-1994)

Psychanalyste, auteur de la théorie du développement psychosocial.

Développement psychosocial
Théorie du développement de la personnalité élaborée par Erik Erikson et s'articulant autour de huit crises au fil desquelles les interactions sociales déterminent l'identité.

À la différence de Freud, qui situe la libido au cœur du développement humain, Erikson croit que ce sont des enjeux culturels qui déterminent la personnalité. Il élabore une séquence de huit crises psychosociales à travers lesquelles le moi se développe en interaction avec l'entourage : c'est la théorie du **développement psychosocial**. Le tableau 11.2 présente les huit étapes de cette conception. Pour Erikson (1982), chaque crise est comme un point tournant, un moment de décision entre le progrès ou la régression. Une crise se compare à un conflit entre deux positions extrêmes délimitant son issue. Le pôle positif assure l'acquisition d'une « vertu » contribuant à l'élaboration des forces du moi. Le pôle négatif témoigne des fragilités du moi. S'il est trop important, l'individu risque d'éprouver de grandes difficultés dans son évolution. En effet, les ressources du côté positif constituent des bases sur lesquelles s'appuie le développement. Si elles s'avèrent insuffisantes, la personne a moins de chances de relever les défis que la vie présente. Cependant, un minimum de sentiments liés au pôle négatif est considéré normal, et même souhaitable, puisqu'il permet un certain équilibre.

Par exemple, la première crise psychosociale est celle de la confiance ou de la méfiance. Une relation chaleureuse et affectueuse avec la mère et les autres durant les premières années de l'existence favorise un sentiment de confiance fondamentale envers soi-même et autrui. À l'opposé, une relation froide et insatisfaisante engendre un sentiment envahissant de méfiance. Bien que la confiance doive l'emporter sur la méfiance pour que la personne accède à une vie satisfaisante, Erikson croit qu'un minimum de méfiance est nécessaire à sa santé mentale. En effet, il faut parfois se méfier de certains individus, et même de soi, dans diverses circonstances ! L'enfant doit apprendre à distinguer les personnes sur qui il peut compter des autres, dont il doit se méfier. L'individu est donc constitué d'un mélange de confiance et de méfiance avec, idéalement, une prépondérance de confiance. Un sentiment

TABLEAU 11.2   LES CRISES PSYCHOSOCIALES ÉLABORÉES PAR ERIKSON

PÉRIODE	CRISE	TÂCHE DE DÉVELOPPEMENT
Nourrisson (de 0 à 18 mois environ)	(1) Confiance ou méfiance fondamentale	Développer une confiance à l'égard de la mère, de l'entourage, et en soi-même.
Trottineur (de 18 mois à 3 ans)	(2) Autonomie, ou honte et doute	Développer la capacité de reconnaître sa volonté, de se contrôler et de faire des choix.
Petit enfant (de 3 à 6 ans)	(3) Initiative ou culpabilité	Ajouter l'«attaque» et la conquête au choix, c'est-à-dire l'action. Oser prendre l'initiative et bouger pour atteindre un but.
Enfant (de 6 à 11 ans)	(4) Travail ou infériorité	Acquérir du prestige en persévérant et en achevant ses productions.
Adolescent (de 11 ans à 20 ans)	(5) Identité ou diffusion des rôles	Réussir à se situer par rapport à son passé et à son avenir afin de bien se connaître et de bien connaître ses objectifs de vie.
Jeune adulte (de 20 à 40 ans)	(6) Intimité ou isolement	Être capable de s'abandonner, particulièrement dans une relation amoureuse hétérosexuelle.
Adulte d'âge mûr (de 40 à 65 ans)	(7) Générativité ou stagnation	Éprouver un intérêt sincère pour les générations qui suivent et être capable de s'en occuper.
Personne âgée (65 ans et plus)	(8) Intégrité personnelle ou désespoir	Accepter dignement le cycle de la vie, la vieillesse et la mort.

fondamental de méfiance gâche la formation de relations durables, à moins que ce sentiment soit détecté et mis en cause.

Erikson croit que l'adolescence constitue l'étape fondamentale du développement de l'humain. C'est à ce moment que l'**identité** se cristallise par un regard sur le passé (les quatre crises antérieures) et aussi sur l'avenir (les trois crises suivantes). L'adolescent doit faire le pont entre l'enfant qu'il était et l'adulte qu'il est en train de devenir (Erikson, 1982). C'est comme si l'adolescent vivait huit crises en une! Afin de savoir qui il est, il doit se tourner vers son enfance pour constater ses forces et ses limites, mais aussi se projeter dans la vie adulte afin d'anticiper le rôle qu'il peut y jouer sur le plan non seulement sexuel, mais aussi professionnel, religieux, social et politique. Cette profonde remise en question explique les difficultés parfois vécues lors de l'adolescence. Les amis, les amoureux et les idoles sont une source de repères dans la construction de l'identité. L'impulsivité de même que la rébellion et la tristesse sont des manifestations d'une identité confuse.

Identité
Selon Erikson, sentiment d'être bien dans son corps, de savoir où l'on va et assurance intérieure d'une reconnaissance anticipée de la part de ceux qui comptent.

MYTHE OU RÉALITÉ 2

Il est vrai que, pour le psychanalyste Erikson, l'adolescence constitue l'étape la plus importante du développement humain, car c'est à ce moment que l'identité se forme.

Alors que la théorie freudienne du développement de l'individu se termine à l'adolescence avec le stade génital, la théorie d'Erikson propose un développement de l'individu qui se poursuit jusqu'à la mort. Erikson découvre que les adultes, comme les enfants qu'ils ont été, font face à des changements qui exigent de leur part une adaptation : relations de couple, prise en charge des nouvelles générations, mort. Erikson ferme la boucle du cycle de la vie en écrivant : «[...] des enfants bien portants ne craindront pas la vie si leurs parents ont assez d'intégrité pour ne pas craindre la mort» (Erikson, 1982, p. 180).

Essayons de comprendre la personnalité de Gregory Charles du point de vue freudien. Pour ce faire, il faut aborder la question de son inconscient. Vous conviendrez sans doute que ce n'est pas une simple tâche. Selon la théorie freudienne, il aurait été marqué par ses parents et par les autres individus qui ont participé à son évolution. Pendant son enfance, il aurait acquis une dynamique personnelle dans laquelle les pulsions de vie et de mort auraient été confrontées aux règles sociales de son époque et de son milieu. À cet égard, son double

ÉCLAIRCISSEMENT DE L'AMORCE

bagage culturel et son éducation auraient contribué à ce qu'il est devenu. Mais, plus important encore, sa personnalité s'expliquerait par sa façon particulière d'évoluer à travers les différents stades psychosexuels. Ses fixations et ses mécanismes de défense rendraient compte de ses traits de caractère. Gregory se serait construit en s'identifiant à son père, puisqu'il a un goût marqué pour des musiques de diverses origines et une grande ouverture sur le monde. Sa mère, quant à elle, l'aurait poussé à toujours se dépasser. On pourrait avancer qu'à travers sa carrière, son moi a réussi à créer un certain équilibre entre les forces de son ça (les pulsions sexuelles et agressives, de même que les traumatismes refoulés) et de son surmoi (les règles morales et les ambitions d'excellence). Enfin, on pourrait penser que sa carrière artistique constitue une façon de sublimer ses pulsions de mort et ses pulsions de vie.

Selon la théorie d'Erikson, pour comprendre la personnalité de Gregory Charles, il faudrait considérer les cultures dans lesquelles il a évolué : celle de son père, originaire de Trinidad, et celle de sa mère québécoise. Cela signifierait que son identité se serait construite sur des bases assez uniques. Sa personnalité serait un ensemble de caractéristiques liées aux pôles positifs et négatifs qu'il a jusqu'ici traversés en fonction de ce qui s'est passé entre lui et son entourage. Notons que Gregory Charles a exploré plusieurs intérêts tout en ayant la musique comme toile de fond. Aujourd'hui, la musique semble être le noyau de son identité.

11.2 LES THÉORIES BASÉES SUR L'APPRENTISSAGE

On peut distinguer deux courants principaux dans les théories de la personnalité basées sur l'apprentissage : un premier, basé essentiellement sur les associations stimulus/réponse et auquel on fait référence habituellement quand on parle simplement de behaviorisme, et un autre, qui fait intervenir en plus l'aspect cognitif, qu'on appelle la théorie de l'apprentissage social ou le néobehaviorisme.

11.2.1 LE BEHAVIORISME

En 1924, à l'Université John Hopkins, le psychologue John B. Watson explique sa vision du développement de la personnalité en ces termes : « Donnez-moi une douzaine d'enfants en santé, bien constitués et la possibilité de les éduquer dans un monde de mon choix et je garantis d'en choisir un au hasard et de le former à devenir un spécialiste quelconque, soit médecin, avocat, marchand général ou même mendiant ou voleur, sans égard à ses talents, ses penchants, ses tendances, ses aptitudes, sa vocation et la race de ses ancêtres » (p. 82). C'est ainsi que Watson affirme que les variables situationnelles, ou influences du milieu, et non les variables internes et personnelles expliquent les préférences et les comportements humains.

MYTHE OU RÉALITÉ 3

Il est vrai que Watson a affirmé qu'il pouvait créer la personnalité des enfants en contrôlant leur milieu.

Pour faire contrepoids aux psychanalystes de son époque, Watson prétend que les théories concernant les structures mentales invisibles doivent être rejetées en faveur de ce qui peut être observé et mesuré. Autrement dit, il rejette la conscience comme élément à prendre en considération dans l'explication scientifique de la personnalité. Au cours des années trente, la position de Watson est reprise par Skinner qui croit aussi que le psychologue doit éviter d'essayer de voir à l'intérieur de la « boîte noire » de l'individu et plutôt mettre l'accent sur les effets du renforcement et de la punition sur le comportement.

Pour les behavioristes, la personnalité est le résultat d'un ensemble d'apprentissages qui sont le fruit de plusieurs conditionnements, qu'ils soient de type classique ou opérant. La famille, l'école, la culture, les personnes rencontrées, bref, les déterminants sociaux et environnementaux, constituent la source de ces apprentissages. Ils expliquent les différences de personnalité parmi les individus. Ainsi, chaque personne a été conditionnée à préférer telle activité, à se comporter d'une telle façon et à adopter tel métier.

Les conceptions de Watson et de Skinner renoncent en grande partie aux notions de liberté personnelle, de choix et d'autonomie. L'individu croit généralement que ses désirs émanent de l'intérieur de lui-même. Mais Skinner prétend que les influences du milieu, comme l'approbation parentale et la coutume sociale, le forment à vouloir certaines choses et à en éviter d'autres.

Dans son roman *Walden Two,* Skinner (1948) décrit une société utopique où les gens sont heureux et satisfaits parce qu'ils peuvent faire ce qu'ils veulent. Cependant, ils ont été formés depuis la petite enfance à adopter un comportement prosocial. En raison de leurs antécédents de renforcement, ils veulent se comporter d'une manière décente, aimable et généreuse. Ils se considèrent comme libres parce que la société ne déploie aucun effort pour les obliger à se comporter comme ils le font en tant qu'adultes.

Selon la théorie de Skinner et de Watson, si Gregory Charles a une personnalité artistique, polyvalente et joviale, c'est qu'il aurait été encouragé dans ce sens. Les succès obtenus auprès de ses parents, professeurs et spectateurs l'auraient conditionné à poursuivre une carrière médiatique. Il associerait donc maintenant sa carrière au plaisir. Il peut croire qu'il a choisi librement ce métier mais, selon l'analyse behavioriste, une longue série d'associations l'aurait amené à être ce qu'il est aujourd'hui. Son environnement, les gens qu'il a côtoyés, les stimuli, les punitions et les renforcements rencontrés auraient déterminé la personne qu'il est.

ÉCLAIRCISSEMENT DE L'AMORCE

11.2.2 LA THÉORIE DE L'APPRENTISSAGE SOCIAL, OU NÉOBEHAVIORISME

Les tenants de l'apprentissage social, ou néobehavioristes, tels que Bandura et Rotter, considèrent que les individus influencent l'environnement au même titre que l'environnement exerce une influence sur eux. C'est ce que Bandura a nommé le **déterminisme réciproque**. Bandura nuance l'impact des déterminants sociaux et environnementaux. Les humains modifient et façonnent l'environnement pour rendre les renforcements accessibles. Ils agissent pour provoquer des occasions d'être récompensés. Par exemple, un individu ira vers un autre parce que ce dernier le félicite et le valorise. L'individu n'attend pas passivement que quelqu'un l'encourage.

Déterminisme réciproque
Selon Bandura, influence simultanée de l'environnement et des individus.

Les néobehavioristes sont d'accord avec les behavioristes en ceci qu'ils reconnaissent que les recherches sur le comportement humain doivent être les plus rigoureuses possible et se centrer surtout sur des faits observables. Toutefois, ils affirment que des variables inhérentes à chacun, soit les variables personnelles, doivent être également prises en considération pour bien comprendre les individus. Ainsi, pour savoir comment une personne agira, il faut non seulement tenir compte de la situation, mais aussi de ses attentes et de son évaluation des conséquences de ses actions. Dans la mesure où ils permettent de comprendre le comportement, les phénomènes mentaux ne sont pas exclus du domaine d'étude des néobehavioristes.

Pour Bandura (1986), en plus des conditionnements classique et opérant, l'apprentissage par observation, soit l'imitation de modèles, détermine la personnalité. Sans que l'individu n'ait à accomplir les comportements et les attitudes observés, et sans que ceux-ci ne soient renforcés chez lui, il les acquiert. Ensuite, par leur mise en application, il les raffine et les maîtrise. Les modèles présentés à un enfant constituent donc les bases à partir desquelles son identité se construit. Bandura spécifie que les individus dont le statut social est élevé et qui ont du prestige sont ceux dont les comportements sont les plus susceptibles d'être imités. On peut penser que, pour un enfant, ses parents remplissent ce rôle. Il y a aussi de fortes chances pour qu'un individu adopte les comportements d'un pair du même âge et du même sexe qui a réussi à résoudre un problème semblable à celui auquel il est confronté.

Bandura affirme que les comportements les plus simples sont les plus faciles à adopter et que les médias (le contenu présenté à la télévision, dans les livres, la musique, les films, etc.) constituent une source d'identification.

Julian B. Rotter, dont la photo apparaît à la figure 11.6, met davantage l'accent sur les processus cognitifs. Afin d'expliquer comment le type de relations avec l'environnement peut intervenir dans l'apprentissage social et dans la formation de la personnalité, Rotter élabore, dès 1966, la notion de **lieu de contrôle** (voir Schultz et Schultz, 2000) dont il a déjà été question au chapitre 10. Rotter entend par lieu de contrôle les attentes qu'a une personne en ce qui a trait à sa capacité d'exercer un contrôle sur les événements la concernant. Il parle de lieu de contrôle interne lorsque l'individu a l'impression de contrôler ces événements, et de **lieu de contrôle externe** lorsqu'il se sent à la merci de l'environnement, de la chance ou du destin. Les gens qui ont un lieu de contrôle externe pensent que leurs habiletés et leurs actions ont peu d'incidence sur les renforcements qu'ils reçoivent. Convaincus qu'ils sont impuissants face à ce qui leur arrive, ils effectuent peu de tentatives pour changer leur situation, contrairement aux individus qui ont un lieu de contrôle interne.

Enfin, les travaux de Rotter ont suggéré que le lieu de contrôle est acquis au cours de l'enfance au contact des parents. Les parents qui encouragent leur enfant, qui le valorisent constamment et qui sont constants dans leur autorité sans être trop rigides et sévères favorisent chez lui le développement d'un lieu de contrôle interne.

Selon Bandura et Rotter, Gregory Charles aurait sûrement acquis plusieurs attitudes, préférences et comportements en observant ses parents, des modèles importants dans sa vie, ainsi que d'autres adultes, comme des professeurs et des amis de son âge. Il aurait adopté leurs comportements probablement après avoir constaté que ceux-ci leur apportaient du succès. Bandura et Rotter estimeraient probablement que Gregory présente un lieu de contrôle interne. Afin de valider cette hypothèse, ils examineraient sa capacité à se remettre en question après un échec de même que sa ténacité. On pourrait croire que ses longues années à apprendre la musique et ses nombreux succès en constituent des preuves.

11.3 LA THÉORIE DE LA GESTALT

L'idée centrale de la théorie de la gestalt est que «le tout est plus que la somme des parties, mais il est déterminé par chacune d'elles». Il en a déjà été question au chapitre 3 concernant les lois d'organisation perceptive. Ce sont d'ailleurs les gestaltistes qui ont mis en évidence ces lois afin de démontrer que le comportement ne dépend pas simplement des stimuli auxquels est confronté un individu, mais aussi de la perception que celui-ci en a. Cette idée a été reprise par Frederick Perls, représenté à la figure 11.7. D'abord psychanalyste, Perls s'est ensuite dissocié des positions de Freud (Roudinesco et Plon, 1997) pour développer une théorie de la personnalité basée sur le concept de gestalt, d'où l'étiquette «gestaltiste».

Contrairement aux behavioristes qui la rejettent, Perls et les gestaltistes affirment que la conscience joue un rôle important, qu'elle peut être élargie, que l'humain est responsable de ses choix et qu'il doit tenter d'unifier les perceptions liées à sa personnalité, c'est-à-dire la façon dont il se perçoit, la façon dont les autres le perçoivent et la façon dont il pense que les autres le perçoivent. Qu'il existe certaines différences entre ces perceptions est normal, et le développement de la personnalité se fait habituellement dans le sens d'une réduction de ces différences au fur et à mesure qu'elles apparaissent. Idéalement, on devrait arriver à une intégration parfaite de ces perceptions, ce qui résulterait en une personnalité unifiée.

Lorsqu'il y a trop de différences entre ces perceptions chez une personne, à cause, selon Perls, de certains problèmes vécus au cours de son développement, celle-ci doit en prendre conscience et essayer de trouver des moyens de les atténuer. Or, selon Perls, Hefferline et Goodman (1951), lorsque la personne évite de prendre conscience des difficultés qu'elle

Lieu de contrôle
Ensemble des attentes qu'a une personne en ce qui a trait à sa capacité d'exercer un contrôle sur les événements la concernant. On parle de lieu de contrôle interne ou externe, selon que l'individu a l'impression de contrôler ou non ces événements.

Lieu de contrôle externe
Tendance à considérer que le contrôle de sa vie ne réside pas en soi, ce qui amène l'individu à se sentir et à se comporter comme s'il était impuissant plutôt qu'influent face aux multiples récompenses et punitions de la vie.

ÉCLAIRCISSEMENT DE L'AMORCE

FIGURE 11.6 JULIAN B. ROTTER (1916-)

Tenant de l'apprentissage, le premier à parler du lieu de contrôle.

éprouve, cela engendre des **affaires non liquidées**. Si des sentiments tels que la rancune, la rage, la haine, la douleur, l'anxiété, la tristesse, la culpabilité ou l'abandon n'ont pas été exprimés, ils empêchent la personne d'être en contact avec elle-même et avec les autres. Ces **gestalts** inachevées déterminent son expérience sans qu'elle en soit consciente. Elles cherchent à être liquidées à travers des expressions corporelles, des préoccupations incessantes, des comportements répétitifs, de la fatigue, des attitudes autodestructrices, des troubles psychologiques, etc. L'interprétation du langage corporel qui en résulte devient alors un bon indicateur des affaires non liquidées sous-jacentes. Ainsi, pour Perls, la personnalité est organisée autour d'ensembles, de gestalts plus ou moins achevées dont l'individu doit prendre conscience pour atteindre une personnalité plus unifiée et pour mieux vivre.

? MYTHE OU RÉALITÉ 4

Le gestaltiste Perls pense effectivement que des «affaires non liquidées» empêchent l'individu d'être en contact avec lui-même, d'où ses difficultés à bien vivre.

Perls (1973) prétend que c'est le moment présent qui importe. Parce que le passé est disparu et que l'avenir n'est pas encore arrivé, seul le présent comporte une signification. En ruminant leurs erreurs du passé et en spéculant sur ce que leur futur aurait pu être si leur passé avait été différent, les individus perdent le sentiment d'exercer un pouvoir sur leur vie. Perls affirme que l'anxiété est la conséquence de cet écart entre le présent et le futur. De plus, en mettant l'accent sur le passé, l'individu refuse de prendre la responsabilité de sa croissance personnelle. On verra au chapitre 12 comment une forme de thérapie issue de la théorie gestaltiste vise à permettre à la personne de prendre contact avec le moment présent.

Aux yeux des gestaltistes, Gregory Charles constituerait un tout qui serait plus que l'addition de ses différents traits de caractère et talents. Il serait une personne à part entière, une personne complexe. Néanmoins, chacune des expériences que Gregory a vécues l'aurait façonné, dont le fait d'être né de parents issus de deux cultures. Il est bien sûr malaisé de spéculer quant à ses affaires non liquidées. On pourrait supposer qu'il tente d'exprimer des sentiments qu'il n'a pu liquider pendant son enfance et avec lesquels il est encore aux prises à travers sa musique et ses nombreux exploits artistiques. Le cas échéant, Perls analyserait sans doute le langage corporel de Gregory Charles afin de débusquer ces éventuelles affaires non liquidées dont ce dernier ne serait pas conscient. Cependant, on pourrait supposer que, de façon générale, Gregory arrive à vivre le moment présent tout en assumant la responsabilité de ses choix et de son développement.

11.4 LA THÉORIE HUMANISTE

La théorie humaniste est une approche théorique qui s'est développée en réaction à l'insistance des psychanalystes sur l'inconscient et, tout comme les gestaltistes, au refus des behavioristes de considérer la conscience comme un élément clé de la psychologie. La psychologie humaniste insiste sur des caractéristiques typiquement humaines telles que le soi, la capacité de choisir, la créativité, l'ouverture et l'amélioration de soi. De plus, elle considère la personne comme fondamentalement bonne, libre et responsable. Les deux principaux représentants de la théorie humaniste de la personnalité sont Abraham Maslow et Carl Rogers.

Pour Maslow, dont il a déjà été question au chapitre 9, la personnalité d'un individu est fondamentalement liée à la façon dont il gère ses motivations. Celles-ci constituent une sorte de pyramide ayant à son sommet le besoin d'actualisation de soi, le but ultime recherché par tout individu. Or, avant que l'actualisation de soi ne puisse être satisfaite, ce qui, d'après Maslow, ne se réalise que chez 1% de la population, l'individu doit d'abord satisfaire quatre niveaux de besoins inférieurs, qui sont, dans l'ordre, les besoins physiologiques, les besoins liés à la sécurité (besoins fondamentaux), les besoins liés à l'appartenance et à l'amour, et les besoins liés à l'estime de soi (besoins de croissance personnelle).

Affaire non liquidée (aussi appelée gestalt inachevée)
En psychologie de la gestalt, sentiments non exprimés qui empêchent la personne d'être en contact avec elle-même et les autres, et qui déterminent sa personnalité.

Gestalt
De l'allemand et qui signifie «forme» ou «structure». Forme perçue comme constituant un tout. En théorie de la personnalité, perception globale que l'individu a de lui ou d'un autre.

ÉCLAIRCISSEMENT DE L'AMORCE

FIGURE 11.7 FREDERICK PERLS (1893-1970)

Psychologue gestaltiste qui a insisté sur l'importance de la perception que nous avons de nous-mêmes et des autres dans le fonctionnement de la personnalité.

Cadre de référence interne

Selon Rogers, modèle de perceptions et d'attitudes propre à chaque personne en fonction duquel elle évalue la réalité.

Considération positive conditionnelle

Dans la théorie humaniste, reconnaissance de la valeur d'une personne accordée dans la mesure où son comportement est conforme aux désirs des autres.

FIGURE 11.8 CADRE DE RÉFÉRENCE UNIQUE

Selon les psychologues humanistes comme Carl Rogers, chaque personne se perçoit et perçoit le monde selon un cadre de référence unique. Ce qui importe pour une personne peut être complètement insignifiant pour une autre.

Soi

Dans la psychologie humaniste, perceptions mouvantes que la personne a d'elle-même et qui sont centrales dans l'explication de ses conduites.

Soi idéal

Dans la psychologie humaniste, image de ce que la personne croit qu'elle devrait être.

Congruence

Selon Rogers, correspondance exacte entre l'expérience, la prise de conscience et la communication permettant de rapprocher le soi au soi idéal.

Carl Rogers (1959, 1976), l'autre grand représentant de la psychologie humaniste, est convaincu que la personne peut changer et qu'elle n'est pas déterminée par ses expériences antérieures. Pour lui, la personnalité est façonnée par le présent et par notre manière de le percevoir. Comme Maslow, Rogers considère que la force centrale de la personnalité est l'actualisation de soi définie et que, même si cette tendance est innée, elle peut être soutenue ou limitée par des expériences vécues au cours de l'enfance et par d'autres expériences. Par ailleurs, de l'avis de Rogers, la personne dispose d'un système inné de motivation qui constitue en même temps un système inné d'évaluation. Celui-ci, par voie de communication interne, garde la personne au courant du niveau de satisfaction des besoins qui émanent de sa tendance actualisante. Plus elle peut s'actualiser, plus la personne est heureuse et en bonne santé.

Rogers affirme que l'humain régularise ses expériences à travers deux processus. Le premier en est un d'évaluation interne, où la personne valorise ou dévalorise ce qu'elle ressent en fonction de son besoin d'actualisation; il s'agit du **cadre de référence interne**. Si la personne perçoit l'expérience comme favorable à sa croissance, elle l'assume; sinon, elle la rejette. Comme l'illustre la figure 11.8, cette évaluation est personnelle. Le second processus est externe. Au cours de ce processus, la personne évalue aussi ses expériences à travers le regard d'autres personnes significatives à ses yeux (ses parents, par exemple). Si elle ressent de la considération positive inconditionnelle de leur part, elle pourra développer une personnalité saine et être ouverte au monde. À l'opposé, si la personne est confrontée à de la **considération positive conditionnelle**, elle ne pourra pas développer complètement sa personnalité, car elle réalisera que l'expression de qui elle est mène au rejet. Elle inhibera alors certaines parties d'elle-même, sera en conflit, anxieuse, bref, déséquilibrée. Dans ce dernier cas, la satisfaction des exigences d'autrui se fera au détriment de l'actualisation de la personne. Par exemple, si les parents acceptent leur enfant seulement lorsqu'il se comporte de la manière désirée, il pourra en ressentir une acceptation positive conditionnelle et être amené à renier les pensées et les sentiments que ses parents ont condamnés. Par le fait même, l'actualisation de son plein potentiel sera défavorisée, d'où l'importance, pour Rogers, de faire une distinction entre le comportement et la personne, c'est-à-dire de rejeter certains comportements effectués par son enfant, et non l'enfant lui-même. Par contre, si l'enfant vit dans un climat d'acceptation inconditionnelle, il pourra s'améliorer et dépasser ses limites, puisqu'il y est naturellement prédisposé.

Par ailleurs, en psychologie humaniste, le **soi** consiste en plusieurs perceptions mouvantes que la personne a d'elle-même, et en l'image qu'elle a construite au fil de ses propres expériences et en fonction des attitudes de son entourage, particulièrement en fonction de la considération positive, qu'elle soit inconditionnelle ou conditionnelle. Le soi est l'impression continue chez la personne de savoir qui elle est, et de savoir comment, pourquoi et de quelle façon elle choisit de réagir à l'environnement. Tout en affirmant que le soi est stable et qu'il a tendance à résister au changement, Rogers précise que le soi est toujours en mouvement. De plus, il affirme que les façons de décrire le soi, notre «je», sont illimitées puisqu'elles varient selon les situations. Enfin, Rogers estime que le soi est central dans l'explication des conduites humaines : c'est le centre de l'expérience.

Relié au soi, le **soi idéal** est l'image que la personne aimerait avoir d'elle-même (Pervin et John, 2005). Au fil du temps, la personne développe une perception de ce qu'elle devrait être. La considération positive inconditionnelle permet de rapprocher le soi de son idéal. Elle facilite aussi les prises de conscience honnêtes quant au soi. Rogers croit que le processus pour atteindre des objectifs importants liés au soi idéal et les efforts déployés en ce sens engendrent le bonheur. L'idéal est donc une motivation positive.

Lorsque le soi et le soi idéal sont compatibles, même s'ils ne sont pas identiques, la personnalité est qualifiée de congruente. Rogers (1976) utilise le terme de **congruence** pour décrire la correspondance exacte entre l'expérience, la prise de conscience et la communication. La figure 11.9 illustre un bel exemple de congruence dans lequel un enfant exprime très clairement ce qu'il ressent. Par contre, lorsqu'il y a incompatibilité entre le soi et le soi idéal, deux types d'incongruence sont possibles. On peut remarquer le premier lorsque la personne n'a pas connaissance de ce qu'elle éprouve réellement et que, par conséquent, elle ne peut pas le communiquer : elle est alors «coupée» de son cadre de référence interne. Dans le second type d'incongruence, la personne est consciente de son expérience, mais elle refuse de la communiquer : elle fait alors semblant et joue un rôle en disant quelque chose qu'elle ne ressent pas. Dans les deux cas, Rogers estime que c'est une protection du soi vis-à-vis du soi idéal trop éloigné, lequel correspond souvent à celui proposé par des parents qui acceptaient conditionnellement leur enfant.

En somme, selon Rogers, la personne peut se développer de manière positive grâce à la tendance innée que représente l'actualisation de soi et dans la mesure où elle se sent respectée et en confiance. Elle peut alors faire l'expérience de la congruence, puisque son idéal ne menace pas son soi.

FIGURE 11.9 LA CONGRUENCE

Les enfants sont souvent criants de vérité. En effet, nous pouvons facilement percevoir leurs émotions, car ils les expriment clairement !

 MYTHE OU RÉALITÉ 5

Il est vrai que Rogers affirme qu'une personne sera congruente dans la mesure où on lui fait confiance et on la respecte.

Aux yeux des psychologues humanistes, Gregory Charles aurait réussi à actualiser, du moins en partie, son potentiel. Cela s'expliquerait par une enfance choyée sur plusieurs plans (affectif, physique et financier). Sa confiance et son estime personnelles, de même que sa tendance à vouloir se dépasser, seraient le résultat de la considération positive inconditionnelle dont il aurait été l'objet, ce qui lui aurait permis de rapprocher son soi de son soi idéal. Enfin, il serait logique de supposer que Gregory Charles est capable d'affronter des difficultés de façon réaliste (ses mauvaises performances, par exemple).

ÉCLAIRCISSEMENT DE L'AMORCE

11.5 LES THÉORIES COGNITIVES

Avec les courants néobehavioriste, gestaltiste et humaniste, la théorie cognitive a fait de la conscience un élément fondamental du fonctionnement de la personnalité. C'est en particulier dans la mouvance de la théorie de la gestalt que les cognitivistes ont articulé leurs assises théoriques. Pour eux, en effet, l'humain construit sa personnalité à travers sa façon d'interpréter la réalité, c'est-à-dire dans sa façon de connaître cette réalité, de la comprendre et d'y réfléchir. Or, l'accent mis sur la perception que la personne a d'elle-même et de ce qui lui arrive constitue précisément l'une des retombées de la gestalt.

Parmi les auteurs qui ont contribué à développer une explication cognitive de la personnalité, on trouve notamment Albert Ellis, représenté à la figure 11.10, et George Kelly. Alors que la théorie de ce dernier, principalement axée sur la notion de construits personnels, est brièvement rapportée dans l'encadré 11.3, c'est la théorie d'Ellis qui fait essentiellement l'objet de la présente section.

Selon Ellis (1962), les humains disposent d'autant de potentiel pour la pensée rationnelle et logique que pour la pensée irrationnelle. Ils ont des prédispositions pour la survie, le bonheur, la pensée et la communication, l'amour, la solidarité, la croissance et l'actualisation de soi. Ils ont aussi des propensions à l'autodestruction, au refus de penser, à la procrastination, à la répétition d'erreurs, à la superstition, à l'intolérance, à la culpabilité et à l'évitement de l'actualisation de soi. Les individus sont donc faillibles, mais ils ont la capacité de changer leurs processus cognitifs, émotifs et comportementaux. Ils sont donc responsables de leur développement psychologique.

Ellis affirme que la personnalité se construit au contact d'autrui. Les parents transmettent à leurs enfants certaines des croyances irrationnelles présentées dans l'encadré 10.2 du chapitre précédent. Cette transmission d'idées se fait souvent de façon implicite. Par exemple, il se peut que les parents ne disent jamais ouvertement à leur enfant qu'il faut à tout prix qu'il réussisse. Néanmoins, l'enfant constate qu'on s'occupe de lui et qu'on lui dit

FIGURE 11.10 ALBERT ELLIS (1913-)

Psychologue cognitiviste, auteur de la théorie dite «A—B—C» faisant intervenir la notion de croyance irrationnelle.

George Kelly : la psychologie des construits personnels

George Kelly (1955, voir Blowers et O'Connor, 1996) est un psychologue clinicien d'inspiration cognitiviste. Il élabore une théorie de la personnalité dans laquelle il conçoit l'humain comme un interprète actif de son univers. Kelly met l'accent sur la capacité cognitive d'amélioration et de changement, ce qui le rapproche de la psychologie humaniste. En effet, il affirme que l'individu est l'auteur de sa destinée, qu'il est libre de changer et qu'il n'est pas une victime du passé. De plus, il met l'accent sur la conscience.

Essentiellement, Kelly cherche à comprendre comment la perception du monde et les expériences des individus leur permettent de prédire leurs comportements. À ses yeux, les humains sont des constructivistes actifs dans leur interprétation du monde qu'ils élaborent en fonction des possibilités

qu'ils y voient. Comme Piaget, Kelly croit que les individus fonctionnent comme des scientifiques : ils élaborent des hypothèses pour ensuite les mettre à l'épreuve et les corriger au besoin.

Le concept clé de la théorie de Kelly est celui du construit. « Le construit est une manière cohérente pour chacun de se représenter un aspect de la réalité en termes de similitudes et de différences » (Blowers et O'Connor, 1996, p. 4). Le construit permet de classer les individus, dont soi-même, les événements et les objets en catégories. Les façons dont les individus qualifient la réalité témoignent de leurs construits personnels. Par exemple, un individu peut utiliser le construit sincère ou non sincère pour qualifier les gens. Un construit personnel est donc une façon de percevoir la réalité.

Les construits élaborés par les humains leur permettent d'anticiper ce qui leur arrive et, dans la mesure où leurs prévisions se révèlent inexactes, de modifier celles-ci afin de mieux les adapter. Par ailleurs, Kelly affirme que le style cognitif d'un individu, c'est-à-dire son niveau de complexité cognitive, constitue une dimension importante de sa personnalité. Plus il est capable de percevoir des différences entre les individus, les objets et les événements, plus il possède un niveau de complexité cognitive élevé. La personne est donc davantage en mesure de faire des prédictions convenables et de s'ajuster plus facilement à la réalité, tolérant mieux les contradictions de la vie. Bref, Kelly croit que la personnalité de l'individu est dirigée par ses façons d'anticiper les événements et par son interprétation du monde.

APPROFONDISSEMENT

qu'on l'aime lorsqu'il répond à cet idéal. À l'inverse, s'il ne répond pas aux attentes, on l'ignore et on le rejette. De la même façon, l'enfant se rend compte que les individus idéalisés par ses parents sont ceux qui semblent être au sommet de la réussite, alors que ceux qui vivent des difficultés sont ridiculisés. La culture aussi transmet de telles idées. Les enfants, de par leur naïveté et leur inexpérience, ne peuvent pas faire l'évaluation critique de ces propos. Pourtant, c'est par un processus d'autosuggestion et de répétition que ces mêmes idées sont réactivées chez l'adulte. L'individu continue de croire ce qu'il croyait quand il était petit. C'est pourquoi il doit faire des efforts pour réévaluer ces idées irrationnelles et les rejeter.

La façon dont Ellis fait intervenir les croyances irrationnelles a déjà été présentée au chapitre précédent en rapport avec les facteurs susceptibles d'induire du stress. Il s'agit du schéma où, selon Ellis (1977), entre un événement (A) vécu par l'individu et les conséquences (C) de l'événement, résident toujours certaines croyances (B) que l'individu aura développées, ce à quoi l'on fait référence habituellement comme étant la théorie « A-B-C ». Ce n'est donc pas la réalité objective qui explique la personnalité, mais ce sont plutôt les croyances à travers lesquelles l'individu interprète les événements, la manière dont il les perçoit, qui est déterminante et explique son émotion ou sa réaction.

 MYTHE OU RÉALITÉ 6

Ellis soutient vraiment que ce sont les pensées de l'individu qui expliquent qui il est, et non la réalité objective qui l'entoure.

ÉCLAIRCISSEMENT DE L'AMORCE

Selon la théorie cognitive, il est bien difficile de conjecturer sur les croyances que les parents de Gregory Charles et d'autres individus ont pu lui transmettre. Il en est de même pour les croyances qu'endosse encore aujourd'hui Gregory. L'une des croyances irrationnelles relevées par Ellis s'énonce ainsi : « Je dois être parfaitement compétent, à la hauteur et performant ou au moins posséder un talent véritable dans un domaine important. » Est-il possible que cette idée soit endossée de façon inconsciente par Gregory et qu'elle entraîne chez lui une certaine détresse ? Évidemment, nous ne pouvons accéder ni à ses pensées ni à ses réactions profondes. Néanmoins, les commentaires et les réponses de Gregory Charles aux questions des journalistes nous permettent de croire qu'il est capable de nuancer ses propos et qu'il peut tenir un discours réaliste.

Le présent chapitre a été consacré à l'exposition des principales théories de la personnalité proposées par des auteurs qui ont mis l'accent sur son développement et son fonctionnement. D'autres auteurs ont plutôt fait porter leurs efforts sur la mesure des différents aspects de la personnalité. L'encadré 11.4 donne un aperçu des principaux tests qui ont été mis au point pour connaître les traits de caractère d'une personne.

APPROFONDISSEMENT

ENCADRÉ 11.4
L'évaluation de la personnalité

Les psychologues tentent de connaître la personnalité de leurs clients à l'aide d'entrevues, mais s'aident aussi parfois de tests. Plusieurs controverses entourent l'interprétation des données de tels tests. La validité et la fidélité de leurs résultats sont au cœur du débat, qui est d'autant plus vigoureux que les différentes approches théoriques n'évaluent pas les comportements et les phénomènes mentaux de la même façon. De plus, les réponses obtenues peuvent parfois se comparer à un échantillon, souvent construit à partir d'un certain type d'individus non représentatifs de l'ensemble de la population (Américains, Blancs, de classe moyenne ou supérieure, par exemple).

Il semble toutefois évident que les tests de personnalité peuvent procurer des renseignements utiles pour aider un individu à prendre des décisions à propos de lui-même ou pour orienter le processus thérapeutique. Ces tests de personnalité ne devraient jamais être le seul critère pour prendre des décisions importantes : ils sont des hypothèses de travail qui doivent être vérifiées à partir des antécédents médicaux et cliniques de l'individu. Ces tests nécessitent du psychologue qui en fera une interprétation une grande expérience clinique. À cet égard, les tests diffusés sur Internet ne semblent pas très crédibles.

Les tests objectifs consistent en une liste d'éléments limités à une gamme déterminée de réponses. Il peut s'agir de questions de type vrai ou faux, ou de questions à choix multiple. Il existe plusieurs types de tests objectifs, dont l'inventaire multiphasique de personnalité du Minnesota, communément appelé MMPI. Ce test contient 566 énoncés auxquels le participant répond par vrai ou faux. Il sert à évaluer l'ajustement émotionnel et la personnalité du sujet. S'il n'est pas recommandé pour établir un diagnostic, il permet par contre d'obtenir un grand nombre de renseignements cliniques précis à bon compte. C'est le test psychologique le plus utilisé dans les milieux cliniques et de recherche (Helmes et Reddon, 1993 ; Watkins et autres, 1995).

Dans cet inventaire, on trouve notamment :

Mon père était un homme bon. *V F*
J'ai très rarement des maux de tête. *V F*
Mes mains et mes pieds sont
habituellement assez chauds. *V F*
Je n'ai jamais rien fait de dangereux
par simple plaisir. *V F*
Je travaille sous une grande tension. *V F*

Il existe aussi des tests projectifs, dont le Rorschach, et le test d'aperception de thèmes (TAT), qui sont sans doute les plus connus. Ces tests confrontent la personne à des stimuli ambigus, dépourvus de sens prédéterminé et pour lesquels il n'y a pas de réponse claire et nette. Les significations que la personne attribue à ces stimuli sont considérées comme des reflets de sa personnalité : c'est en quelque sorte un peu d'elle-même qu'elle projette dans ces stimuli équivoques.

Le *test de Rorschach* consiste en 10 planches, chacune représentant une tache d'encre comme celle présentée à la figure ci-dessous. La personne soumise au test doit expliquer à l'examinateur ce que les planches, ou certaines de leurs parties, représentent à ses yeux. Le Rorschach est destiné à explorer plusieurs représentations imaginaires des enfants et des adultes. Les associations verbales que suscite le test renseignent sur les motivations, les désirs et les défenses des personnes.

Le *test d'aperception de thèmes* (TAT) consiste à présenter une série de dessins sujets à diverses interprétations, comme celui de la figure ci-dessous. On présente alors une série de dessins à la personne soumise au test (dans le cas d'un enfant, on lui présente une adaptation du test d'aperception de thèmes, le CAT) et on lui demande de raconter une histoire à partir de ce qu'elle voit. On souhaite qu'elle dévoile sa personnalité lorsqu'on la met dans des situations sociales ambiguës. Plusieurs dessins du test d'aperception de thèmes comportent des situations conflictuelles. L'analyse des résolutions que propose la personne permet de comprendre ses mécanismes de défense.

UNE TACHE D'ENCRE DU TEST DE RORSCHACH

À quoi vous fait penser cette tache ? Selon plusieurs psychologues, vous montrez votre personnalité par ce que vous percevez.

UNE CARTE DU TEST D'APERCEPTION THÉMATIQUE (TAT)

Que se passe-t-il dans cette image ? Que pensent et ressentent les personnages ? Comment cela finira-t-il ?

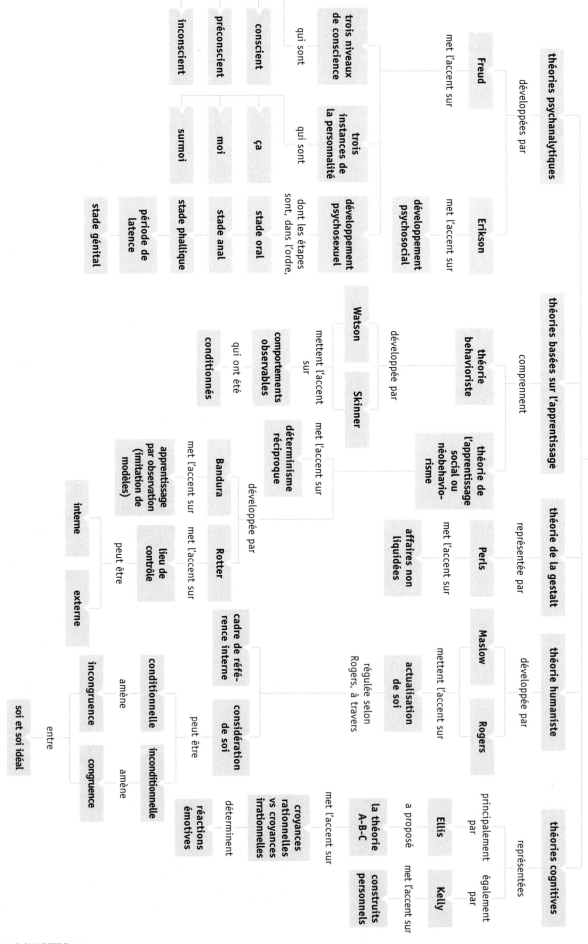

PERSONNALITÉ

est expliquée par

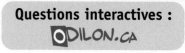
11.1 Les théories psychanalytiques

1. Dans le cadre psychanalytique, le matériel non conscient (souvenirs et connaissances) pouvant être amené à la conscience par l'attention est appelé :

   a) inconscient;
   b) préconscient;
   c) métaconscient;
   d) conscient volontaire.

2. Quelle(s) structure(s) de la personnalité répond(ent) au principe de la réalité ?

   a) Le surmoi
   b) Le moi
   c) Le ça
   d) Le surmoi et le moi

3. Selon Freud, la _____ est l'énergie fondamentale au cœur du développement psychosexuel.

4. Au cours de quelle étape de son développement psychosexuel l'enfant acquiert-il une forme de contrôle sur lui-même et sur les autres ?

   a) Au stade oral
   b) Au stade anal
   c) Au stade phallique
   d) À la période de latence
   e) Au stade génital

5. Le _____ _____ est l'attachement sexuel montré envers le parent du sexe opposé et la rivalité ressentie à l'égard du parent du même sexe.

6. Lequel des énoncés suivants justifie que l'on qualifie la théorie élaborée par Erikson de « psychanalyse culturaliste » ?

   a) Contrairement à Freud, Erikson met l'accent sur les forces inconscientes du ça plutôt que sur le moi conscient.
   b) Erikson croit que le mode de vie et les interactions sociales sont plus importants dans le développement de la personnalité que les pulsions sexuelles.
   c) Cette théorie est issue de la culture américaine et ne peut donc pas être entièrement freudienne.
   d) Contrairement à la théorie de Freud, celle d'Erikson ne va pas au-delà de l'adolescence.

11.2 Les théories basées sur l'apprentissage

1. Lequel des éléments suivants ne fait pas partie des explications de la personnalité offertes par les behavioristes ?

   a) Les renforcements et les punitions
   b) La liberté
   c) L'apprentissage
   d) Le conditionnement

2. La principale différence entre les behavioristes et les néobehavioristes tient à ce que :

   a) les behavioristes mettent davantage l'accent sur les capacités d'apprentissage de l'organisme;
   b) les behavioristes mettent davantage l'accent sur le déterminisme réciproque;
   c) les néobehavioristes mettent davantage l'accent sur les pulsions développementales;
   d) les néobehavioristes mettent davantage l'accent sur les déterminants sociaux et environnementaux.

3. Nommez un réprésentant :

   a) du behaviorisme : _____ ;
   b) du néobehaviorisme : _____ .

4. Comment Bandura nomme-t-il le fait que les individus influencent l'environnement au même titre que l'environnement exerce une influence sur eux ?

   _____ _____

5. Les individus dont le statut social est élevé et qui ont du prestige sont ceux dont les comportements sont les plus susceptibles d'être imités. Vrai ou faux ?

6. En ce qui a trait au lieu de contrôle, lequel des énoncés suivants est exact ?

   a) La notion de lieu de contrôle a été élaborée par Bandura.
   b) Les individus qui ont un lieu de contrôle interne croient que leurs habiletés et actions ont peu d'influence sur les renforcements qu'ils reçoivent.
   c) Les individus qui ont un lieu de contrôle externe font peu de tentatives pour changer leur situation.
   d) Les parents exercent peu d'influence sur l'acquisition du lieu de contrôle de leur enfant.

11.3 La théorie de la gestalt

1. Nommez le principal représentant de la théorie de la personnalité basée sur la gestalt. _____

2. Lequel des énoncés suivants décrit le mieux la perspective gestaltiste de la personnalité ?

   a) La perspective gestaltiste pose la conscience comme étant essentielle dans l'étude de la personnalité de l'humain.
   b) La perspective gestaltiste est représentée par Rotter.
   c) La perspective gestaltiste considère que les sentiments non exprimés n'auront pas d'influence notable sur le fonctionnement de l'humain.
   d) La perspective gestaltiste affirme que le futur est ce qui importe.

3. Selon la théorie de la gestalt les affaires non liquidées empêchent la personne d'être en contact avec elle-même et avec les autres. Vrai ou faux ?

11.4 La théorie humaniste

1. Le processus d'évaluation interne par lequel la personne valorise ou dévalorise ce qu'elle ressent en fonction de son besoin d'actualisation se nomme :

   _____ ___ _____ .

2. Si une personne est confrontée à de la considération positive inconditionnelle, le plein développement de sa personnalité risque d'être bloqué. Vrai ou faux ?

3. Lequel des énoncés suivants ne s'applique pas à la notion de soi élaborée par Rogers ?

   a) Le soi est la perception que la personne a d'elle-même, l'image qu'elle a construite au fil de ses propres expériences.
   b) Les façons de décrire le soi sont illimitées, puisqu'elles varient selon les situations.
   c) Le soi est peu important dans l'explication des conduites humaines.
   d) Le soi est stable et a tendance à résister au changement, mais il n'en est pas moins toujours en mouvement.

4. Selon la théorie humaniste, le _____ est le modèle de perceptions et d'attitudes propre à chaque personne en fonction duquel elle évalue la réalité.

5. L'incongruence est la correspondance exacte entre l'expérience, la prise de conscience et la communication. Vrai ou faux ?

11.5 Les théories cognitives

1. Ellis affirme que les croyances d'un individu expliquent son émotion ou sa réaction face à un événement. Vrai ou faux ?

2. Selon Ellis, lequel des énoncés suivants est inexact ?

   a) Les humains disposent d'autant de potentiel pour la pensée irrationnelle que pour la pensée rationnelle et logique.
   b) La personnalité ne s'explique pas par la réalité objective, mais par l'interprétation que l'individu en fait et par sa perception des événements.
   c) L'individu est peu responsable de son fonctionnement psychologique.
   d) Les parents et la culture transmettent des croyances irrationnelles.

Pour aller plus loin...

Volumes et ouvrages de référence

PERVIN L.A., et O.P. JOHN (2005). *Personnalité, théorie et recherche,* Saint-Laurent, ERPI.

Un livre détaillé présentant l'ensemble des théories de la personnalité avec des études de cas et des évaluations critiques pour chacune d'elles.

Périodiques

« La psychanalyse est-elle une science ? L'hypothèse de l'inconscient », *Sciences et Avenir,* Hors-série, juillet-août 2001, n° 127.

Une série de textes de fond établissant des liens entre l'inconscient freudien, la biologie et la psychologie cognitive, et présentant des prises de position sur le caractère scientifique de la psychanalyse.

Sites Internet

Ce site Web a pour but de proposer une image globale de la situation de la psychanalyse contemporaine dite freudienne. Il s'inscrit dans la philosophie qui a présidé à l'élaboration du réseau Internet, soit la mise en commun des connaissances dans un contexte d'ouverture, de respect et de gratuité. Aussi, ce site nécessite la collaboration de tous pour s'enrichir et se développer. Il est totalement indépendant de toute organisation, et son contenu n'engage que ses auteurs.

http://pages.globetrotter.net/desgros/index.html

Chapitre 12

LUCE MARINIER

Psychopathologie et psychothérapies

PLAN DU CHAPITRE

MYTHES OU RÉALITÉS?

Pour savoir si ces affirmations sont vraies ou fausses, trouvez les rubriques *MYTHE OU RÉALITÉ*.

1. Il n'y a pas de consensus au sujet de ce qu'on entend par «trouble psychologique».

2. Une personne peut se sentir très excitée, optimiste et généreuse, puis, de façon soudaine et sans raison apparente, se sentir parfaitement inutile et complètement découragée à un point tel qu'elle pense à se suicider.

3. Le rangement et le ménage peuvent devenir tellement importants pour une personne qu'elle ne trouve plus le temps de faire d'autres activités.

4. Certaines personnes perdent l'usage de leurs jambes ou de leurs yeux, alors que les médecins sont convaincus qu'elles ne présentent aucun désordre biologique.

5. Une personne peut avoir de graves problèmes de santé si elle est trop maigre.

6. Bien qu'ils puissent parfois être charmants, certains individus ne ressentent aucune culpabilité ni aucun remords après avoir commis des crimes comme un vol, un meurtre ou un viol.

7. Il y a un débat parmi les spécialistes, à savoir si des gens peuvent vraiment posséder de multiples personnalités bien distinctes.

8. Certaines personnes peuvent demeurer immobiles pendant des heures, sans réagir à quelque stimulus que ce soit.

9. Pour une personne en cure psychanalytique, la règle d'or est de tout dire ce qui lui traverse l'esprit.

10. On peut aider une personne qui a la phobie des chiens en lui montrant un individu qui sourit et demeure calme pendant qu'il en caresse un.

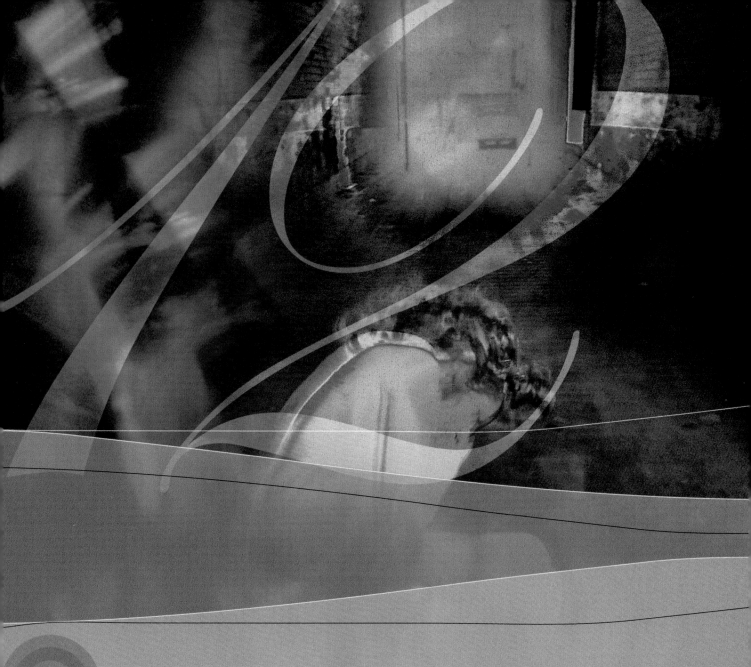

CIBLES D'APPRENTISSAGE

Après avoir lu ce chapitre, vous devriez être en mesure :

• d'expliquer pourquoi il est difficile de distinguer l'anormalité de la normalité ;

• de présenter les critères sur lesquels se basent les psychologues pour affirmer qu'une personne souffre d'un trouble psychologique ;

• de montrer les avantages et les limites de la classification des troubles psychologiques, et de nommer deux catégories de troubles psychologiques ;

• de nommer les principaux symptômes associés aux différentes formes de troubles suivants : troubles de l'humeur, troubles anxieux, troubles somatoformes, troubles de l'alimentation, troubles de la personnalité, troubles dissociatifs et schizophrénie ;

• de nommer les buts et d'expliquer sommairement en quoi consistent les thérapies comprises sous les grandes catégories suivantes : les thérapies psychanalytiques, les thérapies behaviorales et néobehaviorales, la gestalt-thérapie, la thérapie centrée sur la personne, la thérapie émotivo-rationnelle, les thérapies d'orientation systémique/interactionnelle et l'antipsychiatrie.

La figure 12.1 présente Émile Nelligan, né à Montréal en 1879 d'un père d'origine irlandaise et d'une mère native de Rimouski. Ses premiers poèmes sont publiés alors qu'il n'a que 16 ans. Trois ans après la publication de son premier recueil, il est interné dans un asile psychiatrique où il restera jusqu'à la fin de ses jours. Les spécialistes de l'époque rendent le diagnostic de «dégénérescence mentale». En 1941, alors âgé de 61 ans, Nelligan meurt. Des classes entières d'écoliers défilent devant sa dépouille.

Faisant preuve d'une détermination plutôt étonnante à 16 ans, Nelligan choisit de devenir poète, au grand désespoir de son père. Il refuse de se plier aux désirs de ce dernier, qui le veut bien «adapté». En effet, après quelques jours seulement, Nelligan quitte un poste de commis-comptable que lui a trouvé son père. L'opposition entre eux est violente. Cependant, Nelligan trouve tendresse et pardon intarissables auprès de sa mère.

Dans ses écrits, Nelligan évoque peu la réalité objective, mais plutôt sa vie intérieure : celle d'un adolescent quittant l'enfance. Il récite certaines de ses œuvres lors de conférences publiques, obtenant parfois du succès, parfois des critiques. Celles-ci blessent sa sensibilité, d'autant plus qu'il s'estime injustement dénigré. Après une soirée glorieuse au cours de laquelle il présente La romance du vin, réponse adressée à ses détracteurs, Nelligan semble avoir épuisé toutes ses ressources physiques et psychologiques. Récitant à quiconque veut l'entendre des vers lui venant au hasard de sa mémoire égarée, il devient ensuite obsédé par des visions morbides et des cauchemars. Certains le décrivent comme un être étrange, mystique et renfermé ; d'autres, comme un être triste, rêveur et en peine d'amour. En effet, Nelligan vit plusieurs histoires d'amour qui le bouleversent, la dernière avec une femme de 17 ans son aînée (Lemieux, 2004). Il est aussi tiraillé par la culpabilité d'avoir vécu des épisodes homosexuels. En 1899, un tel jeune homme a tout pour alimenter le rejet et la marginalisation. Nelligan dit à ses amis : «Je mourrai fou. Comme Baudelaire.» En effet, au fil de crises de plus en plus graves, il pressent son avenir, comme en témoignent les deux strophes les plus connues de son célèbre poème Le Vaisseau d'Or.

**FIGURE 12.1 ÉMILE NELLIGAN
(1879-1941)**

Poète québécois génial interné à 19 ans dans un asile psychiatrique.

Comment peut-on expliquer les troubles psychologiques d'Émile Nelligan ? Dans quelle mesure ses pensées et ses conduites peuvent-elles être qualifiées d'«anormales»? Peut-on clairement identifier ce dont il a souffert? Aurait-on pu le soigner? Comment? Ce chapitre offre des éléments de réponse en dressant la liste des éléments permettant de reconnaître un trouble psychologique et en présentant leur classification ainsi que leurs différents types et les psychothérapies, soit les façons de traiter ces troubles.

12.1 COMMENT RECONNAÎTRE UN TROUBLE PSYCHOLOGIQUE ?

Un survol de l'histoire de la **psychopathologie**, c'est-à-dire des problèmes d'ordre psychologique communément appelés «maladies mentales», montre qu'il n'est pas simple de comprendre les troubles psychologiques et de les distinguer de la normalité. Les Grecs anciens croient que les dieux punissent les humains en leur infligeant la folie. Hippocrate (460-377 av. J.-C.) fait exception, puisqu'il croit que les désordres mentaux sont causés par des anormalités du cerveau. Pourtant, cette idée selon laquelle la biologie influe sur les pensées, les émotions et les comportements est délaissée au cours des 2 000 années suivantes. Au Moyen Âge (de 476 à 1492 environ), la folie est perçue comme la possession de l'âme par le diable, une punition pour les péchés. C'est l'époque de la chasse aux sorcières. En Europe, sur une période de 200 ans, au moins 500 000 personnes sont ainsi brûlées sur des bûchers (Hergenhahn, 1997). Au XVe siècle, on isole les fous dans des cachots ou on les embarque sur des bateaux, puis on les vend. Aux XVIe et XVIIe siècles, on crée des asiles dans lesquels on les enchaîne et les met en cage.

À la fin du XVIIIe siècle, la médecine s'empare du domaine de la folie. La psychiatrie voit le jour grâce à la rupture avec les explications religieuses. Selon Michel Foucault (1972), à

Psychopathologie
Étude des troubles de la pensée, des émotions et des sentiments, du comportement et du mode de relation de la personne avec son environnement.

partir de ce moment, on ne parle plus de fous, mais de malades mentaux. Le médecin français Philippe Pinel (1745-1826) exige qu'on enlève les chaînes à ces personnes et qu'on les traite en tant que malades qui méritent des soins. Pinel reconnaît un reste de raison à tout insensé, plutôt que de l'exclure tel un animal ou une brute (Tamisier, 1999). Cette approche permet la rencontre et la communication avec le malade mental. L'asile devient un lieu de repos, d'isolement du monde extérieur harcelant. Pinel fait la promotion de thérapies qui occupent les malades à diverses tâches manuelles. Il collige aussi consciencieusement l'évolution de la maladie chez ses patients, de même que les taux de guérison. Pinel et d'autres médecins cherchent à classer les troubles de l'esprit comme le font les botanistes et les zoologistes dans leurs domaines respectifs (Tamisier, 1999). Cette démarche est encore privilégiée par les médecins qui élaborent des classifications telles que le **DSM** (*Manuel diagnostique et statistique des troubles mentaux*) et la **CIM** (*Classification internationale des maladies*).

Aujourd'hui, selon l'approche théorique à laquelle on adhère, une foule d'explications sont données aux troubles psychologiques. Cet éclatement montre à quel point la normalité se rapporte à ce qui a un sens pour un peuple, à une époque donnée. Ce qui est « anormal » n'est jamais absolu et parfaitement objectif. Les troubles psychologiques ne sont pas seulement la manifestation d'une difficulté personnelle, ils sont aussi le reflet d'une culture et d'une période. Alors qu'elles étaient courantes au début du XXᵉ siècle, certaines conduites anormales semblent être beaucoup moins fréquentes aujourd'hui. Par exemple, dans le passé, les références religieuses foisonnaient dans le discours des personnes éprouvant un trouble psychologique. Aujourd'hui, dans une société plus laïque, elles disparaissent au profit de préoccupations plus contemporaines telles que la contamination, le terrorisme et la minceur (Olié et Spadone, 1993). Par ailleurs, certains troubles psychologiques sont plus fréquents dans des groupes ethniques particuliers : « Par exemple, on rencontre peu de structures névrotiques obsessionnelles dans les populations africaines et asiatiques, alors qu'elles sont très fréquentes dans le monde occidental » (Capdeville et Doucet, 1999, p. 36).

Ces dernières années, le nombre de personnes chez qui on a posé le **diagnostic** de « personnalité limite » ou *borderline* décrite plus loin a augmenté. Cette nouvelle catégorie permet de mettre un nom sur des troubles que l'on ne réussissait pas à classifier dans les autres catégories. Elle résout une difficulté à laquelle se trouvaient confrontés les spécialistes. Sa « popularité » laisse cependant croire qu'elle sert un peu de fourre-tout aux diagnostics difficiles à poser.

Un dernier exemple de l'ambiguïté de ce que l'on qualifie d'« anormal » se trouve dans la conception que les humains ont eue de l'homosexualité. L'homosexualité était considérée comme normale, elle était même valorisée, dans la Grèce antique, alors qu'elle était perçue comme un acte criminel au Moyen Âge. Pour la plupart des religions, l'homosexualité représente un acte sacrilège. Sur le plan psychiatrique, le DSM-III, version révisée du DSM publiée en 1980 (American Psychiatric Association, 1980), classait l'homosexualité parmi les troubles psychosexuels, alors que le DSM-III-R, version révisée publiée en 1987 (American Psychiatric Association, 1987), l'a supprimée de sa liste des troubles mentaux.

On doit donc garder en tête que l'on peut « créer » des troubles psychologiques en les qualifiant ainsi. En 1994, une importante recherche effectuée auprès de 8 098 personnes âgées de 15 à 54 ans (Kessler et autres, 1994, voir Viard, 1994) démontre que 48 % d'entre elles ont souffert de l'un des 14 troubles mentaux inscrits dans le DSM. Autrement dit, il est aussi normal d'être anormal que sain d'esprit !

Les étiquettes de troubles psychologiques sont donc des mots inventés par les humains. À ce titre, ils reflètent les biais, les préjugés et les pressions culturelles de leur époque. On ne doit pas oublier que derrière chacune de ces appellations se cache une personne en chair et en os qui ne sait que faire de sa souffrance, et encore moins de ces étiquettes.

DSM (aussi appelé « Manuel diagnostique et statistique des troubles mentaux »)
Manuel élaboré par l'association américaine de psychiatrie qui classe les troubles psychologiques d'après leurs symptômes afin de permettre l'établissement d'un diagnostic psychiatrique.

CIM (aussi appelé « Classification internationale des maladies »)
Manuel élaboré par l'Organisation mondiale de la santé (OMS) dont le chapitre 5 est consacré aux troubles mentaux et aux troubles de comportement.

Diagnostic
Détermination d'une maladie ou d'un état d'après ses symptômes.

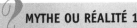

MYTHE OU RÉALITÉ 1

Il est vrai qu'il n'y a pas de consensus au sujet de ce qu'on entend par «trouble psychologique». Au cours de l'histoire, et encore aujourd'hui, les définitions varient selon la culture et le point de vue théorique.

Ainsi, ce qui sépare ce qui est normal de ce qui ne l'est pas est flou et variable. Par exemple, il arrive à la plupart d'entre nous d'être anxieux ou déprimés de temps à autre sans que notre comportement soit considéré comme anormal. Il est normal d'être anxieux avant une rencontre importante ou à l'approche d'un examen. Il est compréhensible qu'une personne se sente déprimée si un ami est en colère contre elle ou si elle n'a pas bien réussi une tâche qui lui tenait à cœur. Alors dans quelles conditions peut-on qualifier des sentiments tels que l'anxiété et la dépression d'«anormaux»? Actuellement, la plupart des psychologues se basent sur une combinaison de critères avant de considérer que la conduite d'une personne, ses émotions ou son mode de pensée sont anormaux. Les six critères principaux sont présentés dans ce qui suit.

12.1.1 LE MODE DE PENSÉE OU LE COMPORTEMENT EST INHABITUEL

Même si la rareté ou la déviance statistique ne constituent pas des critères suffisants pour classer un comportement ou une pensée dans la catégorie de l'anormalité, les psychologues s'en servent comme indicateur conjointement avec d'autres critères. La plupart des gens préfèrent prendre un ascenseur plutôt que d'avoir à monter 25 étages, mais la personne qui choisit d'utiliser l'escalier n'est pas nécessairement anormale pour autant : elle le fait peut-être simplement pour se garder en bonne condition physique. Également, un joueur peut être la seule personne à effectuer un rituel particulier avant un match de football, et ce, sans pour autant être jugé anormal. Donc, le fait de présenter une pensée ou un comportement peu fréquent n'est pas forcément anormal.

12.1.2 LA PERCEPTION OU L'INTERPRÉTATION PERSONNELLE DE LA RÉALITÉ EST FAUTIVE

Un des critères sur lesquels on s'appuie est le caractère approprié à la situation vécue. Il peut être concevable de s'adresser à Dieu par la prière, mais si une personne dit qu'elle l'entend lui répondre, elle pourrait être internée dans un hôpital psychiatrique. En Occident, le fait «d'entendre des voix» et «de voir des choses» est considéré comme l'effet d'une hallucination. De même, les idées de persécution, comme lorsqu'une personne croit que la mafia ou la GRC l'espionne jour et nuit parce qu'elle en sait trop, peuvent constituer des indices de problèmes psychologiques liés à une interprétation fautive de la réalité. Cependant, le caractère fautif de l'interprétation de la réalité n'est pas toujours aussi évident. Il est normal d'être déprimé après avoir échoué un cours ou avoir perdu un être cher, mais ce ne l'est pas de réagir quand tout va bien : la personne semble alors mal interpréter la réalité. De même, craindre de prendre un ascenseur quand on sait qu'il a été défectueux plusieurs fois est tout à fait normal, mais ce ne l'est plus si on devient complètement affolé chaque fois qu'il faut en prendre un : ici également, la perception de la réalité, c'est-à-dire le danger réel, est faussée. L'ampleur de la réaction peut aussi donner des indications sur un comportement anormal. Une personne peut s'attendre à éprouver une certaine anxiété juste avant une entrevue, mais pas au point d'avoir l'impression que son cœur bat si vite qu'il va éclater ou encore de choisir d'éviter l'entrevue. La perception de la réalité semble là aussi erronée.

12.1.3 LA PERSONNE VIT UNE PROFONDE DÉTRESSE PERSONNELLE

On parle de détresse personnelle quand la personne manifeste un sentiment d'impuissance face à son environnement, c'est-à-dire qu'elle semble tout à fait malheureuse, n'a plus le goût de rien entreprendre, laisse même tomber des choses qu'elle avait entreprises, etc. Cette détresse peut avoir été provoquée par un événement en particulier, tel qu'une perte matérielle ou psychologique importante, mais ce n'est pas forcément le cas. Ce qui frappe, c'est que la personne est profondément malheureuse.

12.1.4 LE COMPORTEMENT OU LE MODE DE PENSÉE VA À L'ENCONTRE DU BUT RECHERCHÉ

On peut considérer comme anormal le comportement qui mène à des résultats négatifs plutôt que de permettre à la personne d'atteindre le but qu'elle recherche. Par exemple, la personne qui va dans un bar pour rencontrer des gens et qui, pour dissiper sa timidité, boit tellement que plus personne ne veut lui parler, fait exactement le contraire de ce qu'elle devrait faire, et provoque la réaction contraire à celle qu'elle recherche.

12.1.5 LE COMPORTEMENT EST DANGEREUX

Comme les personnes qui menacent ou agressent les autres, celles qui portent atteinte à leur propre sécurité ou à leur propre vie peuvent être considérées comme faisant preuve d'un comportement anormal. Cependant, le phénomène des sports extrêmes montre à quel point il n'est pas si simple de poser un tel jugement. En effet, mettre son intégrité physique en danger semble aller à l'encontre de la raison, mais ce comportement est, semble-t-il, de moins en moins inhabituel chez certains jeunes. À cet égard, le critère suivant explique comment les pressions sociales contribuent aussi à déterminer ce qui est normal.

12.1.6 LE COMPORTEMENT EST SOCIALEMENT INACCEPTABLE

Tel que nous l'avons mentionné précédemment, chaque société possède des règles ou des normes de conduite considérées comme acceptables dans un contexte donné. Dans la société occidentale, la nudité est acceptée dans un vestiaire, mais réprouvée dans la rue. De même, ce qui est anormal pour une génération peut être normal pour une autre. Par exemple, afficher son homosexualité était presque impensable pour les générations qui nous ont précédés, alors qu'aujourd'hui, beaucoup moins de personnes sont choquées par ce phénomène. En outre, ce qui est normal dans une société peut être anormal dans une autre. Ainsi, selon le groupe social auquel on s'adresse, les «jackass» sont jugés normaux et même drôles, ou aux prises avec un sérieux problème mental!

ÉCLAIRCISSEMENT DE L'AMORCE

Émile Nelligan aurait-il été interné s'il avait vécu aujourd'hui? Écrire de la poésie, exprimer des émotions peu communes et sortir tard le soir avec des amis sont-ils des comportements suffisamment inhabituels pour affirmer que Nelligan souffrait d'un trouble psychologique? Ses visions imaginatives et ses envolées lyriques étaient-elles des signes d'une perte de contact avec la réalité ou d'un talent créateur exceptionnel? Sa tristesse était-elle la réaction normale d'un adolescent déchiré entre plusieurs choix et éprouvé par des peines d'amour? Il est difficile de répondre à ces questions. On peut néanmoins penser que le comportement de Nelligan (ses amours, sa sexualité, son opposition à son père, son rêve d'être poète) était socialement peu acceptable. C'est sans doute le critère à partir duquel il est le plus facile de comprendre pourquoi Nelligan a été interné. Malgré les critères sur lesquels s'appuient les psychologues actuels, on constate que tenter d'évaluer si Nelligan souffrait réellement d'un trouble psychologique est encore un exercice empreint de subjectivité.

12.2 LA CLASSIFICATION DES TROUBLES PSYCHOLOGIQUES

Un des actes professionnels les plus courants que doivent accomplir le psychologue clinicien et le psychiatre est celui d'effectuer un diagnostic, c'est-à-dire d'établir si une personne souffre ou non d'un trouble psychologique et d'en préciser la nature. Le diagnostic est possible dans la mesure où l'on suppose l'existence de diverses formes de troubles psychologiques constituant autant de problèmes distincts. C'est dans ce contexte que des classifications sont établies. Elles permettent au clinicien d'établir un maximum de consensus quant aux éléments nécessaires à l'établissement du diagnostic d'une personne présentant des troubles psychologiques. Ainsi, les classifications facilitent la communication entre cliniciens et visent une cohérence dans l'attribution des diagnostics. C'est principalement pour cette raison qu'elles sont largement utilisées.

Cependant, le domaine de la psychopathologie est sans doute l'un de ceux pour lesquels il y a le moins de certitudes et de consensus. Les classifications utilisées sont donc régulièrement mises à jour en fonction de l'avancement des connaissances dans le domaine. Parmi celles qui ont été proposées, deux d'entre elles émergent et sont aujourd'hui une référence : le DSM-IV (American Psychiatric Association, 1996) et la CIM-10 (Organisation mondiale de la santé, 1994). Dans les deux cas, l'identification des troubles psychologiques se fonde surtout sur les symptômes et les signes observables.

Au-delà des classifications elles-mêmes, ce qui importe, c'est l'utilisation qu'on en fait. Les spécialistes ne doivent pas se fier aveuglément aux classifications, car elles peuvent s'avérer dangereuses si elles sont utilisées aux fins de poser un diagnostic basé exclusivement sur la liste des symptômes et de prescrire un traitement sans égard à la personne qui les consulte. Derrière l'efficacité des classifications se cache le caractère unique et profondément personnel de chaque être humain aux prises avec une détresse mentale. Les spécialistes doivent donc connaître ces classifications sans en être prisonniers, et être capables de les critiquer : «Les critères diagnostiques spécifiques inclus dans le DSM-IV sont les lignes directrices d'un jugement clinique éclairé, et ne sont pas destinés à être utilisés comme un livre de recettes» (American Psychiatric Association, 1996). C'est d'ailleurs ce sur quoi insiste l'encadré 12.1, qui rapporte une recherche marquante effectuée par David Rosenhan en 1973.

Les troubles psychologiques peuvent également être divisé en deux catégories : les névroses et les psychoses. Chacune de ces catégories englobe plusieurs types de troubles psychologiques. Bien que ces termes ne soient plus mentionnés dans le DSM-IV, ils demeurent au cœur de la psychanalyse. On doit donc retenir que les termes utilisés pour qualifier les troubles psychologiques ne font pas l'unanimité.

Psychose
État psychique caractérisé par une rupture avec le monde extérieur et par la création d'une nouvelle réalité personnelle. La psychose atteint globalement la personnalité et nécessite souvent une prise en charge thérapeutique intensive.

Névrose
État psychique caractérisé par l'impossibilité de résoudre une difficulté, état dont la personne est habituellement consciente, mais sans altération profonde de contact avec la réalité. La névrose peut entraîner des troubles permanents de la personnalité.

Le terme **psychose** implique une perte de contact avec la réalité. Ce trouble présente un ensemble de difficultés plus lourdes et plus handicapantes pour la personne qui en souffre que la **névrose**, plus fréquente. Le traitement de la névrose est plus aisé, parce que la personne est généralement consciente de sa détresse et, souvent, désire être aidée. Le symptôme le plus fréquemment associé à la névrose est l'anxiété. La psychose empêche la personne de faire face aux exigences de la vie quotidienne, ce qui n'est pas nécessairement le cas pour la névrose. La personne aux prises avec une psychose présente une grossière déformation de la réalité, la rendant incapable de distinguer ses fantasmes de la réalité. Des délires (convictions fausses maintenues en dépit d'expériences contraires) et des hallucinations (perceptions en l'absence de stimuli externes appropriés) sont présents. L'orientation dans le temps et l'espace est mauvaise ou absente. La communication avec l'entourage s'avère souvent très laborieuse (vocabulaire incompréhensible), voire carrément absente, témoignant de la coupure avec le monde. Enfin, lorsque la personne souffre d'une psychose, elle a généralement peu de compréhension de ses symptômes et de sa conduite.

RECHERCHE CLASSIQUE

ENCADRÉ 12.1
Qui peut être admis dans un hôpital psychiatrique?

La plupart du temps, c'est aux psychiatres qu'on accorde la responsabilité du diagnostic et du traitement des troubles psychologiques comme la schizophrénie. Au fil de l'histoire, les psychiatres ont en effet imposé une vision médicale de la santé mentale, chaque trouble étant perçu comme une maladie à soigner au même titre qu'une maladie physique. Le DSM est issu de cette conception voulant qu'on cherche des symptômes observables et mesurables d'un trouble. Le psychiatre David Rosenhan (1973) a voulu montrer que, malgré ses apparences de rigueur scientifique, cette conception est subjective et aggrave les difficultés des personnes étiquetées comme étant malades. Voici comment s'est déroulé son expérience.

Rosenhan a sélectionné huit personnes saines d'esprit, trois femmes et cinq hommes. Ce groupe était composé de trois psychologues, deux médecins, un étudiant, un peintre et une mère de famille. Chaque participant devait tenter de se faire admettre dans 12 hôpitaux psychiatriques répartis dans cinq États américains. La démarche était la même pour tous. En arrivant à un hôpital, ils se plaignaient d'entendre des voix bizarres leur disant «vide», «creux» et «grondement». Les participants se présentaient sous un faux nom et une fausse occupation, mais disaient la vérité pour tout le reste (les hauts et les bas de leurs humeurs, leurs relations, leur enfance, et ainsi de suite). Après avoir été admis à l'hôpital, ces pseudos patients cessaient de dire qu'ils entendaient des voix et se

comportaient normalement. Ils participaient aux activités quotidiennes en échangeant naturellement avec les autres patients et le personnel. Les pseudos patients devaient réussir à sortir des hôpitaux par leurs propres moyens en convainquant les experts qu'ils étaient sains. Par ailleurs, ils devaient prendre des notes sur ce qu'ils observaient. À cet égard, ils remarquaient comment le personnel leur répondait lorsqu'ils posaient la question : «Excusez-moi, monsieur, madame, docteur, quand croyez-vous que je pourrai quitter l'hôpital?»

Tous les participants ont été admis par les hôpitaux psychiatriques pour une durée allant de 7 à 52 jours. Un seul d'entre eux n'a pas reçu le diagnostic de schizophrénie. À leur sortie de l'hôpital, les sept autres participants ont obtenu la mention «schizophrénie en rémission» à leur dossier. Aucun spécialiste n'a deviné l'imposture, alors que 35 des 118 «vrais» patients avaient remarqué que les pseudos patients n'étaient pas réellement schizophrènes! Les patients disaient aux participants : «Vous n'êtes pas fou. Vous êtes journaliste ou professeur. Vous évaluez l'hôpital.»

Plusieurs observations effectuées pendant cette expérience témoignent de la persistance des préjugés défavorables entretenus à l'égard des personnes psychiatrisées. En voici quelques exemples. Chacun des comportements de ces personnes est perçu à travers l'étiquette de «malade mental». Ainsi, le fait de prendre des notes a été jugé

suspect, voire paranoïaque. De la même façon, attendre en file devant la cafétéria pendant 30 minutes avant le dîner a été perçu comme un signe de fixation orale (alors qu'il n'y avait pas grand-chose d'autre à faire). Dans un autre exemple, une infirmière a déboutonné son chemisier afin de replacer son soutien-gorge devant plusieurs patients masculins. Son geste n'en était pas un de séduction : il trahissait plutôt le fait que ces hommes n'étaient pas considérés comme des êtres dotés de désirs sexuels. Enfin, le personnel hospitalier a répondu aux questions des pseudos patients par des réponses évasives et condescendantes, comme si ces derniers étaient invisibles ou peu dignes d'une réponse franche. On a aussi noté des paroles et des gestes brutaux à leur endroit. Bref, ces attitudes laissent croire que les comportements du personnel soignant sont plus irrespectueux à l'endroit des personnes psychiatrisées qu'à l'endroit des patients soignés uniquement pour des problèmes physiques.

La recherche de Rosenhan a corroboré le point de vue antipsychiatrique en montrant que le jugement exercé par la psychiatrie sur des personnes somme toute peu différentes des autres peut conduire à des diagnostics de maladie plus ou moins erronés. Plus important encore, elle a souligné les conditions aliénantes des hôpitaux psychiatriques, où prévalent malheureusement le manque de soins personnalisés et le sentiment d'impuissance.

ÉCLAIRCISSEMENT DE L'AMORCE

Au moment où les médecins ont évalué l'état psychologique de Nelligan, ni le DSM ni la CIM n'existaient. D'ailleurs, ses multiples biographes mentionnent plusieurs diagnostics différents, allant de «dégénérescence mentale» à «folie polymorphe», «démence précoce», «dépression», «névrose» et «schizophrénie». D'autres affirment qu'il n'était pas fou, mais plutôt épuisé et triste. La diversité de ces diagnostics montre à quel point il est difficile d'évaluer l'état mental d'une personne, a fortiori après les faits. Ces étiquettes sont aussi le reflet du contexte culturel de l'époque.

12.3 QUELQUES TYPES DE TROUBLES PSYCHOLOGIQUES

Avant de présenter les grandes caractéristiques de quelques troubles psychologiques, une mise en garde importante doit être faite : comme dans tous les domaines de la psychologie, il existe des différences individuelles. En effet, si l'on veut vraiment comprendre les personnes atteintes d'un trouble psychologique, on doit éviter la généralisation et la simplification de leur réalité par des portraits limités. La réalité est beaucoup plus complexe, elle se compose de recoupements possibles entre plusieurs troubles et, surtout, de la présence de comportements, d'émotions et de modes de pensée jugés tantôt normaux, tantôt anormaux chez la même personne. En ce sens, la présente section vise à donner une description sommaire des principaux troubles psychologiques.

12.3.1 LES TROUBLES DE L'HUMEUR

Troubles de l'humeur
Ensemble de troubles psychologiques caractérisés par une perturbation de l'expression des émotions (dépression ou surexcitation).

Les **troubles de l'humeur** sont caractérisés par une perturbation de l'expression des émotions. Il existe différentes perturbations de l'humeur qui se traduisent habituellement par la dépression, la surexcitation ou une combinaison des deux états.

• LA DÉPRESSION MAJEURE

Dépression majeure
Trouble psychologique caractérisé par la perte d'intérêt ou de plaisir pour presque toutes les activités. La dépression majeure s'accompagne d'une perte d'appétit, de problèmes de sommeil, d'un ralentissement des mouvements et d'une évaluation perturbée de la réalité.

La dépression constitue le trouble psychologique le plus courant, et les femmes en sont deux fois plus atteintes que les hommes ; en effet, d'après le DSM-IV, de 10 à 25 % des femmes en souffriraient, comparativement à 5 à 12 % des hommes (American Psychiatric Association, 1996). Les personnes atteintes d'une **dépression majeure** éprouvent de la tristesse, ont des idées noires intenses et montrent une attitude d'indifférence générale. Elles se plaignent d'un manque d'énergie, d'une perte d'estime personnelle, d'un sentiment de pessimisme et d'une tendance à pleurer. Elles ont de la difficulté à se concentrer, à avoir de l'intérêt pour les autres et pour les activités agréables. De plus, elles peuvent manquer d'appétit et afficher une perte de poids considérable, avoir des problèmes de sommeil accompagnés d'une fatigue extrême, manifester de l'agitation ou un ralentissement des mouvements, de même qu'une incapacité à prendre des décisions. On peut en outre observer de l'irritabilité, surtout chez les enfants et les adolescents dépressifs. L'adulte dépressif est quant à lui incapable d'assumer ses responsabilités professionnelles et familiales, et de s'occuper de son hygiène personnelle. De plus, le risque de tentatives de suicide augmente considérablement. La situation est devenue particulièrement préoccupante au Québec, ainsi qu'on peut le constater à partir des données rapportées dans l'encadré 12.2.

ENCADRÉ 12.2

Le suicide : un portrait accablant pour le Québec

Le suicide est un phénomène qui touche particulièrement le Québec : chaque jour, près de quatre personnes y meurent par suicide (Saint-Laurent et Bouchard, 2004). Le taux de mortalité par suicide y est de 18,1 par 100 000 habitants, alors que la moyenne canadienne est de 12,9 (Mercier et Saint-Laurent, 1998). Le Québec compte le nombre le plus élevé de suicides chez les adolescents en comparaison avec les autres pays. Son incidence diminue légèrement chez les personnes au début de la vingtaine, puis atteint de nouveaux sommets lorsque les gens atteignent la trentaine.

Seule la Norvège présente un phénomène semblable, alors que partout ailleurs le taux de suicide augmente avec l'âge.

Saint-Laurent et Bouchard (2004) notent également que, si le nombre absolu des suicides est plus élevé à Montréal, en Montérégie et à Québec, c'est cependant dans les régions éloignées des grands centres que le taux de suicide relatif est le plus élevé (la Côte-Nord, l'Abitibi et le Saguenay). Le suicide est donc un phénomène particulièrement présent en milieu rural et dans les communautés autochtones.

Dans tous les pays, le suicide est un problème qui touche surtout les hommes. C'est aussi vrai pour le Québec : 30,7 hommes sur 100 000 se suicident, contre 7,8 femmes (Saint-Laurent et Bouchard, 2004). Par contre, les femmes sont plus nombreuses à commettre des tentatives de suicide et à avoir des idées suicidaires. Cela s'explique peut-être par les moyens qu'utilisent les hommes pour mettre fin à leurs jours, plus violents (armes à feu, pendaison) que ceux auxquels les femmes ont recours (médicaments). La dernière section de ce chapitre mentionne quelques ressources d'aide.

APPROFONDISSEMENT

La dépression majeure peut également entraîner une fausse perception de la réalité. Des symptômes psychotiques se manifestent parfois, caractérisés par l'illusion d'un manque de mérite, d'une culpabilité à l'égard de méfaits imaginaires et même de la conviction d'être atteint d'une maladie grave. La dépression majeure peut également donner lieu à des hallucinations telles que l'image d'une personne administrant une punition méritée ou des sensations corporelles étranges.

• LES TROUBLES BIPOLAIRES

Trouble bipolaire (aussi appelé maniaco-dépression)
Trouble psychologique caractérisé par une alternance d'épisodes maniaques et dépressifs.

Manie
État d'excitation intellectuelle et physique se manifestant par de l'exubérance, de l'hyperactivité, de l'optimisme, de la confiance, et dépourvu de souffrance psychique.

Les **troubles bipolaires**, aussi nommés **maniaco-dépression** par plusieurs spécialistes dont les psychanalystes, sont caractérisés par des états successifs de surexcitation (**manie**) et de dépression. Ces cycles ne semblent pas être liés à des événements extérieurs. Le diagnostic est aussi fréquent chez les hommes que chez les femmes (Tamisier, 1999 ; American Psychiatric Association, 1996).

Au cours de la phase de manie, les personnes sont excessivement excitées et commettent des gestes extravagants, des actes qui « dépassent les bornes » sans contrôle ni souffrance psychique. Elles sont optimistes et confiantes. Elles font preuve d'un jugement médiocre, ce qui peut les amener parfois à commettre des actes antisociaux (voler, insulter) et immoraux (se déshabiller en public, par exemple). Souvent, ces personnes sont « explosives », colériques ou impolies. Les personnes en phase maniaque parlent très vite et sautent d'un sujet à l'autre, dans une suite rapide de paroles parfois très drôles, parfois incompréhensibles. Elles peuvent manifester une grande générosité en faisant des dons très importants à un organisme de charité ou en offrant des biens de valeur. Le besoin d'agir est irrépressible chez ces personnes. Elles dorment très peu et ne ressentent pas la fatigue. Des fonctions biologiques rendent compte de leur degré d'agitation : la température corporelle, l'augmentation des rythmes cardiaque et respiratoire. Les personnes en phase maniaque peuvent consommer avec excès des drogues (alcool et cocaïne, entre autres) et s'engager avec frénésie dans des relations sexuelles. Enfin, elles posent des gestes impulsifs comme changer de profession ou de partenaire, déménager, partir en voyage, faire des achats inconsidérés, etc.

L'**hypomanie** est un état moins excité que la manie, qu'elle précède habituellement. La personne peut continuer à fonctionner normalement parce qu'elle garde le contrôle de l'accélération de ses pensées, et sa production intellectuelle est souvent plus riche, particulièrement dans un domaine qui lui est familier. Un grand nombre d'œuvres littéraires et musicales ont été élaborées dans un tel état (Hardy-Baylé, 1994). Cette question fascinante des liens entre la créativité et les troubles psychologiques est d'ailleurs abordée dans l'encadré 12.3.

Quelques jours ou quelques semaines après l'accès maniaque, le pôle dépressif apparaît. Les personnes dorment alors plus que d'habitude et sont abattues. Tous les symptômes associés à la dépression majeure peuvent apparaître. Le sentiment d'inutilité et de mésestime de soi provoque une vive angoisse. Le risque suicidaire devient très réel. Dans son désespoir, et persuadée de faire souffrir les autres, la personne atteinte de troubles bipolaires est convaincue que seule la mort la délivrera de sa souffrance. Pascale Bussières, à travers son interprétation d'Alys Robi (voir la figure 12.2), donne une idée de la souffrance liée à la maniaco-dépression.

MYTHE OU RÉALITÉ 2

● *Il est exact qu'une personne peut se sentir très excitée, optimiste et généreuse puis, de façon soudaine et sans raison apparente, se sentir parfaitement inutile et complètement découragée à un point tel qu'elle pense à se suicider. Elle souffre peut-être alors d'un trouble bipolaire.*

12.3.2 LES TROUBLES ANXIEUX

Les **troubles anxieux** sont marqués par une désorganisation physique et psychique rendant en partie l'action impossible. L'anxiété est une réaction appropriée à la menace. Toutefois, elle devient anormale lorsque son ampleur dépasse largement la menace en question, ou lorsqu'elle est complètement inattendue, c'est-à-dire quand les événements ne semblent pas la justifier. Les caractéristiques physiques reflètent l'activation de la division sympathique du système nerveux autonome, ce qui entraîne divers malaises : tremblements, transpiration, accélération et intensification du rythme cardiaque, augmentation de la tension artérielle (rougeur du visage) et étourdissements. Parmi les caractéristiques psychiques se manifestent la peur du malheur, la crainte de perdre le contrôle, la nervosité et l'incapacité de se détendre.

Les troubles anxieux présentés ici sont l'anxiété généralisée, le trouble panique, les phobies, le trouble obsessionnel-compulsif et l'état de stress post-traumatique.

Hypomanie
Forme atténuée de la manie.

FIGURE 12.2 ALYS ROBI ET PASCALE BUSSIÈRES

Interprétée par Pascale Bussières dans le film *Ma vie en cinémascope*, la chanteuse Alys Robi a connu une carrière internationale durant les années 1940. Le film montre la souffrance liée à la maniaco-dépression et les traitements psychiatriques de l'époque.

Troubles anxieux
Ensemble de troubles psychologiques caractérisés par une désorganisation physique et psychique marquée par une angoisse intense et injustifiée.

La folie est-elle nécessaire au génie ?

La créativité et le génie favorisent-ils les troubles psychologiques ? Ou est-ce l'inverse ? Établir un lien entre ces deux phénomènes demeure difficile. Comme ce chapitre tente de le démontrer, l'identification d'un trouble psychologique chez une personne n'est pas aisée. Le même problème se pose en ce qui a trait à la créativité et, *a fortiori*, au génie. Les résultats des études sur le sujet se contredisent souvent.

D'une part, certaines recherches établissent que la majorité des artistes ne souffrent d'aucun trouble psychologique et que, parallèlement, la majorité des personnes aux prises avec des troubles psychologiques ne sont pas particulièrement douées d'imagination ou de talent hors du commun. En outre, les tests de quotient intellectuel (QI) mettent en évidence que les personnes au QI plus élevé souffrent moins de troubles psychologiques que les autres. Ces tests, par contre, mesurent davantage le conformisme que la créativité de la personne.

D'autre part, les résultats d'autres recherches établissent à l'opposé des liens entre la créativité et les troubles de l'humeur tels que la dépression et le trouble bipolaire (Hardy-Baylé, 1994). Selon celles-ci, les artistes reconnus seraient 18 fois plus susceptibles de se suicider que la population en général : ils risquent de souffrir d'une dépression dans une proportion de 8 à 10 fois plus élevée que les autres, et de 10 à 20 fois, pour le trouble bipolaire (Jamison, 1997). Par exemple, c'est dans une phase d'hypomanie que Rossini a composé *Le barbier de Séville*

en 13 jours, délai tout juste suffisant pour permettre aux musicologues de retranscrire le manuscrit (Hardy-Baylé, 1994). Ernest Hemmingway, Robert Schumann, Vincent Van Gogh, Kurt Cobain et, plus près de nous, Gaston L'Heureux, Pierre Péladeau et Guy Latraverse ont tous souffert du trouble bipolaire.

Les traitements pharmacologiques stabilisent l'humeur, mais ils bloquent souvent l'expression des émotions. Les personnes souffrant d'un trouble bipolaire et auxquelles on prescrit des médicaments cessent souvent de les prendre, parce que leurs émotions et leurs sensations sont réduites, voire étouffées (Hardy-Baylé, 1994 ; Jamison, 1997). Dans le milieu artistique, certains artistes refusent même d'entreprendre une psychothérapie de peur que leur inspiration disparaisse. En effet, certains croient que la souffrance exacerbe leur créativité et que, conséquemment, la disparition de la première entraînerait la disparition de la seconde. Mais le refus de se soumettre à un traitement aggrave souvent le trouble psychologique, état qui, en définitive, nuit à la créativité des artistes.

Ainsi, il apparaît que la créativité serait peut-être une sorte d'arme à deux tranchants. Grâce à la créativité, l'artiste peut exprimer des idées allant parfois à l'encontre des valeurs véhiculées dans la société, ou encore traduire ses émotions extrêmes et, ainsi, trouver un exutoire lui permettant de préserver sa santé mentale (Ludwig, 1995). En revanche, cette expression des idées et

APPROFONDISSEMENT

KURT COBAIN (1967-1994)

Dans l'une de ses chansons, intitulée *Lithium,* Kurt Cobain fait alterner des passages calmes (« tout va bien », « rien ne me touche », « j'ai trouvé Dieu ») et des passages où il crie sa rage (« je ne craquerai pas »). Cobain montre bien les hauts et les bas d'une personne souffrant de maniaco-dépression, et l'ambivalence face à la consommation de lithium.

des émotions peut devenir l'instrument même de l'isolement de l'artiste et fragiliser sa santé mentale dans la mesure où elle le rendra éventuellement désagréable, voire insupportable, aux yeux de ses contemporains, qui considéreront peut-être qu'il est atteint de folie et qui le rejetteront.

• L'ANXIÉTÉ GÉNÉRALISÉE

Anxiété généralisée

Trouble psychologique caractérisé par des sentiments d'appréhension chronique (au moins six mois) et par une activation du système nerveux sympathique, et ce, sans source identifiable.

Lorsque l'**anxiété généralisée** se manifeste, elle est chronique et incontrôlable sans qu'elle puisse être imputée à un objet, à une situation ou à une activité quelconque. La personne qui souffre d'anxiété généralisée vit constamment dans l'insécurité, a « peur d'avoir peur », appréhende le pire (un accident, une maladie, etc.) et a tendance à exagérer chaque petit problème. Elle est toujours hypervigilante et tendue (elle sursaute au moindre événement inattendu). Elle n'arrive pas à se reposer, ce qui entraîne une fatigue extrême. Elle éprouve aussi de la difficulté à se concentrer et manifeste une hyperactivité du système autonome (rythmes cardiaque et respiratoire élevés, variations de la température corporelle, problèmes digestifs, et autres).

• L'ATTAQUE DE PANIQUE

**Attaque de panique
(aussi appelée crise d'angoisse)**

Trouble psychologique correspondant à une période brève d'anxiété aiguë en l'absence de stimuli externes et lié à des réactions physiques intenses telles que des palpitations, des difficultés respiratoires, des sueurs et des vertiges.

L'**attaque de panique**, ou crise d'angoisse, est une poussée aiguë et soudaine d'anxiété qui n'est déclenchée ni par un objet ni par une situation déterminés, et qui est délimitée dans le temps. Les personnes affligées éprouvent certains des malaises typiques suivants : palpitations cardiaques, tremblements, transpiration, impression de manquer d'air ou d'étouffer, douleur thoracique, nausées, étourdissements, peur de mourir, peur de perdre la maîtrise de soi ou de succomber à la folie. Ces réactions sont plus fortes que dans l'anxiété généralisée.

Les attaques de panique sont de durées variables, allant de quelques minutes à quelques heures. La crise est souvent accompagnée d'un sentiment de danger ou de catastrophe imminente, et d'un besoin urgent de fuir. La personne s'agite ou, au contraire, demeure immobile. Une fois la crise passée, les victimes se sentent épuisées. Les attaques de panique peuvent survenir chez plusieurs types de personnes, mais elles sont particulièrement fréquentes chez ceux qui éprouvent une phobie, notamment l'agoraphobie, qui est abordée dans la section qui suit.

• LES PHOBIES

La **phobie** est une peur irrationnelle et excessive déclenchée uniquement dans un contexte déterminé qui, en soi, n'a pas le caractère de dangerosité perçu par le phobique. La crise disparaît en l'absence du contexte qui l'a déclenchée. Une attaque de panique peut apparaître lorsque la personne est confrontée à la situation phobogène. Bien qu'elle reconnaisse le caractère absurde de cette crainte, la personne souffrant d'une phobie ne peut pas se contrôler. Elle adopte une conduite d'évitement souvent radicale en fuyant la source de sa peur. Cet évitement peut entraîner une grande souffrance, ou du moins interférer sérieusement avec la vie quotidienne et socioprofessionnelle de la personne.

Plusieurs types de phobies existent. L'**agoraphobie** est une anxiété qui se manifeste dans des endroits publics où l'on est entouré d'une foule et d'où on craint de ne pas pouvoir s'échapper ou de ne pas être secouru à temps en cas de difficultés. Les phobies sociales sont marquées d'une peur des situations sociales ou de performances dans lesquelles un sentiment de gêne peut survenir (peur de rougir ou de prendre la parole en public, par exemple). Les phobies spécifiques ou simples sont limitées à des objets ou à des situations très précises (animaux, avions, injections, **claustrophobie** et autres).

C'est habituellement parce que la phobie entrave sérieusement sa vie qu'une personne est amenée à consulter un spécialiste. Souvent, l'anxiété qui mène à l'évitement de la situation phobogène se généralise. Par exemple, une personne souffrant d'agoraphobie a peur des centres commerciaux. Avec le temps se greffent d'autres peurs qui l'amènent à éviter l'épicerie ou la pharmacie de son quartier, pour finalement amener la personne à ne plus se présenter au travail et rester enfermée chez elle.

Les phobies peuvent souvent se manifester en même temps que d'autres troubles psychologiques tels que la schizophrénie, la dépression ou le trouble obsessionnel-compulsif. Comme c'est le cas pour l'anxiété généralisée et l'attaque de panique, la fréquence des phobies est plus élevée chez les femmes que chez les hommes (Hardy-Baylé, 1994; American Psychiatric Association, 1996).

• LE TROUBLE OBSESSIONNEL-COMPULSIF

Le **trouble obsessionnel-compulsif (TOC)** est un trouble qui, comme son appellation l'indique, présente typiquement deux volets, un volet *obsession* et un volet *compulsion*.

Une **obsession** est une pensée, une image ou un sentiment répétitif, non maîtrisable et reconnu comme irrationnel par la personne souffrant de ce trouble. Les obsessions sont à ce point irrépressibles et fréquentes qu'elles perturbent la vie quotidienne et entraînent une détresse chez la personne. Elles peuvent prendre la forme de doutes (par exemple, se demander constamment si les portes sont verrouillées) ou de peurs (comme celle d'avoir été ridicule), d'impulsions (comme le désir d'étrangler son conjoint) et d'images. C'est le cas d'une mère qui imaginait sans cesse que ses enfants avaient été happés par une voiture en revenant de l'école. Dans un autre cas, un garçon de 16 ans découvrait «des chiffres dans sa tête» chaque fois qu'il s'apprêtait à étudier ou à passer un examen.

Une **compulsion** est un désir irrépressible de s'engager dans une action ou une pensée, maintes fois reprises, comme le fait de compter ou de toucher des objets, de ranger, de prononcer certains mots, etc. Comme l'illustre la figure 12.3, le fait de ranger avec une extrême minutie des objets sur un bureau peut être un signe de compulsion. Le désir irrépressible ici de tout ranger est envahissant et puissant, perturbant ainsi le quotidien.

Phobie
Trouble psychologique caractérisé par une peur incontrôlable, irrationnelle et excessive d'une situation ou d'un objet déterminé, reconnu inoffensif, mais que la personne cherche à éviter à tout prix.

Agoraphobie
Peur incontrôlable, irrationnelle et excessive des endroits publics où l'on est entouré d'une foule et d'où on craint de ne pas pouvoir s'échapper ou de ne pas être secouru à temps en cas de difficultés.

Claustrophobie
Peur incontrôlable, irrationnelle et excessive de se trouver enfermé dans un endroit clos.

Trouble obsessionnel-compulsif (TOC)
Trouble psychologique caractérisé par des obsessions liées à des compulsions récurrentes.

Obsession
Trouble psychologique caractérisé par l'irruption de pensées, d'images ou de sentiments fréquents qui persistent malgré la volonté et les efforts de la personne de s'en débarrasser.

Compulsion
Tendance intérieure impérative poussant une personne à accomplir une certaine action alors qu'elle tente de l'éviter. Si la compulsion n'est pas accomplie, une angoisse intense survient.

FIGURE 12.3 LA COMPULSION

Une personne compulsive est incapable de se contrôler. Elle doit, par exemple, tout ranger parfaitement; autrement, elle éprouvera de terribles angoisses.

La compulsion vise à contrôler l'obsession. Si la compulsion n'est pas effectuée, la personne ressent une angoisse intolérable que seule l'exécution du geste parvient à diminuer temporairement. Par exemple, une ménagère est devenue obsédée à l'idée d'avoir contaminé ses mains avec le nettoyeur de cuvettes et d'avoir propagé la contamination à tout ce à quoi elle avait touché. Elle s'est engagée dans un rituel complexe de lavage des mains pour lequel elle passait trois à quatre heures par jour à l'évier. Elle se plaignait que ses « mains ressemblaient à des pinces de homard ».

 MYTHE OU RÉALITÉ 3

● *Il est vrai que le rangement et le ménage peuvent devenir tellement importants pour une personne qu'elle ne trouve plus le temps de faire d'autres activités. Il s'agit peut-être là d'un trouble obsessionnel-compulsif.*

On observe parfois les troubles obsessionnels-compulsifs chez les personnes souffrant de troubles alimentaires, de même que dans la schizophrénie et la dépression. Ils semblent aussi fréquents chez les hommes que chez les femmes (Hardy-Baylé, 1994; American Psychiatric Association, 1996). Le jeu excessif, problème dont il est question dans l'encadré 12.4, est parfois comparé au TOC, puisqu'il implique l'obsession de gagner de l'argent en jouant et la compulsion de parier.

• L'ÉTAT DE STRESS POST-TRAUMATIQUE

État de stress post-traumatique
Trouble psychologique associé à un événement traumatisant dépassant les capacités d'adaptation de la personne et caractérisé par une anxiété intense et tenace liée à la remémoration de l'événement.

L'état de stress post-traumatique est caractérisé par des sentiments intenses et tenaces d'anxiété et d'impuissance provoqués par une expérience traumatisante dépassant les capacités d'adaptation de la personne. Ces événements traumatisants sont le plus souvent des menaces physiques envers la personne, sa famille ou autrui, la destruction de sa communauté ou le fait d'être témoin de la mort d'une autre personne. L'événement déclencheur est sans cesse revécu, prenant la forme de souvenirs importuns, de rêves périodiques et d'une sensation soudaine de *flash-back* lui rappelant l'événement. Habituellement, la personne dans cet état essaie d'éviter les pensées et les activités reliées à l'événement traumatisant.

ENCADRÉ 12.4
Quand jouer n'est plus un jeu

Le jeu excessif est semblable à la toxicomanie. La personne aux prises avec ce problème maintient un ensemble de comportements qui mettent en péril sa vie personnelle, familiale et professionnelle. Ce type de dépendance se manifeste par une perte de contrôle face au jeu et par une augmentation de la fréquence du jeu et des sommes jouées, ce qui entraîne des conséquences négatives.

En 2002, selon Statistique Canada (Centre Dollard-Cormier, 2004), quelque 18,9 millions d'adultes canadiens ont dépensé 11,3 milliards de dollars pour une forme quelconque de jeu. Ce montant était plus de quatre fois supérieur aux 2,7 milliards de dollars enregistrés 10 ans plus tôt. Au cours des 22 derniers mois, il y a eu 33 décès par suicide reliés au jeu excessif. Les personnes ayant un problème de ce type peuvent engloutir en moyenne 7 000 $ et plus par année. Près de 13 000 adolescents et plus de 117 000 adultes présentent un problème de jeu excessif. Selon le ministère de la Santé et des Services sociaux (2004), plus de 600 000 Québécois seraient touchés par cette problématique, tout comme dans les autres provinces canadiennes et dans les pays qui exploitent des jeux de hasard et d'argent. Selon le site Web du Centre international d'étude sur le jeu et les comportements à risque chez les jeunes (2003), de 4 à 8 % des adolescents québécois ont développé une dépendance au jeu. Cela signifie que dans une classe de 25 élèves, l'un d'entre eux pourrait avoir un problème sérieux avec le jeu. Ces adolescents déclarent avoir commencé à jouer très jeune (en moyenne vers l'âge de 10 ans). Et comme les adultes, plusieurs rapportent avoir remporté gros au tout début.

Alors que la personne qui joue souhaite remporter de l'argent, à long terme, la réalité est tout autre : elle en perdra. En s'appuyant sur la psychologie cognitive, le Centre québécois d'excellence pour la prévention et le traitement du jeu (2003) montre que les joueurs arrivent à croire qu'ils peuvent déjouer le hasard et que le développement de stratégies augmentera leurs chances de gagner. En fait, ils tentent de découvrir ce qui les fait gagner et ce qui les fait perdre afin de pouvoir contrôler le jeu. Le problème, c'est que le hasard, de par sa nature même, échappe à tout système et à toute règle. Les habiletés et l'intelligence n'ont aucune influence sur lui. Dès lors, les comportements superstitieux, comme le fait de croire que certains objets ou rituels augmentent les chances de gagner, s'avèrent être des manifestations d'une illusion de contrôle.

En règle générale, les problèmes de jeu excessif sont souvent détectés d'abord par l'entourage de la personne, bien avant elle-même. Au Québec, plusieurs ressources existent afin d'aider les personnes aux prises avec le jeu excessif. La dernière section de ce chapitre en mentionne quelques-unes.

APPROFONDISSEMENT

Elle peut néanmoins manifester des problèmes de sommeil, des excès de colère, des difficultés de concentration, de l'hypervigilance et des réactions exagérées de sursauts.

Des expériences traumatisantes ont perturbé des militaires et des civils ayant participé à des guerres, des victimes de viol, d'enlèvement et de vol, et des personnes ayant assisté à la destruction de leur maison ou de leur communauté par le feu, les eaux ou les tornades. Comme le rappelle la figure 12.4, les tsunamis de décembre 2004 peuvent avoir été à la source d'un état de stress post-traumatique. Souvent, la réaction post-traumatique survient six mois ou plus après l'événement. L'état de stress post-traumatique est souvent associé à d'autres symptômes tels que des crises d'angoisse, des phobies, des obsessions et, surtout, des symptômes de conversion et d'hypocondrie, dont il est question dans la section suivante (Hardy-Baylé, 1994).

12.3.3 LES TROUBLES SOMATOFORMES

Les **troubles somatoformes** sont caractérisés par le fait que la personne signale ou manifeste des problèmes physiques, comme la paralysie, la douleur ou la conviction tenace qu'elle est atteinte d'une maladie grave, malgré un diagnostic excluant toute anomalie organique. On retrouve dans cette catégorie, entre autres, le trouble de conversion et l'hypocondrie.

• LE TROUBLE DE CONVERSION

Le **trouble de conversion** est caractérisé par le changement important ou la perte d'une fonction physique que la médecine ne peut pas expliquer. Les symptômes ne sont pas intentionnels ; autrement dit, la personne ne simule pas son problème. Il semble s'agir d'un phénomène de déplacement de difficultés psychologiques sur le corps (paralysies, troubles visuels et auditifs, convulsions, pertes de sensibilité, vomissements, pertes de connaissance, etc.) qui aide la personne à combattre son anxiété. Les symptômes peuvent être spectaculaires et souvent incohérents. Ils mettent la médecine en échec, car ils résistent à ses traitements (Caralp, 1999). Une des attitudes psychologiques à l'égard de ces symptômes est qualifiée de « belle indifférence », car la personne reconnaît le trouble, mais ne montre pas d'inquiétude à son sujet.

MYTHE OU RÉALITÉ 4

Il est exact que certaines personnes perdent l'usage de leurs jambes ou de leurs yeux, alors que les médecins sont convaincus qu'elles ne présentent aucun désordre biologique. Il s'agit d'un trouble de conversion, dont l'origine est psychologique.

• L'HYPOCONDRIE

Une personne souffrant d'**hypocondrie** croit sans cesse qu'elle souffre d'une maladie grave, même si aucune preuve médicale ne vient confirmer ses craintes. Elle devient préoccupée par des sensations physiques anodines et nourrit la conviction irréaliste que le médecin pose des diagnostics erronés, qu'il passe à côté de son problème ou, pis encore, qu'il lui cache la vérité. Elle va d'un médecin à l'autre, en quête de celui qui découvrira la cause de ses malaises, car elle rejette ceux qui affirment qu'elle n'est pas malade. La personne est si préoccupée par tous ses symptômes et par toutes ses démarches que sa vie socioprofessionnelle en est perturbée. Tant pour les troubles de conversion que pour l'hypocondrie, on doit éviter d'exclure la possibilité d'une maladie physique réelle. Les études démontrent que, avec le temps, chez les personnes qui présentent ces troubles, une dysfonction organique sera diagnostiquée (Hardy-Baylé, 1994 ; American Psychiatric Association, 1996).

12.3.4 LES TROUBLES DE L'ALIMENTATION

Les **troubles de l'alimentation** tels que l'anorexie mentale et la boulimie sont des troubles psychologiques qui ont connu une recrudescence au cours du dernier siècle. La boulimie est cependant plus courante que l'anorexie (American Psychiatric Association, 1996). Bien qu'on

FIGURE 12.4 L'ÉTAT DE STRESS POST-TRAUMATIQUE

Les catastrophes naturelles comme les tsunamis du 26 décembre 2004 peuvent causer un état de stress post-traumatique.

Troubles somatoformes
Ensemble de troubles psychologiques caractérisés par des symptômes physiques, en l'absence d'anomalies organiques.

Trouble de conversion
Trouble psychologique caractérisé par un changement important ou la perte d'une fonction physique sans pathologie observable du point de vue médical, et qui semble provenir de problèmes psychologiques « convertis » en problèmes physiques dans le but de réduire l'anxiété.

Hypocondrie
Préoccupation exagérée d'une personne au sujet de sa santé se traduisant par des croyances et des attitudes irrationnelles vis-à-vis de son corps, et par la crainte d'avoir une maladie grave, malgré l'absence de preuves médicales.

Troubles de l'alimentation
Ensemble de troubles psychologiques caractérisés par des conduites gravement perturbées en ce qui concerne l'ingestion de nourriture.

présente ces troubles séparément, il n'en reste pas moins qu'ils sont souvent concomitants et fréquemment associés à d'autres troubles psychologiques (Tamisier, 1999).

• L'ANOREXIE MENTALE

Anorexie mentale

Trouble psychologique caractérisé par le maintien d'un poids anormalement bas, par une peur intense de grossir et par une perception déformée de l'image corporelle.

L'anorexie mentale est une restriction alimentaire volontaire qui témoigne d'un refus de maintenir un poids normal en fonction de l'âge et de la taille de la personne. Selon les auteurs, l'amaigrissement doit correspondre à une perte pondérale de 15 à 25 % du poids de départ et être lié à une restriction de l'apport alimentaire (Hardy-Baylé, 1994). Cette volonté s'appuie sur une perturbation de l'image corporelle qui s'exprime par une idée obsessive : la peur de grossir et la perception d'avoir un excédent de poids. La perte de poids ne réussit pas, en général, à calmer la peur de grossir. Habituellement, la personne souffrant d'anorexie mentale ne reconnaît pas son état de maigreur et nie la gravité de son problème. Comme le montre la figure 12.5, la jeune femme devant le miroir ne semble pas s'inquiéter du fait qu'elle est trop maigre.

La personne contrôle sans cesse son poids, ce qu'elle mange et ce qu'elle évacue, ayant parfois recours aux laxatifs ou aux vomissements. Elle est aussi hyperactive physiquement et intellectuellement, niant sa fatigue et refusant détente, repos et sommeil. La réussite intellectuelle est fréquente chez la personne anorexique, mais marquée par le conformisme (Tamisier, 1999). Les désirs sexuels sont réduits, voire absents. Chez la femme, l'**aménorrhée** apparaît, alors que chez l'homme, la puissance érectile diminue. Un ensemble de symptômes physiques est associé au ralentissement organique : disparition des formes féminines et du tonus musculaire, sécheresse de la peau, chute des cheveux, altérations dentaires, problèmes cardiaques et digestifs. L'anorexie mentale peut même mener à la mort.

Aménorrhée

Absence de menstruations chez une femme pubère.

MYTHE OU RÉALITÉ 5

Il est vrai qu'une personne peut avoir de graves problèmes de santé lorsqu'elle est trop maigre. L'anorexie mentale, par exemple, cause des ravages sur la santé et peut même entraîner la mort.

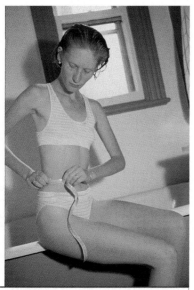

FIGURE 12.5 L'ANOREXIE MENTALE

Habituellement, même devant un miroir, la personne souffrant d'anorexie mentale ne reconnaît pas son état de maigreur et nie la gravité de son problème.

Chez les personnes souffrant d'anorexie, l'estime de soi dépend en grande partie de la forme de leur corps et de leur poids. La perte de poids est perçue comme une réalisation extraordinaire et la preuve d'une incroyable discipline, alors que la prise de poids est perçue comme un pitoyable échec du contrôle de soi. De plus, ces personnes deviennent souvent obsédées par la nourriture. Elles peuvent être captivées par les livres de recettes, s'occuper de l'épicerie et préparer pour les autres des repas élaborés. L'anorexie mentale commence fréquemment à la puberté et habituellement avant l'âge de 25 ans (Caralp, 1999 ; Tamisier, 1999). En général, elle afflige les filles et les jeunes femmes blanches qui recherchent la perfection. Néanmoins, les données récentes montrent qu'elle est de plus en plus courante chez les garçons, les personnes âgées et les autres groupes ethniques (DeAngelis, 1997). L'encadré 12.5 présente quelques hypothèses explicatives concernant ce problème dont les causes sont encore trop mal connues.

• LA BOULIMIE

Boulimie

Trouble psychologique caractérisé par des épisodes incontrôlables de suralimentation suivis de purges permettant d'éviter la prise de poids.

La **boulimie** est caractérisée par de brefs épisodes d'absorption de grandes quantités de nourriture, dépassant largement ce que la plupart des gens mangent en temps normal. Ensuite, la personne recourt à des mesures énergiques pour éliminer les aliments consommés afin d'éviter la prise de poids. Ces mesures comprennent les vomissements provoqués, l'emploi de laxatifs, le jeûne ou un régime sévère, et des exercices vigoureux. La personne ne réussit pas à se contrôler, se sent habituellement coupable et cache ses symptômes. Comme dans le cas de l'anorexie, l'estime personnelle est influencée de manière excessive par la forme et le poids corporels. La boulimie commence généralement à l'adolescence ou au début de l'âge adulte. Elle touche davantage les femmes que les hommes, le rapport étant de neuf

ENCADRÉ 12.5
L'anorexie : un seul problème, plusieurs causes ?

Bien qu'on s'entende sur une seule définition de ce qu'est l'«anorexie mentale», de nombreuses hypothèses existent quant aux éléments qui la déclenchent et qui l'alimentent.

Pour plusieurs psychanalystes, l'anorexie s'explique par les difficultés qui jalonnent le processus de recherche d'équilibre entre l'autonomie et la dépendance, ou par celles liées au fait de se construire une identité en tant que femme. Les psychanalystes mettent également en relief l'insistance avec laquelle les parents exercent leur contrôle sur le plaisir et l'importance des activités de maîtrise anale. Le refus de manger ayant un effet brutal sur les parents, l'anorexie pourrait être la manifestation de l'opposition de l'enfant envers le contrôle parental. Une autre hypothèse souvent avancée par les psychanalystes est que l'anorexie est une tentative inconsciente de la jeune fille de conserver un corps d'enfant. Cesser de s'alimenter lui permet de ralentir sa croissance,

et ainsi de demeurer prépubère et sexuellement indifférenciée. Le retard dans l'apparition des premières règles ou l'aménorrhée, conséquences de l'anorexie, permet à la jeune fille de rejeter sa maturation, sa féminité, sa sexualité et la maternité.

Par ailleurs, certains psychologues employant les approches néobehaviorale et cognitive soutiennent que l'anorexie est une phobie liée à la prise de poids. La peur irrationnelle de l'embonpoint pourrait révéler l'idéalisation culturelle de la minceur chez les femmes, qui ne tient pas compte de la diversité des formes féminines. Un tel idéal contribuerait à la déformation de l'image corporelle. La perte de poids constituerait dans cette perspective un renforcement important, parce qu'elle procure une impression de perfection et de contrôle sur soi (Vitousek et Manke, 1994). Notre société établit une corrélation entre la minceur féminine et la beauté. En Occident, les pressions culturelles pour entreprendre un régime amaigrissant sont très

fortes. Elles contribuent probablement au développement, et surtout au maintien, de conduites anorexiques. Les livres sur les régimes amaigrissants sont parmi les trois catégories de livres les plus demandées dans le marché de l'édition. La majorité des femmes suivront un régime à un moment de leur vie. Les familles d'où sont issues les jeunes filles anorexiques accordent habituellement beaucoup d'importance à la beauté et à la réussite. Afin de répondre aux attentes parentales et à celles de la société, la jeune fille tente donc de développer un corps «parfait».

Des recherches récentes ont également fait état de facteurs biologiques. On suppose que certains troubles de l'alimentation pourraient résulter d'une dysfonction de l'hypothalamus et d'un déséquilibre de certains neurotransmetteurs (Hardy-Baylé, 1994 ; Tamisier, 1999).

---

contre un, environ (American Psychiatric Association, 1996). Les détériorations physiques sont moins importantes que celles observées chez les personnes anorexiques, mais des lésions digestives sont fréquentes.

12.3.5 LES TROUBLES DE LA PERSONNALITÉ

Les **troubles de la personnalité** sont caractérisés par des modes de conduite «stables, permanents et inflexibles, provoquant un manque de souplesse dans les réponses de l'individu, dans son adaptation sociale et parfois une souffrance subjective» (Hardy-Baylé, 1994, p. 16). Ils nuisent à la personne elle-même ou aux autres. Il existe plusieurs troubles de la personnalité, dont quelques-uns sont décrits ici.

• LA PERSONNALITÉ ANTISOCIALE

La personne dotée d'une **personnalité antisociale** méprise et transgresse sans cesse les droits des autres, se montre indifférente aux normes et aux contraintes sociales, ce qui l'amène à entrer en conflit avec la loi et entraîne une inadaptation socioprofessionnelle. On parle parfois de **psychopathie** ou **sociopathie**. Cette personne ne parvient pas à maintenir longtemps des liens, qu'elle rompt facilement, alors que l'établissement de relations est facile pour elle, et ce, tant sur le plan professionnel que sur le plan affectif. De façon générale, elle est irresponsable et ment fréquemment dans le but de manipuler les autres. Ne tolérant pas l'ennui, elle peut consommer des drogues et manifester de l'intérêt pour la promiscuité sexuelle. Un des traits marquants de ce trouble est qu'il est rarement accompagné de culpabilité ou d'anxiété. Les punitions ne semblent pas modifier le comportement. Même si la personne a habituellement été punie par ses parents et par d'autres figures d'autorité pour ses méfaits dans son enfance, elle continue d'adopter des comportements antisociaux. La personne atteinte de ce trouble est cependant souvent charmante au premier abord et obtient des cotes se situant dans la moyenne, ou au-dessus, aux tests de quotient intellectuel (QI). Ce sont le plus souvent des hommes et leurs troubles apparaissent dans l'enfance ou à l'adolescence, et se poursuivent à l'âge adulte (American Psychiatric Association, 1996).

Troubles de la personnalité
Ensemble de troubles psychologiques caractérisés par une conduite stable et durable manquant de souplesse dans l'adaptation sociale et parfois liés à une souffrance subjective.

Personnalité antisociale (aussi appelée psychopathie ou sociopathie)
Type de trouble de la personnalité caractérisé par le mépris et la transgression des droits des autres, par une indifférence à l'égard des normes et des contraintes sociales, de même que par l'absence de sentiments de culpabilité.

MYTHE OU RÉALITÉ 6

Il est exact que certains individus, bien qu'ils soient parfois charmants, ne ressentent aucune culpabilité ni aucun remords après avoir commis des crimes comme un vol, un meurtre ou un viol. Il s'agit probablement d'individus à la personnalité antisociale.

• LA PERSONNALITÉ BORDERLINE OU LIMITE

Personnalité borderline (aussi appelée personnalité limite)
Trouble psychologique caractérisé par une instabilité des relations interpersonnelles, de l'image de soi et des émotions, et par une impulsivité marquée.

La **personnalité borderline** ou **personnalité limite** est caractérisée par une instabilité des relations interpersonnelles et de l'image de soi, ainsi que d'une impulsivité marquée. Cette instabilité se manifeste sur plusieurs plans et présente une grande variété de symptômes : angoisse constante mais diffuse, phobies surtout sociales, comportement hystérique, symptômes hypocondriaques et obsessionnels, vie sexuelle chaotique, mais, surtout, impulsivité, dépendance (envers une personne, une drogue ou une activité) et tendances au suicide. Ce type de trouble de la personnalité est associé à des relations affectives intenses, peu maîtrisables et marquées par l'absence de prise en considération des limites de soi et de l'autre. À la moindre frustration, la personne peut s'effondrer brutalement. La personnalité *borderline* manifeste aussi d'autres troubles tels que la dépression, un fort sentiment d'abandon et de solitude, et une colère intense ou un sentiment d'impuissance face à des séparations réelles ou imaginées. On y rencontre des épisodes marqués de confusion, de délires et de la **dépersonnalisation**. Le portrait clinique des états limites est si large que certains spécialistes ne croient pas qu'il s'agisse d'une catégorie à part, mais plutôt d'un mauvais diagnostic ou d'un ensemble de troubles psychologiques distincts chez une même personne (Caralp, 1999). Selon le DSM-IV, le diagnostic de la personnalité limite est plus souvent établi chez la femme.

Dépersonnalisation
Sentiment tenace de ne pas être réel ou d'être détaché de ses expériences ou de son corps.

• LA PERSONNALITÉ HISTRIONIQUE

Personnalité histrionique
Type de trouble de la personnalité caractérisé par des expressions émotives et une quête d'attention excessives, de même que par un désir inapproprié de séduction sexuelle.

La **personnalité histrionique** se définit par des expressions émotives et une quête d'attention excessives et envahissantes. Les scènes théâtrales et l'impulsivité sont fréquentes. Un comportement provocant et le désir inapproprié de séduction sexuelle en sont d'autres manifestations. Une telle personne dépense énormément de temps, d'énergie et d'argent pour son apparence. Une remarque négative sur son aspect ou une photo qu'elle juge peu flatteuse la blesse facilement. Elle est très suggestible, c'est-à-dire facilement influencée par les autres ou par les modes. Elle considère souvent à tort que ses relations sont plus intimes qu'elles ne le sont en réalité, qualifiant tout un chacun d'«ami très cher», par exemple. Ce diagnostic est plus fréquemment posé chez la femme que chez l'homme (Hardy-Baylé, 1994 ; American Psychiatric Association, 1996).

• LA PERSONNALITÉ NARCISSIQUE

Personnalité narcissique
Type de trouble de la personnalité caractérisé par le sentiment d'être grandiose, par le besoin d'être admiré et par l'absence d'empathie.

Selon le DSM-IV, les principales caractéristiques de la **personnalité narcissique** sont le sentiment d'être une personne grandiose, le besoin d'admiration et le manque d'empathie pour autrui. Une personne manifestant une personnalité narcissique surestime ses capacités et exagère ses réalisations, ce qui la rend vantarde et prétentieuse aux yeux des autres. Elle sous-estime et dévalorise implicitement la contribution des autres. Arrogante et hautaine, elle n'est préoccupée que par des fantasmes de succès, de puissance, d'éclat, de beauté ou d'amour idéal. Elle se croit supérieure, spéciale et unique. Elle considère ne pouvoir être comprise que par des personnes aussi exceptionnelles qu'elle. Cependant, son estime personnelle est fragile. Ses relations interpersonnelles sont perturbées, de même que son travail. Elle est sujette à la dépression et à la consommation de drogues. Ce trouble se présente surtout chez les hommes (American Psychiatric Association, 1996). Il est à noter que des traits narcissiques peuvent être très courants chez les adolescents sans nécessairement perdurer à l'âge adulte.

• LA PERSONNALITÉ DÉPENDANTE

Personnalité dépendante
Type de trouble de la personnalité caractérisé par un besoin envahissant et excessif d'être pris en charge, par la soumission et par une peur de la séparation.

Selon le DSM-IV, l'individu qui souffre d'une **personnalité dépendante** éprouve un besoin envahissant et excessif d'être pris en charge, ce qui en fait une personne soumise et «collante» qui vit la peur de la séparation. Parce qu'elle se croit incapable de fonctionner convenablement sans aide, elle cherche le soutien des autres. Elle éprouve beaucoup de mal à prendre des décisions par elle-même ; elle laisse les autres, souvent une personne en particulier, diriger sa vie et accepte de faire des sacrifices afin de leur plaire. Elle a de la difficulté à exprimer son désaccord ou sa colère par peur du rejet. Parce qu'il est largement tributaire des normes sociales, on doit évaluer ce trouble en portant une attention spéciale aux attentes du groupe socioculturel dans lequel la personne évolue et ce, en fonction de son âge, de son sexe, de son statut et de sa santé.

12.3.6 LES TROUBLES DISSOCIATIFS

Le DSM-IV énumère plusieurs **troubles dissociatifs**, le terme « dissociatif » sous-entendant une perte des fonctions normales d'intégration de l'identité, des souvenirs ou de la conscience. Ces perturbations peuvent être soudaines ou graduelles, temporaires ou chroniques. La présente section ne présente qu'un seul des troubles dissociatifs qu'on peut observer, à savoir le trouble dissociatif de l'identité.

• LE TROUBLE DISSOCIATIF DE L'IDENTITÉ

Le **trouble dissociatif de l'identité** correspond à ce qu'on appelait auparavant **personnalité multiple**. Ce trouble psychologique est caractérisé par la présence de deux identités ou plus chez une même personne, identités qui prennent tour à tour le contrôle de ses conduites et pensées dans des circonstances particulières. Ce désordre reflète une incapacité à intégrer différents aspects de l'identité, de la mémoire et de la conscience. Chaque personnalité a son histoire personnelle, son image de soi et son nom. Habituellement, l'identité primaire (celle qui porte le vrai nom de la personne), ressent de la culpabilité, est dépendante, passive et dépressive. Les autres personnalités alternent et possèdent chacune leurs propres caractéristiques (sexe, âge, culture générale, tempérament et autres). Dans la plupart des cas, les différentes personnalités ne sont pas conscientes de l'existence des autres (Hardy-Baylé, 1994). De la même façon, la personne est incapable d'évoquer certains événements importants qu'elle a vécus. Ce diagnostic est plus fréquent chez les femmes, chez les personnes qui ont été victimes d'agressions sexuelles et chez des personnes que l'on peut facilement hypnotiser. Il est cependant à noter qu'en raison de la difficulté de diagnostiquer ce trouble, certains considèrent qu'il n'existe tout simplement pas : l'encadré 12.6 présente quelques éléments de réflexion concernant de débat.

Troubles dissociatifs
Ensemble de troubles psychologiques caractérisés par une perte des fonctions normales d'intégration de l'identité, des souvenirs ou de la conscience.

Trouble dissociatif de l'identité (aussi appelé personnalité multiple)
Trouble caractérisé par l'existence, chez un même individu, de deux ou de plusieurs personnalités distinctes contrôlant à tour de rôle ses comportements et ses pensées.

> **MYTHE OU RÉALITÉ 7**
>
> ● *Il est vrai qu'il existe un débat parmi les spécialistes, à savoir si des gens peuvent vraiment posséder de multiples personnalités bien distinctes, c'est-à-dire souffrir d'un trouble dissociatif de l'identité.*

ENCADRÉ 12.6

La personnalité multiple : vérité ou mensonge ?

APPROFONDISSEMENT

Le trouble dissociatif de l'identité fait l'objet d'une vive controverse entre les spécialistes. Dans le DSM-III (American Psychiatric Association, 1980), on faisait à peine mention des troubles de la « personnalité multiple », que l'on qualifiait d'extrêmement rares. Depuis 1987, ce type de trouble porte maintenant le nom de « trouble dissociatif de l'identité » et est abondamment décrit dans les ouvrages. Comment expliquer cette évolution ? Aux États-Unis,

où l'on élabore le DSM, plusieurs chercheurs et le public se sont passionnés pour l'étude d'enfants martyrs, en particulier celle d'enfants victimes de violence sexuelle. Ce phénomène a mené certains chercheurs à affirmer que les troubles dissociatifs de l'identité ne sont pas aussi rares qu'on pourrait le penser. Une enquête effectuée auprès de 450 psychothérapeutes américains fait état de 355 personnes présentant des personnalités multiples, dont 98 % disaient

avoir été victimes de violence durant l'enfance (Schultz, 1986, voir Viard, 1994). Certaines personnes affirment que les professionnels posent trop facilement ce diagnostic. D'autres vont même jusqu'à affirmer qu'aucun véritable cas n'aurait été clairement observé, alléguant que l'aspect spectaculaire de ce trouble et la suggestibilité des patients indiquent qu'il s'agit de simulations plutôt que de problèmes réels.

12.3.7 LA SCHIZOPHRÉNIE

Schizophrénie

Trouble caractérisé par les symptômes suivants : des idées délirantes ; des hallucinations ; un discours désorganisé ; un comportement moteur désorganisé et des réactions émotionnelles inappropriées, entraînant une rupture plus ou moins marquée du contact avec le monde extérieur.

La **schizophrénie** est souvent perçue comme la pire forme de troubles psychologiques. Elle se caractérise par les symptômes suivants : des idées délirantes ; des hallucinations ; un discours désorganisé ; un comportement moteur désorganisé et des réactions émotionnelles inappropriées.

La personne aux prises avec une schizophrénie présente fréquemment des idées délirantes qui ont tendance à être inébranlables, en dépit de démonstrations les infirmant. Parmi les types d'idées délirantes, il y a le délire de grandeur (ou mégalomanie) dans lequel la personne croit posséder des dons et des possibilités supérieures à celle du commun des mortels. Un individu peut se prendre pour Jésus, se croire investi d'une mission spéciale ou élaborer des plans grandioses pour sauver l'humanité. Une autre personne, aux prises avec un délire de persécution, peut avoir la conviction qu'on lui veut du mal. La jalousie, l'hypocondrie et l'égocentrisme sont d'autres types possibles de thèmes délirants. Plus le délire est investi par la personne, plus il la fera agir. Par exemple, le délire de jalousie peut mener un homme à tuer son épouse.

FIGURE 12.6 LA SCHIZOPHRÉNIE

Certaines personnes souffrant de schizophrénie peuvent devenir catatoniques et maintenir une même position pendant des heures.

La personne souffrant de schizophrénie est souvent victime d'hallucinations, c'est-à-dire qu'elle a des perceptions en l'absence de stimulation externe. Cette personne ne peut pas différencier la réalité des hallucinations. Elle peut voir, par exemple, des couleurs ou des mots obscènes flotter dans les airs. Cependant, les hallucinations auditives sont les plus courantes.

La schizophrénie est également caractérisée par une pensée illogique qui se révèle dans un langage désorganisé. L'élocution peut être embrouillée, combinant des parties de mots ou agençant des rimes sans signification. La personne souffrant de ce trouble peut sauter d'un sujet à l'autre rendant son discours non pertinent. En période de crise, elle n'est habituellement pas consciente de l'anormalité de ses pensées et de ses comportements. Cependant, elle éprouve parfois des moments de lucidité au cours desquels elle se rend compte du caractère profondément étrange de sa conduite. Son angoisse est alors intense et source d'une grande souffrance.

Catatonie

État caractérisé par de l'inertie motrice et de l'insensibilité profondes.

L'activité motrice de la personne peut se déchaîner jusqu'à l'excitation ou elle peut, au contraire, ralentir jusqu'à la **catatonie**. La figure 12.6 montre comment une personne peut par exemple adopter une position semblable à celle d'un fœtus pendant des heures. On peut également observer des gestes étranges et des expressions faciales bizarres.

 MYTHE OU RÉALITÉ 8

● *Il est exact qu'une personne souffrant de schizophrénie peut demeurer immobile pendant des heures, sans réagir à quelque stimuli que ce soit : elle est alors dans un état de catatonie.*

Sur le plan émotionnel, la personne schizophrène a des réactions inappropriées par rapport à la situation dans laquelle elle se trouve : elle peut se mettre à rire à la suite d'une parole qui n'a rien d'amusant ou se mettre à pleurer à la suite d'une phrase toute banale. La réaction émotive peut être terne ou brusque, inappropriée et ambivalente.

Autisme

Repli sur soi, prédominance de la vie intérieure et perte de contact avec la réalité extérieure.

Enfin, la personne peut chercher à s'isoler des contacts sociaux et à se replier sur elle-même manifestant ainsi une forme d'**autisme.** Elle devient alors complètement absorbée par ses

ENCADRÉ 12.7
Le pour et le contre des médicaments dans le traitement des problèmes psychologiques

Au cours de la décennie 1950-1960, des chercheurs ont découvert les psychotropes, médicaments dont les effets sur certains symptômes psychologiques sont probants et spectaculaires (Bert, 1994a). Les délires, les hallucinations et les émotions sont contrôlés par l'action des molécules chimiques sur les neurotransmetteurs. Un tel effet prouve que l'aspect biologique influe sur les troubles psychologiques. Néanmoins, les médicaments ne guérissent pas : ils font disparaître certains symptômes, mais les difficultés ne sont pas résolues pour autant. De plus, le mode d'action des médicaments n'est pas tout à fait bien compris. Des questions se posent toujours : les dérèglements neurologiques sont-ils la cause du trouble psychologique ou sa conséquence ?

Un médicament n'agit que sur le symptôme ; pour procurer un soulagement durable à la personne, il faut trouver la raison du symptôme (Zarifian, voir Bert, 1994b). La souffrance n'est pas une maladie, mais une réaction profondément humaine qui peut

devenir la source d'un changement personnel. Si, par la médication, on étouffe la souffrance, on nuit à l'évolution de la personne, car celle-ci se trouve coupée de ses émotions. Elle ne communique plus sa détresse et ne cherche pas à obtenir un réel soutien psychologique basé sur l'écoute et la reconnaissance que la vie est parfois insupportable.

Par ailleurs, bien que l'implication de la biologie soit claire, ce qui l'est moins, c'est dans quelle mesure les perturbations biologiques associées aux troubles mentaux sont dues à des facteurs héréditaires ou à des facteurs environnementaux. Il apparaît en effet que l'hérédité ne puisse à elle seule expliquer l'apparition d'un trouble psychologique, même dans les cas de troubles bipolaires et de schizophrénie, dans lesquels les facteurs génétiques sont les plus susceptibles de jouer un rôle. Si c'était le cas, un jumeau identique devrait toujours présenter le même trouble que son frère ou sa sœur. Or, les recherches démontrent que ce n'est pas le

cas, soulignant du même coup l'importance de facteurs non génétiques dans l'apparition de ce type de troubles (Hardy-Baylé, 1994).

Aujourd'hui, les traitements biologiques et psychologiques ne sont plus considérés comme contradictoires, mais comme complémentaires. Ils sont dans plusieurs cas utilisés conjointement ou successivement dans le traitement d'un patient, qui sera suivi par plusieurs spécialistes (psychiatre, psychologue, psychanalyste, etc. ; Hardy-Baylé, 1994). Prendre des médicaments peut conduire à négliger la cause de la souffrance ; mais cela permet néanmoins de soulager temporairement le patient en crise et de diminuer le risque de suicide. C'est pourquoi les médicaments ne doivent pas être considérés comme la seule solution définitive à un trouble psychologique, mais plutôt comme un complément au traitement psychologique. À cet effet, comme les psychothérapies, les médicaments ne sont pas des « pilules miracles ».

---

pensées et ses fantasmes. En somme, un dénominateur commun qui ressort du trouble lié à la schizophrénie traduit une perte de contact plus ou moins marquée avec le monde extérieur.

La schizophrénie affecte donc tous les aspects de la vie de la personne qui en souffre. Elle apparaît le plus souvent à la fin de l'adolescence ou au début de l'âge adulte (Caralp, 1999 ; American Psychiatric Association, 1996) et touche environ 1 % de la population mondiale (American Psychiatric Association, 1996).

Les poèmes écrits par Nelligan, de même que certains témoignages obtenus auprès de personnes qui l'ont côtoyé, font état d'une humeur dépressive. Sa tristesse semble réelle. Plusieurs biographes le décrivent comme étant malade, tiraillé par des humeurs taciturnes, mais aussi colérique. Certains affirment qu'il délirait et était confus. Une fois de plus, poser un diagnostic est malaisé. Il est néanmoins possible de spéculer que Nelligan souffrait peut-être d'une dépression majeure avec des symptômes liés à certains aspects de la schizophrénie.

ÉCLAIRCISSEMENT DE L'AMORCE

12.4 LES PSYCHOTHÉRAPIES

On distingue deux grandes approches dans la façon de traiter les différents troubles psychologiques. On a d'abord l'approche médicale, basée sur la conception que, d'une part, les troubles psychologiques sont le résultat de dysfonctions biologiques des neurotransmetteurs ou des hormones et que, d'autre part, ces troubles peuvent être traités, entre autres, par des médicaments agissant sur les systèmes nerveux ou hormonaux. Les différentes formes de traitements qui découlent de cette approche sont dites **thérapies médicales**. Il est à souligner que l'emploi de médicaments peut se prêter à des abus et qu'on doit demeurer prudent dans leur utilisation, comme l'explique l'encadré 12.7.

À la différence des thérapies médicales, les psychothérapies visent à traiter un problème ou un trouble de comportement au moyen de techniques psychologiques agissant au niveau de la parole, du comportement et de la relation entre la personne et son environnement. Il y a lieu de préciser ici que, même si les différentes formes de psychothérapies ont d'abord été

Thérapie médicale
Toute thérapie visant à traiter un problème ou un trouble de comportement au moyen de techniques médicales telles que l'administration de médicaments ou encore l'intervention directe sur le système nerveux ou le système hormonal.

développées pour traiter des problèmes de comportement constituant des troubles psychologiques en tant que tels, leur utilisation est aujourd'hui plus large. Ainsi, une personne peut consulter un psychologue et entreprendre une psychothérapie parce qu'elle éprouve des difficultés d'adaptation à une nouvelle situation (changement professionnel, familial, physique, etc.) ou pour surmonter des problèmes comme la timidité, le manque de confiance en soi, les problèmes d'ordre sexuel, les difficultés d'orientation professionnelle, etc. Au contraire, cela peut aider le client à comprendre ce qui en lui-même a fait naître chez son analyste (et chez d'autres personnes) de tels sentiments.

Étiologie
Étude des causes des maladies.

La forme de psychothérapie utilisée par un psychologue est intimement liée à la conception qu'il se fait de la personne, du symptôme et de son **étiologie**. Il existe donc plusieurs types de psychothérapies selon l'approche dont elles s'inspirent. Nous les regrouperons ici sous les grandes catégories suivantes : les thérapies psychanalytiques et l'antipsychiatrie, les thérapies behaviorales et néobehaviorales, la gestalt-thérapie, la thérapie centrée sur la personne, la thérapie émotivo-rationnelle, les thérapies d'orientation systémique/interactionnelle et l'antipsychiatrie.

12.4.1 LES THÉRAPIES PSYCHANALYTIQUES

On regroupe dans cette catégorie les thérapies s'inspirant à des degrés divers de l'approche psychanalytique mise de l'avant par Freud. Nous présenterons ici la psychanalyse freudienne et quelques autres thérapies qui s'en sont inspirées.

• LA PSYCHANALYSE FREUDIENNE

FIGURE 12.7 LE BUREAU DE CONSULTATION DE FREUD, À VIENNE

Freud s'assoyait dans la chaise à la tête du divan, alors que le client allongé s'exprimait librement.

Dans son bureau, montré à la figure 12.7, Freud (1933, 1985, 1993) découvre que les symptômes sont sensibles à la parole, c'est-à-dire qu'ils se modifient selon ce qui est dit par la personne. Freud est d'ailleurs l'instigateur de la psychothérapie, car c'est lui qui a proposé le premier la cure par la parole, alors que sa formation médicale le conduisait à prescrire des modes thérapeutiques tout à fait différents. La psychanalyse met l'accent sur l'importance de l'écoute de la souffrance lors de rencontres en terrain neutre où le psychanalyste n'est pas là pour juger ni conseiller. Elle ne cherche pas à faire taire le symptôme, mais vise plutôt l'acceptation de la souffrance et du sentiment de manque qui lui est rattaché. La psychanalyse ne promet rien. Chacun y fait sa propre démarche et personne ne peut anticiper le résultat. Parfois, elle permet à la personne de trouver la force de faire face à sa vie, de la changer, de savoir quoi en faire. Parfois, elle restaure la capacité d'aimer et de travailler. «Au-delà de la guérison, la cure psychanalytique doit, selon Freud, viser la responsabilité et le choix de la personne [...]» (Alberti et Sauret, 1996, p. 45).

Catharsis
Décharge émotionnelle permettant de se libérer des expériences traumatiques.

La psychanalyse cherche à remonter jusqu'à la cause du malaise, à savoir les fantasmes (les histoires imaginées par la personne et animées par son désir). Elle vise à mettre en mots les fantasmes afin que la personne n'en soit plus victime et qu'elle ne les répète plus. La **catharsis** fait partie de cette démarche. Il s'agit d'une décharge émotionnelle permettant à la personne de se libérer de ses blessures psychologiques. Elle procure un sentiment de soulagement en apaisant quelques-unes des forces agressant le moi. La personne, par le langage et la réactivation de certains sentiments et de certaines émotions, déchiffre un événement qu'elle ignorait, en amenant une part de son inconscient à la conscience. Il ne s'agit pas pour la personne de devenir consciente de tous ses conflits et de toutes ses pulsions. La cure analytique, c'est-à-dire la thérapie telle que conduite selon l'approche psychanalytique, vise plutôt, en prenant appui sur le langage, à créer un espace de réflexion, une décentration qui pourra éventuellement permettre à la personne d'être moins prise dans la répétition de ses réactions défensives.

Une neutralité bienveillante qualifie l'attitude du psychanalyste. Elle favorise l'émergence de la parole de la personne. Le psychanalyste ne prend pas position, il refuse de prendre parti dans le conflit éprouvé par la personne : ni dans le sens d'un renforcement du moi ni dans le sens d'un renforcement de la libido (Capdeville et Doucet, 1999). Afin de favoriser cette absence de parti pris, les psychanalystes doivent eux-mêmes avoir suivi une cure psychanalytique.

Après avoir constaté que le matériel inconscient dévoilé sous hypnose est souvent refoulé de nouveau lorsque la personne est consciente, Freud opte alors pour la libre association, et c'est cette dernière technique qu'il utilise par la suite. Cette méthode plus graduelle permet de briser le mur de défense qui empêche la compréhension des mécanismes inconscients. Le psychanalyste prend au sérieux tout ce que son client dit, en faisant le pari qu'une vérité s'échappera de sa parole : celle du désir inconscient (Alberti et Sauret, 1996). Au cours d'un exercice de libre association, le client est allongé sur un divan et peut aborder tout sujet qui lui vient à l'esprit. Aucune pensée n'est censurée ; c'est la règle d'or. Selon les psychanalystes, les pulsions refoulées font toujours pression pour être exprimées. Un client peut commencer à associer librement des sujets sans signification, mais du matériel refoulé fait surface, tôt ou tard.

 MYTHE OU RÉALITÉ 9

● *Il est vrai qu'au cours d'une cure psychanalytique, la règle d'or est que la personne doit dire tout ce qui lui traverse l'esprit. C'est la méthode de la libre association.*

Cependant, le moi persiste à essayer d'esquiver les pulsions inacceptables et les conflits menaçants. Le même refoulement qui maintient ces pensées hors du champ de la conscience provoque une **résistance**, le désir d'éviter d'y penser ou d'en discuter. C'est pourquoi la personne en analyse peut accuser l'analyste (c'est-à-dire le psychothérapeute d'allégeance psychanalytique) d'être incompétent ou de ne pas vouloir l'aider. Elle peut « oublier » son rendez-vous lorsque le thème menaçant est sur le point d'être révélé. C'est à cause de ces réactions défensives de refoulement et de résistance qu'une psychanalyse se déroule habituellement sur une longue période, à savoir au moins deux à trois ans.

Résistance
Tendance à faire obstacle au déroulement du traitement psychanalytique, notamment en empêchant la libre expression de contenus inconscients refoulés.

L'analyste observe la lutte dynamique entre le désir d'expression et la résistance. Par des remarques discrètes, il fait subtilement pencher la balance en faveur de l'expression. Un processus graduel de prise de conscience s'ensuit. De temps à autre, l'analyste offre une interprétation des propos exprimés, en signalant la voie des résistances ou celle des sentiments et des conflits refoulés.

Le divan, de même que l'attitude du psychanalyste et de son client, sont typiques à la psychanalyse freudienne. Les tenants de ce type de thérapie croient que le divan facilite la relaxation, ce qui permet l'abandon des censures. Le psychanalyste s'assoit hors de la vue de son client afin que ce dernier oublie le regard posé sur lui. Le patient s'adresse au clinicien parce qu'il l'estime susceptible de savoir interpréter le symptôme. C'est dans cette supposition du savoir, dans cette croyance, que se situe le point de départ du **transfert**. Pour Freud, nous supposons tous qu'il existe une personne ou une entité qui possède la réponse aux questions que nous nous posons et qui sait ce qui nous fait souffrir. Nous aimons cette personne ou cette entité et lui faisons confiance. Le transfert est un déplacement d'un sentiment, dans ce cas-ci de l'amour, vers une personne « supposée savoir ». Par contre, si nous avons l'impression que cette personne abuse du pouvoir qu'on lui accorde, alors des sentiments négatifs surgissent. Tant dans le cas d'émotions positives que négatives, des modes de relations infantiles établis antérieurement avec d'autres personnes sont réactivés avec un fort sentiment d'actualité. Par cette répétition, il y a ouverture sur l'inconscient. Si le transfert est analysé, il peut être liquidé et ne plus déterminer les réactions de la personne face aux gens qu'elle côtoie. Car, selon les psychanalystes, le transfert n'est pas un mode de relation exclusif à l'analyse ; il s'opère dans toutes nos relations, avec notre amoureux, notre employeur, nos amis, nos professeurs, nos élèves, etc.

Transfert
Processus clé de la psychanalyse par lequel les désirs inconscients de la personne sont déplacés vers son thérapeute.

Contre-transfert
Ensemble des manifestations de l'inconscient du psychanalyste en relation avec celles du transfert de son client.

Freud découvre que le transfert n'est pas une voie à sens unique. Le thérapeute transfère aussi ses propres sentiments à ses clients. Il s'agit d'un **contre-transfert**. Si le psychanalyste est en mesure de l'analyser, ce phénomène n'empêchera pas son client de poursuivre sa démarche. Au contraire, cela peut l'aider à comprendre ce qui a fait naître en lui de tels sentiments chez son analyste, et même souvent chez d'autres personnes.

À travers leur propre psychanalyse, les psychanalystes apprennent à demeurer neutres dans leur attitude personnelle. De cette façon, ils cherchent à diminuer le transfert de leurs clients et leurs propres réactions de contre-transfert. Ainsi, lorsque le client adopte une attitude accusatrice, séductrice ou suppliante envers l'analyste, il ne répond pas à ces expressions, sachant qu'elles ne sont pas dirigées vers lui, mais qu'elles sont déplacées sur lui. L'analyste représente une autre personne : la mère, le père, le frère, l'amoureux, etc. Comme c'est le cas pour tout ce que manifeste le client, l'analyste tente de lire le message sous-jacent et la dynamique inconsciente sous-jacente au transfert. Cette démarche est utilisée pour interpréter les sentiments afin de pénétrer un peu plus le noyau de la personne. Cependant, on doit compter parfois des mois, voire des années, pour que le transfert se développe pleinement, puis soit résolu. C'est une autre raison qui explique que la psychanalyse est un long processus.

Comme nous l'avons souligné au chapitre 4, les rêves sont interprétés par les psychanalystes comme l'expression de l'inconscient. À l'aide de la libre association, leur contenu est analysé afin d'y découvrir la source des blocages psychiques qui nuisent au fonctionnement de la personne. Les actes manqués, les lapsus, les symptômes physiques et psychologiques sont interprétés de la même façon. Toutes ces manifestations peuvent donner accès au refoulé, qui cherche toujours à s'exprimer. Par les mots, les maux disparaissent.

• QUELQUES AUTRES THÉRAPIES DE TYPE PSYCHANALYTIQUE

Telles qu'elles sont présentées dans les chapitres 1 et 11, d'autres approches psychanalytiques plus ou moins éloignées du modèle freudien existent. Sans présenter les détails de ces distinctions, on peut en observer quelques éléments.

D'une part, le divan est moins utilisé, le face à face étant plus fréquent et, d'autre part, le nombre de séances est souvent diminué alors que, dans la psychanalyse freudienne, trois rencontres et plus par semaine sont prévues afin d'éviter que les résistances du moi ne se rétablissent et n'enfouissent de nouveau le matériel à peine découvert. Une autre différence notable consiste en l'importance accordée au moi. Les psychanalystes freudiens demeurent neutres et ne cherchent pas à renforcer le moi conscient de leurs clients. Les tenants de la psychologie du moi ou du soi (*ego psychology*) tel Erikson mettent davantage l'accent sur l'influence de la culture et accordent la prévalence à l'adaptation qui s'effectue grâce aux mécanismes de défense du moi. En thérapie, ces spécialistes cherchent donc à faciliter l'adaptation du moi aux exigences sociétales. Dans cette optique, ils interviennent et dirigent davantage leurs clients que le font les psychanalystes freudiens.

12.4.2 LES THÉRAPIES BEHAVIORALES ET NÉOBEHAVIORALES

Les thérapies behaviorales (également appelées thérapies comportementales) et néobehaviorales sont fondées sur la conception que les troubles psychologiques et les comportements inadaptés sont des phénomènes acquis : ils peuvent donc être désappris. Le symptôme est considéré comme le résultat d'un mauvais apprentissage que le traitement vise à corriger et à remplacer par de nouvelles habiletés mieux adaptées.

Dans ce type de thérapie, les objectifs poursuivis occupent une place importante, le client choisissant les buts qu'il veut atteindre. Avec l'aide du psychologue, ceux-ci sont clairement définis afin de pouvoir évaluer les résultats au cours du traitement. La verbalisation des buts n'est cependant pas suffisante. L'atteinte des comportements appropriés est la condition nécessaire pour affirmer que la thérapie est terminée. Le cadre thérapeutique est bien défini, ce qui rassure plusieurs clients. La participation active du client est néanmoins fondamentale au bon fonctionnement de la psychothérapie.

Les thérapeutes qui adoptent ce type de thérapie insistent sur la démonstration expérimentale de leurs méthodes et l'évaluation des résultats thérapeutiques en fonction des comportements observables et mesurables. Ils sont actifs et directifs dans le traitement de leurs clients, les orientant et les aidant à atteindre leurs buts en appliquant les principes du conditionnement développés par Pavlov, Watson et Skinner (Wolpe et Plaud, 1997). On distingue ici plusieurs procédés thérapeutiques, dont la désensibilisation systématique, le conditionnement aversif, le système de jetons, le façonnement de comportements, l'apprentissage par rétroaction biologique ainsi que la présentation de modèles. Les six premières formes de thérapie s'inscrivent dans l'approche behavioriste ; la dernière, dans l'approche néobehavioriste.

• LA DÉSENSIBILISATION SYSTÉMATIQUE

Pour présenter cette technique, prenons l'exemple d'une personne qui a la phobie des injections. Son thérapeute l'invite à s'installer confortablement et il l'amène à se détendre complètement. Une fois en état de profonde relaxation musculaire, la personne observe des diapositives projetées sur un écran. L'image d'une infirmière tenant une seringue est projetée pendant 30 secondes, à trois reprises. Lors de ces trois visionnements, l'individu ne manifeste aucun signe d'anxiété. Puis, une diapositive plus frappante est projetée : une infirmière approche une seringue vers le bras d'une personne. Après 15 secondes, le client ressent un certain inconfort et lève un doigt pour l'indiquer (parler pourrait déranger sa relaxation). Le thérapeute éteint la lumière et le client prend deux minutes pour se détendre et imaginer sa « scène sécuritaire », comme être allongé sur une plage ensoleillée. Puis la diapositive est présentée de nouveau mais, cette fois, pendant 30 secondes avant que le client se sente à nouveau anxieux.

Cet individu suit une thérapie de **désensibilisation systématique**, méthode visant à réduire les réactions phobiques élaborée par le psychiatre Joseph Wolpe (1958, 1973). La désensibilisation systématique est un processus graduel. Les clients apprennent à tolérer des stimuli de plus en plus dérangeants. À l'anxiété générée par ces stimuli on associe un état de relaxation profonde qui vise à la chasser. La méthode classique de relaxation mise au point par Jacobson (1938) consiste en la contraction des muscles du corps dans un premier temps puis, dans un second temps, au relâchement musculaire, accompagné d'une respiration profonde et régulière. Ainsi, de 10 à 20 stimuli sont présentés au client, du moins anxiogène au plus anxiogène. Par l'imagination ou par des photos, le client franchit progressivement la gradation des stimuli pour se rapprocher du comportement attendu. Dans le cas de l'individu mentionné plus haut, le comportement ciblé visait la capacité à recevoir une injection sans trop ressentir d'anxiété.

• LE CONDITIONNEMENT AVERSIF

Le film *L'orange mécanique*, de Stanley Kubrick, sorti sur les écrans en 1971, met en scène Alex, qu'on voit à la figure 12.8, le personnage principal, qui recherche le viol et d'autres formes de violence comme divertissement. Lorsqu'il est finalement arrêté, on lui offre la possibilité de suivre un programme de reconditionnement expérimental plutôt que l'emprisonnement. Au cours

Désensibilisation systématique
Thérapie behaviorale visant à atténuer les peurs en associant une hiérarchie d'images de stimuli anxiogènes à une profonde relaxation musculaire.

FIGURE 12.8 UNE ILLUSTRATION FICTIVE DU CONDITIONNEMENT AVERSIF

Dans le film *L'orange mécanique*, de Stanley Kubrick, Alex vomit en visionnant des films de violence, car on lui a administré un médicament provoquant la nausée.

de ce programme, il visionne des films de violence qui le font vomir, parce qu'il a absorbé un médicament provoquant des vomissements. Le but du traitement est qu'Alex se sente malade toutes les fois où il songe à la violence.

Alex suit un programme de **conditionnement aversif**, qui consiste à infliger à la personne des stimuli douloureux ou répugnants (donc aversifs) qu'elle associera à des conduites répréhensibles, comme fumer une cigarette ou adopter un comportement antisocial, dans le but de les rendre indésirables. Par exemple, pour aider les gens à régler leur problème d'abus d'alcool, le goût de différentes boissons alcooliques pourra être associé à un médicament provoquant la nausée ou encore à la décharge d'un choc électrique. Il importe de souligner que cette méthode n'est pratiquement jamais employée, sauf dans des cas extrêmes et avec le consentement des personnes en cause.

• LE SYSTÈME DE JETONS

Certains hôpitaux psychiatriques ont mis sur pied un système de jetons que le patient doit employer pour «s'acheter» des heures d'écoute télévisée, des visites supplémentaires à la cantine ou une chambre privée (Nevid et autres, 1997). Les jetons servent de renforçateurs secondaires pour des comportements attendus comme faire son lit, se brosser les dents et établir des rapports sociaux. Le patient peut par la suite échanger ses jetons contre des renforçateurs primaires de son choix (chocolat ou film, par exemple). Les thérapeutes behavioristes ont utilisé ce système de jetons tant auprès de clients psychotiques qu'auprès de clients présentant des troubles plus légers. Le système a même été utilisé dans des programmes conçus pour modifier la conduite d'enfants aux prises avec des problèmes de comportement. On donne des jetons aux enfants lorsqu'ils émettent des comportements qu'on attend d'eux, et ils peuvent par la suite les échanger contre des récompenses qu'ils choisissent eux-mêmes.

• LE FAÇONNEMENT DE COMPORTEMENT

La technique du façonnement que nous avons vue quand il a été question de conditionnement opérant est également employée en psychothérapie pour aider les clients à acquérir de bonnes habitudes. Par exemple, une jeune fille souffrant d'anorexie pourra obtenir la permission de regarder 15 minutes de télévision pour chaque quartier d'orange qu'elle mange. Au lieu d'essayer d'augmenter sa consommation de nourriture en une seule fois, on le fait progressivement par des renforcements adaptés à sa capacité à ingérer de plus grandes quantités de calories.

• L'APPRENTISSAGE PAR RÉTROACTION BIOLOGIQUE

Comme l'illustre la figure 12.9, l'**apprentissage par rétroaction biologique** aide les personnes à devenir plus conscientes de leurs fonctions corporelles ou à mieux les contrôler au moyen d'un appareil émettant un signal sonore ou lumineux et mesurant certaines réactions physiques. Il s'agit d'une application particulière du conditionnement opérant dans laquelle le signal fourni par l'appareil agit à titre d'agent de renforcement. En devenant ainsi conscient de leur rythme cardiaque, de leur tension musculaire, de leur pression sanguine et même de leurs ondes cérébrales, les personnes stressées peuvent apprendre à les maîtriser et ainsi arriver à diminuer leurs symptômes, et même à les faire disparaître. La rétroaction biologique est principalement utilisée auprès de personnes souffrant de troubles anxieux ou psychosomatiques.

• LA PRÉSENTATION DE MODÈLES

La présentation de modèles est issue du néobehaviorisme qui, comme on l'a vu, met l'accent sur des processus cognitifs impliqués dans le comportement. Elle repose sur l'apprentissage par l'observation; le client observe, puis imite des modèles, c'est-à-dire des gens qui affichent les comportements que lui-même désire adopter. Le thérapeute peut être ce modèle. Le client constate chez le modèle une réponse plus positive et plus appropriée que la sienne. Dans le cas d'une phobie, par exemple, il comprend que le modèle ne subit pas les conséquences désagréables associées à la situation problématique. Le modèle donne aussi des stratégies ou des façons d'affronter une situation.

Conditionnement aversif
Thérapie behaviorale qui consiste à inhiber des conduites indésirables en les associant à des stimuli répulsifs.

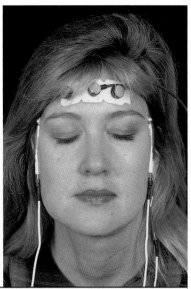

FIGURE 12.9   L'APPRENTISSAGE PAR RÉTROACTION BIOLOGIQUE

Grâce à cette technique, des gens souffrant de troubles anxieux ont réussi à contrôler leur rythme cardiaque, leur tension musculaire, leur pression sanguine et même leurs ondes cérébrales.

Apprentissage par rétroaction biologique
Traduction du terme anglais *biofeedback training*. Apprentissage de la maîtrise de certaines fonctions corporelles grâce à la transmission d'informations sur ces dernières (rythme cardiaque et ondes cérébrales, par exemple).

MYTHE OU RÉALITÉ 10

● *Il est vrai que l'on peut aider une personne qui a une phobie des chiens en lui montrant un individu qui sourit et qui demeure calme pendant qu'il en caresse un. C'est la technique de présentation de modèles utilisée en thérapie néobehaviorale.*

12.4.3 LA GESTALT-THÉRAPIE

La thérapie de la gestalt, principalement élaborée par Frederick Perls, cherche à amener le client à passer d'une dépendance à l'égard de son entourage à sa propre autonomie (Perls et autres, 1951; Perls, 1971, 1973). Il s'agit de lui faire découvrir tout ce qu'il peut réaliser et qu'il est capable d'assumer la responsabilité de ses actes. La gestalt-thérapie s'efforce aussi de changer chez le client la récurrence des rôles stéréotypés afin qu'il puisse réinventer sa vie. Le but de la thérapie ne vise pas l'adaptation à la société, laquelle, d'après Perls, est malsaine, mais plutôt la recherche du centre intérieur dans l'instant présent. La conscience est perçue comme curative par elle-même. Par la conscience, la personne a la capacité d'affronter et d'accepter les parties conflictuelles de son être pour entrer en contact avec ses affaires non liquidées et avec la réalité. En somme, la personne doit tenter d'unifier les perceptions liées à sa personnalité, c'est-à-dire la façon dont elle se perçoit, la façon dont les autres la perçoivent et la façon dont elle pense que les autres la perçoivent. Lorsque cette unification est réalisée, la personne se sent intégrée et complète.

Le rôle du thérapeute est de porter attention aux sentiments, au moment présent, au langage corporel, de même qu'aux blocages de la conscience. Son attitude est à la fois confrontante et douce lorsqu'il invite son client à examiner ses comportements et ses pensées. Il tente de rétablir l'unité de la conscience en dévoilant les affaires non liquidées qu'elle porte. Lorsque le client affronte ses blocages, l'anxiété se transforme en excitation. En affrontant seul ses frustrations, le client se rend compte qu'il n'a plus besoin de son thérapeute.

Par ailleurs, Perls croit que le corps trahit des sentiments cachés par les mots et dont la personne n'a pas conscience. Le thérapeute gestaltiste se dégage du langage verbal pour se concentrer sur le langage du corps, c'est-à-dire les intonations, les gestes, la posture et les expressions faciales. Par exemple, il pourrait demander à son client : «Si vos mains pouvaient parler, que diraient-elles en ce moment?» Le but est de permettre la prise de conscience des émotions que la personne éprouve au moment présent plutôt que leur intellectualisation. Le thérapeute s'attarde particulièrement aux incongruités observées entre ce que la personne dit et ce que son corps exprime.

Même si les conceptions de Perls au sujet des éléments conflictuels sont très redevables à la théorie psychanalytique, cette forme de thérapie, contrairement à la psychanalyse, s'inscrit dans le présent du client. Dans la thérapie de la gestalt, les clients effectuent des exercices pour accentuer leur sensibilité face au comportement et aux sentiments actuels, plutôt que d'explorer le passé.

Pour guérir, le patient doit vivre, sous la forme d'un **psychodrame**, les conflits qu'il éprouve. Il joue seul, en mimant successivement les différents rôles de sa situation conflictuelle. Une autre des techniques de la gestalt-thérapie s'effectue en groupe. Chaque personne doit prendre la parole ou réaliser quelque chose avec chacun des membres du groupe. Le but de l'exercice est la confrontation, le risque et le dévoilement du client par l'expérimentation d'un nouveau comportement qui ouvre la porte à la croissance et au changement. Perls a mis au point plusieurs autres techniques ayant pour but de faire émerger l'expression des affaires non liquidées et visant l'unification de la personne, ainsi que, éventuellement, la naissance d'un sentiment de liberté et de responsabilité à l'égard de ses choix.

Psychodrame
Technique gestaltiste de jeu improvisé au cours duquel s'expriment des émotions et dont le but est de soulager la personne de ses troubles psychologiques.

12.4.4 LA THÉRAPIE CENTRÉE SUR LA PERSONNE

Élaborée par Carl Rogers, la thérapie centrée sur la personne met l'accent sur la compréhension de la personne souffrante plutôt que sur l'interprétation des causes de son trouble ou sur le diagnostic (Rogers, 1951, 1974, 1976). Elle s'intéresse à l'expérience consciente du client et à son vécu actuel, à ce qui se passe «ici et maintenant». Rogers et les humanistes croient que la personne est libre de faire des choix et d'être maître de son destin en dépit du fardeau de son passé. Pour eux, l'humain est naturellement prédisposé à la santé, à la croissance et à l'épanouissement. Ses problèmes psychologiques résultent de «barrages» placés sur la voie de l'actualisation de soi, conséquences de l'acceptation sélective que les autres lui ont manifesté durant les premières années de sa vie. Résultat : la personne est freinée dans son épanouissement et apprend à se renier elle-même en portant des masques pour mériter l'approbation sociale.

Le but de la thérapie développée par Rogers consiste alors à permettre au client de reprendre contact avec son désir de croissance par la confiance et le respect du thérapeute. Celui-ci traduit ou reformule les idées et les sentiments exprimés par son client pour l'aider à atteindre des sentiments plus profonds et à suivre les idées maîtresses de sa quête de compréhension subjective. Le psychologue tente ainsi de libérer les capacités présentes chez toute personne, même celles qui sont jugées malades. Pour y arriver, un thérapeute employant l'approche centrée sur la personne cherche à manifester trois attitudes jugées fondamentales au bon déroulement de la psychothérapie et au maintien d'une bonne santé mentale. Ces attitudes par lesquelles le thérapeute sert de modèle d'intégrité aux yeux de son client sont la considération positive inconditionnelle, la compréhension empathique et la congruence.

Compréhension empathique
En psychologie humaniste, capacité de comprendre le monde intérieur d'une personne le plus fidèlement possible.

En faisant preuve de considération positive inconditionnelle, le thérapeute montre à son client que ce dernier est un être humain important possédant des valeurs et des buts uniques. Il rassure son client dans le but de l'inciter à exprimer ouvertement ses sentiments authentiques afin de l'aider à ne plus se renier lui-même. Il doit cependant tenter, en mettant de côté ses propres valeurs, de percevoir le monde d'après le cadre de référence de son client : c'est ce que Rogers appelle la **compréhension empathique**. Cette attitude permet au thérapeute de refléter avec exactitude les expériences et les sentiments de son client. Pour concilier le fait d'être parfaitement à l'écoute de son client et celui de se respecter lui-même, le thérapeute centré sur la personne doit faire preuve de congruence, c'est-à-dire harmoniser ses pensées, ses sentiments et son comportement. La congruence permet l'accès à l'expérience intérieure. Parce que le psychologue est congruent, il ne cache pas ses sentiments. Par exemple, s'il éprouve de l'ennui à l'égard de son client, il peut l'exprimer plutôt que de le taire. Ainsi, il fait savoir à son client où il se situe par rapport à lui. Le client n'a donc pas à deviner ce que son thérapeute ressent. Il peut ensuite réagir aux commentaires du thérapeute, et cela lui permet d'être lui aussi congruent, puisque la vérité est au cœur de sa relation avec son psychologue. La congruence illustre en quoi les humanistes font confiance aux personnes. Même dans des situations délicates, ils font le pari que la personne dispose des ressources nécessaires pour s'adapter et trouver une occasion de croissance personnelle.

Une autre caractéristique fondamentale de la thérapie humaniste sur laquelle Rogers a beaucoup insisté est que le psychologue s'abstient de diriger la thérapie. C'est ce pour quoi cette forme de thérapie est qualifiée de «non directive».

12.4.5 LA THÉRAPIE ÉMOTIVO-RATIONNELLE

La thérapie émotivo-rationnelle fondée par Albert Ellis repose sur le principe que les croyances qu'une personne entretient au sujet d'événements façonnent ses réactions (Ellis, 1962, 1977 ; Ellis et Whiteley, 1979). Lorsque ces croyances présentent un caractère irrationnel, elles engendrent des problèmes ou amplifient l'impact de problèmes déjà existants. Deux des plus importantes croyances irrationnelles consistent à penser que l'individu doit compter sur l'amour et l'approbation des autres, et qu'il doit se montrer parfaitement compétent dans au moins un domaine important de sa vie.

Comme l'illustre la figure 12.10, toutes les croyances irrationnelles augmentent les sentiments de culpabilité et d'impuissance qui sont, selon Ellis, la source des troubles psychologiques. Une personne qui éprouve un trouble psychologique est un être intelligent agissant d'une façon insensée et qui, par son action, entrave l'atteinte de ses objectifs. La thérapie émotivo-rationnelle tente d'apprendre aux gens comment arrêter de se culpabiliser et d'accuser les autres. Elle oriente le client vers l'acceptation de soi, des autres et de la vie en dépit de leurs imperfections.

En thérapie, Ellis pousse son client à déceler ses croyances irrationnelles, souvent fugitives et difficiles à démasquer. Il lui démontre ensuite comment ses croyances provoquent son état de détresse, puis l'incite à les modifier. Il ne cherche pas à changer ou à contrôler les émotions elles-mêmes, mais plutôt les pensées qui les causent. En affirmant que la personne elle-même est la principale source de sa détresse émotionnelle, Ellis lui enseigne qu'elle peut aussi renverser cette situation.

Les méthodes de la thérapie émotivo-rationnelle sont actives et directives. Le client est considéré comme un apprenant et la psycho-thérapie, comme un processus rééducatif par lequel le client étudie

FIGURE 12.10 POURQUOI A-T-IL MANQUÉ LA PASSE?

Ce joueur de football est peut-être en train de se dire qu'il aurait dû être irréprochable sur le terrain et que c'est sa faute si son équipe a perdu. Ce type de croyances irrationnelles mène souvent au découragement et à un sentiment d'impuissance. La thérapie émotivo-rationnelle a pour objectif de les modifier.

l'application d'un raisonnement logique à la résolution de problèmes. Afin de faciliter l'apprentissage de modes de pensée rationnels, le thérapeute se présente lui-même comme un modèle pour son client. Dans ce sens, il accepte son client sans le condamner et évite à tout prix de le culpabiliser. Ellis estime que le processus thérapeutique nécessite un travail acharné, rigoureux et prolongé parce que les gens résistent au changement. Même s'ils désirent s'améliorer, ils doivent déployer des efforts pour parvenir à le faire.

Parce que les cognitions, les émotions et les comportements constituent trois sphères qui sont directement reliées entre elles, Ellis affirme qu'un changement effectué sur l'une de ces sphères entraîne simultanément une modification des deux autres. Au cours de la thérapie, le psycho-logue explore différentes techniques pour modifier ces sphères afin de constater laquelle semble la mieux adaptée au client. Ellis considère cependant que la façon la plus efficace de traiter une difficulté est d'aborder les cognitions qui lui sont rattachées.

Le psychologue qui utilise la thérapie émotivo-rationnelle ne s'attarde pas à l'histoire personnelle de son client ni aux sources de ses croyances irrationnelles. Il ne met pas non plus l'accent sur une relation chaleureuse. Ellis considère que cela n'est ni nécessaire ni suffisant pour que le processus thérapeutique s'enclenche. Les techniques sont donc impersonnelles et confrontent essentiellement les pensées du client à la réalité.

Bien qu'il soit souhaitable que la personne se sente aimée et acceptée par les autres, Ellis affirme que cette condition n'est pas obligatoire. Sa méthode thérapeutique vise à ensei-gner à l'individu à ne pas se sentir blessé par l'absence de ces manifestations. Dans un processus où l'expression de la tristesse du client est respectée, le thérapeute et le client évitent de blâmer qui que ce soit (les autres ou soi-même) pour l'absence d'amour ou d'appré-ciation, et ce, en vue d'amener ce dernier à affronter cette situation. Prenons l'exemple d'un employé se sentant peu apprécié de son patron. Ellis lui fera comprendre qu'il est irrationnel d'attendre de chaque personne amour et acceptation. La réalité est que certains individus nous apprécient, d'autres pas. Après avoir développé une conception plus appropriée de la réalité, la personne voit ses émotions et ses comportements changer.

12.4.6 LES THÉRAPIES D'ORIENTATION SYSTÉMIQUE/INTERACTIONNELLE

Thérapie systémique/interactionnelle

Thérapie dans laquelle le thérapeute aborde une personne en tant qu'élément d'un ensemble plus large (système), constitué lui-même de plusieurs éléments établissant des interactions entre eux et avec le système.

La conception à la base des différentes formes de **thérapies systémiques/interactionnelles** considère la personne comme faisant partie d'un «système» — famille, couple, institution scolaire, entreprise, équipe sportive, etc. — qui présente des propriétés qu'aucun de ses éléments pris isolément ne possède. Elle considère que les troubles psychologiques sont le résultat d'un dysfonctionnement des interactions et de la communication au sein du groupe. Il ne s'agit pas alors de trouver le «coupable», car c'est le dysfonctionnement du système qui entraîne la difficulté chez l'un ou plusieurs de ses membres.

Dans sa démarche thérapeutique, le thérapeute d'orientation systémique se concentre donc sur les interactions entre les personnes impliquées et leurs effets. Il tente d'établir de nouvelles règles de communication, s'appuyant sur une perception globale du problème, pour ensuite modifier plusieurs éléments en même temps. Il cherche à mettre en pratique les attitudes que propose Rogers, à savoir la considération positive inconditionnelle, l'authenticité, la compréhension empathique et la congruence, et ce, chez tous les participants, non seulement chez le psychologue. L'analyse du transfert et du contre-transfert, de même que l'histoire des clients, sont des éléments de la psychanalyse qui peuvent également être repris dans la thérapie systémique. Afin d'augmenter le sentiment de compétence et de fierté, l'utilisation de renforcements est aussi fréquente. Enfin, l'apprentissage par l'observation permet aux clients d'acquérir de nouveaux comportements au contact de leur thérapeute et, en thérapie de groupe, chaque membre peut devenir un modèle pour les autres. Comme on le constate, la thérapie systémique résulte de la réunion de plusieurs influences, ce pourquoi on peut la qualifier d'**éclectique**.

Éclectique

En psychothérapie, qualifie une thérapie qui emprunte à plusieurs approches différents principes, lorsqu'ils sont conciliables.

On présente ci-après deux formes de thérapies où l'orientation systémique/interactionnelle est très présente : la thérapie de groupe et la thérapie familiale.

• LA THÉRAPIE DE GROUPE

Ce qui caractérise essentiellement la thérapie de groupe, c'est, comme son appellation l'indique, le fait qu'elle se déroule en groupe. Lorsqu'un psychologue a plusieurs clients aux prises avec des problèmes semblables (anxiété, toxicomanie, adaptation à un divorce ou manque d'aptitudes sociales, par exemple), il peut être intéressant de regrouper 5 à 15 personnes au lieu de tenir des séances individuelles. Le fait de rencontrer des personnes aux prises avec des problèmes similaires peut amener certains participants à se sentir moins isolés, moins «anormaux». Ils peuvent alors parler plus librement d'eux-mêmes. De plus, un élan spontané d'encouragement de la part des pairs semble plus pertinent que s'il venait du thérapeute, puisque c'est avec d'autres pairs que l'individu sera amené à fonctionner hors de la thérapie. Ainsi, les participants à une thérapie de groupe qui connaissaient certains problèmes relationnels peuvent avoir l'occasion d'apprendre différentes aptitudes sociales au contact de leurs pairs et avec le soutien du psychologue.

Il existe de nombreux types de thérapies de groupe. Certains thérapeutes utilisent les échanges verbaux traditionnels, d'autres s'appuient sur la création artistique (dessin, peinture, modelage ou musique, par exemple), le jeu (psychodrame) ou le corps (relaxation ou rétablissement de l'image corporelle). En fait, les méthodes et les caractéristiques de la thérapie de groupe reflètent les besoins des membres et l'orientation théorique du thérapeute, bien que la toile de fond demeure la conception systémique.

• LA THÉRAPIE FAMILIALE

On peut voir la thérapie familiale, dont Virginia Satir est une figure de proue, comme une thérapie d'inspiration systémique appliquée dans le «système» particulier que constitue la famille (Satir, 1983). On constate souvent que les membres d'une famille ayant une faible estime personnelle ne peuvent pas tolérer des attitudes et des comportements différents de la part de ses autres membres. Les communications familiales déficientes engendrent également des problèmes. Il n'est pas rare que la famille impute à un de ses membres la responsabilité du problème et des difficultés familiales. Cependant, les thérapeutes familiaux considèrent que la personne ainsi visée joue le rôle du bouc émissaire. C'est une sorte de mythe : la famille se dit qu'en chassant la brebis galeuse, les problèmes disparaîtront du même coup.

Comme l'illustre la figure 12.11, le thérapeute familial essaie d'enseigner aux membres de la famille à communiquer plus efficacement et à stimuler l'épanouissement, l'autonomie ou l'indépendance de chacun de ses membres. Ce faisant, il leur fait également prendre conscience qu'ils rejettent la responsabilité des problèmes de l'ensemble de la famille sur un seul de ses membres. La thérapie familiale prônée par Satir cherche ainsi à modifier le système d'interactions familiales pour améliorer l'épanouissement de chacun des membres d'une famille, et de la famille dans sa globalité.

FIGURE 12.11 LA THÉRAPIE FAMILIALE

La famille, considérée comme un système, essaie d'apprendre à communiquer plus efficacement afin de favoriser l'épanouissement et l'autonomie de chacun de ses membres.

12.4.7 L'ANTIPSYCHIATRIE

L'antipsychiatrie, bien qu'elle ne corresponde pas à une forme de thérapie au même titre que celles qui viennent d'être présentées, a néanmoins été placée ici du fait qu'elle pose un regard critique sur la façon d'envisager la maladie mentale et la thérapie en général, proposant ainsi un cadre thérapeutique global qui s'écarte de la psychiatrie classique. Il s'agit en fait d'un courant de pensée qui a d'abord émergé chez des psychiatres mécontents qui considéraient que des confrères abusaient de leur pouvoir. Thomas Szasz, psychiatre précurseur de ce courant, critique dans les années cinquante l'approche médicale qui caractérise la psychiatrie. À cette époque, une personne souffrant d'un trouble psychologique risquait fort de subir l'opération neurochirurgicale consistant à sectionner une partie du cerveau ou encore d'être soumise à de nombreuses séances d'électrochocs. On enfermait également les patients avec beaucoup plus d'empressement qu'on ne le fait aujourd'hui. C'est ce genre de pratique qui a amené Szasz à réagir, ce qui a donné naissance à l'antipsychiatrie.

En effet, les tenants de ce courant de pensée trouvent inadmissible qu'on inflige de tels traitements à qui que ce soit, et encore moins à des personnes aux prises avec une détresse psychologique. En fait, ils estiment que la cause des troubles psychologiques est essentiellement sociale et familiale (Tamisier, 1999). Ils vont même plus loin, considérant que le terme « maladie » ne devrait s'appliquer qu'à des problèmes d'ordre physique, et non à ceux d'ordre mental ; le concept de « maladie mentale » serait donc erroné.

Les diagnostics psychiatriques, soutient Szasz, sont des étiquettes inutiles qui stigmatisent ceux qui les portent (Romberg, 1996), ainsi que l'a démontré la recherche de David Rosenham, dont il a été question dans l'encadré 12.1. Lorsqu'une personne est jugée « malade » par les professionnels, elle se sent dégradée et poussée à se soustraire à ses responsabilités personnelles et sociales. Selon Szasz, le fait que les médecins incitent leurs patients à obéir à leurs ordonnances contribue à accorder trop de pouvoir aux professionnels de la santé. Il estime qu'on devrait plutôt encourager les personnes qui éprouvent des difficultés à s'impliquer davantage dans leur rétablissement (Szasz, 1984).

L'antipsychiatrie est donc le fruit d'une critique sociale des pratiques psychiatriques, ce qui a eu des conséquences directes sur l'élaboration des politiques en santé mentale, notamment au Québec. Depuis 1972, la *Loi sur la protection du malade mental* relative à la politique de désinstitutionnalisation a considérablement réduit le nombre de personnes internées. Les résultats de cette politique sont cependant mitigés. Après leur sortie des hôpitaux psychiatriques, un grand nombre de personnes sont devenues des itinérants en raison du manque de ressources communautaires et de l'incapacité des familles et de l'ensemble de la société à tolérer leurs comportements déviants et l'expression de leur souffrance. Pour pallier ces problèmes, quelques initiatives ont été mises de l'avant pour venir en aide aux ex-psychiatrisés : groupes de soutien, maisons de transition, etc. C'est dans cette optique que travaille Jérôme Guay, professeur à l'Université Laval, qui enseigne la psychologie communautaire et qui a développé, comme l'explique l'encadré 12.8, une forme d'intervention basée sur les ressources du milieu.

ÉCLAIRCISSEMENT DE L'AMORCE : *Comment aurait-on pu aider Nelligan à surmonter sa détresse ? La compréhension empathique aurait peut-être pu alléger sa souffrance. De même, modifier les croyances irrationnelles le poussant à vouloir être aimé de tous et être un poète parfait aurait sans doute aussi pu diminuer son impression d'échec. Une thérapie de groupe, et encore plus une thérapie familiale, aurait pu le rassurer et l'aider à réduire son sentiment de rejet et de solitude. Parce que Nelligan maîtrisait bien les mots et avait une propension à l'introspection, on peut imaginer que la psychanalyse aurait aussi pu l'aider. Ce qui importe en ce qui concerne les psychothérapies, c'est que la personne amorce une démarche avec un psychologue auprès duquel elle se sente en confiance. Enfin, en s'inspirant de l'antipsychiatrie, on peut se demander si l'internement psychiatrique de Nelligan a contribué à l'amélioration de sa santé mentale.*

ENCADRÉ 12.8
Jérôme Guay : la thérapie par les ressources du milieu

Les étudiants en psychologie de l'Université Laval s'initient à l'action communautaire avec Jérôme Guay en partant à la découverte de leur quartier. Pour ce professeur, qui connaît mieux que quiconque le milieu des gens de la rue de la ville de Québec, ce sont les réseaux d'entraide non officiels qui rejoignent le mieux les ex-psychiatrisés. Ces réseaux émergent spontanément, surtout si on leur en donne l'occasion, et prennent naissance dans différents milieux : familles, cercles d'amis, mouvements religieux et autres organismes; et auprès de différentes personnes : barmans, propriétaires de commerces, responsables de maisons des jeunes, bénévoles et bien d'autres.

Jérôme Guay critique sévèrement le système de santé et les services sociaux québécois. Il a d'ailleurs prévu des crises qui ont bel et bien éclaté. Selon son analyse, la prise en charge de l'État a engendré des structures lourdes qui déresponsabilisent les personnes et les communautés. Alors que les problèmes de détresse psychologique s'aggravent de façon dramatique, les services se déshumanisent et deviennent de moins en moins efficaces, parce que les professionnels de la santé sont débordés et épuisés, faute de ressources. La compartimentation exagérée des services et leur hiérarchisation entravent l'engagement des intervenants. La segmentation des spécialisations entraîne des conflits entre les disciplines : les médecins boudent les psychologues, les travailleurs sociaux et les infirmiers se disputent le terrain, et ainsi de suite. En conséquence, le patient, qui n'a plus son mot à dire, devient victime d'un système de soins écrasant et perd peu à peu la motivation de se prendre en main. L'avenue de la thérapie individuelle en milieu privé lui est inaccessible, car elle est un privilège réservé aux plus riches.

Comme solution de rechange au système de santé, Jérôme Guay propose de se tourner davantage vers les aidants naturels déjà en place et qui sont motivés par leur amour des gens, leurs convictions et leur sens des responsabilités familiales et sociales. Cette aide spontanée n'est pas le fruit d'une approche théorique quelconque, mais elle permet de maîtriser les crises et d'éviter l'aggravation des problèmes. Jérôme Guay pratique lui-même assidûment ce qu'il nomme l'« intervention de réseau » auprès de plusieurs petits organismes. Certains de ces organismes communautaires, comme l'Archipel d'Entraide, situé dans la côte d'Abraham, rejoignent des clientèles qui ont renoncé à faire appel aux services professionnels publics.

SPÉCIALISTE QUÉBÉCOIS

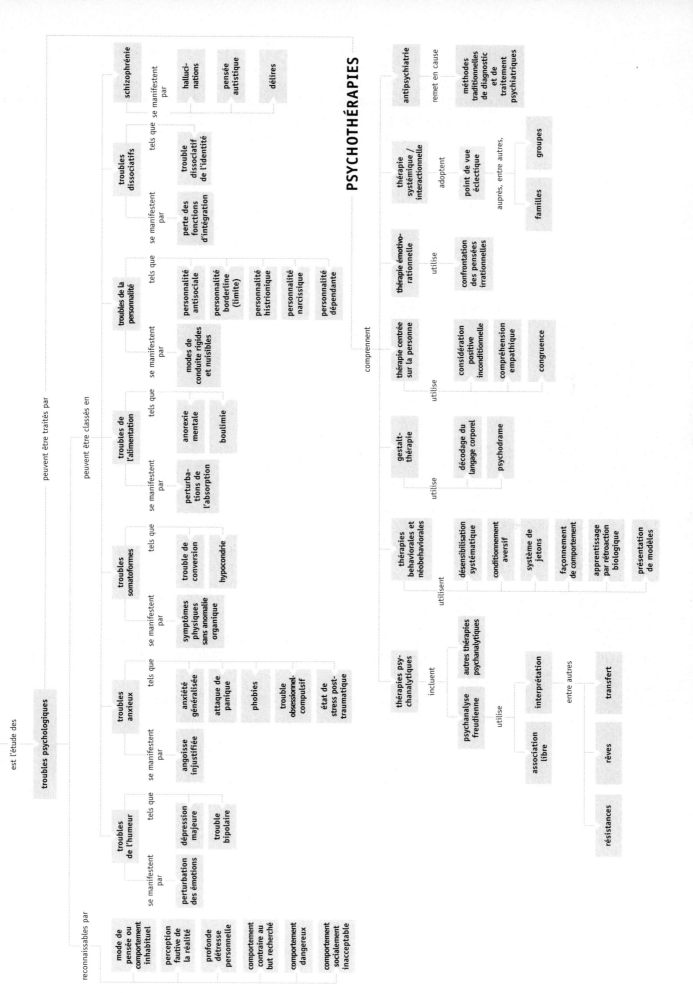

PSYCHOPATHOLOGIE

est l'étude des

troubles psychologiques

reconnaissables par
- mode de pensée ou comportement inhabituel
- perception fautive de la réalité
- profonde détresse personnelle
- comportement contraire au but recherché
- comportement dangereux
- comportement socialement inacceptable

peuvent être classés en

troubles de l'humeur
tels que
- dépression majeure
- trouble bipolaire

se manifestent par
- perturbation des émotions

troubles anxieux
tels que
- anxiété généralisée
- attaque de panique
- phobies
- trouble obsessionnel-compulsif
- état de stress post-traumatique

se manifestent par
- angoisse injustifiée

troubles somatoformes
tels que
- trouble de conversion
- hypocondrie

se manifestent par
- symptômes physiques sans anomalie organique

troubles de l'alimentation
tels que
- anorexie mentale
- boulimie

se manifestent par
- perturbations de l'absorption

troubles de la personnalité
tels que
- personnalité antisociale
- personnalité borderline (limite)
- personnalité histrionique
- personnalité narcissique
- personnalité dépendante

se manifestent par
- modes de conduite rigides et nuisibles

troubles dissociatifs
tels que
- trouble dissociatif de l'identité

se manifestent par
- perte des fonctions d'intégration

schizophrénie
se manifestent par
- hallucinations
- pensée autistique
- délires

peuvent être traités par

PSYCHOTHÉRAPIES

comprennent

thérapies psychanalytiques
incluent
psychanalyse freudienne
utilise
- association libre
- interprétation
entre autres
- résistances
- rêves
- transfert

autres thérapies psychanalytiques

thérapies behaviorales et néobehaviorales
utilisent
- désensibilisation systématique
- conditionnement aversif
- système de jetons
- façonnement de comportement
- apprentissage par rétroaction biologique
- présentation de modèles

gestalt-thérapie
utilise
- décodage du langage corporel
- psychodrame

thérapie centrée sur la personne
utilise
- considération positive inconditionnelle
- compréhension empathique
- congruence

thérapie émotivo-rationnelle
utilise
- confrontation des pensées irrationnelles

thérapie systémique / interactionnelle
adoptent
point de vue éclectique
auprès, entre autres,
- familles
- groupes

antipsychiatrie
remet en cause
méthodes traditionnelles de diagnostic et de traitement psychiatriques

12.1 Comment reconnaître un trouble psychologique ?

1. Hippocrate, qui a vécu avant Jésus, croyait que les désordres mentaux étaient :

   a) causés par des anormalités du cerveau ;
   b) dus à un déséquilibre des humeurs corporelles ;
   c) une punition des dieux ;
   d) le signe d'une possession.

2. Qui a affirmé que l'on devait traiter les « fous » comme des malades mentaux et les mettre dans un asile afin de leur permettre de se reposer et de s'isoler du monde extérieur ? _____

3. Il est facile de distinguer une personne « anormale » d'une personne « normale » sur le plan psychologique. Vrai ou faux ?

4. Parmi les critères suivants, lequel ne fait pas partie de ceux qu'utilisent les psychologues pour identifier un trouble psychologique chez une personne ?

   a) Le mode de pensée ou le comportement est inhabituel.
   b) Le comportement est dangereux.
   c) Le comportement est socialement inacceptable.
   d) La personne s'impatiente facilement.

12.2 La classification des troubles psychologiques

1. Le _____ est un manuel élaboré par l'association américaine de psychiatrie et présente une classification des troubles mentaux d'après leurs symptômes.

2. Les classifications des troubles psychologiques sont si objectives et fiables qu'elles permettent de tenir compte des différences individuelles et culturelles. Vrai ou faux ?

3. Il est plus facile d'aider une personne aux prises avec une névrose qu'une psychose. Vrai ou faux ?

4. Le _____ est une conviction fausse et tenace qui n'est pas confirmée par la réalité. Il est souvent associé à la schizophrénie.

12.3 Quelques types de troubles psychologiques

1. Le trouble bipolaire se manifeste par un ensemble de symptômes. Parmi les symptômes suivants, lequel n'en fait pas partie ?

   a) La dépression
   b) La manie
   c) La boulimie
   d) Des pensées suicidaires

2. Comment l'anxiété généralisée se distingue-t-elle de l'attaque de panique ?

   a) Par l'intensité de l'anxiété ressentie
   b) Par la présence d'un objet précis source de l'anxiété
   c) Par la présence de réactions corporelles
   d) Par la dépression qui y est associée

3. Si une personne croit sans arrêt qu'elle a les mains sales et qu'elle ne peut pas s'empêcher de les laver, de quel trouble peut-elle souffrir ? _____

4. Parmi les troubles suivants, lequel est considéré comme un trouble somatoforme ?

   a) L'état de stress post-traumatique
   b) La schizophrénie
   c) L'hypocondrie
   d) La dépression
   e) L'anorexie mentale

5. Parmi les caractéristiques suivantes, laquelle n'est pas associée à l'anorexie mentale ?

   a) L'hyperactivité
   b) La réduction des désirs sexuels
   c) L'aménorrhée
   d) des symptômes physiques (sécheresse de la peau, chute des cheveux, problèmes cardiaques et digestifs)
   e) La paresse intellectuelle

6. Un individu qui a besoin d'être admiré, qui est préoccupé par le succès, qui exagère ses réalisations tout en dévalorisant celles des autres, mais qui a cependant une estime personnelle fragile, présente les traits de la personnalité _____.

7. Certains spécialistes doutent de l'existence du trouble nommé « trouble dissociatif de l'identité ». Vrai ou faux ?

12.4 Les psychothérapies

1. Lequel des énoncés suivants est exact ?

   a) Une neutralité bienveillante qualifie l'attitude du psychologue cognitiviste appliquant les techniques de la thérapie émotivo-rationnelle.
   b) La règle d'or de la libre association est de ne censurer aucune idée.
   c) C'est à cause des réactions défensives que sont le refoulement et les résistances qu'une thérapie behaviorale se déroule habituellement lentement.
   d) Le psychologue centré sur la personne interprète le transfert de son client de même que son propre contre-transfert.

2. La _____ est une méthode thérapeutique behaviorale par laquelle on associe une hiérarchie d'images de stimuli anxiogènes à une profonde relaxation musculaire.

3. Une jeune femme veut annoncer à son copain qu'elle n'est plus amoureuse de lui. Elle est cependant inquiète de sa réaction et croit qu'il pourrait être extrêmement abattu ou choqué. Selon l'approche théorique à laquelle il appartient, un psychologue conseillerait différemment cette jeune femme. Dans cet esprit, lequel des énoncés suivants est exact?

   a) Un néobehavioriste lui dirait d'être congruente tout en étant empathique et de faire confiance à son copain, qui possède sans doute les ressources pour traverser cette épreuve.
   b) Un psychologue d'approche émotivo-rationnelle lui proposerait de lui faire son aveu dans un endroit calme qui pourrait favoriser la relaxation, car l'association d'une mauvaise nouvelle à un contexte agréable pourrait diminuer les réactions négatives de son copain. Il lui suggérerait aussi de lui faire part petit à petit de sa décision.
   c) Un psychologue centré sur la personne lui suggérerait de présenter ou de raconter à son copain des exemples de ruptures amoureuses qui se sont bien déroulées.
   d) Un gestaltiste l'encouragerait à assumer la responsabilité de son choix pour favoriser l'autonomie et la prise de conscience de son copain. Il aurait pour préoccupation de permettre à chacun d'eux d'être qui ils sont véritablement dans le moment présent plutôt que d'être contraints dans des rôles stéréotypés liés au passé.
   e) Un behavioriste lui dirait que c'est leur perception respective de la situation qui déterminera leurs réactions. Il l'encouragerait à adopter des croyances rationnelles face à cet événement, au lieu de dramatiser et de se culpabiliser.

4. La catharsis est un concept lié à la psychologie humaniste. Vrai ou faux?

5. Les thérapies _____ sont nées de plusieurs influences, dont la psychologie de la gestalt, la psychologie humaniste et la psychanalyse, pour tenter de tenir compte de l'environnement dans lequel évolue la personne. C'est une approche _____ dans la mesure où elle endosse des principes propres à diverses approches théoriques.

Pour aller plus loin...

Volumes et ouvrages de référence

AMERICAN PSYCHIATRIC ASSOCIATION (1996). *DSM-IV : Manuel diagnostique et statistique des troubles mentaux*, Paris, Masson.
La «bible» de plusieurs psychologues et psychiatres pour établir un diagnostic basé sur des symptômes observables et quantifiables. Il présente tous les troubles psychologiques reconnus par la psychiatrie.

ORGANISATION MONDIALE DE LA SANTÉ (1994).
Classification internationale des troubles mentaux et des troubles du comportement : CIM-10 / ICD-10, Paris, Masson.
L'équivalent européen du DSM-IV. Les deux manuels fonctionnent sur le même principe de description de symptômes et présentent de moins en moins de différences à chacune de leur révision.

ORDRE DES PSYCHOLOGUES DU QUÉBEC (2002).
La psychothérapie offre un regard nouveau sur la vie : les psychologues et la psychothérapie.
Produite par l'OPQ, cette brochure se veut un document de référence pour le public en rapport avec des questions telles que : «Que se passe-t-il en psychothérapie? Comment se déroule la première rencontre? Dois-je prendre des médicaments? Quels sont les honoraires?» Disponible en appelant au (514) 738-1881 ou 1 800 363-2644, il est également possible d'en télécharger une copie en format PDF à partir du site de l'OPQ à l'adresse :
http://www.ordrepsy.qc.ca/public/psy/02_psychologue.asp#Pourquoi%20et%20quand%20consulter

Pour aller plus loin...

HABIMANA, E., L. ÉTHIER, D. PETOT et M. TOUSIGNANT (dir.) (1999). *Psychopathologique de l'enfant et de l'adolescent : Approche intégrée*, Boucherville, Gaëtan Morin.
Un imposant manuel présentant des textes de fond sur les troubles psychologiques propres aux jeunes : dépression, autisme, déficit de l'attention et hyperactivité, troubles d'apprentissage, suicide, toxicomanie, troubles sexuels, etc.

DURUZ, N. et M. GENNART (dir.) (2002). *Traité de psychothérapie comparée*, Genève, Médecine & Hygiène.
Livre complet présentant plusieurs approches thérapeutiques dont la psychanalyse freudienne, la gestalt, la thérapie centrée sur la personne, l'approche cognitive et comportementale ainsi que l'approche systémique.

LALONDE P., J. AUBUT et F. GRUNBERG (1999).
Psychiatrie clinique : une approche bio-psycho-sociale, Tome I Introduction et syndromes cliniques, 3e édition, Montréal, Gaëtan Morin.
Imposant volume présentant les grands troubles psychologiques par l'entremise de textes de fond.

COHEN, D., S. CAILLOUX-COHEN et l'AGIDD-SMQ (1995). *Guide critique des médicaments de l'âme,* Montréal, Éditions de l'Homme.
Répertoire des médicaments psychothérapeutiques présentés sous un œil critique.

Périodiques

GAUTHIER, U. (2004). « Psy ou médicaments, comment choisir ? », *Le Nouvel Observateur*, no 2093.
Un dossier présentant différentes formes de psychothérapies (psychanalyse, gestalt, behaviorale-cognitive) et abordant la question de la pertinence de la médication.

Les périodiques *Santé mentale au Québec*, *Le Médecin du Québec* et la *Revue québécoise de psychologie* présentent régulièrement des articles abordant la psychopathologie et les psychothérapies.

SCIENCES HUMAINES. (1994). « Regards sur la folie », *Sciences humaines*, no 40, juin.
Un excellent dossier renfermant quatre articles sur divers problèmes associés à la façon de concevoir, de classifier et de traiter les maladies mentales.

Sites Internet

Site gouvernemental offrant une foule d'informations sur la santé mentale (et physique).
http://www.reseau-canadien-sante.ca/customtools/homef.html

L'Association canadienne pour la santé mentale est dévouée à l'amélioration de la qualité de la vie et des soins offerts aux gens atteints d'une maladie mentale.
http://www.cmha.ca/french/

Un site qui, par l'information et des rencontres, cherche à tisser un filet de sécurité pour les personnes atteintes de maladies mentales et leur entourage.
http://www.fmm-mif.ca/fr/profil;jsessionid=aaa_f1tQLw-khc

Site de la Fédération des familles et amis de la personne atteinte de maladie mentale, organisme communautaire qui vise la protection et la sensibilisation.
http://www.ffapamm.qc.ca/index.asp

PsychoMédia, réalisé par des psychologues, est un site d'information, d'échange et d'entraide en psychologie.
http://www.psychomedia.qc.ca/pn/

Site de l'Université McGill qui comporte une rubrique portant sur la dépression, la maniaco-dépression et les troubles anxieux. http://www.lecerveau.mcgill.ca

REVIVRE est un organisme à but non lucratif qui a pour mission de venir en aide aux personnes atteintes de troubles anxieux, dépressifs ou bipolaires, ainsi qu'à leurs proches, et ce, partout au Québec. http://www.revivre.org

Ce site de l'Association québécoise de prévention du suicide aborde la question du suicide et de sa prévention. Vous pouvez entre autres y obtenir de la documentation, de l'information sur la prévention du suicide et des ressources dans ce domaine. http://www.cam.org/~aqs/

Ce site réalisé par le psychiatre québécois Claude Jolicœur offre des réponses et des conseils au sujet des troubles de l'attention. http://www.deficitattention.info

Site du Centre Dollard-Cormier qui offre de l'information générale, des questionnaires, des trucs pour s'aider soi-même ou pour aider un proche.
http://www.joueur-excessif.com/francais/page1.htm

Pour aller plus loin...

Site du Centre québécois d'excellence pour la prévention et le traitement du jeu, une unité de recherche et de formation continue reconnue par l'École de psychologie de l'Université Laval, associée au psychologue Robert Ladouceur. http://gambling.psy.ulaval.ca

Site du Centre international d'étude sur le jeu et les comportements à risque chez les jeunes, associé à l'Université McGill. Le Centre est activement impliqué en recherche, en prévention, en traitement et en diffusion d'information. http://www.youthgambling.com

Le GIFRIC est une société sans but lucratif dont l'objet consiste à offrir une intervention d'orientation psychanalytique à des jeunes aux prises avec des manifestations de schizophrénie et de maniaco-dépression. Le site présente ses fondements théoriques et ses activités. http://www.gifric.com

L'ASMC vise la promotion des approches comportementales et cognitives en psychologie, en éducation et en santé. L'association, sans but lucratif, favorise les échanges chez les étudiants et les professionnels francophones. http://pages.infinit.net/gtweb/asmc.html

Le Centre d'intervention gestaltiste propose des programmes de formation professionnelle, une clinique de psychothérapie et un groupe de recherche sur l'intégration en psychothérapie. http://www.cigestalt.com

Site en langue anglaise tenu par un groupe de volontaires qui considèrent avoir été lésés par certains traitements de nature psychiatrique qu'ils ont reçus. http://www.antipsychiatry.org

BLANDFORD, MARK (2001). « Le journal d'un fou », produit par Claude Godbout, diffusé à l'émission *Zone Libre*, de Radio-Canada, le 6 décembre 2002.
Le réalisateur Mark Blandford, qui a vécu l'épreuve de la dépression, raconte la maladie mentale de l'intérieur, comme catastrophe subjective, et de l'extérieur, comme phénomène social.

THÉORET, CHANTAL. « La schizophrénie », produit par Radio-Canada, journaliste : Michel Rochon, diffusé à l'émission *Découverte* le 18 janvier 2003.
Indique, entre autres, comment plusieurs découvertes fondamentales réalisées depuis deux ans permettent de mieux comprendre et, éventuellement, prévenir la schizophrénie, une maladie mentale complexe qui affecte 1 % de la population.

ROY, JEAN-PIERRE. « Thérapie dangereuse ? », produit par Radio-Canada, journaliste : Claire Frémont, diffusé à l'émission *Enjeux* le 18 novembre 2003.
Ce reportage illustre à quel point beaucoup de ceux qui se disent thérapeutes (sans être ni psychologues ni psychiatres) peuvent ne pas être dignes de confiance. Un compte rendu est disponible sur le site de Radio-Canada à l'adresse : http://www.radio-canada.ca/actualite/enjeux/reportages/2003/031118/therapies.html

 Films, vidéos, cédéroms, etc.

La série *Oppression* produite par Télé-Québec.
Cette série comprend plusieurs documentaires de 52 minutes chacun portant sur des thèmes tels que la schizophrénie, le déficit de l'attention, les phobies spécifiques et sociales, les troubles somatoformes, le trouble panique avec agoraphobie, l'autisme, le jeu pathologique, le trouble obsessif-compulsif, le stress post-traumatique, l'anxiété généralisée, l'épuisement professionnel, le changement de personnalité.

A

Accommodation
Modification des schèmes au contact de l'environnement.

Acétylcholine
Neurotransmetteur commandant les contractions musculaires et impliqué dans la mémoire.

Acronyme
Mot formé de la première lettre (ou des premières lettres) des éléments d'un groupe de mots.

Acte manqué
Dans la théorie psychanalytique, action où le résultat consciemment visé n'est pas atteint et se trouve plutôt remplacé par un autre qui semble être le fruit du hasard ou de l'inattention.

Activation optimale
Niveau d'activation où l'organisme se sent le mieux et fonctionne le plus efficacement.

Actualisation de soi
Selon la perspective humaniste, besoin de s'accomplir et de développer ses potentiels uniques de façon optimale.

Adaptation
Fonction générale de l'intelligence. État d'équilibre entre les schèmes du sujet et le milieu environnant. Cet état d'équilibre est atteint par l'interaction entre l'assimilation et l'accommodation.

Adaptation sensorielle
Tendance des récepteurs sensoriels à ne plus capter un stimulus constant.

Affaire non liquidée
Aussi appelée gestalt inachevée
En psychologie de la gestalt, sentiments non exprimés qui empêchent la personne d'être en contact avec elle-même et les autres, et qui déterminent sa personnalité.

Âge mental (AM)
Mois de crédit accumulés qu'une personne obtient sur l'échelle Stanford-Binet.

Agent de punition négatif
Agent de punition qui, lorsqu'il est retiré, diminue la probabilité d'apparition d'un comportement opérant.

Agent de punition positif
Agent de punition qui, lorsqu'il est présenté, diminue la probabilité d'apparition d'un comportement opérant.

Agent de renforcement négatif
Agent de renforcement qui, lorsqu'il est retiré, augmente la probabilité d'apparition d'un comportement opérant.

Agent de renforcement positif
Agent de renforcement qui, lorsqu'il est présenté, augmente la probabilité d'apparition d'un comportement opérant.

Agent de renforcement primaire
Stimulus dont les propriétés de renforcement sont indépendantes de tout apprentissage antérieur (peut également être appelé agent de renforcement inconditionnel).

Agent de renforcement secondaire
Stimulus qui, grâce à son association avec un agent de renforcement établi, a acquis des propriétés de renforcement (peut également être appelé agent de renforcement conditionnel).

Agoraphobie
Peur incontrôlable, irrationnelle et excessive des endroits publics où l'on est entouré d'une foule et d'où on craint de ne pas pouvoir s'échapper ou de ne pas être secouru à temps en cas de difficultés.

Aires d'association
Régions du cortex cérébral intégrant plusieurs messages afin de contrôler l'apprentissage, la pensée, la mémoire et le langage, de même que la personnalité et les émotions.

Aires motrices
Sections des lobes frontaux qui contrôlent les mouvements volontaires.

Aires somatosensorielles
Sections des lobes pariétaux qui reçoivent les sensations captées par la peau.

Aménorrhée
Absence de menstruations chez une femme pubère.

Amnésie antérograde
Incapacité à former de nouveaux souvenirs après un traumatisme physique, en raison des effets du traumatisme.

Amnésie rétrograde
Incapacité de se rappeler les événements qui sont survenus avant un traumatisme physique, en raison des effets du traumatisme.

Amygdale
Partie du système limbique intervenant dans l'élaboration et l'expression des émotions.

Analgésique
Qui entraîne un état d'insensibilité à la douleur sans perte de conscience.

Animisme
Tendance à attribuer une activité intentionnelle aux mouvements physiques.

L'animisme est étroitement lié à la pensée magique de l'enfant (Legendre-Bergeron, 1980).

Anorexie mentale
Trouble psychologique caractérisé par le maintien d'un poids anormalement bas, par une peur intense de grossir et par une perception déformée de l'image corporelle.

Anxiété généralisée
Trouble psychologique caractérisé par des sentiments d'appréhension chronique (au moins six mois) et par une activation du système nerveux sympathique, et ce, sans source identifiable.

Aphasie
Perte de la capacité de s'exprimer oralement ou de comprendre le langage verbal.

Aphasie de Broca
Trouble du langage caractérisé par une élocution lente et laborieuse.

Aphasie de Wernicke
Trouble du langage caractérisé par une difficulté à comprendre la signification du langage parlé.

Apnée
Trouble du sommeil se manifestant par une respiration anormale.

Appareil psychique
En psychanalyse, structure mentale où se déroulent les processus inconscients.

Apprentissage associatif
Type d'apprentissage simple par lequel un organisme apprend à associer des stimuli et des réponses. *Voir Conditionnement classique et Conditionnement opérant.*

Apprentissage par échappement
Type d'apprentissage dans lequel un organisme acquiert un comportement pour faire disparaître un agent de renforcement négatif.

Apprentissage par essais et erreurs
Forme simple d'apprentissage au cours duquel un organisme invente des solutions et ajuste son comportement en fonction des résultats qu'il obtient.

Apprentissage par évitement
Type d'apprentissage par lequel un organisme acquiert un comportement pour ne pas subir un agent de renforcement négatif.

Apprentissage par intuition
Forme d'apprentissage fonctionnant par *insight*, c'est-à-dire par une perception

soudaine de tous les aspects liés à la solution d'un problème.

Apprentissage par observation
Acquisition d'opérants en observant les autres les reproduire.

Apprentissage par rétroaction biologique
Traduction du terme anglais *biofeedback training*. Apprentissage de la maîtrise de certaines fonctions corporelles grâce à la transmission d'informations sur ces dernières (rythme cardiaque et ondes cérébrales, par exemple).

Arborisation terminale
Ramification de l'axone dont les extrémités sont formées de boutons terminaux.

Artificialisme
Croyance voulant que les objets naturels aient été créés par les êtres humains.

Attaque de panique
Aussi appelée Crise d'angoisse
Trouble psychologique correspondant à une période brève d'anxiété aiguë en l'absence de stimuli externes et lié à des réactions physiques intenses telles que des palpitations, des difficultés respiratoires, des sueurs et des vertiges.

Attention sélective
Capacité de se concentrer sur certains stimuli et d'en ignorer d'autres.

Attribution causale
Le fait d'attribuer des causes à des événements en tenant compte des dimensions de lieu, de degré de stabilité et de degré de contrôlabilité.

Assimilation
Inclusion ou incorporation d'un nouvel événement par un schème existant ; ou modification du milieu par le schème.

Autisme
Repli sur soi, prédominance de la vie intérieure et perte de contact avec la réalité extérieure.

Automatisation
Capacité à traiter l'information sans y accorder d'attention consciente. Cette capacité se développe avec l'expérience.

Autorépétition d'intégration
Méthode consistant à associer une nouvelle information à une autre déjà connue afin d'en permettre la rétention.

Autorépétition de maintien
Méthode consistant à répéter mentalement le matériel à apprendre afin d'en permettre la rétention.

Axone
Prolongement unique du neurone transmettant l'impulsion nerveuse à

d'autres neurones par son arborisation terminale.

B

Bâtonnet
Photorécepteur en forme de bâtonnet qui n'est sensible qu'à l'intensité de la lumière.

Behaviorisme
Approche théorique qui définit la psychologie comme l'étude des comportements observables et qui examine les relations entre les stimuli et les réponses dans l'apprentissage.

Besoin
État de manque créant un déséquilibre pouvant être de nature physiologique ou psychologique.

Besoin d'accomplissement
Besoin d'accomplir des tâches jugées difficiles.

Besoin d'affiliation
Besoin d'être en relation avec autrui, de se sentir associé à un individu ou à un groupe d'individus.

Besoin de pouvoir
Besoin d'exercer une influence sur les organisations et les autres individus.

Besoin inconscient
Besoin issu de l'inconscient et d'une pulsion ou d'un contenu refoulé.

Besoin lié à l'actualisation de soi
Selon Maslow, besoin de s'accomplir et de développer ses potentiels uniques de façon optimale.

Besoin lié à l'appartenance et à l'amour
Selon Maslow, besoin d'entrer en relation avec autrui, de faire partie d'un groupe.

Besoin lié à l'estime de soi
Selon Maslow, besoin de se sentir compétent, d'avoir confiance en soi, d'être reconnu des autres et de mériter leur respect.

Besoin lié à la sécurité
Selon Maslow, besoin fondamental de protection face à l'environnement, tel que se protéger du froid ou de la chaleur, se loger, se vêtir, se soustraire à la douleur, à la souffrance physique et à la souffrance psychologique.

Besoin primaire
Voir Besoin physiologique
Besoin physiologique
aussi appelé Besoin primaire
Besoin lié à la survie de l'individu tel que respirer, se nourrir, boire, éliminer, etc.

Besoin psychologique
Aussi appelé Besoin secondaire
Besoin acquis ou appris par l'expérience.

Besoin secondaire
Voir Besoin psychologique
Besoin social
Besoin acquis par l'apprentissage et qui vise l'adaptation psychologique de l'individu à son milieu.

Besoins de croissance personnelle
Type de besoins qui, selon Maslow, comprennent à la fois les besoins liés à l'appartenance et à l'amour, les besoins liés à l'estime de soi et ceux liés à l'actualisation de soi.

Besoins fondamentaux
Type de besoins qui, selon Maslow, comprennent à la fois les besoins physiologiques et les besoins liés à la sécurité.

Boulimie
Trouble psychologique caractérisé par des épisodes incontrôlables de suralimentation suivis de purges permettant d'éviter la prise de poids.

Bruit
1. Dans la théorie de détection des signaux, tout signal indésirable qui entrave la perception du signal à transmettre; 2. Dans l'audition, combinaison de sons discordants.

Bulbe rachidien
Partie inférieure du tronc cérébral responsable, entre autres, de la régulation du rythme cardiaque, de la respiration et du sommeil.

Bulle psychologique
Appellation courante de la distance interpersonnelle.

Bouton terminal
Aussi appelé Terminaison axonale
Renflement des extrémités de l'arborisation terminale dans lequel se trouvent les vésicules synaptiques.

C

Ça
En psychanalyse, la plus importante des trois instances de l'appareil psychique, présente à la naissance, qui est entièrement inconsciente; réservoir des pulsions sexuelles et agressives innées, de même que des contenus refoulés acquis.

Cadre de référence interne
Selon Rogers, modèle de perceptions et d'attitudes propre à chaque personne en fonction duquel elle évalue la réalité.

Canaux semi-circulaires
Structures de l'oreille interne qui contrôlent le mouvement et la position du corps. En partie responsables de l'équilibre.

Captation
Saisie par un organe sensoriel d'une stimulation de l'environnement.

Capture visuelle
Tendance de la vision à dominer les autres sens.

Carte cognitive
Représentation ou image mentale des éléments dans une situation d'apprentissage, tel un labyrinthe.

Catatonie
État caractérisé par de l'inertie motrice et de l'insensibilité profondes.

Catharsis
Décharge émotionnelle permettant de se libérer des expériences traumatiques.

Cauchemar
Trouble du sommeil correspondant à un rêve dans lequel se trouve une émotion suffisamment désagréable pour qu'elle entraîne le réveil et la prise de conscience de l'expérience vécue.

Centration
Fait de porter attention à un seul aspect d'une situation.

Censure
Dans la théorie psychanalytique, processus psychique qui empêche l'expression de désirs inconscients dans le conscience autrement que sous forme déguisée.

Cerveau
Partie importante du système nerveux comprenant un ensemble complexe de structures situées à l'intérieur de la boîte crânienne, et contrôlant les actions volontaires et une grande partie des actions involontaires.

Cervelet
Partie du cerveau postérieur responsable de la coordination musculaire et de l'équilibre.

Cholestérol
Substance grasse qui se trouve dans la plupart des tissus de l'organisme; elle provient des aliments et est synthétisée par l'organisme.

CIM
Aussi appelé Classification internationale des maladies
Manuel élaboré par l'Organisation mondiale de la santé (OMS) dont le chapitre 5 est consacré aux troubles mentaux et aux troubles de comportement.

Circadien
Se dit d'un cycle rythmé par le lever et le coucher du soleil sur une période de 24 heures.

Circonvolution
Repli sinueux en forme de bourrelet; se réfère ici au cortex cérébral.

Clarté
Qualité perceptive selon laquelle une couleur paraît plus ou moins pâle ou foncée.

Claustrophobie
Peur incontrôlable, irrationnelle et excessive de se trouver enfermé dans un endroit clos.

Code acoustique
Représentation mentale de l'information sous forme d'une suite de sons.

Code sémantique
Représentation mentale de l'information selon sa signification.

Code visuel
Représentation mentale de l'information sous forme d'image.

Complexe d'Œdipe
Lors du stade phallique, désir sexuel éprouvé inconsciemment envers le parent du sexe opposé, et sentiment de jalousie et de haine envers le parent du même sexe, lequel est perçu comme un rival.

Complexe de castration
En psychanalyse, conséquence principalement inconsciente de la différence anatomique des sexes, conséquence qui conduit, chez le garçon, à la peur de perdre le pénis et, chez la fille, à l'envie du pénis qu'elle aurait perdu.

Complexe K
Augmentation de l'activité cérébrale se produisant au deuxième stade du sommeil et résultant d'une stimulation externe ou interne.

Comportement
Action ou réaction observable chez les humains et les animaux.

Comportement de type A
Comportement caractérisé par un sentiment d'urgence et de compétitivité, ainsi que par une tendance à l'emportement.

Comportement de type B
Comportement caractérisé, contrairement au comportement de type A, par un sentiment dénué d'urgence et de compétitivité, ainsi que par une faible tendance à l'emportement.

Composante cognitive
Expression faisant référence au rôle que l'interprétation joue dans l'émotion qui sera ressentie par un individu.

Composante physiologique
Expression faisant référence à l'ensemble des réactions corporelles observées dans toute manifestation d'ordre émotionnel.

Composante situationnelle
Expression correspondant aux éléments caractérisant une situation susceptible de conduire à une émotion.

Compréhension empathique
En psychologie humaniste, capacité de comprendre le monde intérieur d'une personne le plus fidèlement possible.

Compulsion
Tendance intérieure impérative poussant une personne à accomplir une certaine action alors qu'elle tente de l'éviter. Si la compulsion n'est pas accomplie, une angoisse intense survient.

Concept
Symbole qui représente un groupe d'objets, d'idées ou d'événements ayant des propriétés communes.

Conditionnement
Forme simple d'apprentissage par laquelle des stimuli finissent par déclencher des réponses au moyen de l'association.

Conditionnement aversif
Thérapie behaviorale qui consiste à inhiber des conduites indésirables en les associant à des stimuli répulsifs.

Conditionnement classique
Forme d'apprentissage associatif par lequel un stimulus finit par provoquer la réponse habituellement déclenchée par un deuxième stimulus, en étant associée à maintes reprises à ce dernier.

Conditionnement d'ordre supérieur
Forme d'apprentissage dans lequel on utilise, à titre de stimulus inconditionnel, un stimulus qui a acquis, dans une situation de conditionnement précédent, sa capacité de déclencher un comportement donné.

Conditionnement opérant
Forme d'apprentissage associatif par lequel un organisme apprend à reproduire ou à inhiber un comportement parce que ce dernier a été renforcé ou puni.

Conduites
Terme correspondant chez Piaget à un comportement typique d'un stade.

Cône
Photorécepteur en forme de cône qui transmet les sensations de couleur.

Conflit approche-approche
Conflit de motivation dans lequel l'individu doit choisir l'une ou l'autre de deux possibilités ayant des conséquences intéressantes.

Conflit approche-évitement
Conflit de motivation dans lequel l'individu doit choisir ou non d'adopter un comportement impliquant des conséquences à la fois positives et négatives.

Conflit approche-évitement multiple
Conflit de motivation dans lequel l'individu doit choisir l'une ou l'autre de plus de deux possibilités, chacune ayant des conséquences à la fois positives et négatives.

Conflit de motivation
État d'un organisme confronté à une situation comportant différentes possibilités incompatibles, ou un choix comportant des aspects à la fois positifs et négatifs.

Conflit évitement-évitement
Conflit de motivation dans lequel l'individu doit choisir l'une ou l'autre de deux possibilités ayant des conséquences désagréables.

Congruence
Selon Rogers, correspondance exacte entre l'expérience, la prise de conscience et la communication permettant de rapprocher le soi au soi idéal.

Connaissance tacite
Règle non dite ayant trait à une situation donnée, notamment en ce qui concerne les rapports humains.

Conscience
Connaissance qu'une personne a de l'ensemble de ses perceptions : face à elle-même et face à son environnement.

Conscient
En psychanalyse, ce qui est perceptible aux sens, ce que la personne connaît ou observe directement du milieu, ou encore d'elle-même, au moment présent.

Conservation
Reconnaissance que les propriétés des substances, comme la quantité et le poids, demeurent constantes, même si leur apparence peut changer.

Considération positive conditionnelle
Dans la théorie humaniste, reconnaissance de la valeur d'une personne accordée dans la mesure où son comportement est conforme aux désirs des autres.

Considération positive inconditionnelle
Dans la théorie humaniste, expression répétée de l'estime pour la valeur d'une personne, mais qui ne signifie pas forcément l'acceptation sans réserve de tous ses comportements.

Consolidé
Fixé dans la mémoire à long terme.

Constance de la forme
Tendance à percevoir un objet comme ayant la même forme même si l'image rétinienne change de forme selon la position de l'observateur par rapport à l'objet observé.

Constance de la grandeur
Tendance à percevoir un objet comme ayant une grandeur constante, même lorsque la grandeur de son image rétinienne varie selon la distance.

Constance des couleurs
Tendance à percevoir un objet dans sa couleur originale même si les conditions d'éclairage modifient la lumière qui en provient.

Constructivisme
Théorie qui considère que le développement cognitif s'effectue par une suite structurée de stades adaptatifs.

Contenu latent
En psychanalyse, ce qui est caché derrière ce que raconte une personne de son rêve et que l'on tente de déchiffrer pour atteindre une partie de son inconscient.

Contenu manifeste
En psychanalyse, ce qu'une personne raconte de son rêve, ce qui est du domaine du conscient.

Continuité
« Tendance à regrouper en formes des éléments situés en continuité les uns des autres. » (Bélaïd, 2004)

Contraste chromatique
Impression visuelle provoquée par une stimulation sensorielle simultanée ou successive. La perception qui en résulte représente la couleur complémentaire du stimulus.

Contraste figure-fond
Mécanisme d'organisation perceptive selon lequel on est porté à percevoir des figures se détachant d'un fond.

Contraste simultané
Impression visuelle apparaissant en même temps que le stimulus déclencheur.

Contraste successif
Appelé aussi Image consécutive
Impression visuelle qui subsiste après le retrait d'un stimulus.

Contre-conditionnement
Technique de thérapie behavioriste qui consiste à associer des stimuli agréables à des stimuli anxiogènes, de telle sorte que les stimuli anxiogènes perdent leur caractère d'aversion.

Contre-transfert
Ensemble des manifestations de l'inconscient du psychanalyste en relation avec celles du transfert de son client.

Convergence oculaire
Indice binoculaire de profondeur fondé sur l'angle que forment les yeux avec un objet lorsqu'ils focalisent vers celui-ci.

Corps calleux
Épais groupe d'axones reliant les deux hémisphères cérébraux.

Corps cellulaire
Partie du neurone comprenant un noyau et contrôlant l'activité du neurone.

Corrélation négative
Relation entre deux variables dans laquelle une variable augmente à mesure que l'autre diminue, et vice versa.

Corrélation positive
Relation entre deux variables dans laquelle l'augmentation de l'une s'accompagne de l'augmentation de l'autre.

Cortex cérébral
Couche plissée de corps cellulaires des neurones recouvrant les hémisphères cérébraux et responsables des fonctions cognitives supérieures telles que le langage et la pensée.

Courbe de généralisation
Description du lien entre le degré de similarité des stimuli et l'ampleur de la réponse qui leur est associée.

Créativité
Capacité de produire des solutions inédites aux problèmes.

Crise d'angoisse
Voir Attaque de panique et Croyance irrationnelle
Idée irréaliste de nature émotive menant inévitablement à des conclusions erronées qui nous empêchent de bien fonctionner.

D

Décibel (dB)
Unité servant à mesurer l'intensité du son.

Déclencheur
Stimulus qui déclenche un instinct ou un schème d'action prédéterminé.

Déduction
Conclusion qu'on applique à un cas particulier en partant de lois générales.

Déficience intellectuelle
Niveau de fonctionnement intellectuel très inférieur à la moyenne, acquis ou congénital.

Degré d'attente d'efficacité
Perception qu'a un individu de ses capacités à provoquer un changement.

Dendrites
Prolongements multiples du corps cellulaire du neurone recevant les impulsions en provenance d'autres neurones.

Déontologie
Ensemble des devoirs qu'impose à des professionnels l'exercice de leur métier.

Dépendance
État que peut créer une consommation régulière d'une substance psychotrope. L'absence de cette substance dans l'organisme provoque des malaises d'ordre physique ou psychologique (voir sevrage).

Dépersonnalisation
Sentiment tenace de ne pas être réel ou d'être détaché de ses expériences ou de son corps.

Dépresseur
Type de drogue psychotrope ralentissant l'activité du système nerveux central et favorisant la relaxation et le sommeil.

Dépression majeure
Trouble psychologique caractérisé par la perte d'intérêt ou de plaisir pour presque toutes les activités. La dépression majeure s'accompagne d'une perte d'appétit, de problèmes de sommeil, d'un ralentissement des mouvements et d'une évaluation perturbée.

Désensibilisation systématique
Thérapie behaviorale visant à atténuer les peurs en associant une hiérarchie d'images de stimuli anxiogènes à une profonde relaxation musculaire.

Désir incestueux
Désir sexuel ayant pour objet un proche parent.

Désirabilité sociale
Tendance plus ou moins consciente d'une personne à agir de façon à confirmer ce qu'elle croit que les autres attendent d'elle.

Déterminisme
Conception selon laquelle les actions sont déterminées par la génétique ou des événements antérieurs, et non par le hasard ou le libre choix.

Déterminisme réciproque
Selon Bandura, influence simultanée de l'environnement et des individus.

Développement psychosexuel
En psychanalyse, processus par lequel l'énergie libidinale est investie dans différentes zones érogènes au cours des cinq étapes du développement de la personnalité.

Développement psychosocial
Théorie du développement de la personnalité élaborée par Erik Erikson et s'articulant autour de huit crises au fil desquelles les interactions sociales déterminent l'identité.

Diagnostic
Détermination d'une maladie ou d'un état d'après ses symptômes.

Dichromate
Type de vision correspondant à une cécité partielle des couleurs caractérisée par le fait de n'être sensible qu'à deux couleurs de base.

Dimension analytique (ou compositionnelle)
Aspects de l'intelligence qui se rapportent à la capacité d'appliquer des raisonnements logiques.

Dimension créative (ou de l'expérience)
Aspects de l'intelligence qui concerne la capacité d'inventer.

Dimension pratique (ou contextuelle)
Aspects de l'intelligence qui touchent la capacité de s'adapter au milieu.

Discrimination
Capacité à n'émettre un comportement donné que dans des circonstances qui présentent suffisamment de caractéristiques similaires avec la situation dans laquelle le comportement a été appris.

Disparité rétinienne
Indice binoculaire de profondeur fondé sur la différence d'image projetée par un objet sur la rétine de chaque œil.

Distance interpersonnelle
Distance à laquelle on se tient d'une autre personne en fonction du degré de proximité sociale qui existe entre soi et l'autre.

Distance intime
Expression faisant référence à une distance interpersonnelle variant de 0 à 45 cm, environ.

Distance personnelle
Expression faisant référence à une distance interpersonnelle variant de 45 cm à 1,25 m, environ.

Distance publique
Expression faisant référence à une distance interpersonnelle d'environ 3,60 m et plus.

Distance sociale
Expression faisant référence à une distance interpersonnelle variant de 1,25 à 3,60 m, environ.

Dominant
Relatif à une classe ou à une catégorie supérieure (englobante) dans la hiérarchie de la mémoire à long terme.

Dopamine
Neurotransmetteur impliqué dans les mouvements et qui semble jouer un rôle dans la schizophrénie, de même que dans les sensations de plaisir.

Douance
Niveau de fonctionnement intellectuel très supérieur à la moyenne, caractérisant les personnes dites surdouées. Dans le modèle de Gagné : aptitudes exceptionnelles latentes.

DSM
Aussi appelé Manuel diagnostique et statistique des troubles mentaux
Manuel élaboré par l'association américaine de psychiatrie qui classe les troubles psychologiques d'après leurs symptômes afin de permettre l'établissement d'un diagnostic psychiatrique.

Dystress
Aussi appelé Distress, détresse
Contraire d'eustress. Terme créé par Selye pour désigner le stress conduisant à des effets néfastes pour l'organisme, c'est-à-dire le stress qui le désorganise et l'inhibe.

E

Écho
Stimulus auditif retenu brièvement dans la mémoire sensorielle.

Éclectique
En psychothérapie, qualifie une thérapie qui emprunte à plusieurs approches différents principes, lorsqu'ils sont conciliables.

Effet autocinétique
Tendance à percevoir un point de lumière stationnaire comme s'il était en mouvement dans une pièce plongée dans l'obscurité.

Effet *cocktail party*
Capacité à sélectionner une source de stimulations parmi plusieurs sources simultanément disponibles.

Effet de la position sérielle
Tendance à se rappeler plus précisément les premiers et derniers éléments d'une liste.

Effet de primauté
Tendance à se rappeler les premiers éléments d'une liste.

Effet de récence
Tendance à se rappeler les derniers éléments d'une liste.

Égocentrisme
Tendance à tout rapporter à soi sans faire de distinction entre soi et la réalité extérieure.

Électroencéphalographie (EEG)
Technique par laquelle on place des électrodes sur le cuir chevelu afin d'enregistrer l'activité électrique des neurones, activité qui se manifeste au moyen d'ondes cérébrales.

Émotion
État affectif dont les composantes sont d'ordres physiologique, situationnel et cognitif.

Empirique
Terme qualifiant une conception de la connaissance selon laquelle celle-ci ne peut venir que de l'observation des faits et de l'expérience.

Encodage
Modification d'une information permettant de la placer en mémoire. Première phase du traitement de l'information.

Endorphine
Neurotransmetteur qui, comme la morphine, diminue les sensations liées à la douleur et augmente les sensations euphoriques.

Energie libidinale
Voir Libido
Méthode scientifique par laquelle un échantillon important d'individus est interrogé par un questionnaire ou une entrevue.

Entreposage
Sauvegarde durable de l'information dans la mémoire. Deuxième phase du traitement de l'information.

Énurésie
Trouble du sommeil se manifestant par l'émission involontaire et inconsciente d'urine.

Envie du pénis
En psychanalyse, désir éprouvé par la fille de posséder un pénis, comme le garçon.

Espace synaptique
Espace entre les boutons terminaux d'un neurone et la cellule réceptrice (neurone, muscle ou glande), dans lequel voyagent les neurotransmetteurs.

Essai
Appariement d'un stimulus neutre avec un stimulus inconditionnel.

État altéré de la conscience
État autre que l'état de veille normal, comprenant le sommeil, le rêve, l'hypnose et les perceptions déformées résultant de l'usage de drogues psychoactives.

État de stress post-traumatique
Trouble psychologique associé à un événement traumatisant dépassant les capacités d'adaptation de la personne et caractérisé par une anxiété intense et tenace liée à la remémoration de l'événement.

État hypnagogique
État de demi-sommeil situé entre l'endormissement et l'état de veille, et caractérisé par des images hallucinatoires.

Éthologiste
Scientifique qui étudie les comportements caractéristiques des différentes espèces dans leur habitat naturel.

Étiologie
Étude des causes des maladies.

Étude de cas
Méthode scientifique bâtie sur une analyse approfondie et soigneusement élaborée d'une ou de plusieurs personnes obtenue à l'aide d'entrevues, de questionnaires ou de tests psychologiques.

Eugénisme
Étude et application de procédés visant à améliorer la structure génétique d'une population par la reproduction sélective de certains individus.

Eustress
Contraire de dystress
Terme créé par Selye pour désigner le stress conduisant à des effets salutaires pour l'organisme, c'est-à-dire le stress qui le stimule et le rend productif.

Extinction
Processus qui consiste à cesser d'émettre un comportement quand celui-ci cesse d'être ajusté aux conditions de l'environnement.

F

Façonnement
Technique d'apprentissage de comportements complexes qui consiste à renforcer successivement les approximations du comportement terminal visé.

Facteur g
Symbole qui désigne l'intelligence générale, supposée être un trait hérité qui sous-tend les capacités cognitives.

Fantasme
Production de l'imagination par laquelle le moi cherche à échapper à l'emprise de la réalité.

Fermeture
Tendance à percevoir des figures complètes, même quand l'information sensorielle est lacunaire.

Fidélité
Constance d'un test en tant qu'instrument de mesure. Un test fidèle devrait donner sensiblement le même résultat chaque fois qu'il est utilisé.

Fixation
En psychanalyse, liaison privilégiée de la libido à l'endroit d'objets, d'images ou de types de satisfaction d'un stade du développement psychosexuel en particulier. La fixation explique les conduites et les pensées répétitives dont la personne réussit difficilement à se défaire.

Force psychologique
Caractéristique psychologique se manifestant essentiellement par l'audace, plus précisément par : (1) un niveau d'engagement élevé dans tout ce que l'individu entreprend ; (2) un degré élevé de goût du défi face aux changements ; ainsi que (3) une tendance à posséder un lieu de contrôle interne.

Frustration
État de tension engendré soit par la rencontre d'un obstacle ou d'une contrariété dans une démarche pour atteindre un but, soit par un conflit de motivation.

Fuseau de sommeil
Brève émission d'ondes cérébrales rapides qui survient au cours du deuxième stade du sommeil.

G

Gaine de myéline
Substance grasse qui recouvre et isole les axones et qui augmente la vitesse de transmission des impulsions nerveuses.

Généralisation
Émission d'un comportement dans des circonstances différentes que celles qui ont favorisé son acquisition, mais qui présentent des similitudes importantes avec le contexte initial de l'apprentissage.

Généraliser
Étendre, appliquer à l'ensemble ; universaliser.

Gestalt
De l'allemand et qui signifie «forme» ou «structure». Forme perçue comme constituant un tout. En théorie de la personnalité, perception globale que l'individu a de lui ou d'un autre.

Gestalt inachevée
Voir Affaire non liquidée

Gradient de texture
Indice monoculaire de profondeur fondé sur la distance relative entre les éléments constituant une texture.

Groupe expérimental
Dans la méthode expérimentale, groupe de participants soumis à l'un des niveaux de la variable indépendante.

Groupe normatif
Groupe de personnes par rapport auxquelles sont comparées les performances d'un sujet.

Groupe témoin
Dans la méthode expérimentale, groupe de participants soumis au niveau nul de la variable indépendante.

H

Habituation
1. Tendance perceptive à ne plus porter attention aux stimuli non pertinents. 2. Forme d'apprentissage par laquelle la présentation répétée d'un stimulus entraîne la diminution d'une réponse comportementale.

Hallucinogène
Aussi appelé Perturbateur
Type de drogue psychotrope engendrant des hallucinations en l'absence de stimulation extérieure.

Hauteur tonale
Caractéristique selon laquelle un son est perçu comme grave ou aigu. La hauteur tonale dépend principalement de la fréquence de l'onde sonore.

Hémisphère cérébral
Partie du cerveau, droite ou gauche, reliée par le corps calleux et le tronc cérébral.

Hertz (Hz)
Unité exprimant la fréquence des ondes sonores. Un hertz équivaut à un cycle par seconde.

Hiérarchie des besoins de Maslow
Selon cette théorie humaniste, l'individu doit combler des besoins précis selon un ordre prédéterminé. À la base, on retrouve les besoins physiologiques, ensuite, les besoins liés à la sécurité, suivis des besoins liés à l'appartenance et à l'amour. En dernier lieu viennent les besoins liés à l'estime de soi et ceux liés à l'actualisation de soi.

Hippocampe
Partie du système limbique intervenant dans la formation des souvenirs.

Homéostasie
Tendance du corps à maintenir un état d'équilibre.

Horloge biologique
Mécanisme interne contrôlant des variations cycliques du fonctionnement biologique et psychologique, et du comportement d'un individu.

Hypnose
État altéré de la conscience dans lequel les gens semblent très influencés par les suggestions d'une autre personne (l'hypnotiseur) et insensibles aux autres stimuli.

Hypnotique
Substance qui favorise la somnolence et le sommeil.

Hypocondrie
Préoccupation exagérée d'une personne au sujet de sa santé se traduisant par des croyances et des attitudes irrationnelles vis-à-vis de son corps, et par la crainte d'avoir une maladie grave, malgré l'absence de preuves médicales.

Hypomanie
Forme atténuée de la manie.

Hypothalamus
Regroupement de noyaux situé sous le thalamus et responsable, entre autres, de la température du corps, de la motivation et de l'émotion, et sécrétant des hormones.

Hypothèse
Énoncé temporaire d'une relation entre deux événements ou comportements devant être vérifiés par les faits.

I

Icône
Stimulus visuel retenu brièvement dans la mémoire sensorielle.

Illusion perceptive
Sensation qui engendre une erreur perceptive.

Imagerie par résonance magnétique (IRM)
Technique de pointe qui consiste à soumettre une personne à un champ magnétique provoquant une résonance des noyaux atomiques d'hydrogènes contenus dans son cerveau.

Impulsion nerveuse
Aussi appelée Message nerveux ou Influx nerveux
Décharge électrochimique d'un neurone établissant la communication entre différentes structures du cerveau, la moelle épinière, les muscles, les glandes et les sens.

Incitateur
Objet, individu ou situation perçu comme étant capable de satisfaire un besoin.

Inconscient
Dans la théorie psychanalytique, force déterminante qui ne peut jamais devenir parfaitement consciente parce que les mots n'arrivent pas à l'exprimer. L'inconscient est constitué de contenus refoulés et de pulsions qui cherchent néanmoins à s'exprimer sous des formes codées telles que les rêves, les lapsus et les actes manqués.

Identification
En psychanalyse, mécanisme inconscient par lequel un individu assimile un aspect d'une autre personne et se transforme selon le modèle de celle-ci. C'est l'utilisation de ce mécanisme à l'égard de différents modèles qui permet la construction de la personnalité.

Identité
Selon Erikson, sentiment d'être bien dans son corps, de savoir où l'on va, et assurance intérieure d'une reconnaissance anticipée de la part de ceux qui comptent.

Indice binoculaire
Stimulus évoquant la profondeur et nécessitant l'action simultanée des deux yeux.

Indice monoculaire
Stimulus évoquant la profondeur au moyen d'un seul œil.

Induction
Loi générale qu'on construit à partir de cas particuliers.

Innéiste
Approche qui met l'accent sur l'inné, c'est-à-dire ce qui n'est pas le résultat d'un apprentissage et qui est transmis de façon génétique.

Insomnie
Trouble du sommeil dans lequel la personne n'arrive pas à trouver un sommeil satisfaisant.

Instinct
Aussi appelé Schème d'action prédéterminé
Disposition héréditaire à l'origine de comportements se manifestant à un certain moment du développement de l'espèce. Comportement typique et commun à tous les membres de l'espèce.

Interférence proactive
Interférence de matériel ancien sur la capacité de repêcher du matériel appris récemment.

Interférence rétroactive
Interférence du nouveau matériel sur la capacité de repêcher le matériel appris précédemment.

Interposition
Indice monoculaire de profondeur fondé sur le fait qu'un objet rapproché éclipse une partie de l'objet derrière lui.

Introspection
Description rigoureuse de ce que la personne perçoit à l'intérieur d'elle-même.

K

Kinesthésie
Aussi appelé Sens kinesthésique
Sens qui nous informe au sujet de la position de notre tête et de nos membres par rapport à notre tronc.

L

Lapsus
Faute consistant à substituer par inadvertance un mot à un autre, que ce soit en parlant ou en écrivant.

Latent
Apprentissage qui ne se manifeste pas tant qu'il n'est pas sollicité.

Libido
En psychanalyse, énergie psychique des pulsions sexuelles qui s'expriment sous forme de désirs, d'attractions et d'aspirations amoureuses, et qui poussent l'individu vers un objet ou un partenaire pour tenter de trouver une satisfaction. Liée à la survie, la libido est une pulsion de vie.

Libre association
En psychanalyse, méthode qui consiste à exprimer spontanément et avec le moins de contrôle possible toutes les pensées qui viennent à l'esprit, à partir de l'image d'un rêve ou d'un lapsus, par exemple.

Lieu de contrôle
Ensemble des attentes qu'a une personne en ce qui a trait à sa capacité d'exercer un contrôle sur les événements la concernant. On parle de lieu de contrôle interne ou externe, selon que l'individu a l'impression de contrôler ou non ces événements.

Lieu de contrôle externe
Tendance à considérer que le contrôle de sa vie ne réside pas en soi, ce qui amène l'individu à se sentir et à se comporter comme s'il était impuissant plutôt qu'influent face aux multiples récompenses et punitions de la vie.

Lieu de contrôle interne
Tendance à considérer que c'est en soi que réside le contrôle de sa vie, ce qui amène l'individu à se sentir et à se comporter comme s'il était influent, plutôt qu'impuissant face aux multiples récompenses et punitions de la vie.

Lobes frontaux
Parties avant du cortex cérébral particulièrement impliquées dans le traitement des informations motrices et, dans leur partie préfrontale, dans les phénomènes mentaux les plus complexes.

Lobes occipitaux
Parties arrière du cortex cérébral particulièrement impliquées dans le traitement des informations visuelles.

Lobes pariétaux
Parties supérieures du cortex cérébral particulièrement impliquées dans le traitement des sensations corporelles.

Lobes temporaux
Parties du cortex cérébral situées près de la tempe et particulièrement impliquées dans le traitement des informations auditives, dans la mémoire et dans l'apprentissage.

Loi de l'effet
Principe de Thorndike selon lequel les réponses ont tendance à se maintenir si elles sont renforcées, et tendance à disparaître si elles sont punies.

Lois de la gestalt
Règles de l'organisation des perceptions en figures cohérentes plus grandes que la somme de leurs parties.

Loi de Weber
Loi de la perception selon laquelle le seuil différentiel est proportionnel à l'intensité des stimuli. On perçoit plus facilement la différence entre des stimuli d'intensité faible qu'entre des stimuli d'intensité élevée.

Loi de Yerkes-Dodson
Principe selon lequel un niveau élevé d'activation ou de motivation augmente l'efficacité de la performance dans une tâche relativement simple, alors qu'un niveau plus faible d'activation ou de motivation permettrait une meilleure performance dans une tâche complexe.

M

Maladie d'Alzheimer
Maladie dégénérative du cerveau associée à la dégénérescence des cellules hippocampiques et corticales. Les symptômes de la maladie d'Alzheimer sont caractérisés par la confusion, l'incapacité de former de nouveaux souvenirs et, dans l'ensemble, par une perturbation progressive des facultés intellectuelles et mentales.

Maniaco-dépression
Voir Trouble bipolaire
État d'excitation intellectuelle et physique se manifestant par de l'exubérance, de l'hyperactivité, de l'optimisme, de la confiance, et dépourvu de souffrance psychique.

Maturation
Processus biologique déterminé par les gènes et par lequel une structure organique se développe selon une série de changements ordonnés.

Mécanisme de défense
Dans la théorie psychanalytique, opération inconsciente qui empêche la personne de prendre conscience d'idées ou d'émotions dérangeantes.

Mémoire
Ensemble des opérations mentales permettant de retenir l'information malgré le passage du temps.

Mémoire à court terme
Aussi appelée Mémoire de travail
Type de mémoire qui peut retenir l'information pendant 20 à 30 secondes après la dégradation de la trace du stimulus.

Mémoire à long terme
Type de mémoire capable d'un entreposage assez permanent.

Mémoire échoïque
Registre de l'information sensorielle qui retient brièvement les stimuli auditifs.

Mémoire épisodique
Souvenir des événements qui ont été vécus par une personne ou qui sont survenus en sa présence; mémoire des faits personnels.

Mémoire iconique
Registre de l'information sensorielle qui retient brièvement les stimuli visuels.

Mémoire liée à l'état
Information dont la capacité de repêchage est supérieure dans l'état physiologique ou émotif où elle a été apprise.

Mémoire liée au contexte
Information dont la capacité de repêchage est supérieure dans le contexte où elle a été apprise.

Mémoire procédurale
Aussi appelée Mémoire motrice ou Mémoire des savoir-faire
Type de mémoire à long terme portant sur les habiletés motrices.

Mémoire sémantique
Type de mémoire à long terme portant sur les faits généraux. S'oppose à la mémoire épisodique.

Mémoire sensorielle
Registre de l'information sensorielle qui retient brièvement les stimuli.

Méthode corrélationnelle
Méthode scientifique qui étudie le sens (positif ou négatif) de la relation entre deux variables.

Méthode expérimentale
Méthode scientifique qui tente de découvrir une relation de cause à effet en contrôlant une variable indépendante et en mesurant son impact sur une variable dépendante.

Migraine
Type particulier de mal de tête se manifestant par l'apparition soudaine d'une douleur lancinante d'un côté de la tête et d'origine vasculaire, c'est-à-dire provenant de changements dans l'approvisionnement sanguin au cerveau.

Modèle triarchique
Modèle du fonctionnement de l'intelligence qui comporte trois composantes.

Moelle épinière
Cordon de nerfs à l'intérieur de la colonne vertébrale transmettant les messages des récepteurs sensoriels au cerveau, et du cerveau aux muscles et aux glandes.

Moi
En psychanalyse, deuxième instance de l'appareil psychique à se développer, caractérisée par la conscience de soi. Le moi tente de satisfaire les demandes du ça et les exigences du surmoi tout en faisant face à la réalité. Dans sa partie inconsciente, le moi est responsable de l'utilisation des mécanismes de défense.

Monochromate
Type de vision correspondant à une cécité complète des couleurs.

Motivation
État hypothétique au sein d'un organisme qui pousse ce dernier vers un but.

Motivation extrinsèque
Désir de s'adonner à une activité en raison de récompenses externes ou afin d'éviter une punition. La motivation n'est pas inhérente au comportement en question.

Motivation intrinsèque
Désir de s'adonner à une activité pour le seul plaisir de la chose. La motivation est dérivée de la satisfaction inhérente au comportement en question.

Mouvement stroboscopique
Illusion visuelle par laquelle la perception de mouvement est engendrée par une série d'images stationnaires et légèrement différentes, présentées en succession rapide.

N

Narcolepsie
Trouble du sommeil entraînant de façon soudaine la perte du tonus musculaire et l'endormissement.

Néobehavioriste
Tenant contemporain du courant behavioriste qui élargit son champ d'études et d'intervention aux cognitions. Ces cognitions interviennent entre les stimuli et les réponses.

Nerf
Regroupement d'axones de nombreux neurones.

Nerf olfactif
Nerf qui transmet au cerveau l'information concernant les odeurs enregistrées par les récepteurs olfactifs.

Netteté
Degré de précision des contours formés au niveau de l'image rétinienne.

Neurone
Cellule du système nerveux par laquelle les impulsions nerveuses sont transmises.

Neurone afférent
Aussi appelé Neurone sensoriel
Neurone transmettant des messages des récepteurs sensoriels à la moelle épinière et au cerveau.

Neurone efférent
Aussi appelé Neurone moteur
Neurone transmettant des messages du cerveau ou de la moelle épinière aux muscles et aux glandes.

Neurotransmetteur
Aussi appelé Neuromédiateur
Substance chimique libérée par les neurones inhibant ou stimulant les cellules qui les reçoivent.

Névrose
État psychique caractérisé par l'impossibilité de résoudre une difficulté, état dont la personne est habituellement consciente, mais sans altération profonde de contact avec la réalité. La névrose peut entraîner des troubles permanents de la personnalité.

Nœud de Ranvier
Segment dénudé d'un axone myélinisé.

Noradrénaline
Neurotransmetteur qui, comme l'adrénaline, active le système nerveux. Elle joue aussi un rôle dans l'état d'éveil, l'apprentissage, la mémoire, l'appétit et les émotions.

Noyaux gris centraux
Amas de corps cellulaires, situés près du thalamus, responsables de la coordination motrice et intervenant dans la cognition.

O

Observation
Méthode scientifique qui vise à dresser un portrait global d'un phénomène peu connu sans intervenir sur la manifestation des comportements.

Observation naturelle
Type d'observation se déroulant dans l'environnement habituel des êtres étudiés.

Obsession
Trouble psychologique caractérisé par l'irruption de pensées, d'images ou de sentiments fréquents qui persistent malgré la volonté et les efforts de la personne de s'en débarrasser.

Odeur
Caractéristique d'une substance que perçoit l'odorat.

Ombre
Indice monoculaire de profondeur fondé sur le fait que les objets opaques bloquent la lumière et produisent des ombres.

Onde alpha
Onde cérébrale associée à l'état de relaxation.

Onde bêta
Onde cérébrale associée à l'état d'éveil actif.

Onde delta
Onde cérébrale lente émise habituellement au cours des troisième et quatrième stades du sommeil.

Onde thêta
Onde cérébrale lente habituellement associée au premier stade du sommeil, au cours duquel de brèves images hallucinatoires sont produites.

Opérant
Unité comportementale objectivement définie de façon qu'on puisse compter le nombre de fois qu'elle survient.

Organisation perceptive
Tendance à intégrer des éléments perceptifs en des configurations significatives.

P

Parallaxe de mouvement
Indice monoculaire de profondeur. Si l'observateur est en mouvement, les parties rapprochées de son champ visuel changent davantage que les parties plus éloignées.

Parasympathique
Branche du système nerveux autonome la plus active lors des processus visant à rétablir les réserves d'énergie du corps.

Pensée convergente
Processus de pensée qui tend à réduire les possibilités à une seule solution.

Pensée divergente
Processus de pensée qui tend à générer de multiples solutions aux problèmes.

Pensée magique
Mode de pensée caractérisé, entre autres, par l'animisme et l'artificialisme.

Perception
Processus par lequel les sensations sont organisées en une représentation intérieure du monde.

Perception subliminale
Perception se situant en deçà du seuil de la conscience.

Période de latence
Quatrième étape du développement psychosexuel caractérisée par le refoulement des pulsions sexuelles et leur sublimation dans des activités scolaires, sociales et culturelles.

Permanence de l'objet
Reconnaissance que les objets soustraits à la perception existent encore.

Personnalité
Ensemble de caractéristiques relativement stables dans la manière d'être d'un individu et dans sa façon de réagir aux situations.

Personnalité antisociale
Aussi appelée Psychopathie ou Sociopathie
Type de trouble de la personnalité caractérisé par le mépris et la transgression des droits des autres, par une indifférence à l'égard des normes et des contraintes sociales, de même que par l'absence de sentiments de culpabilité.

Personnalité borderline
Aussi appelée Personnalité limite
Trouble psychologique caractérisé par une instabilité des relations interpersonnelles, de l'image de soi et des émotions, et par une impulsivité marquée.

Personnalité dépendante
Type de trouble de la personnalité caractérisé par un besoin envahissant et excessif d'être pris en charge, par la soumission et par une peur de la séparation.

Personnalité histrionique
Type de trouble de la personnalité caractérisé par des expressions émotives et une quête d'attention excessives, de même que par un désir inapproprié de séduction sexuelle.

Personnalité limite
Voir Personnalité borderline

Personnalité multiple
Voir Trouble dissociatif de l'identité

Personnalité narcissique
Type de trouble de la personnalité caractérisé par le sentiment d'être grandiose, par le besoin d'être admiré et par l'absence d'empathie.

Perspective linéaire
Indice monoculaire de profondeur fondé sur la convergence, au niveau de l'image rétinienne, de lignes en réalité parallèles, mais dont une des extrémités s'éloigne de l'observateur.

Perturbateur
Aussi appelé Hallucinogène
Type de drogue psychotrope engendrant des hallucinations, de la relaxation et de l'euphorie.

Phase d'alarme
Première phase du syndrome général d'adaptation déclenchée par l'impact d'un stresseur. Elle se caractérise par l'activation du système nerveux sympathique (accélération du rythme cardiaque et de la respiration, hausse de la tension artérielle, etc.).

Phase d'épuisement
Troisième phase du syndrome général d'adaptation caractérisée par l'affaiblissement de l'énergie et de la résistance de l'organisme au stress pouvant entraîner de graves perturbations physiques, et même la mort.

Phase de résistance
Aussi appelée Phase d'adaptation
Deuxième phase du syndrome général d'adaptation caractérisée par une activation du système sympathique moindre que lors de la phase d'alarme, mais plus élevée qu'en situation normale.

Phénomène phi
Perception de mouvement résultant de la présentation séquentielle de stimuli visuels lumineux.

Phéromone
Sécrétion externe produite par un organisme, qui stimule une réponse physiologique ou comportementale chez un autre membre de la même espèce.

Phobie
Trouble psychologique caractérisé par une peur incontrôlable, irrationnelle et excessive d'une situation ou d'un objet déterminé, reconnu inoffensif, mais que la personne cherche à éviter à tout prix.

Placebo
Traitement ou médicament dont l'efficacité ne repose pas sur ses effets physiques, mais sur les attentes de la personne traitée.

Pont
Aussi appelé Protubérance
Renflement du tronc cérébral responsable, entre autres, du mouvement du corps, du sommeil, de la vigilance et de la respiration.

Portillon de la douleur
Blocage des sensations de douleur quand la moelle épinière doit aussi relayer des sensations de pression qui proviennent de zones voisines de la source de la douleur.

Potentiel unique
Selon la théorie humaniste, correspond aux possibilités de développement de l'individu dans un ou plusieurs domaines : intellectuel, affectif, social, artistique, moteur, etc.

Préconscient
En psychanalyse, matériel non conscient (souvenirs et connaissances) qui peut être amené à la conscience par l'attention. Le préconscient se situe entre le conscient et l'inconscient.

Préhension
Acte par lequel un enfant se saisit d'un objet.

Prévisibilité
Capacité de prédire l'apparition d'un stresseur.

Principe de plaisir
En psychanalyse, recherche de la satisfaction immédiate des pulsions (plaisir) et évitement du déplaisir ; principe directeur du ça.

Principe de réalité
En psychanalyse, prise en considération des conditions imposées par le monde extérieur dans la satisfaction des pulsions ; principe directeur du moi.

Proprioceptif
Qui concerne la position du corps, de la tête et des membres dans l'espace.

Proximité
Tendance perceptive à regrouper les objets qui sont proches les uns des autres.

Psychanalyse
Approche théorique et thérapeutique qui insiste sur l'importance des pulsions et des conflits inconscients comme déterminants du fonctionnement humain.

Psychanalyste
Personne ayant été elle-même psychanalysée et qui intervient auprès de ses clients en appliquant les concepts théoriques de la psychanalyse fondée par Freud. Titre non protégé par la loi.

Psychiatre
Médecin spécialisé dans le traitement des maladies mentales. Titre protégé par la loi.

Psychodrame
Technique gestaltiste de jeu improvisé au cours duquel s'expriment des émotions et dont le but est de soulager la personne de ses troubles psychologiques.

Psychoéducateur
Personne détenant une formation universitaire en psychoéducation et qui travaille auprès de gens en difficulté d'adaptation. Titre protégé par la loi.

Psycho-immunologie
Domaine qui étudie les relations entre les facteurs psychologiques, plus particulièrement ceux induisant le stress, et le système immunitaire.

Psychologie
Science qui étudie le comportement et les phénomènes mentaux.

Psychologie cognitive
Vaste approche théorique qui s'interroge sur le raisonnement, le langage, la mémoire et l'intelligence.

Psychologie de la gestalt
Approche théorique qui insiste sur la tendance à organiser les perceptions en ensembles et à intégrer des parties distinctes en un tout significatif.

Psychologie de la santé
Branche de la psychologie qui étudie les relations entre, d'une part, les facteurs psychologiques et, d'autre part, la prévention de même que le traitement de la maladie physique.

Psychologie humaniste
Approche théorique qui insiste sur l'expérience subjective, la conscience et la liberté. L'humain est considéré comme naturellement bon et dirigé par son besoin d'actualisation.

Psychologue
Personne détenant une formation universitaire de deuxième cycle (maîtrise) en psychologie et membre de l'Ordre des psychologues du Québec.

Psychopathie
Voir Personnalité antisociale

Psychopathologie
Étude des troubles de la pensée, des émotions et des sentiments, du comportement et du mode de relation de la personne avec son environnement.

Psychophysiologiste
Psychologue qui étudie le comportement et les processus mentaux en liaison avec le fonctionnement de systèmes organiques tels que les hormones et le code génétique.

Psychose
État psychique caractérisé par une rupture avec le monde extérieur et par la création d'une nouvelle réalité personnelle. La psychose atteint globalement la personnalité et nécessite souvent une prise en charge thérapeutique intensive.

Psychothérapie
Processus interactionnel structuré qui, fondé sur un diagnostic, vise le traitement d'un trouble de santé mentale à l'aide de méthodes psychologiques reconnues par la communauté scientifique. (Définition retenue par l'Ordre des psychologues du Québec.)

Psychotrope
Aussi appelé Drogue psychoactive
Substance naturelle ou synthétique pouvant perturber les processus mentaux et le comportement sur le plan de la vigilance, des perceptions, de la pensée, des émotions, de la coordination motrice, etc.

Pulsion
Dans la théorie psychanalytique, poussée d'énergie orientant la personne vers un but et qui se trouve à la base du fonctionnement psychique inconscient.

Pulsion de mort
Dans la théorie psychanalytique, pulsion qui s'oppose à la pulsion de vie et qui tend à la réduction complète des tensions, c'est-à-dire à ramener l'être vivant à l'état inorganique. D'abord tournée vers l'intérieur, elle tend à l'autodestruction et ensuite, tournée vers l'extérieur, elle se manifeste sous forme d'agression.

Pulsion de vie
Dans la théorie psychanalytique, pulsion qui s'oppose à la pulsion de mort et qui vise la survie de l'espèce (pulsion sexuelle) et de l'individu.

Punition
Événement qui diminue la probabilité de l'émission d'un comportement qui lui est associé.

Q

QI de déviation
QI fondé sur la comparaison de la performance d'un sujet avec les performances moyennes du groupe normatif.

Quotient intellectuel (QI)
1. À l'origine, rapport obtenu en divisant l'âge mental d'un enfant dans un test d'intelligence par son âge chronologique, et en multipliant le résultat par 100; 2. En général, résultat obtenu à un test d'intelligence.

R

Rappel
Aussi appelé Rappel libre
Type de tâche utilisée pour mesurer la rétention et basée sur le simple repêchage.

Réapprentissage
Type de tâche utilisée pour mesurer la rétention et basée sur la différence entre le nombre d'essais ou le temps nécessaire pour apprendre un matériel une première fois, et le nombre d'essais ou le temps nécessaire pour apprendre le matériel une seconde fois.

Recherche appliquée
Recherche visant à trouver des solutions à des problèmes déterminés.

Recherche fondamentale
Recherche visant à accroître les connaissances sans égard aux applications immédiates.

Reconnaissance
Type de tâche utilisée pour mesurer la rétention et basée sur l'identification d'objets ou d'événements rencontrés précédemment.

Recouvrement spontané
Réapparition d'un comportement éteint lorsque les conditions de l'environnement se mettent à nouveau à le favoriser.

Réflexe
Réponse à un stimulus qui peut être soit innée, soit apprise par conditionnement.

Refoulement
En psychanalyse, mécanisme de défense qui protège la personne de l'angoisse en maintenant les idées et pulsions anxiogènes hors du champ de la conscience.

Renforcement
Événement qui a pour effet d'augmenter la probabilité de l'émission d'un comportement qui lui est associé.

Réponse
Comportement manifeste émis relativement à un stimulus.

Réponse conditionnelle (RC)
Traduction du russe *uslovnyi refleks*. Dans le conditionnement classique, réponse apprise à un stimulus conditionnel.

Réponse d'orientation
Réponse non apprise par laquelle un organisme prête attention à un stimulus.

Réponse inconditionnelle (RI)
Comportement inné déclenché par un stimulus inconditionnel sans qu'il y ait eu apprentissage.

Renforcement continu
Programme de renforcement dans lequel chaque bonne réponse est renforcée.

Renforcement intermittent
Programme de renforcement dans lequel les bonnes réponses ne sont pas toutes renforcées.

Repêchage
Localisation de l'information entreposée et son rappel à la conscience. Troisième phase du traitement de l'information.

Résistance
Tendance à faire obstacle au déroulement du traitement psychanalytique, notamment en empêchant la libre expression de contenus inconscients refoulés.

Rétention
Conservation de l'information en mémoire.

Rétroaction faciale
Hypothèse selon laquelle l'observation ou l'imitation d'expressions faciales habituellement associées à des émotions particulières peuvent engendrer ces émotions.

Réversibilité
Capacité à pouvoir renverser l'effet d'une action ou d'une opération mentale.

S

Saturation
Degré de richesse d'une couleur.

Schème
Selon Piaget, mouvements organisés ou opérations mentales qui permettent d'interagir avec l'environnement.

Schème d'action prédéterminé
Voir Instinct

Schizophrénie
Trouble caractérisé par les symptômes suivants : des idées délirantes, des hallucinations, un discours désorganisé, un comportement moteur désorganisé et des réactions émotionnelles inappropriées entraînant une rupture plus ou moins marquée du contact avec le monde extérieur.

Scissure
Aussi appelée Sillon
Creux qui sépare les circonvolutions du cortex cérébral.

Sédatif
Substance qui favorise le calme et apaise la nervosité ou l'agitation.

Sens cutanés
Perception de la pression, de la température et de la douleur par des capteurs spécialisés situés sur la peau.

Sens vestibulaire
Sens de l'équilibre qui informe de la position du corps relativement à la force de gravité.

Sensation
Stimulation des récepteurs sensoriels et transformation des stimuli en influx nerveux. Transmission de l'influx au système nerveux central.

Sensibilisation
Forme d'apprentissage par laquelle la présentation répétée d'un stimulus entraîne l'augmentation d'une réponse comportementale.

Sérotonine
Neurotransmetteur dont les carences ont été associées aux troubles affectifs, à l'anxiété et à l'insomnie.

Seuil absolu
Intensité minimale d'énergie en mesure de produire une sensation au moins 50 % des fois où un stimulus est présenté.

Seuil de détection
Intensité minimale de stimulation nécessaire pour produire une sensation donnée.

Seuil différentiel
Différence minimale d'intensité nécessaire pour différencier deux stimuli au moins 50 % des fois où ils sont présentés.

Sevrage
Action de priver un toxicomane de la drogue à l'égard de laquelle il est dépendant. Ses effets sont à la fois physiques et psychologiques : spasmes musculaires, convulsions, sueurs, angoisse et insomnie. Le sevrage peut parfois entraîner la mort.

Similitude
Tendance perceptive à regrouper les objets semblables.

Site récepteur
Emplacement sur la dendrite ou sur le corps cellulaire d'un neurone conçu pour recevoir un neurotransmetteur particulier.

Sociopathie
Voir Personnalité antisociale

Soi
Dans la psychologie humaniste, perceptions mouvantes que la personne a d'elle-même et qui sont centrales dans l'explication de ses conduites.

Soi idéal
Dans la psychologie humaniste, image de ce que la personne croit qu'elle devrait être.

Sommeil lent
Aussi appelé Sommeil NMOR
Les quatre premiers stades du sommeil à ondes lentes pendant lesquels il n'y a pas de mouvements oculaires rapides sous les paupières du dormeur.

Sommeil paradoxal
Aussi appelé Sommeil MOR
Stade du sommeil caractérisé par des mouvements oculaires rapides (malgré une atonie générale du corps), des rythmes cardiaque et respiratoire accélérés et une activité cérébrale intense. Il est associé au rêve.

Sommeil profond
Stades 3 et 4 du sommeil pendant lesquels il est difficile de réveiller le dormeur, par opposition aux stades 1 et 2.

Somnambulisme
Trouble du sommeil se manifestant par des actions plus ou moins complexes, alors que la personne est profondément endormie.

Somniloquie
Trouble du sommeil se manifestant par des paroles plus ou moins cohérentes, alors que la personne est profondément endormie.

Sonie
Qualité perceptive selon laquelle un son paraît plus ou moins fort.

Sort commun
Tendance à percevoir les éléments qui se déplacent collectivement comme appartenant au même ensemble.

Stade anal
Deuxième stade du développement psychosexuel durant lequel la satisfaction est obtenue grâce à la rétention et à l'expulsion des selles et, d'une manière plus large, au contrôle de soi et des autres.

Stade des opérations concrètes
Troisième stade défini par Piaget, caractérisé par une pensée logique capable de s'exercer sur les situations concrètes.

Stade des opérations formelles
Quatrième stade défini par Piaget, caractérisé par la pensée logique capable de s'exercer sur des objets abstraits.

Stade génital
Cinquième et dernier stade du développement psychosexuel caractérisé par l'expression de la libido au moyen de relations sexuelles avec une personne du sexe opposé.

Stade oral
Premier stade du développement psychosexuel durant lequel la satisfaction est obtenue principalement par la bouche, l'absorption du monde environnant et la symbiose avec la mère.

Stade phallique
Troisième stade du développement psychosexuel caractérisé par le déplacement de la libido vers les organes génitaux. L'enfant voit la différence sexuelle sous une forme d'absence ou de présence du pénis. Le complexe d'Œdipe en constitue l'enjeu central.

Stade préopératoire
Deuxième stade défini par Piaget, caractérisé par l'usage de représentations mentales, de symboles et de mots, et par l'apparition d'une pensée égocentrique, animiste et artificialiste.

Stade sensorimoteur
Premier stade de développement cognitif défini par Piaget, caractérisé par la coordination de l'information sensorielle et de l'activité motrice, dans l'exploration précoce de l'environnement.

Stimulant
Type de drogue psychotrope augmentant l'activité du système nerveux central, la vigilance et l'euphorie.

Stimulus (au pluriel, stimuli)
Condition dans l'environnement interne ou externe de l'organisme qui conduit à un changement dans son comportement (réponse).

Stimulus conditionnel (SC)
Événement précédemment neutre qui acquiert la capacité de déclencher une RC chez l'organisme parce qu'il a été associé à un stimulus inconditionnel capable de provoquer cette réponse.

Stimulus discriminatif
Dans le conditionnement opérant, stimulus qui signale que l'agent de renforcement est disponible.

Stimulus inconditionnel (SI)
Événement qui présente une signification biologique pour l'organisme et qui déclenche une réponse spécifique sans qu'il y ait eu apprentissage.

Stimulus neutre
Événement sans signification biologique pour l'organisme. Un stimulus neutre ne déclenche en lui-même aucune réponse spécifique (à part une réponse d'orientation) tant qu'il n'a pas été associé à un stimulus inconditionnel.

Stress
Ensemble des réactions ou réponses de l'organisme à toute demande d'adaptation qui lui est faite; comprend l'eustress et le dystress.

Sublimation
En psychanalyse, mécanisme de défense selon lequel des pulsions sexuelles inacceptables sont transformées et orientées vers des objets socialement acceptables.

Surmoi
En psychanalyse, troisième instance psychique qui assume le rôle d'un censeur moral et qui établit des idéaux élevés de conduite.

Syllabe sans signification
Série de deux consonnes séparées par une voyelle et dénuée de sens, servant à étudier la mémoire.

Syllogisme
Forme de raisonnement par lequel une conclusion est tirée de deux énoncés ou prémisses.

Sympathique
Branche du système nerveux autonome la plus active lors des réactions entraînant la dépense de réserves d'énergie du corps.

Synapse
Libération des neurotransmetteurs par le neurone émetteur et leur réception par le neurone suivant, ou par un muscle ou une glande.

Syndrome de Down
Aussi appelé Trisomie 21 ou Mongolisme
Aberration chromosomique où la présence d'un chromosome surnuméraire (sur la paire n 21) entraîne des anomalies physiques caractéristiques et une déficience intellectuelle.

Syndrome général d'adaptation (SGA)
Terme employé par Selye pour qualifier la réaction physiologique d'un organisme au stress, laquelle serait composée de trois phases : l'alarme, la résistance et l'épuisement.

Système d'activation réticulaire (SAR)
Aussi appelé Formation réticulée
Partie du cerveau responsable de l'attention, du sommeil et de l'éveil.

Système immunitaire
Système au sein de l'organisme qui reconnaît et détruit les agents pathogènes au moyen des globules blancs.

Système limbique
Ensemble de structures logé au centre du cerveau et formé, entre autres, de l'hippocampe, du septum et de l'amygdale. Il joue un rôle important dans les émotions, la motivation et la mémoire.

Système nerveux autonome
Division du système nerveux périphérique contrôlant les glandes et les activités involontaires comme les battements du cœur, la digestion et la dilatation des pupilles.

Système nerveux central
Partie du système nerveux située au centre du corps comprenant le cerveau et la moelle épinière.

Système nerveux périphérique
Partie du système nerveux située en périphérie du corps. Il comprend le système somatique et le système autonome.

Système nerveux somatique
Division du système nerveux périphérique reliant le système nerveux central aux récepteurs sensoriels (neurones afférents) et aux muscles (neurones efférents).

T

Taille relative
Indice monoculaire de profondeur fondé sur la connaissance de la taille des objets. Les objets formant une image rétinienne plus petite sont perçus comme plus éloignés.

Tendance
État d'activation d'un organisme associé à un besoin.

Tension
État d'inconfort d'origine physiologique ou psychologique, ou les deux à la fois, dont la disparition ou la réduction sert de mobile à l'action ou au comportement.

Terreur nocturne
Trouble du sommeil caractérisé par le réveil brutal et l'augmentation de l'activation corporelle, des cris, des pleurs et des gestes affolés, sans que la personne ne prenne conscience de ce qu'elle a vécu.

Thalamus
Structure située près du centre du cerveau et responsable de la transmission de l'information sensorielle au cortex, ainsi que des fonctions du sommeil et de l'attention.

Théorie
Formulation de relations entre des lois, des concepts et des faits scientifiques.

Théorie de Cannon-Bard
Théorie selon laquelle les émotions et les réactions corporelles sont deux phénomènes séparés s'effectuant en même temps. Les émotions ne sont donc pas produites par des changements corporels, elles les accompagnent.

Théorie de détection des signaux
Approche selon laquelle la perception des stimuli sensoriels repose sur l'interaction de facteurs physiques, biologiques et psychologiques.

Théorie de James-Lange
Théorie selon laquelle les émotions découlent des changements physiologiques survenant lorsque l'organisme réagit à une situation (fuite, attaque, etc.).

Théorie de l'encodage spécifique
Théorie voulant qu'on oublie du matériel à cause d'une défaillance des indices qui permettent de repêcher des éléments entreposés dans la mémoire.

Théorie de l'évaluation cognitive
Théorie stipulant que, puisque les différentes émotions sont accompagnées d'activations corporelles similaires, l'émotion ressentie dépend de l'évaluation cognitive que l'organisme fait de ses réactions corporelles selon la situation où il se trouve.

Théorie de l'interférence
Théorie voulant qu'un individu oublie du matériel stocké à la suite de l'interférence produite par un autre matériel appris.

Théorie de la réduction des tensions
Théorie selon laquelle l'organisme apprend à adopter des comportements dont l'effet est de réduire les tensions.

Théorie des attributions
Théorie selon laquelle les comportements sont motivés par l'identification des causes des événements.

Théorie évolutive
Théorie qui tend à expliquer un phénomène comme résultant d'une nécessité de s'adapter à l'environnement afin d'assurer la survie de l'organisme.

Thérapie médicale
Toute thérapie visant à traiter un problème ou un trouble de comportement au moyen de techniques médicales telles que l'administration

de médicaments ou encore l'intervention directe sur le système nerveux ou le système hormonal.

Thérapie systémique/interactionnelle
Thérapie dans laquelle le thérapeute aborde une personne en tant qu'élément d'un ensemble plus large (système), constitué lui-même de plusieurs éléments établissant des interactions entre eux et avec le système.

Timbre
Qualité d'un son qui permet de distinguer deux instruments de musique ou la voix de deux personnes.

TOC
Voir Trouble obsessionnel-compulsif

Tolérance
Nécessité d'augmenter avec le temps les doses d'une substance pour avoir le même effet que celui obtenu lors des premières consommations.

Tomodensitométrie (TDM)
Technique dans laquelle un faisceau étroit de rayons X, produit par une source tournant autour de la tête du patient, est dirigé vers celle-ci pour mesurer la quantité de radiations qui la traversent.

Tomographie par émission de positons (TEP)
Technique par laquelle une quantité minime d'une substance radioactive est mélangée à du glucose puis injectée dans le sang, ce qui, lorsque le glucose atteint le cerveau, permet d'en détecter les structures actives, c'est-à-dire celles qui consomment le glucose.

Toxicomanie
Relation de dépendance psychologique ou physique à une drogue échappant à la volonté de l'individu et tendant à subordonner son existence à la recherche des effets du produit. Elle engendre des effets nocifs chez l'individu et dans la collectivité.

Tracas de la vie quotidienne
Conditions et expériences quotidiennes considérées comme contrariantes ou menaçantes, ou même dangereuses pour le bien-être d'un individu.

Transduction
Transformation d'une stimulation physique ou chimique en impulsion nerveuse.

Transfert
Processus clé de la psychanalyse par lequel les désirs inconscients de la personne sont déplacés vers son thérapeute.

Trichromate
Qualifie la vision normale caractérisée par le fait d'être sensible aux trois couleurs de base (rouge, vert et bleu) et permettant de percevoir toutes les nuances de couleur.

Tronc cérébral
Structure située à l'avant du cervelet, dans le prolongement de la moelle épinière, comprenant le système d'activation réticulaire, le bulbe rachidien et le pont.

Tronçon
Stimulus, ou groupe de stimuli, considéré comme constituant un même bloc d'information.

Tronçonnage
Technique consistant à regrouper en tronçons l'information à retenir.

Trouble bipolaire
Aussi appelé Maniaco-dépression
Trouble psychologique caractérisé par une alternance d'épisodes maniaques et dépressifs.

Trouble cardiovasculaire
Terme général utilisé pour désigner l'ensemble des problèmes liés au cœur et au système circulatoire sanguin, dont font principalement partie la cardiopathie (couramment appelée maladie cardiaque), l'hypertension et l'artériosclérose.

Trouble de conversion
Trouble psychologique caractérisé par un changement important ou la perte d'une fonction physique sans pathologie observable du point de vue médical, et qui semble provenir de problèmes psychologiques «convertis» en problèmes physiques dans le but de réduire l'anxiété.

Trouble dissociatif de l'identité
Aussi appelé Personnalité multiple
Trouble caractérisé par l'existence, chez un même individu, de deux ou de plusieurs personnalités distinctes contrôlant à tour de rôle ses comportements et ses pensées.

Trouble obsessionnel-compulsif (TOC)
Trouble psychologique caractérisé par des obsessions liées à des compulsions récurrentes.

Troubles anxieux
Ensemble de troubles psychologiques caractérisés par une désorganisation physique et psychique marquée par une angoisse intense et injustifiée.

Troubles de l'alimentation
Ensemble de troubles psychologiques caractérisés par des conduites gravement perturbées en ce qui concerne l'ingestion de nourriture.

Troubles de l'humeur
Ensemble de troubles psychologiques caractérisés par une perturbation de l'expression des émotions (dépression ou surexcitation).

Troubles de la personnalité
Ensemble de troubles psychologiques caractérisés par une conduite stable et durable manquant de souplesse dans l'adaptation sociale et parfois liés à une souffrance subjective.

Troubles dissociatifs
Ensemble de troubles psychologiques caractérisés par une perte des fonctions normales d'intégration de l'identité, des souvenirs ou de la conscience.

Troubles somatoformes
Ensemble de troubles psychologiques caractérisés par des symptômes physiques, en l'absence d'anomalies organiques.

V

Validité
Valeur de prédiction d'un test quant aux fins qu'il poursuit (s'il mesure vraiment ce qu'il dit mesurer).

Variable
Dans une méthode scientifique, événement ou comportement qui est mesuré ou contrôlé.

Variable dépendante
Dans la méthode expérimentale, c'est l'effet présumé des modifications effectuées à la variable indépendante.

Variable indépendante
Dans la méthode expérimentale, c'est la cause présumée du comportement étudié. C'est une condition que l'on manipule de façon à pouvoir mesurer ses effets.

Vérification d'hypothèses
Dans la formation des concepts, processus par lequel nous tentons de découvrir les significations ou les points saillants des concepts en vérifiant nos hypothèses.

Vésicule synaptique
Petit sac situé dans les boutons terminaux contenant les neurotransmetteurs.

Z

Zone érogène
Partie du corps dont la stimulation procure du plaisir.

ABRAVANEL, E. et H. GINGOLD (1985). «Learning via observation during the second year of life», *Developmental Psychology*, 21, p. 614 à 623.

ADLER, B.R. et N. TOWN (1998). *Communication et interactions*, deuxième édition, Laval, Études Vivantes.

ALBERTI, C. et M.-J. SAURET (1996). *La psychanalyse*, Toulouse, Milan.

ALEXANDER, A.B. (1981). «Asthma», dans S.N. HAYNES et L. GANNON (dir.), *Psychosomatic Disorders: A Psychophysiological Approach to Etiology and Treatment*, New York, Praeger Books.

AMABILE, T.M. (1983). «The social psychology of creativity : A componential conceptualization», *Journal of Personality and Social Psychology*, 45, p. 357 à 376.

AMERICAN PSYCHIATRIC ASSOCIATION (1980). *DSM III : Manuel diagnostique et statistique des troubles mentaux*, troisième édition, Paris, Masson.

AMERICAN PSYCHIATRIC ASSOCIATION (1987). *DSM III-R : Manuel diagnostique et statistique des troubles mentaux*, troisième édition révisée, Paris, Masson.

AMERICAN PSYCHIATRIC ASSOCIATION (1996). *DSM IV : Manuel diagnostique et statistique des troubles mentaux*, Paris, Masson.

ANDERSON, J.R. (2000). *Cognitive Psychology and its Implications*, cinquième édition, New York, Worth Publisher.

ARGUIN, M. (2003). «L'attention sélective», dans A. Delorme et M. Flückliger, *Perception et réalité : Une introduction à la psychologie des perceptions*, Boucherville, Gaëtan Morin éditeur.

ASCH, S.E. (1946). «Forming impressions of personality», *Journal of Abnormal and Social Psychology*, 41, p. 258 à 290.

ATKINSON, R.C. et R.M. SHIFFRIN (1968). «Human memory : A proposed system and its control processes», dans K.W. Spence et J.T. Spence (dir.), *The Psychology of Learning and Motivation*, tome 2, New York, Academic Press.

AUDOIN, L. (2001). *Le sommeil, bien dormir enfin*, Toulouse, Milan.

AVARD, J. (1984). «Le comportement de type A : Facteur de risque coronarien», dans O. FONTAINE (dir.), *Cliniques de thérapie comportementale*, Montréal, Études Vivantes, p. 329 à 348.

AZAR, B. (1999). «New pieces filling in addiction puzzle», *APA Monitor*, 30(1), p. 1 à 15.

AZÉMAR, G. (2003). *L'homme asymétrique*, Paris, CNRS Éditions.

BADDELEY, A. (1982). *Your Memory : A Users Guide*, Londres, Penguin Group.

BADINTER, E. (1980). *L'amour en plus*, Paris, Flammarion.

BAHRICK, H.P., P.O. BAHRICK et R.P. WITTLINGER (1975). «Fifty years of memory for names and faces : A cross-sectional approach», *Journal of Experimental Psychology : General*, 104, p. 54 à 75.

BALADIER, C. (1997). *Dictionnaire de la psychanalyse*, Paris, Albin Michel.

BALLESTEROS, S. (1994). «Cognitive approaches to human perception : Introduction, in S. Ballesteros (ed.)», dans *Cognitive Approaches to Human Perception*, Hillsdale, NJ, Lawrence Erlbaum Associates.

BANDURA, A. (1982). «Self-efficacy mechanism in human agency», *American Psychologist*, 37, p. 122 à 147.

BANDURA, A. (1986). *Social Foundations of Thought and Action : A Socialcognitive Theory*, Englewood Cliffs, Prentice Hall.

BANDURA, A. et autres (1985). «Catecholamine secretion as a function of perceived coping self-efficacy», *Journal of Consulting and Clinical Psychology*, 53, p. 406 à 414.

BARBEAU, D. (1994). *Analyse de déterminants et d'indicateurs de la motivation scolaire d'élèves du collégial*, Montréal, Centre de ressources didactiques et pédagogiques, Collège Bois-de-Boulogne.

BARBEAU, D., A. MONTINI et C. ROY (1997a). *Sur les chemins de la connaissance : La motivation scolaire*, Montréal, Association québécoise de pédagogie collégiale.

BARBEAU, D., A. MONTINI et C. ROY (1997b). *Tracer les chemins de la connaissances : La motivation scolaire*, Montréal, Association québécoise de pédagogie collégiale.

BARBER, J. (dir.) (1996). *Hypnosis and Suggestion in the Treatment of Pain*, New York, W.W. Norton.

BARD, P. (1934). «The neurohumoral basis of emotion reaction», dans C.A. MURCHISON (dir.) *Handbook of General Experimental Psychology*, Worcester, MA, Clark University Press.

BAREFOOT, J.C., W.G. DAHLSTROM et R.B. WILLIAMS (1983). «Rapid communication, hostility, CHD incidence, and total mortality: A 25-year follow-up study of 225 physicians», *Psychosomatic Medicine*, 45, p. 59 à 63.

BARIL, D. (2001). «Déficit de sommeil chez les adolescencts», *Forum*, 35(30), mai, tiré du site : http://www.forum.umontreal.ca/numeros/2000_2001/forum_01_05_22/article06.html.

BARKER, L. (2001). *Learning and Behavior. Biological, Psychological, and Sociocultural Perspectives*, troisième édition, Upper Saddle River, NJ, Prenctice Hall.

BARTOSHUK, L.M. (1993). « The biological basis of food perception and acceptance », *Food Quality and Preference*, 4, p. 21 à 32.

BARTOSHUK, L.M. (2000). « Psychophysical advances aid the study of genetic variation in taste », *Appetite*, 34(1), p. 105.

BAUM, A., R. FLEMING et J.E. SINGER (1982). «Stress at Three Mile Island : Applying social psychology to psychological impact analysis», dans L. BICKMAN (dir.), *Applied Social Psychology Annual*, vol. III, Beverly Hills, CA, Sage Publications.

BECK, J., A. ELSNER et C. SILVERSTEIN (1977). «Position uncertainty and the perception of apparent movement», *Perception and Psychophysics*, 21, p. 33 à 38.

BECK, R.C. (1978). *Motivation : Theories and principles*, Englewood Cliffs, Prentice Hall.

BEE, H.L. et autres (1982). «Prediction of IQ and language skill from perinatal status, child performance, family characteristics, and mother-infant interaction», *Child Development*, 53, p. 1134 à 1156.

BERKMAN, L.F. et L. BRESLOW (1983). *Health and Ways of Living : The Alameda County Study*, New York, Oxford University Press.

BERKMAN, L.F. et S.L. SYME (1979). «Social networks, host resistance, and mortality : A nine-year follow-up study of Alameda County residents», *American Journal of Epidemiology*, 109, p. 186 à 204.

BERNARDO et autres (1985). «Type A personality in a coronary disease sample», article présenté en mai au Fourth World Congress of Biological Psychiatry, Philadelphie.

BERNSTEIN, I.L. (1985). «Learned food aversions in the progression of cancer and its treatment», dans N.S. BRAVERMAN et P. BERNSTEIN (dir.), *Experimental Assessments and Clinical Application of Conditioned Food Aversions. Annals of the New York Academy of Sciences*, p. 443.

BERT, C. (1994a). «Comment classer les troubles mentaux ?», *Sciences humaines*, 40, juin, p. 20 à 23.

BERT, C. (1994b). «Changer l'image de la maladie mentale», *Sciences humaines*, 40, juin, p. 24 à 26, propos recueillis lors d'un entretien avec Édouard Sarifian.

BERT, C. (2003). «L'hypnose», *Sciences Humaines*, 143, novembre, p. 36 à 37.

BÉRUBÉ, L. (1991). *Terminologie de neurologie du comportement*, Montréal, Éditions de la Chenelière.

BEST, J.B. (1995). *Cognitive Psychology*, quatrième édition, Saint-Paul, MN, West Publishing Company.

BEXTON, W.H., W. HERON et T.H. SCOTT (1954). «Effects of decreased variation in the sensory environment», *Canadian Journal of Psychology*, 8, p. 70 à 76.

BIRREN, F. (1998). *Le pouvoir de la couleur*, Éditions de l'Homme.

BJORKLUND, D.F. et M.R. de MARCHENA (1984). «Developmental shifts in the basis of organization in memory : The role of associative versus categorical relatedness in children's free recall», *Child Development*, 55, p. 952 à 962.

BLAKESLEE, S. (1992). «Scientists unraveling chemistry of dreams», *The New York Times*, 7 janvier, p. C1 et C10.

BLANKSTEIN, K.R. et G.L. FLETT (1992). «Specificity in the assessment of daily hassles : Hassles, locus of control and adjustment in college students», *Canadian Journal of Behavioral Science*, 24, p. 382 à 398.

BLOWERS, G.H. et K. O'CONNOR (1996). *Les construits personnels, de la théorie à la pratique*, Montréal, Presses de l'Université de Montréal.

BLUMENTHAL, J.A. et autres (1990). «Aerobic exercise reduces levels of cardiovascular and sympathoadrenal responses to mental stress in subjects without prior evidence of myocardial ischemia», *American Journal of Cardiology*, 65, p. 93 à 98.

BLUMENTHAL, J.A. et J.A. McCUBBIN (1987). «Physical exercise as stress management», dans A. BAUM et J.E. SINGER (dir.), *Hanbook of Psychology and Health*, tome 5, Hillsdale, NJ, Erlbaum.

BOEGLIN, J.A. (2003). « La vision des couleurs », dans A. DELORME et M. FLÜCKLINGER, *Perception et réalité : Une introduction à la psychologie des perceptions*, Boucherville, Gaëtan Morin éditeur.

BONANNO, G.A. et J.C. SINGER (1990). «Repressive personnality style : Theoretical and methodological implications for health and pathology», dans J.L. SINGER (dir.), *Repression and dissociation*, Chicago, University of Chicago Press, p. 435 à 470.

BONICA, J.J. (dir.) (1980). *Pain*, New York, Raven Press.

BOUCHARD, T.J. et M. McGUE (1981). «Familial studies of intelligence : A review», *Science*, 212, p. 1055 à 1059.

BOWER, G.H. (1981). « Mood and memory», *American Psychologist*, 36, p. 129 à 148.

BRADLEY, R.H. et B.M. CALDWELL (1984). «The HOME Inventory and family demographics», *Developmental Psychology*, 20(2), mars, p. 315 à 320.

BRADLEY, R.H. et B.M. CALDWELL (1984). «The relation of infant's home environments to mental test performance at fifty-four months : A follow-up study», *Child Development*, 47, p. 1172 à 1174.

BRANSFORD, J.D., K.E. NITSCH et J.J. FRANKS (1977). «Schooling and the facilitation of knowing», R.C. ANDERSON, R.J. SPIRO et W.E. MONTAGUE (dir.), *Schooling and the Acquisition of Knowledge*, Hillsdale, Erlbaum.

BRANTLEY, P.J. et autres (1988). «Convergence between the daily stress inventory and endocrine measures of stress», *Journal of Consulting and Clinical Psychology*, 56, p. 549 à 551.

BREWER, W.F. et J.R. PANI (1984). «The structure of human memory», G.H. BOWER (dir.), *The Psychology of Learning and Motivation*, vol. 17, New York, Academic Press.

BRODY, J.E. (1988). «Sifting fact from myth in the face of asthma's growing threat to American children», *The New York Times*, 5 mai, p. B19.

BROWN, E.L. et K. DEFFENBACHER (1979). *Perception and the Senses*, New York, Oxford University Press.

BROWN, R. et D. McNEILL (1966). «The tip-of-the-tongue phenomenon», *Journal of Verbal Learning and Verbal Behavior*, 5, p. 325 à 337.

BROWN, R. et J. KULIK (1977). «Flash-bulb memories», *Cognition*, 5, p. 73 à 99.

BRUNSON, B.I. et K.A. MATTHEWS (1981). «The type A coronary-prone behavior pattern and reactions to uncontrollable stress : An analysis of performance strategies, affect, and attributions during failure», *Journal of Personality and Social Psychology*, 40, p. 906 à 918.

BUISSON, N. (2004). *Gregory Charles. Biographie*, page consultée le 23 décembre 2004 à l'adresse http://fr.emissions.ca/artisan/1222,gregory_charles/biographie.html.

BULLIER, J. (1996). «La perception visuelle», *Science et Vie*, 195, hors-série, p. 8 à 18.

BUSHMAN, B.J., R.F. BAUMEISTER et A.D. STACK (1999). «Catharsis, aggression, and persuasive influence : Self-fulfilling or self-defeating prophecies?», *Journal of Personality and Social Psychology*, 76(3), p. 367 à 376.

CADET, B. (1998). *Psychologie cognitive*, Paris, Éditions In Presse.

CANON, W.B. (1927). «The James-Lange theory of emotions : A critical examination and an alternative theory», *American Journal of Psychology*, 39, p. 106 à 124.

CANON, W.B. (1929). *Bodily Changes in Pain, Hunger, Fear and Rage*, New York, Appleton.

CAPDEVILLE, V. et C. DOUCET (1999). *Psychologie clinique et psychopathologie*, Paris, Armand Colin.

CARALP, E. (1999). *Ces maladies mentales nommées folie*, Toulouse, Milan.

CARLSON, J.G. et E. HATFIELD (1992). *Psychology of Emotion*, Orlando, FL, Harcourt Brace Jovanovich College Publisher.

CATANIA, A.C. (1992). *Learning*, troisième édition, Englewood Cliffs, NJ, Prentice Hall.

CATTELL, R.B. (1994). «Where is intelligence? Some answers from the triadic theory», dans J.J. McARDLE et R.W. WOODCOCK, *Human Cognitive Abilities in Theory and Practice*, Mahwah, NJ, Lawrence Erlbaum Associates.

CENTRE DOLLARD-CORMIER (2005). *Tout ce qui concerne le jeu...* page consultée le 12 janvier 2005, à l'adresse http://www.joueur-excessif.com/francais/page1.htm.

CENTRE INTERNATIONAL D'ÉTUDE SUR LE JEU ET LES COMPORTEMENTS À RISQUE CHEZ LES JEUNES (2005). *Youth Gambling International*, page consultée le 12 janvier 2005 à l'adresse http://www.youthgambling.com.

CENTRE QUÉBÉCOIS D'EXCELLENCE POUR LA PRÉVENTION ET LE TRAITEMENT DU JEU (2005). Page consultée le 12 janvier 2005 à l'adresse http://gambling.psy.ulaval.ca.

CHESNEY, M.A. et R.H. ROSENMAN (dir.) (1985). *Anger and Hostility in Cardiovascular and Behavioral Disorders*, Washington, Hemisphere.

CHESNI, Y. (1992). *Studies on the Development of Consciousness*, Palo Alto, CA, The Live Oaks Press.

CHEVALIER, R. (2005). « La santé », page consultée le 9 janvier 2005 à l'adresse http://bruno.chauzi.free.fr/conseils_sante_longevite.htm.

CHIASSON, L. (1988). *Les événements stressants de la vie du cégépien : Construction d'une échelle de mesure*, Lauzon, Cégep de Lévis-Lauzon.

CHOMSKY, N. (1959). «Review of verbal behavior by B.F. Skinner», *Language*, 35, p. 26 à 58.

CHOUINARD, M.-A. (2002). «Sixième année de l'école primaire : Les francophones devancés en français. Les élèves vietnamiens et russes réussissent mieux, selon une étude de la CSDM», *Le Devoir*, 26 novembre, https://www.ledevoir.ca/2002/11/26/14207.html?282.

CHWALISZ, K., F. DIENER et D. GALLAGHER (1988). «Autonomic arousal feedback and emotional experience: Evidence from the spinal cord injured», *Journal of Personality and Social Psychology*, 54, p. 820 à 828.

COHEN J.B. et D. REED (1985). «The type A behavior pattern and coronary heart disease among Japanese men in Hawaii», *Jounal of Behavioral Medecine*, 8, p. 343 à 352.

COHEN, S. et T.A. WILLS (1985). «Stress, social supports and the buffering hypothesis», *Psychological Bulletin*, 98, p. 310 à 357.

COLBY, C.Z., J.T. LANZETTA et R.E. KLECK (1977). «Effects of the expression of pain on autonomic and pain tolerance response to subject-controlled pain», *Psychophysiology*, 14, p. 537-540.

COMITÉ PERMANENT DE LUTTE À LA TOXICOMANIE (2004). *Drogues : Savoir plus, risquer moins*, Québec, Bibliothèque nationale du Québec.

CONGER, J.J. et A. PETERSON (1984). *Adolescence and Youth : Psychological Development in a Changing World*, New York, Harper and Row.

COON, D. (1994). *Introduction à la psychologie*, Laval, Groupe Beauchemin, éditeur, 526 p.

COONEY J.L. et A. ZEICHNER (1985). «Selective attention to negative feedback in type A and type B individuals», *Journal of Abnormal Psychology*, 94, p. 110 à 112.

COOPER, R. et J. ZUBEK (1958). «Effects on enriched and restricted early environments on the learning ability of bright and dull rats», *Canadian Journal of Psychology*, 12, p. 159 à 164.

CORKIN, S. et autres (1985). «Analyses of global memory impairments of different etiologies», D.S. OLTON, E. GAMZU et S. CORKIN (dir.), *Memory Disfunction*, New York, New York Academy of Sciences.

COSTERMANS, J. (2001). *Les activités cognitives : raisonnement, décision et résolution de problèmes*, Bruxelles, De Boeck et Larcier.

COUSINS, N. (1979). *Anatomy of an Illness as Perceived by the Patient*, New York, W.W. Norton.

COUSINS, N. (2003). *Comment je me suis soigné par le rire*, Paris, Éditions Payot et Rivages.

COWAN, P.A. (1978). *Piaget with Feeling*, New York, Holt, Rinehart and Winston.

COYLE J.T., D.L. PRICE et M.R. DELONG (1983). «Alzheimer's disease : A disorder of cortical cholinergic innervation», *Science*, 219, p. 1184 à 1190.

CRAIK, F.I.M. et M.J. WATKINS (1973). «The role of rehearsal in short-term memory», *Journal of Verbal Learning and Verbal Behavior*, 12, p. 599 à 607.

CRAIK, F.I.M. et R.S. LOCKHART (1972). «Levels of processing : A framework for memory research», *Journal of Verbal Learning and Verbal Behavior*, 11, p. 671 à 684.

CRICK, F. et G. MITCHISON (1983). «The function of dream sleep», *Nature*, 304, p. 111 à 114.

DARLINGTON, R.B. et autres (1980). «Preschool programs and later school competence of children from low-income families», *Science*, 208, p. 202 à 204.

DAROU, W.G. (1992). «Native Canadians and intelligence testing», *Canadian Journal of Councelling*, 26, p. 96 à 99.

DARWIN, C.A. (1872). *The Expression of the Emotions in Man and Animals*, London, J. Murray.

DAVIS, K.E. (1985). «Near and dear: Friendship and love compared», *Psychology Today*, 19(2), p. 22 à 30.

DeANGELIS, T. (1997). «Body-image problems affect all groups», *APA Monitor*, 28(3), p. 44 à 45.

DeBACKER, G. et autres (1983). «Behavior, stress, and psychosocial traits as risk factors», *Preventiative Medicine*, 12, p. 32 à 36.

DECI, E.L. et R.M. RYAN (1985). *Intrinsic Motivation and Self-determination in Human Behavior*, New York, Plenum.

DELACOURTE A. et autres (1996). «Spécific Tau variants in the brain from patients with myotonic dystrophy», *Neurology*, 47, p. 711 à 717.

DELONGIS, A. et autres (1982). «Relationship of daily hassles, uplifts, and major life events to health status», *Health Psychology*, 1, p. 119 à 136.

DELORME, A. (1982). *Psychologie de la perception*, Montréal, Études Vivantes.

DELORME, A. (2003). «L'organisation perceptive», dans A. DELORME et M. FLÜCKLIGER, *Perception et réalité : Une introduction à la psychologie des perceptions*, Boucherville, Gaëtan Morin éditeur.

DEMBROSKI, T.M. et autres (1985). «Components of Type-A, hostility, and anger-in : Relationship to angiographic findings», *Psychosomatic Medicine*, 47, p. 219 à 233.

DEMENT, W.C. et N. KLEITMAN (1957). «The relation of eye movements during sleep to dream activity: An objective method for the study of dreaming», *EEG Clinical Neurophysiology*, 9, p. 673 à 690.

DEMENT, W.C. et R. KOENIGSBERG (2004). «Sleep disorders», 18 décembre, tiré du site http://www.sleepquest.com/s_osa.html.

DEMETRIOU, A. et A. EFKLIDES (1994). «Intelligence, mind and reasoning : three levels of description», dans A. DEMETRIOU et A. EFKLIDES, *Intelligence, Mind and Reasoning. Structure and Development*, Amsterdam, North Holland.

DENIS, I. (1999). *Rencontre d'information sur la toxicomanie*, Montréal, Centre Dollard-Cormier.

DEVINE, P.G. (2001). «Breaking the prejudice habit», *Social Psychology Annual Editions*, 4, p. 131 à 133.

DIAMOND, E.L. (1982). « The role of anger and hostility in essential hypertension and coronary heart disease», *Psychological Bulletin*, 92, p. 410 à 433.

DODWELL, P.C. (1999). «Les images démaquillées», *Ikon Québec, des textes québécois sur la communication*, 8.

DOHRENWEND, B.S. et autres (1982). «The psychiatric epidemiology research interview life events scale», dans L. GOLDBERGER et S. BREZNITZ (dir.), *Handbook of Stress : Theoretical and Clinical Aspects*, New York, Free Press.

DOMJAN, M. (2003). *The Principles of Learning and Behavior*, cinquième édition, Sydney, Wadsworth.

DORÉ, F. (1983). *L'apprentissage*, Montréal, Éditions de la Chenelière.

DRISCOLL, R., K.E. DAVIS et M.E. LIPETZ (1972). «Parental interference and romantic love», *Journal of Personality and Social Psychology*, 24, p. 1 à 10.

DUBÉ, L. (1990). *Psychologie de l'apprentissage*, Sillery, Presses de l'Université du Québec.

DUCHESNE, G.B. (1862). *Mécanisme de la physionomie humaine, ou analyse électro-physiologique de l'expression des passions applicable à la pratique des arts plastiques* (1 volume et un atlas de photographies), Paris, Renouard.

EBBINGHAUS, H. (1885). *Über das Gedächtnis: Untersuchungen zur experimentellen Psychologie*, Amsterdam, Bonset (Nachdruck der Ausgabe Leipzig 1885).

ECKENRODE, J. (1984). «Impact of chronic and acute stressors on daily reports of mood», *Journal of Personality and Social Psychology*, 46, p. 907 à 918.

EKMAN, P. (1972). «Universals and cultural differences in facial expression of emotion», dans J. Cole (dir.), *Nebraska Symposium on Motivation*, (1971) Lincoln, NE, University of Nebraska Press, p. 207 à 283.

EKMAN, P. (1980). *The Face of Man*, Garland, STPM Press.

EKMAN, P. (1985). «The face of emotion», *Science News*, 128, p. 12 à 13.

EKMAN, P. (1989). «The argument and evidence about universals in facial expressions of emotion», dans H. WAGNER et A. MANSTEAD (dir.), *Handbook of Social Psychophysiology*, Chichester, Wiley.

EKMAN, P. et autres (1983). «Autonomic nervous system activity distinguishes amons emotions», *Science*, 221, p. 1208 à 1210.

EKMAN, P. et autres (1987). «Universal and cultural differences in the judgments of facial expressions of emotion», *Journal of Personality and Social Psychology*, 53, p. 712 à 717.

EKMAN, P. et H. OSTER (1979). «Facial expressions of emotion», *Annual Review of Psychology*, 30, p. 527 à 534.

EKMAN, P. et W.V. FRIESEN (1975). *Unmasking the Face : A Guide to Recognizing Emotions from Facial Clues*, New Jersey, Prentice Hall.

ELARDO, RICHARD D. et autres (1975). «The relation of an infant's home environment to mental test performance from six to thirty-six months», *Child Development*, 46, p. 71 à 76.

ELIE, M.-P. (2004). «Cauchemars sous surveillance», *Québec Science*, novembre, p. 18 à 24.

ELLIOT, R. (1988). «Tests, abilities, race, and conflict», *Intelligence*, 12, p. 333 à 350.

ELLIS, A. (1962). *Reason and Emotion in Psychotherapy*, New York, Lyle Stuart.

ELLIS, A. (1977). «The basic clinical theory or rational-emotive therapy», dans A. ELLIS et R. GRIEGER (dir.), *Handbook of Rational-emotive Therapy*, New York, Springer.

ELLIS, A. (1985). «Cognition and affect in emotional disturbance», *American Psychologist*, 40, p. 471 à 472.

ELLIS, A. (1987). «The impossibility of achieving consistently good mental health», *American Psychologist*, 42, p. 364 à 375.

ELLIS, A. et J. WHITELEY (1979). *Theoritical and Empirical Foundations of Rational-emotive Therapy*, Monterey, Brooks/Cole.

EPLEY, N. (1999). *Science or Science Fiction? Investigating the Possibility (and Plausibility) of Subliminal Persuasion*, Manuel de laboratoire, Université Cornell.

ERIKSON, E.H. (1982). *Enfance et société*, Neuchâtel, Delachaux et Niestlé.

ERLENMEYER-KIMLING, L. et L.F. JARKVIK (1963). «Genetics and intelligence: A review», *Science*, 142, p. 1477 à 1479.

ESTES, W.K. (1972). «An associative basis for coding and organization in memory», A. W. MELTON et E. MARTIN (dir.), *Coding Process in Human Memory*, Washington, Winston.

EYSENCK, H.J. (1993). «Prediction of cancer and coronary heart disease mortality by means of a personality inventory : Results of a 15 year follow-up study», *Psychological Reports*, 72, p. 499 à 516.

EYSENCK, M.W. et M.T. KEANE (1990). *Cognitive Psychology*, Hillsdale, NJ, Lawrence Erlbaum Associates.

FANTZ, R.L. (1961). «The origin of form perception», *Science*, 204, p. 66 à 72.

FARWELL, L. (1999). « Farwell Brain Fingerprinting. A New Paradigm in Criminal Investigations », http://www.mindcontrolforums.com/bf-research.htm, page consultée le 22 novembre 2004.

FARWELL, L. (2003). «The scope of the science of brain fingerprinting testing: Scientific data and its relationship to findings of fact and law», http://www.brainwavescience.com/ScopeandScienceofBF.php, page consultée le 22 novembre 2004.

FIELDS, D. (2004). «La moitié oubliée du cerveau», *Pour la science*, 323, p. 56 à 61.

FIORI, J. (1980). *Global Satisfaction Scale*, University of Washington, Department of Psychiatric and Behavioral Sciences, Seatle, manuscrit non publié.

FISCHMAN, J. (1987). «Type A on trial», *Psychology Today*, 21, p. 241 à 246.

FODOR, E.M. et T. SMITH (1982). «The power motive as an influence on group decision making», *Journal of Personality and Social Psychology*, 42, p. 178 à 185.

FORGET, J., R. OTIS et A. LEDUC (1988). *Psychologie de l'apprentissage : Théories et applications*, Brossard, Éditions Béhaviora.

FORTIN, C. et R. ROUSSEAU (1989). *Psychologie cognitive : Une approche du traitement de l'information*, Sillery, Presses de l'Université du Québec.

FOTTORINO, E. (1998). «Voyage au centre du cerveau», *Le Monde*, du 3 au 7 février.

FOUCAULT, M. (1972). *Histoire de la folie à l'âge classique*, Paris, Gallimard.

FOULKES, D. (1993). «Cognitive dream theory», dans M.A. CARSKADON, *Encyclopedia of Sleep and Dreams*, New York, Macmillan.

FREIDMAN, M. et D. ULMER (1984). *Treating Type A Behavior and your Heart*, New York, Fawcett Crest.

FREUD, S. (1905 et 1962). *Trois essais sur la théorie de la sexualité*, Paris, Gallimard.

FREUD, S. (1922). *Introduction à la psychanalyse*, Paris, Payot.

FREUD, S. (1933). *Nouvelles conférences d'introduction à la psychanalyse*, Paris, Gallimard.

FREUD, S. (1976). *L'interprétation des rêves*, Paris, Presses universitaires de France.

FREUD, S. (1985). *Introduction à la psychanalyse*, Paris, Payot.

FREUD, S. (1993). *Cinq psychanalyses*, Paris, Presses universitaires de France.

FUNKENSTEIN, D. (1958). «The physiology of fear and anger», *Scientific American*, 199, p. 95 à 100.

GAGNÉ, F. (2004). «Giftedness and talent: Reexamining a reexamination of the definitions», dans R.J. STERNBERG, *Definitions and Conceptions of Giftedness*, Thousand Oaks, CA, Sage.

GALANTER, E. (1962). «Contemporary psychophysics», dans R. BROWN et autres (dir.), *New Directions in Psychology*, New York, Holt, Rinehart and Winston.

GARDNER H. (2000). *Intelligence Reframed: Multiple Intelligences for the 21st Century*, New York, Basic Books.

GARDNER, H. (1993). *Multiple Intelligences. The Theory in Practice*, New York, Harpers and Collins.

GARDNER, H., M.L. KORNHABER et W.K. WAKE (1996). *Intelligence, Multiple Perspectives*, Fort Worth, Harcourt Brace College Publishers.

GAZZANIGA, M. (1998). « Le cerveau divisé», *Pour la science*, 251, septembre, p. 72 à 79.

GERGEN, K. et GERGEN, M. (1984). *Psychologie sociale*, Laval, Études Vivantes.

GERGEN, K.J., M.M. GERGEN et S. JUTRAS (1992). *Psychologie sociale*, Laval, Études Vivantes.

GETZELS, J.W. et P.W. JACKSON (1962). *Creativity and Intelligence: Explorations with Gifted Students*, New York, Wiley.

GIRAULT, J.-A. (2004). «Les nœuds de Ranvier, le secret d'une conduction rapide», *Pour la science*, 323, septembre, p. 50 à 55.

GLASS, D.C. (1977). *Stress and Coronaryprone Behavior*, Hillsdale, Erlbaum.

GODDEN, D.R. et A.D. BADDELEY (1975). «Context-dependent memory in two natural environments : On land and underwater», *British Journal of Psychology*, 66, p. 325 à 331.

GODEFROID, J. (1991). *Psychologie, science humaine*, Montréal, Études Vivantes.

GOLD, P.E. et R.A. KING (1974). «Retrograde amnesia : Storage failure versus retrieval failure», *Psychological Review*, 81, p. 465 à 469.

GOLDMAN-RAKIC, P.S. (1992). «Working memory and the mind», *Scientific American*, 267, p. 110 à 117.

GOLEMAM, D. (1994). *Emotional Intelligence*, New York, Bantam Books.

GOLEMAN, D.J. (1995). «Biologists find site of working memory», *The New York Times*, 2 mai, p. C1 et C9.

GOODWIN, D.W. (1985). «Alcoholism and genetics», *Archives of General Psychiatry*, 42, p. 171 à 174.

GREENWALD, A.G. et autres (1991). «Double-blind tests of subliminal self-help videotapes», *Psychological Science*, 2(2), p. 119 à 122.

GROUPE DE COLLABORATION FRANÇAIS-BELGE (1982). «Ischemic heart disease and psychologial patterns : Prevalence and incidence in Belgium and France», *Advances in Cardiology*, 29, p. 25 à 31.

GUILFORD, J.P. (1959). «Traits of creativity», dans H.H. ANDERSON (dir.), *Creativity and its Cultivations*, New York, Harper and Row.

GUILFORD, J.P. et R. HOEPFNER (1971). *The Analysis of Intelligence*, New York, McGraw-Hill.

HABER, R.N. et M. HERSHENSON (1980). *The Psychology of Visual Perception*, New York, Holt, Rinehart and Winston.

HABIB, M. (1989). *Bases neurologiques des comportements*, Paris, Masson.

HALL, E.T. (1969). *The Hidden Dimension*, New York, Doubleday Anchor.

HALL, V.C. et D.B. KAYE (1980). «Early patterns of cognitive development», *Monographs of the Society for Research in Child Development*, 45(2), p. 184.

HANEY, C., W.C. BANKS et P.G. ZIMBARDO (1973). «Interpersonal dynamics in a simulated prison», *International Journal of Criminology and Penology*, 1, p. 69 à 97.

HARBURG, E. et autres (1973). «Socioecological stress, suppressed hostility, skin color, and black-white male blood pressure», *Psychosomatic Medicine*, 35, p. 276 à 296.

HARDY-BAYLÉ, M.-C. (1994). *Le diagnostic en psychiatrie*, Paris, Nathan.

HARLOW, H.F. et M.K. HARLOW (1966). «Learning to Love», *American Scientist*, 54, p. 244 à 272.

HARNISH, R. (2002). *Minds, Brains, Computers*, Oxford, Blackwell Publishing.

HARTMANN, E.L. (1973). *The Functions of Sleep*, New Haven, Yale University Press.

HATFIELD, E. et G.W. WALSTER (1978). *A New Look at Love*, Lanham, MD, University Press of America.

HAYNES, S.G., M. FEINLEIB et E.D. EAKER (1983). «Type A behavior and the ten-year incidence of coronary heart disease in the Framingham heart study», dans R.H. ROSENMAN (dir.), *Psychosomatic Risk Factors and Coronary Heart Disease*, Bern, Hans Huber.

HAYNES, S.G., M. FEINLIEB et W.B. KANNEL (1980). «The relationship of psychosocial factors to coronary heart disease in the Framingham study : III. Eight-year incidence of coronary heart disease», *American Journal of Epidemiology*, 111, p. 37 à 58.

HELMES, E. et J.R. REDDON (1993). «A perspective on developments in assessing psychopathology», *Psychological Bulletin*, 113, p. 453 à 471.

HENDERSON, N.D. (1982). «Human behavior genetics», dans M.R. ROSENZWEIG et L.W. PORTER (dir.), *Annual Review of Psychology*, 33, Palo Alto, Annual Reviews.

HERGENHAHN, B.R. (1997). *An Introduction to the History of Psychology*, Pacific Grove, Brooks/Cole.

HILGARD, E.R. (1977). *Divided Consciousness : Multiple Controls in Human Thought and Action*, New York, Wiley-Interscience.

HILLGER, L.A. et O. KONING (1991). «Separable mechanisms in face processing : Evidence from hemispheric specialisation», *Journal of Cognitive Neuroscience*, 3, p. 42 à 58.

HITE, S. (1981). *En toute franchise. Des femmes parlent de leur sexualité*, Paris, Laffont.

HITE, S. (1987). *The Hite Report. Women and Love. A Cultural Revolution in Progress*, New York, Alfred Knopf.

HITE, S. (1994). *Women as Revolutionary Agents of Change*, Madison, The University of Wisconsin Press.

HOBSON, J.A. et R.W. McCARLEY (1977). «The brain as a dream state generator : An activation-synthesis hypothesis of the dream process», *American Journal of Psychiatry*, 134, p. 1335 à 1348.

HOLMES, D.S. et B.M. McGILLEY (1987). «Influence of a brief aerobic training program on heart rate and subjective response to a psychologic stressor», *Psychosomatic Medecine*, 49, p. 366 à 374.

HOLMES, D.S. et M.J. WILL (1985). «Expression of interpersonal aggression by angered and nonangered persons with the Type A and Type B behavior patterns», *Journal of Personality and Social Psychology*, 48, p. 723 à 727.

HOLMES, T.H. et R.H. RAHE (1967). «The social readjustment rating scale», *Journal of Psychosomatic Research*, 11, p. 213 à 218.

HONTS, C.-R., D.C. RASKIN et R.L. HODES (1985). «Effects of physical countermeasures on the physiological detection of deception», *Journal of Applied Psychology*, 70, p. 177 à 187.

HOUSE, J.S. (1981). *Work Stress and Social Support*, Reading MA, Addison-Wesley.

HOUSE, J.S. (1985). «Barriers to work stress : I. Social support», dans W.D. GENTRY, H. BENSON et C.J. de WOLFF (dir.), *Behavioral Medicine: Work, Stress and Health*, The Hague, Nijhoff.

HOUSE, J.S., C. ROBBINS et H.L. METZNER (1982). «The association of social relationship and activities with mortality : Prospective evidence from the Tecumseh Community Health Study», *American Journal of Epidemiology*, 116, p. 123 à 140.

HOWARD, L. et J. POLICH (1985). «P300 latency and memory span development», *Developmental Psychology*, 21, p. 282 à 289.

HUFFMAN, K., M. VERNOY et J. VERNOY (2000). *Psychologie en direct*, deuxième édition, Ville Mont-Royal, Modulo.

HULL, C.L. (1943). *Principles of Behavior : An Introduction to Behavior Theory*, New York, Oxford University Press.

HULL, J.G., R.R. VAN TREUREN et S. VIRNELLI (1987). «Hardiness and health : A critique and alternative approach», *Journal of Personality and Social Psychology*, 53, p. 518 à 530.

HYMAN, S.E. (2003). «Diagnosing disorders», *Scientific American*, septembre, p. 97 à 103.

IZARD, C.E. (1984). «Emotion-cognition relationships and human development», dans C.E. IZARD, J. KAGAN et R.B. ZAJONC (dir.), *Emotions, Cognitions, and Behavior*, New York, Cambridge University Press.

IZARD, C.E. (1991). *The Psychology of Emotions*, New York, Plenum Press.

JACOBS, T.J. et E. CHARLES (1980). «Life events and the occurrence of cancer in children», *Psychosomatic Medicine*, 42, p. 11 à 24.

JACOBSON, E. (1938). *Progressive Relaxation*, Chicago, University of Chicago Press.

JAMES, W. (1890). *The Principles of Psychology*, New York, Henry Holt and Company.

JAMISON, K.R. (1997). «Manic-depressive illness and creativity», *Scientific American Mysteries of the Mind*, hors série, 7(1), p. 44 à 49.

JAVITT, D. et J. COYLE (2004). «Décrypter la schizophrénie», *Pour la science*, 316, février, p. 56 à 63.

JAY, S.M. et autres (1983). «Assessment of children's distress during painful medical procedures», *Health Psychology*, 2, p. 133 à 147.

JEANNENEY, J.-N. (2000). *Une idée fausse est un fait vrai : Les stéréotypes nationaux en Europe*, Paris, Odile Jacob.

JEMMOTT, J. et autres (1983). «Academic stress, power motivation and decrease in secretion rate of salivary secretory immunoglobulin A», *Lancet*, 1, p. 1400 à 1402.

JENKINS, C.D. (1988). «Epidemiology of cardiovascular diseases», *Journal of Consulting and Clinical Psychology*, 56, p. 324 à 332.

JENKINS, K. (2004). « Comprendre les habitudes de sommeil de votre adolescent », 15 octobre, tiré du site http://www.canadian-health-network.ca/servlet/ContentServer?cid=1096654414544=CHN-RCS%2FCHNResource%2FCHNResourcePageTemplate=CHNResource.

JENSEN, A.R. (1969). «How much can boost IQ and scholastic achievement?», *Harvard Educational Review*, 39, p. 1 à 23.

JOHNSON, G.B. (2003). *The Living World*, New York, McGraw-Hill.

JONES, M.C. (1924). «Elimination of children's fears», *Journal of Experimental Psychology*, 7, p. 381 à 390.

JOUVET, M. (2000). *Où, quand, comment, pourquoi rêvons-nous ? Pourquoi dormons-nous ?* Paris, Émile Jacob.

JOUVET, M., F. MICHEL et J. COURJON (1959). «Sur un stade d'activité électrique cérébrale rapide au cours du sommeil physiologique», *CR Séances Soc. Biol.*, 153, p. 1024 à 1028.

JUSTICE, A. (1985). «Review of the effects of stress on cancer in laboratory animals : Importance of time of stress application and type of rumor», *Psychological Bulletin*, 98, p. 108 à 138.

KAGAN, J. (1984). *The Nature of the Child*, New York, Basic Books.

KAMIN, L.J. (1974). *The Science and Politics of IQ*, Potomac, MD, Lawrence Erlbaum Associates.

KANNER, A.D. et autres (1981). «Comparison of two modes of stress measurements : Daily hassles and uplifts versus major life events», *Journal of Behavioral Medicine*, 4, p. 1 à 39.

KESSLER, R.C. et autres (1994). «Lifetime and 12-month prevalence of DSM-III-R psychiatric disorders in the United States», *Archives of General Psychology*, 51, janvier.

KIECOLT-GLASER, J.K. et autres (1984). «Stress and the transformation of lymphocytes by Epstein-Barr virus», *Journal of Behavioral Medecine*, 7, p. 1 à 12.

KIMBLE, D.P., R. BREMILLER et G. STICKROD (1986). «Fetal brain implants improve maze performance in hippocampal-lesioned rats», *Brain Research*, 363, p. 358 à 363.

KINSEY, A.C., W.B. POMEROY et C. MARTIN (1948). *Le comportement sexuel de l'homme*, Paris, Amiot-Dumont.

KINSEY, A.C., W.B. POMEROY et C. MARTIN (1953). *Le comportement sexuel de la femme*, Paris, Amiot-Dumont.

KLEINKE, C.L. et L.T. WALTON (1982). «Influence of reinforced smiling on affective responses in an interview», *Journal of Personality and Social Psychology*, 42, p. 557 à 565.

KLEINMUNTZ, B. et J.J. SZUCKO (1984). «Lie detection in ancient and modern times : A call for contemporary scientific study », *American Psychologist*, 39, p. 766 à 776.

KOBASA, S.C. (1979). «Stressful life events, personality, health : Inquiry into hardiness», *Journal of Personality and Social Psychology*, 37, p. 1 à 11.

KOBASA, S.C. et M.C. PUCCETTI (1983). «Personality and social resources in stress resistance», *Journal of Personality and Social Psychology*, 45, p. 839 à 850.

KOBASA, S.C., S.R. MADDI et S. KAHN (1982). «Hardiness and health : A prospective study», *Journal of Personality and Social Psychology*, 42, p. 168 à 177.

KOLKO, D.J. et J.L. RICKARD-FIGUEROA (1985). «Effects of video games on the adverse corollaries of chemotherapy in pediatric oncology patients : A single-case analysis», *Journal of Consulting and Clinical Psychology*, 53, p. 223 à 228.

KRANTZ, D.S., N.E. GRUNBERG et A. BAUM (1985). «Health psychology», *Annual Review of Psychology*, 36, p. 349 à 383.

KURTZ, K.J., D. GENTNER et V. GUNN (1999). «Reasoning», dans B.M. BLY et D.E. RUMELHART, *Cognitive Science*, San Diego, CA, Academic Press.

LADOUCEUR, R. et autres (2000). *Le jeu excessif : Comprendre et vaincre le gambling*, Montréal, Éditions de l'Homme.

LADOUCEUR, R., O. FONTAINE et J. COTTRAUX (1993). *Thérapie comportementale et cognitive*, Paris, Masson et Saint-Hyacinthe, Édisem.

LAFLEUR, C. (1993). «La vérité sur l'hypnose», *Québec Science*, novembre, p. 28 à 31.

LAIRD, J.D. (1974). «Self-attribution of emotion : The effects of expressive behavior on the quality of emotional experience», *Journal of Personality and Social Psychology*, 29, p. 475 à 486.

LAIRD, J.D. (1984). «The real role of facial response in the experience of emotion : A reply to Tourangeau and Ellsworth, and others», *Journal of Personality and Social Psychology*, 47, p. 909 à 917.

LAMOUREUX, A. (1995). *Recherche et méthodologie en sciences humaines*, Laval, Études Vivantes.

LANGE, K.G. et W. JAMES (1967). *The Emotion*, New York, Hafner (réimpression de textes parus en 1884, 1885 et 1890).

LANZETTA, J.T., J. CARTWRIGHT-SMITH et R.E. KLECK (1976). «Effects of nonverbal dissimulation on emotional experience and autonomic arousal», *Journal of Personality and Social Psychology*, 33, p. 354 à 370.

LAPLANCHE, J. et J.-B. PONTALIS (1967). *Vocabulaire de la psychanalyse*, Paris, Presses universitaires de France.

LAPLANCHE, J. et J.-B. PONTALIS (1968). *Dictionnaire de la psychanalyse*, Paris, Presses universitaires de France.

LASHLEY, K.S. (1950). «Insearch of the Engram», *Symposia of the Society for Experimental Biology*, 4, p. 454 à 482.

LAZARUS, R.S. (1984). «The trivialization of distress», dans B.L. HAMMONDS et C.J. SCHEIRER (dir.), *Psychology and Health : The Master Lecture Series*, Washington, American Psychological Association.

LAZARUS, R.S. et autres (1985). «Stress and adaptational outcomes : The problem of coufounded measures», *American Psychologist*, 40, p. 770 à 779.

LAZARUS, R.S. et S. FOLKMAN (1984). *Stress, Appraisal, and Coping*, New York, Springer.

LECOMTE, J. (1997). «Soumission à l'autorité», *Sciences humaines*, 72, mai, p. 42 à 44.

LEFCOURT, H.M. et autres (1981). «Locus of control as a modifier of the relationship between stressors and moods», *Journal of Personality and Social Psychology*, 41, p. 357 à 369.

LEGENDRE-BERGERON, M.-F. (1980). *Lexique de la psychologie du développement de Jean Piaget*, Chicoutimi, Gaëtan Morin éditeur.

LEMAIRE, P. (1999). *Psychologie cognitive*, Bruxelles, De Boeck et Larcier.

LEMIEUX, P.-H. (2004). *Nelligan et Françoise*, page consultée le 12 janvier 2005, à l'adresse http://www.manuscrit-depot.com/a.pierre-h-lemieux.d.htm.

LEMIEUX, R. (2004). «Entrevue avec Michel Jouvet. Entre le rêve et la réalité», *Québec Science*, tiré du site http://www.cybersciences.com.

LEVINE, J.D., N.C. GORDON et H.L. FIELDS (1979). «Naloxone dose dependently produces analgesia and hyperalgesia in post-operative pain», *Nature*, 278, p. 740 à 741.

LEVY, S.M. (1985). *Behavior and Cancer : Lifestyle and Psychosocial Factors in the Initiation and Progression of Cancer*, San Francisco, CA, Jossey-Bass.

LLOYD, C. et autres (1980). «Life events as predictors of academic performance», *Journal of Human Stress*, 6, p. 15 à 25.

LOFTUS, E.F. (1983). «Silence is not golden», *American Psychologist*, 38, p. 564 à 572.

LOFTUS, E.F. et J.C. PALMER (1974). «Reconstruction of automobile destruction : An example of interaction between language and memory», *Journal of Verbal Learning and Verbal Behavior*, 13, p. 585 à 589.

LOFTUS, E.F. et G.R. LOFTUS (1980). «On the permanence of stored information in the brain», *American Psychologist*, 35, p. 409 à 420.

LOHLIN, J.C., G. LINDZEY et J.N. SPUHLER (1975). *Race Differences in Intelligence*, San Francisco, Freeman.

LUCARIELLO, J. et K. NELSON (1985). «Slot-filler categories as memory organizers for young children», *Developmental Psychology*, 21, p. 272 à 281.

LUDWIG, A.M. (1995). *The Price of Greatness, Resolving the Creativity and Madness Controversy*, New York, The Guilford Press.

LUGER, G.F. (1994). «Cognitive science», *The Science of Intelligent Systems*, San Diego, CA, Academic Press.

LUPARELLO, T.J. et autres (1971). «Psychologic factors and bronchial asthma», *New York State Journal of Medicine*, 71, p. 2161 à 2165.

LYKKEN, D.T. (1981). *A Tremor in the Blood : Uses and Abuses of the Lie Detector*, New York, McGraw-Hill.

MADDI, S.R. (1980). *Personality Theories : A Comparative Analysis*, Homewood, Dorsey Press.

MADDI, S.R. et S.C. KOBASA (1984). *The Hardy Executive : Health Under Stress*, Homewood, Dow Jones-Irwin.

MALATESTA, C.Z. et T.M. HAVILAND (1982). «Learning display rules: The socialization of emotion infancy», *Child Development*, 53, p. 991 à 1003.

MALATESTA, C.Z. et autres (1989). «The development of emotion expression during the first two years of life», *Monographs of the Society for Research in Child Development*, 54, Chicago, University of Chicago Press, p. 1 à 104.

MALCUIT, G., A. POMERLEAU et P. MAURICE (1995). *Psychologie de l'apprentissage : Termes et concepts*, Saint-Hyacinthe, Édisem.

MANDARD, S. (2004). «Les morts subites suscitent des interrogations chez les cardiologues», *Le Monde*, 2 février.

MARIEB, E.N. (1999). *Anatomie et physiologie humaines*, Saint-Laurent, ERPI.

MARTELLI, M.F. et autres (1987). « Stress management in the health care setting. Matching interventions with patient coping style », *Journal of Consulting and Clinical Psychology*, 55, p. 201 à 207.

MARTIN, R.A. et H.M. LEFCOURT (1983). «Sense of humor as a moderator of the relation between stressors and moods», *Journal of Personality and Social Psychology*, 45, p. 1313 à 1324.

MASLOW, A.H. (1970). *Motivation and Personality*, deuxième édition, New York, Harper and Row.

MASSÉ, L. et F. GAGNÉ (2001). «Adaptation socio-affective des élèves doués et relations avec les pairs», *Revue canadienne de psycho-éducation*, 30(1), p. 41 à 63.

MATLIN, M.W. (2001). *La cognition : Une introduction à la psychologie cognitive*, Bruxelles, De Boeck et Larcier.

MATTHEWS, K.A. et autres (1982). «Unique and common variance in structured interview and Jenkins Activity Survey measures of the type A behavior pattern», *Journal of Personality and Social Psychology*, 42, p. 303 à 313.

MAYER, J.D. et P. SALOVEY (1997). «What is emotional intelligence?», dans P. SALOVEY et D. SLUYTER, *Emotional Development and Emotional Intelligence: Implications for Educators*, New York, Basic Books, p. 3 à 31.

McCANNE, T.R. et J.A. ANDERSON (1987). «Emotional responding following experimental manipulation of facial electromyographic activity», *Journal of Personality and Social Psychology*, p. 759 à 768.

McCAUL, K.D., D.S. HOLMES et S. SOLOMON (1982). «Voluntary expressive changes and emotion», *Journal of Personality and Social Psychology*, 42, p. 145 à 152.

McCLELLAND, D.C. et autres (1982). «The need for power stress, immune function, and illness among male prisoners», *Journal of Abnormal Psychology*, 91, p. 61 à 70.

McCLELLAND, D.C. et D.A. PILON (1983). «Sources of adult motives in patterns of parent behavior in early childhood», *Journal of Personality and Social Psychology*, 44, p. 564 à 574.

McGOWAN, R.J. et D.L. JOHNSON (1984). «The mother-child relationship and other antecedents of childhood intelligence: A causal analysis», *Child Development*, 55, p. 810 à 820.

MERCIER, G. et D. SAINT-LAURENT (1998). *Stratégie québécoise d'aide face au suicide. S'entraider pour la vie*, Québec, ministère de la Santé et des Services sociaux.

MILGRAM, S. (1963). «Behavioral study of obedience», *Journal of Abnormal and Social Psychology*, 67, p. 371 à 378.

MILGRAM, S. (1974). *Soumission à l'autorité, un point de vue expérimental*, Paris, Calmann-Lévy.

MILLER, J.L. (1992). «Trouble in the mind», *Scientific American*, 267, p. 180.

MILLER, S.M., E.R. LACK et S. ASROFF (1985). «Preference for control and the coronary-prone behavior pattern: "I'd rather do it myself"», *Journal of Personality and Social Psychology*, 49, p. 492 à 499.

MILLIKEN, B. et autres (1998). «Selective attention: A reevaluation of the implications of negative priming», *Psychological Review*, 105, p. 203 à 229.

MILNER, B.R. (1966). «Amnesia following operation on temporal lobes», dans C.W.M. WHITTY et O.L. ZANGWILL (dir.), *Amnesia*, London, Butterworth.

MINISTÈRE DE LA SANTÉ ET DES SERVICES SOCIAUX (1991). *Un Québec fou de ses enfants: Rapport du Groupe de travail pour les jeunes*, Québec, MSSS.

MINISTÈRE DE LA SANTÉ ET DES SERVICES SOCIAUX (2004). http://www.msss. gouv.qc.ca/sujets/prob_sociaux/ jeu_pathologique.html, page consultée le 12 janvier 2004.

MIRSKY, I.A. (1958). «Physiologic, psychologic, and social determinants in the etiology of duodenal ulcer», *American Journal of Digestive Diseases*, 3, p. 285 à 315.

MONROE, S.M. (1982). «Life events and disorder: Event-symptom associations and the course of disorder», *Journal of Abnormal Psychology*, 91, p. 14 à 24.

MOOLGAVKAR, S.H. (1983). «A model for human carcinogenesis: Hereditary cancers and premalignant lesions», dans R.G. CRISPEN (dir.), *Cancer: Etiology and Prevention*, New York, Elsevier Biomedical.

MOORE, J.E. et E.F. CHANEY (1985). «Outpatient group treatment of chronic pain: Effects of spouse involvement», *Journal of Consulting and Clinical Psychology*, 53, p. 325 à 334.

MORGAN, C.T. (1976). *Introduction à la Psychologie*, Montréal, McGraw-Hill.

MURRAY, D.J. (1995). *Gestalt Psychology and the Cognitive Revolution*, New York, Harvester Wheatsheaf.

MURRAY, H.A. (1938). *Explorations in Personality*, New York, Oxford University Press.

MURRAY, L. et C.P. HERRNSTEIN (1994). *The Bell Curve*, New York, The Free Press.

MUSANTE, L. et autres (1983). «Component analysis of the type A coronary-prone behavior pattern in male and female college students»», *Journal of Personality and Social Psychology*, 45, p. 1104 à 1117.

MYERS, D et E. DIENER (1997). «The science of happiness», *The Futurist*, 31, p. 27 à 33.

NADEAU, L. (1989). «La mesure des événements et des difficultés de la vie: un cas particulier des problèmes méthodologiques liés à l'étude de l'étiologie des troubles mentaux», *Santé mentale au Québec*, 14(1), p. 121 à 131.

NEELY, J.H. (1977). «Semantic priming and retrieval from lexical memory: Roles of inhibitionless spreading activation and limited-capacity attention», *Journal of Experimental Psychology*, 106, p. 226 à 254.

NEIMARK, E.D., N. SLOTNIK et T. ULRICH (1971). «Development of memorization strategies», *Developmental Psychology*, 5, p. 427 à 432.

NEVEU, P.J. (1989). «Émotion et immunité», *Science et vie*, hors-série, 168, p. 102 à 106.

NEVID, J.S, S.A. RATHUS et B.A. GREENE (1997). *Abnormal Psychology in a Changing World*, Englewood Cliffs, Prentice Hall.

NEWELL, A. et H.A. SIMON (1972). *Human Problem Solving*, Englewood Cliffs, Prentice Hall.

NORBERT, S. (1983), *Dictionnaire usuel de psychologie*, Paris, Bordas.

OLDS, J. (1969). «The central nervous system and the reinforcement of behavior», *American Psychologist*, 24, p. 114 à 132.

OLDS, J. et P. MILNER (1954). «Positive reinforcement produced by electrical stimulation of the septal area and other regions of the rat brain», *Journal of Comparative and Physiological Psychology*, 47, p. 419 à 427.

OLIÉ, J.-P. et C. SPADONE (1993). *Les nouveaux visages de la folie*, Paris, Odile Jacob.

ORDRE DES PSYCHOLOGUES DU QUÉBEC, www.ordrepsy.qc.ca, page consultée le 6 septembre 2004.

ORGANISATION MONDIALE DE LA SANTÉ (1994). *Classification internationale des troubles mentaux et des troubles du comportement: CIM-10 / ICD-10*, Paris, Masson.

ORTEGA, D.F. et J.E. PIPAL (1984). «Challenge seeking and the Type A coronary-prone behavior pattern», *Journal of Personality and Social Psychology*, 46, p. 1328 à 1334.

PAGEL, M. et J. BECKER (1987). «Depressive thinking and depression: Relations with personality and social resources», *Journal of Personality and Social Psychology*, 52, p. 1043 à 1052.

PALMER, F.H. (1976). *The Effects of Minimal Early Intervention on Subsequent IQ Scores and Reading Achievement*, Report to the Education Commission of the States, contract 13-76-06846, State University of New York at Stony Brook.

PARKIN, A.J. (2000). *Essential Cognitive Psychology*, Hove, RU, Psychology Press.

PAVLOV, I.P. (1927). *Conditioned Reflexes*, Londres, Oxford University Press.

PENFIELD, W. (1969). «Consciousness, memory, and man's conditioned reflexes», dans K.H. PRIBRAM (dir.), *On the Biology of Learning*, New York, Harcourt Brace Jovanovich.

PERKINS, D. (1982). «The assessment of stress using life events scales», dans L. GOLDBERGER et S. BRENITZ (dir.), *Handbook of Stress: Theoretical and Clinical Aspects*, New York, Free Press.

PERLS, F. (1971). *Gestalt Therapy Verbatim*, New York, Bantam Books.

PERLS, F. (1973). *The Gestalt Approach and Eye Witness to Therapy*, New York, Bantam.

PERLS, F., R. HEFFERLINE et P. GOODMAN (1951). *Gestalt Therapy: Excitement and Growth in the Human Personality*, New York, Dell.

PERVIN, L.A. et O.P. JOHN (2005). *Personnalité, théorie et recherche*, Saint-Laurent, ERPI.

PETERSON, L.R. et M.J. PETERSON (1959). «Short-term retention of individual verbal items», *Journal of Experimental Psychology*, 58, p. 193 à 198.

PIAGET, J. (1963). *La naissance de l'intelligence*, quatrième édition, Paris, Presses universitaires de France.

PIAGET, J. (1971). *La psychologie de l'enfant*, Paris, Presses universitaires de France.

PIAGET, J. (1974). *Réussir et comprendre*, Paris, Presses universitaires de France.

PIAGET, J. et B. INHELDER (1966). *La psychologie de l'enfant*, Paris, Presses universitaires de France.

PLUTCHIK, R. (1980). *Emotion: A Psychoevolutionary Synthesis*, New York, Harper and Row.

PODLESNY, J.A. et D.C. RASKIN (1977). «Physiological measures and the detection of deception», *Psychological Bulletin*, 84, p. 782 à 799.

POSTMAN, L. (1975). «Verbal learning and memory», *Annual Review of Psychology*, 26, p. 291 à 335.

PRICE, D.D. et autres (1994). «A psychophysical analysis of acupuncture analgesia», *Pain*, 19(1), p. 27 à 42.

RABKIN, J.G. (1980). «Stressful life events and schizophrenia: A review of the literature», *Psychological Bulletin*, 87, p. 408 à 425.

RAGLAND, D.R. et R.J. BRAND (1988). «Type A behavior and mortality from coronary heart disease», *New England Journal of Medicine*, 318, p. 65 à 69.

RASMUSSEN, T. et B. MILNER (1975). «Clinical and surgical studies of the cerebral speech areas in man», dans K.J. ZULCH, O. CREUTZFELDT et G.C. GALBRAITH (dir.), *Cerebral Localization*, Berlin, Springer-Verlag.

RATHUS, S. (1999). *Psychology in the New Millennium*, septième édition, Floride, Harcourt Brace College Publishers.

RATHUS, S.A. (1991). *Psychologie générale*, Montréal, Études Vivantes.

REDD, W.H. et autres (1987). «Cognitive/attentional distraction in the control of conditioned nausea in pediatric cancer patients receiving chemotherapy», *Journal of Consulting and Clinical Psychology*, 55, p. 391 à 395.

REISBERG, D. (2001). *Cognition. Exploring the Science of the Mind*, deuxième édition, New York, W.W. Norton.

RICHARD, J.-F. (1998). *Les activités mentales: Comprendre, raisonner, trouver des solutions*, Paris, Armand Colin.

RICHTER, C.P. (1957). «On the phenomenon of sudden death in animals and man», *Psychosomatic Medecine*, 19, p. 191 à 198.

RILEY, V. (1981). «Psychoneuroendoctrine influences on immunocompetence and neoplasia», *Science*, 212, p. 1100 à 1109.

ROCK, I. et J. VICTOR (1964). «Vision and touch: An experimentally-created conflict between the two senses», *Science*, 143, p. 594 à 96.

ROCK, I. et A. MACK (1994). «Attention and perceptual organization», dans S. BALLESTEROS (dir.), *Cognitive Approaches to Human Perception*, Hillsdale, NJ, Lawrence Erlbaum Associates.

ROGERS, C.R. (1951). *Client-centered Therapy*, Boston, Houghton Mifflin.

ROGERS, C.R. (1959). «A theory of therapy, personality and interpersonal relationships, as developped in the client-centered, framework», dans S. KOCH (dir.), *Psychology: A Study of Science*, tome 3, New York, McGraw-Hill.

ROGERS, C.R. (1974). *La relation d'aide et la psychothérapie*, Paris, Éditions ESF.

ROGERS, C.R. (1976). *Le développement de la personne*, Montréal, Dunod.

ROMBERG, A. (1996). *Psychologisches Lexikon*, Berlin, Freie Universität Verlag.

ROOK, K.S. et D. DOOLEY (1985). «Applying social support research: Theoretical problems and future directions», *Journal of Social Issues*, 41, p. 5 à 28.

ROSE, D. (2004). «Modulation circadienne de la vigilance», tiré du site: http://neurobranches.chez.tiscali.fr.

ROSENHAN, D.L. (1973). «On being sane in insane places», *Science*, 179, p. 250 à 258.

ROSENZWEIG, M.R. (1969). «Effects of heredity and environment on brain chemistry, brain anatomy, and learning ability in the rat», dans M. MANOSOVITZ et autres (dir.), *Behavioral Genetics*, New York, Appleton.

ROSKIES, E. (1986). «The Montreal Type A Intervention Project: Major findings», *Health Psychology*, 5, p. 45 à 69.

ROTTER, J.B. (1966). « Generalized expectancies for internal versus external control of reinforcement », *Psychological Monographs*, 80 (numéro 609 en entier).

ROUDINESCO, E. et M. PLON (1997). *Dictionnaire de la psychanalyse*, Paris, Fayard.

RUNDUS, D. (1971). « Analysis of rehearsal processes in free recall », *Journal of Experimental Psychology*, 89, p. 63 à 77.

RUPPENTHAL, G.C. et autres (1976). « A ten-year perspective on motherless-mother monkey behavior », *Journal of Abnormal Psychology*, 85, p. 341 à 349.

RYCROFT, C. (1972). *Dictionnaire de la psychanalyse*, Verviers, Belgique, Marabout.

RYCROFT, C. (1986). *Psychoanalysis and Beyond*, Chicago, University of Chicago Press.

SANDLER, J. et A. FREUD (1985). *The Analysis of Defense*, New York, International University Press.

SARBIN, T.R. et W.C. COE (1972). *Hypnosis*, New York, Holt, Rinehart and Winston.

SATIR, V. (1983). *Conjoint Family Therapy*, Palo Alto, Science and Behavior Books.

SAURET, M.-J. (1999). *Freud et l'inconscient*, Toulouse, Milan.

SAWREY, W.L. et autres (1956). « An experimental investigation of the role of psychological factors in the production of gastric ulcers in rats », *Journal of Comparative and Physiological Psychology*, 49, p. 457 à 461.

SAWREY, W.L. et J.D. WEISZ (1956). « An experimental method of producing gastric ulcers », *Journal of Comparative and Physiological Psychology*, 49, p. 269 à 270.

SAXE, L., D. DOUGHERTY et T. CROSS (1985). « The validity of polygraph testing : Scientific analysis and public controversy » », *American Psychologist*, 40, p. 355 à 366.

SCHACHTER, S. (1959). *The Psychology of Affiliation*, Stanford, Stanford University Press.

SCHACHTER, S. (1971). *Emotion, Obesity, and Crime*, New York, Academic Press.

SCHACHTER, S. et J.E. SINGER (1962). « Cognitive, social and physiological determinants of emotional states », *Psychological Review*, 69, p. 379 à 399.

SCHACTER, D.L. (1989). « Memory », dans M.I. POSNER (dir.), *Foundations of Cognitive Science*, Cambridge, MA, MIT Press.

SCHIELE, J.H. (1991). « An epistemological perspective on intelligence assessment among African American Children », *Journal of Black Psychology*, 17, p. 23 à 26.

SCHINDLER, B.A. (1985). « Stress, affective disorders, and immune function », *Medical Clinics of North America*, 69, p. 585 à 597.

SCHULTZ, D.P. et S.E. SCHULTZ (2000). *A History of Modern Psychology*, Fort Worth, Harcourt Brace.

SCHWARTZ, G.E. (1990). « Psychobiology of repression and health : A system approach », dans J.L. SINGER (dir.), *Repression and dissociation*, Chicago, University of Chicago Press, p. 405 à 434.

SCIENCE-PRESSE (2004). « La vérité si je mens », *Le magazine du centre des sciences de Montréal*, 28 avril 2004.

SEKULER, R. et R. BLAKE (1990). *Perception*, deuxième édition, New York, McGraw-Hill.

SELYE, H. (1974). *Stress sans détresse*, Montréal, La Presse.

SELYE, H. (1976). *The stress of life*, édition révisée, New York, McGraw-Hill.

SELYE, H. (1980). « The stress concept today », dans I.L. KUTASH et autres (dir.), *Handbook on Stress and Anxiety*, San Francisco, CA, Jossey-Bass.

SHEKELLE, R.B. et autres (1983). « Hostility, risk of coronary heart disease, and mortality », *Psychosomatic Medicine*, 45, p. 109 à 114.

SHIPLEY, R.H. et autres (1978). « Preparation for a stressful medical procedure : Effect of amount of stimulus preexposure and coping style », *Journal of Consulting and Clinical Psychology*, 46, p. 499 à 507.

SHORE, B.M. et A.C. DOVER (1987). « Metacognition, intelligence and giftedness », *Gifted-Child-Quarterly*, 31(1), p. 37 à 39.

SILLAMY, N. (1983). *Dictionnaire usuel de psychologie*, Paris, Bordas.

SITE DES PRIX DU QUÉBEC. http://www.prixduquebec.gouv.qc.ca, page consultée le 6 septembre 2004.

SKINNER, B.F. (1938). *The Behavior of Organisms*, New York, Appleton-Century-Crofts.

SKINNER, B.F. (1948). *Walden Two*, New York, Macmillan.

SKINNER, B.F. (1972). *Par delà la liberté et la dignité*, Montréal, Éditions HMH.

SKINNER, B.F. (1983). « Intellectual self-management in old age », *American Psychologist*, 38, p. 239 à 244.

SMITH, B.M. (1971). *The Polygraph in Contemporary Psychology*, San Francisco, CA, Freeman.

SMITH, S.M., A.M. GLENBERG et R.A. BJORK (1978). « Environmental context and human memory », *Memory and Cognition*, 6, p. 342 à 355.

SNYDERMAN, M. et S. ROTHMAN (1988), *The IQ Controversy, the Media and Public Policy*, New York, Rutgers, Transaction Books.

SOCIÉTÉ ALZHEIMER DU CANADA (2004). *La maladie d'Alzheimer : Statistique*, base de données en ligne, http://www.alzheimer.ca/french/disease/stats-people.htm, page consultée le 10 novembre 2004.

SPERLING, G. (1960). « The information available in brief visual presentations », *Psychological Monographs*, 74, p. 1 à 29.

SPIELBERGER, C.D. et autres (1985). « The experience and expression of anger : Construction and validation of an anger expression scale », dans M.A. CHESNEY et R.H. ROSENMAN (dir.), *Anger and Hostility in Cardiovascular and Behavioral Disorders*, New York, Hemisphere/McGraw-Hill.

SQUIRE, L.R., N.J. COHEN et L. NADEL (1984). « The medial temporal region and memory consolidations : A new hypothesis », H. WEINGARTNER et E. PARKER (dir.), *Memory Consolidation*, Hillsdale, Erlbaum.

STATISTIQUE CANADA (2004). « Migraine », *Rapports sur la santé*, 12, p. 26 à 45. Accessible sur le site Web http://www.statcan.ca/francais/studies/82-003/feature/hrab2000012002s4a02_f.ht.

STATISTIQUE CANADA (2005a). « Hypertension, page consultée le 4 janvier 2005 à l'adresse http://www.statcan.ca/francais/Pgdb/health03_f.htm.

STATISTIQUE CANADA (2005b). « Principales causes de décès sélectionnées selon le sexe », page consultée le 4 janvier 2005 à l'adresse http://www.statcan.ca/francais/Pgdb/health36_f.htm.

STAUB, E., B. TURSKY et G. SCHWARTZ (1971). « Self-control and predictability : Their effects on reactions to aversive stimulation », *Journal of Personality and Social Psychology*, 18, p. 157 à 162.

STERNBERG, R.J. et S. GRAJEK (1984). « The nature of love », *Journal of Personality and Social Psychology*, 47, p. 312 à 329.

STERNBERG, R.J. (1985). « Cognitive approaches to intelligence », dans B.B. WOLMAN, *Handbook of Intelligence*, New York, John Wiley and sons.

STERNBERG, R.J. (2000). *Handbook of Intelligence*, Cambridge, Cambridge University Press.

STEVENSON, H.W., S.Y. LEE et J.W. STIGLER (1986). « Mathematics achievement of Chinese, Japanese, and American children », *Science*, 231, p. 693 à 699.

STICKGOLD, R. et J.A. HOBSON (2000). « Visual discrimination learning requires sleep after training », *Nature Neuroscience*, 3, p. 1237 à 1238.

SAINT-LAURENT, D. et C. BOUCHARD (2004). *L'épidémiologie du suicide au Québec : Que savons-nous de la situation récente ?* Institut national de santé publique, page consultée le 1er février 2005, à l'adresse http://www.inspq.qc.ca.

STOKOLS, D. et R.W. NOVACO (1981). « Transportation and well-being », dans I. ALTMAN, J.F. WOHLWILL et P. EVERETT (dir.), *Transportation and Behavior*, New York, Plenum Press, p. 85 à 130.

STONE, A.A. et J.M. NEALE (1984). « Effects of severe daily events on mood », *Journal of Personality and Social Psychology*, 46, p. 137 à 144.

STRAHAN, R.F. (1981). « Time urgency, Type A behavior, and effect strength », *Journal of Consulting and Clinical Psychology*, 49, p. 134.

STROOP, J.R. (1935). « Studies of interference in serial verbal learning », *Journal of Experimental Psychology*, 18, p. 643 à 632.

STRUBE, M.J. et C. WERNER (1985). « Relinquishment of control and the Type A behavior pattern », *Journal of Personality and Social Psychology*, 48, p. 688 à 701.

SULS, J. et B. FLETCHER (1985). « The relative efficacy of avoidant and nonavoidant coping strategies : A meta-analysis », *Health Psychology*, 4, p. 249 à 288.

SZASZ, T.S. (1984). *The Therapeutic State*, Buffalo, Prometheus.

TAMISIER, J.C. (1999). *Grand dictionnaire de la psychologie*, Paris, Larousse.

TERKEL, J. et J.S. ROSENBLATT (1972). « Humoral factors underlying maternal behavior at parturition : Cross transfusion between freely moving rats », *Journal of Comparative and Physiological Psychology*, 80, p. 365 à 371.

TERMAN, L.M. et M.H. ODEN (1947). *Genetic Studies of Genius. IV: The Gifted Child Grows Up*, Stanford, Stanford University Press.

TERRY, W.S. (2000). *Learning and Memory : Basic principles, Processes and Procedures*, Boston, Allyn and Bacon.

THOITS, P.A. (1983). « Dimensions of life events as influences upon the genesis of psychological distress and associated conditions : An evaluation and synthesis of the literature », dans H.B. KAPLAN (dir.), *Psychosocial Stress : Trends in Theory and Research*, New York, Academic Press.

THOMPSON, C.P. et T. COWAN (1986). « The neurobiology of learning and memory », *Science*, 233, p. 941 à 947.

TOLMAN, E.C. et C.H. HONZIK (1930). « Introduction and removal of reward and maze performance in rats », *University of California Publications in Psychology*, 4, p. 257 à 275.

TREMPE, J.-P. (1977). *Lexique de la psychanalyse*, Montréal, Presses de l'Université du Québec.

TRUDEL, F. (2004) *Gregory Charles : Petit Chanteur devenu grand*, page consultée le 23 décembre 2004 à l'adresse http://www.scena.org/lsm/sm9-5/Gregory-Charles.htm.

TULVING, E. (1972). « Episodic and semantic memory », dans E. TULVING et W. DONALDSON (dir.), *Organization of Memory*, New York, Academic Press.

TULVING, E. (1974). « Cue-dependent forgetting », *American Scientist*, 62, p. 74 à 82.

TULVING, E. (1982). *Elements of Episodic Memory*, New York, Oxford University Press.

TULVING, E. (1985). « How many memory systems are there ? », *American Psychologist*, 40, p. 385 à 398.

TURK, D., D.H. MEICHENBAUM et M. GENEST (1983). *Pain and Behavioral Medicine : A Cognitive-behavioral Perspective*, New York, Guilford Press.

TURKINGTON, C. (1987). « Alzheimer's and aluminum », *APA Monitor*, 18(1), p. 13 et 14.

TURNER, J.A. et C.R. CHAPMAN (1982a). « Psychological interventions for chronic pain : A critical review : I. Relaxation training and biofeedback », *Pain*, 12, p. 1 à 21.

TURNER, J.A. et C.R. CHAPMAN (1982b). « Psychological interventions for chronic pain : A critical review : II. Operant conditioning, hypnosis, and cognitive-behavior therapy », *Pain*, 12, p. 423 à 436.

TURNER, J.S. et D.B. HELMS (1987). *Lifespan Development*, troisième édition, New York, Holt, Rinehart and Winston.

VAUCLAIR, J. et J. FAGOT (1996). « L'asymétrie du traitement visuel », *Science et Vie*, 195, hors-série, p. 42 à 51.

VIARD, M. (1994). « Folies d'hier et d'aujourd'hui », *Sciences humaines*, 40, p. 30 et 31.

VISINTAINER, M.A., J.R. VOLPICELLI et M.E.P. SELIGMAN (1982). « Tumor rejection in rats after inescapable or escapable shock », *Science*, 216, p. 437 à 439.

VITOUSEK, K. et F. MANKE (1994). « Personality variables and disorders in anorexia nervosa and bulimia nervosa », *Journal of Abnormal Psychology*, 103, p. 137 à 147.

VOKEY, J.R. et J.D. READ (1985). « Subliminal messages. Between the devil and the media », *American Psychologist*, 40, p. 1231 à 1239.

WAGMAN, M. (1991). *Cognitive Science and the Concepts of Mind*, New York, Praeger Publishers.

WALTERS, J.M. et H. GARDNER (1986). « The theory of multiple intelligences: Some issues and answers », dans R.J. STERNBEG et R.K. WAGNER, *Practical Intelligence*, Cambridge, Cambridge University Press.

WATKINS, C.E. et autres (1995). « Contemporary practice of psychological assessment by clinical psychologists », *Professional Psychology : Research and Practice*, 26, p. 54 à 60.

WATKINS, J.J., E. HO et E. TULVING (1976). « Context effects on recognition memory for faces », *Journal of Verbal Learning and Verbal Behavior*, 15, p. 505 à 158.

WATSON, J.B. (1913). « Psychology as the behaviorist views it », *Psychological Review*, 20, p. 158 à 177.

WATSON, J.B. (1924). *Behaviorism*, New York, W.W. Norton.

WATSON, J.B. et R. RAYNER (1920). « Conditioned emotional reactions », *Journal of Experimental Psychology*, 3, p. 1 à 14.

WECHSLER, D. (1975). « Intelligence defined and undefined : A relativistic appraisal », *American Psychologist*, 30, p. 135 à 139.

WEINBERG, J. et S. LEVINE (1980). « Psychobiology of coping in animals : The effects of predictability », dans S. LEVINE et H. URSIN (dir.), *Coping and Health*, New York, Plenum Publishing Co.

WEINBERGER, D.A. (1990). « The construct validity of the repressive coping style », dans J.L. SINGER (dir.), *Repression and Dissociation*, Chicago, University of Chicago Press, p. 337 à 386.

WEINER, B. (1986). « Attribution, emotion and action », dans R.M. SORRENTINO et E.T. HIGGINS (dir.), *Handbook of Motivation a Cognition, Foundations of Social Behavior*, tome 1, New York, The Guilford Press.

WEINER, H. et autres (1957). « Relation of specific psychological characteristics to rate of gastric secretion », *Psychosomatic Medicine*, 17, p. 1 à 10.

WEISS, J.M. (1972). « Psychological factors in stress and disease », *Scientific American*, 226, p. 104 à 113.

WEISS, M. et E. RICHTER-HEINRICH (1985). « Type A behavior in a population of Berlin, GDR : Its relation to personality and sociological variables, and association to coronary heart disease », Prague, *Activitas Nervosa Superior*, 27, p. 7 à 9.

WERTHEIMER, M. (2000). *A Brief History of Psychology*, New York, Hartcourt.

WHITEHEAD, W.E. et L.S. BOSMAJIAN (1982). « Behavioral medicine approaches to gastrointestinal disorders »,

Journal of Consulting and Clinical Psychology, 50, p. 972 à 983.

WILLIAMS, R.L. (1974). « Scientific racism and IQ : The silent mugging of the black community », *Psychology Today*, 8(5).

WOLPE, J. et J.J. PLAUD (1997). « Pavlov's contribution to behavior therapy : The obvious and the not obvious », *American Psychologist*, 53, p. 966 à 972.

WOLPE, J. (1958). *Psychotherapy by Reciprocal Inhibition*, Stanford, Stanford University Press.

WOLPE, J. (1973). *The Practice of Behavior Therapy*, New York, Pergamon Press.

WRIGHT, L. (1988). « The type A behavior pattern and coronary artery disease. Quest for the active ingredients and the elusive mechanism », *American Psychologist*, 43, p. 2 à 14.

YARNOLD, P.R., K.T. MUESER et L.G. GRIMM (1985). « Interpersonal dominance of type A's in group discussions », *Journal of Abnormal Psychology*, 94, p. 233 à 236.

YARNOLD, P.R. et L. GRIMM (1982). « Time urgency among coronary-prone individuals », *Journal of Abnormal Psychology*, 91, p. 175 à 177.

YOST, W.A. et D.W. NIELSON (1985). *Fundamentals of Hearing*, deuxième édition, New York, Holt, Rinehart and Winston.

YU, B. et autres (1985). « STM capacity for Chinese and English language materials », *Memory and Cognition*, 13, p. 202 à 207.

ZAJONC, R.B. (1985). « The face of emotion », *Science News*, 128, p. 12 à 13.

ZARSKI, J.J. (1984). « Hassles and health : A replication », *Health Psychology*, 3, p. 243 à 251.

ZEKRI, J.-C. (2004). « L'HypnoNaissance », *Le Médecin du Québec*, 37(9), septembre, p. 117 et 118.

ZIGLER, E. et autres (1982). « Is an intervention program necessary to improve economically disadvantaged children's IQ scores? », *Child Development*, 53, p. 340 à 348.

ZIGLER, E. et E. VALENTINE (dir.) (1979). *Project Head Start : A Legacy of the War on Poverty*, New York, Free Press.

ZIGLER, E. et W. BERMAN (1983). « Discerning the future of early childhood intervention », *American Psychologist*, 38, p. 894 à 906.

ZIMBARDO, P. www.prisonexp.org, page consultée le 6 septembre 2004.

ZUCKERMAN, M. et autres (1981). « Facial, autonomic, and subjective components of emotion », *Journal of Personality and Social Psychology*, 41, p. 924 à 944.

Figure 1.2
   © Bettmann/Corbis
Figure 1.3
   Archives Publiphoto
Figure 1.4
   Avec la permission d'Albert Bandura
Figure 1.5
   Archives of the History of American Psychology/University of Akron
Figure 1.6
   © Bettmann/Corbis
Figure 1.7
   AP/Wide World Photo
Figure 1.8
   Hugo Van Lawick/National Geographic
Figure 1.9
   Tirée de *Essentials of psychology*, Rathus, 6e édition, publié en 2001 chez Wadsworth Group/Thomson Learning, p. 30.
Figure 2.1
   CNRI/Publiphoto
Figure 2.2
   Curtis, Jacobson, Marcus. *An Intro. To the neurosciences* (Film Fixe), W.B. Saunders and Co., Philadelphie
Figure 2.5
   M.Del Guercio/Photoresearchers/Publiphoto
Figure 2.10
   John Bavosi/SPL/Publiphoto
Figure 2.12
   The Natural History Museum, Londres, © 2005
Figure 2.13
   C.Pouedras/SPL/Publiphoto
Figure 2.14
   M. Tremblay/Publiphoto
Figure 2.15
   Brookhaven National Laboratory/New York University Medical Center
Figure 2.16
   P. Bories/CNRI/Publiphoto
Figure 3.2
   S. Gschmeissner/SPL/Publiphoto
Figure 3.5
   © Man Ray Trust/SODRAC (Montréal) 2005/ADAGP, Paris
Figure 3.8
   S. Villeger/Explorer/Publiphoto
Figure 3.9
   André Caty/Les Grands Ballets canadiens
Figure 3.10
   www.photos.com
Figure 3.11
   © Claudine Bourgès
Figure 3.12
   © Claudine Bourgès
Figure 3.13
   Tirée de *Psychologie 7* par J.W. Santrock, Édition McGraw Higher Education, Figure 5.21, p.196
Figure 3.14
   Vegap/SODARC, Montréal 2005/Superstock
Figure 3.16
   © Nuance photo

Figure 3.18
   © Succession Vasarely/SODRAC, Montréal, 2005/Edimedia/Publiphoto
Figure 3.19
   © Succession Magritte/SODRAC, Montréal, 2005/Musée des Beaux-Arts Washington/Photothèque René Magritte/Giraudon
Figure 3.20
   Globus Bros/Masterfile
Figure 3.21
   The Museum of Modern Art, New York
Figure 4.1
   Tirée de *Psychologie générale*, Spencer A. Rathus, 4e édition Beauchemin, Figure 4.1, p. 100
Figure 4.3
   © Claudine Bourgès
Figure 4.4
   © Succession Marc Chagall/SODRAC, Montréal, 2005/Superstock
Figure 4.5
   F. Sauze/SPL/Publiphoto
Figure 4.6
   A. Dex/Publiphoto
Figure 4.7
   a) J.Laurence/publiphoto
   b) C.Caffrey/SPL/Publiphoto
   c) A.Dex/Publiphoto
Figure 5.5
   Avec l'autorisation de la B.F. Skinner Foundation
Figure 5.6
   Walter Dawn/Photo Researchers/Publiphoto
Figure 5.7
   Nicole Perreault
Figure 5.8
   Wolfgang Koehler
Figure 5.9
   D. Ouelette/Publiphoto
Figure 6.3
   Michael Newman/PhotoEdit
Figure 6.4
   Tirée de *Psychologie générale*, Spencer A. Rathus, 4e édition Beauchemin, Figure 6.8, p.165
Figure 6.5
   Explorer/Publiphoto
Figure 6.6
   Tirée de *Psychologie générale*, Spencer A. Rathus, 4e édition Beauchemin, Figure 6.11, p.170
Figure 6.8
   Yves De Braine/Black Star
Figure 6.9
   © Tim Thompson/CORBIS
Figure 6.10
   Catherine Bouchard
Figure 7.1
   Culver Pictures
Figure 7.2
   Archives of the History of American Psychology/The University of Akron
Figure 7.3
   Tirée de *Essentials of psychology*, Rathus, 6e édition, publié en 2001 chez Wadsworth Group/Thomson Learning, Figure 8.8, p.391

Figure 7.5
   Superstock
Figure 7.6
   © Maurice Lafontaine
Figure 7.10A
   Gracieuseté des productions Minos
Figure 7.10B
   © Michel Slobodian
Figure 7.10C
   © Yves Renault
Figure 7.10D
   M. Ponomareff/Ponopresse Internationale
Figure 8.3
   a) b) c) Maurice Lafontaine
   d) © Claudine Bourgès
Figure 8.4
   Tirée de *Psychologie générale*, Spencer A. Rathus, 4e édition Beauchemin, Figure 8.16, p.235.
Figure 9.2
   © SANDRA REEVES WITH PUPPY, NORTH IDAHO SCHOOL OF DOG OBEDIENCE
Figure 9.3
   Dan Hudson/Search4stock
Figure 9.4
   Pascal Delbrayelle/Planete-differences.com
Figure 10.1
   a) © Maurice Lafontaine
   b) © La Presse/Denis Courville
Figure 10.2
   a) © Claudine Bourgès
   b) © A. Ramey/Stock Boston
Figure 10.3
   © Don Mason/CORBIS
Figure 10.4
   © Royalty-Free/Corbis
Figure 10.5
   CP Images/David Eulitt/Kansas City/STAR/KRT/ABACA
Figure 10.6
   © Nuance photo
Figure 10.7
   Sygma/Corbis
Figure 10.8
   Alain Dex/Publiphoto
Figure 10.9
   Yves Beaulieu/Publiphoto
Figure 10.12
   a) CP images/Paul Chiasson
   b) CP images/Le Soleil/ Jean-Marie Villeneuve
Figure 11.1
   ARCHIVES DE RADIO-CANADA
Figure 11.2
   Bettman/Corbis
Figure 11.3
   Tirée de *Psychologie Générale*, 4e édition Spencer A. Rathus, Groupe Beauchemin, p. 276
Figure 11.4
   J.C. Teyssier/Publiphoto
Figure 11.5
   Bettmann/Corbis
Figure 11.6
   Permission du Département de Psychologie de l'Université du

Connecticut
Figure 11.7
   PERMISSION DE GESTALT JOURNAL PRESS
Figure 11.8
   CP Images/J.P. Moczulski
Figure 11.9
   SYGMA/CORBIS
Figure 11.10
   Albert Ellis Institute
Figure 12.1
   Archives Nationales du Canada/C-88566
Figure 12.2
   PHOTO LE SOLEIL/ERICK LABBÉ
Figure 12.3
   © Claudine Bourgès
Figure 12.4
   James A. Sugar/National Geographic
Figure 12.5
   E. Joly/Publiphoto
Figure 12.6
   © Nuance photo
Figure 12.7
   SYGMA/CORBIS
Figure 12.8
   Shooting Star/PonoPresse Internationale
Figure 12.9
   © William McCoy/Rainbow
Figure 12.10
   Superstock
Figure 12.11
   C.C. Studio/Science Photo Library/Publiphoto
Encadré 1.3
   Reproduction autorisée par Les Publications du Québec © Gouvernement du Québec/Archives de l'Université de Montréal
Encadré 2.4
   © BERNARD LAMBERT/UNIVERSITÉ DE MONTRÉAL
Encadré 2.5
   © BETTMANN/CORBIS
Encadré 4.2
   © BRIGITTE FAUCHER/ANIMOPHOTO, 2004
Encadré 4.7
   a) © Tim De Waele/Corbis
   b) © Reuters/Corbis
Encadré 5.5
   Permission de Robert Ladouceur
Encadré 6.4
   Courtoisie de McGill University Archives
Encadré 8.1
   a) John Boykin/Index Stock Imagery
Encadré 8.2
   CP images/Journal de Montréal - William Lapointe
Encadré 9.1
   © Maurice Lafontaine
Encadré 11.1
   © Cabrol Catherine/Corbis Kipa
Encadré 11.2
   Museo Gregoriano Etrusco, Vatican Museums, Vatican State/Alinari/Art Resource, NY
Encadré 11.4
   Avec la permission de l'Université Harvard

Index